रवीन्द्रनाथ त्यागी रचनावली

खण्ड : चार

खण्ड : एक

व्यंग्य-संसार : खण्ड एक से छह

•खुली धूप में नाव पर (1963) •भित्ति-चित्र (1966) •मल्लीनाथ की परम्परा (1968) •कृष्णवाहन की कथा (1971) •देवदार के पेड़ (1973) •शोक-सभा (1974)

खण्ड : दो

•अतिथि-कक्ष (1977) •फूलों वाला कैक्टस (1978) •सुन्दरकली (1978) •ऋतु-वर्णन (1979) •भद्र पुरुष (1980) •इस देश के लोग (1982) •पद-यात्रा (1985)

खण्ड : तीन

•आत्मलेख (1988) •पराजित पीढ़ी के नाम (1988) •प्रसंगवश (1988)

खण्ड : चार

•विषकन्या (1990) •गणतन्त्र दिवस की शोभायात्रा (1991) •चम्पाकली (1992)

खण्ड : पाँच

•इतिहास का शव (1993) •देश-विदेश की कथा (1994) •भाद्रपद की साँझ (1996) •लाल-पीले फूल (1997)

खण्ड : छह

•बादलों का गाँव (1999) •शेष-अवशेष (2011)

खण्ड : सात

काव्य-संसार

•सूखे और हरे पत्ते (1962) •कल्पवृक्ष (1965) •आदिम राग(1967) •आखिरकार (1978) •सलीब से नाव तक (1983) •अन्तिम बसन्त (1988) •कृष्णपक्ष की पूर्णिमा (1996)

खण्ड : आठ

विविध

•उपन्यास : अपूर्ण कथा (1980) •कहानी (1980) •पत्र (2008) •बाल-साहित्य

रवीन्द्रनाथ त्यागी रचनावली

खण्ड : चार

सम्पादक

कमल किशोर गोयनका

वाणी प्रकाशन

वाणी प्रकाशन

4695, 21-ए, दरियागंज, नयी दिल्ली 110 002

शाखा

अशोक राजपथ, पटना 800 004

फ़ोन : +91 11 23273167 फ़ैक्स : +91 11 23275710

www.vaniprakashan.in
vaniprakashan@gmail.com
sales@vaniprakashan.in

RAVINDRANATH TYAGI RACHNAWALI-4
Edited by Kamal Kishore Goyanka

ISBN : 978-93-5229-517-3
Rachnawali

प्रथम संस्करण 2016

प्रत्येक खण्ड का मूल्य : ₹ 1000
(आठ खण्ड सेट) सेट मूल्य : ₹ 8000

हर्ष प्रिंटर्स, दिल्ली-110 093 में मुद्रित

वाणी प्रकाशन का लोगो मक़बूल फ़िदा हुसेन की कूची से

अनुक्रम

व्यंग्य-संसार

विषकन्या (1990)

गणतन्त्र दिवस की शोभायात्रा (1991)

चम्पाकली (1992)

परिशिष्ट

विषकन्या
(1990)

अपने प्रिय निबन्धकार
श्री विद्यानिवास मिश्र
व
श्री कुबेरनाथ राय को

समस्त आदर व स्नेह के साथ

विषकन्या

दिल की चोरी के बारे में हम सभी लोग ज़रूरत से ज़्यादा जानते हैं। मेरा अपना दिल एक सुन्दर युवती ने कोई पैंतीस वर्ष पहले चुराया था जो उसने अभी तक वापिस नहीं किया। लड़की क्या थी—एक क्लोकरूम थी। न जाने कितने नवयुवकों के दिल उसके पास सुरक्षित रहते थे। आँखें चुराने की बात भी कोई नयी नहीं है। दिल चुराने के बाद लोग अकसर आँखें चुराते हैं। मगर कल जो ख़बर पढ़ने को मिली, उसे पढ़कर दिल दहल गया। एक महानगर के एक नितान्त प्रतिष्ठित अस्पताल में डॉक्टरों ने एक रोगी का गुर्दा चुरा लिया। मामला पुलिस के हाथों में है। कहा जाता है कि गुर्दे की चोरी एक भयंकर षड्यन्त्र का रूप धारण करती जा रही है। एक-एक गुर्दा लाखों रुपयों में बिकता है। ऐसे में बेचारे डॉक्टर करें तो क्या करें? अस्पताल भी एक दिलचस्प जगह हो गयी—नर्स दिल चुराती हैं और डॉक्टर गुर्दे। पुलिस मामले की छानबीन कर रही है और हालत यह होगी कि आज से पाँच साल बाद वह जो गोपनीय रिपोर्ट देगी, वह सरकार को बाद में मिलेगी और अख़बारवालों को पहिले। ठक्कर आयोग की रिपोर्ट के साथ जो हुआ वह क्या और गोपनीय रिपोर्टों के साथ नहीं हो सकता?

यह प्रसन्नता की बात है कि एक ओर आदमी का चरित्र गिरता जा रहा है और दूसरी ओर पशुओं का चरित्र उठता जा रहा है। सत्ताईस मार्च के 'इण्डियन एक्सप्रेस' के अनुसार, दिल्ली के 'परमार्थ मन्दिर' में एक ऐसा कुत्ता है जो एकदम शाकाहारी है, प्याज और लहसुन तक नहीं खाता और दूरदर्शन पर जब 'रामायण' और 'महाभारत' दिखाये जाते हैं तो वह सबसे आगे बैठता है और पूरी तल्लीनता के साथ उन धार्मिक चलचित्रों को देखता है। इसी प्रकार बौद्ध मन्दिर में एक बिल्ली है जो सबके साथ अपने अगले पैर उठाती है और प्रार्थना करती है। मन्दिर के पुरोहित के अनुसार, यह बिल्ली जो है वह पिछले जन्म में एक नितान्त धर्मात्मा व्यक्ति रही होगी। स्थिति इतनी नाज़ुक हो गयी है कि मन्दिर में पूजा के लिए लोग कम आते हैं और उस बिल्ली को देखने ज़्यादा। यह उचित ही है कि बड़े-बड़े लोग इसी कारण पशुओं पर ज़्यादा ध्यान दे रहे हैं और आदमी पर कम। अमेरिका के राष्ट्रपति बुश

की पत्नी अपनी पालतू कुतिया से इतना ज़्यादा स्नेह करती हैं कि जब उसके (यानी कि कुतिया के) प्रसव की रात आयी तो राष्ट्रपति की पत्नी ने राष्ट्रपति से किसी दूसरे कमरे में सोने को कहा। वे बेचारे 'लिंकन के कमरे' में अकेले सोये और उनकी कर्तव्यपरायण पत्नी अपनी प्रिय कुतिया की सेवा-शुश्रूषा करती रहीं। प्रसव की बात क्या चली कि एक और ख़बर पढ़ने को मिली। भारत के एक प्रमुख नगर में ठीक उस वक़्त जब कि फेरे फिर रहे थे, कन्या के पेट में भयानक दर्द उठा। उसे तुरन्त अस्पताल ले जाया गया जहाँ उसने एक प्यारे बच्चे को जन्म दिया। चूँकि लड़का और लड़की—दोनों की घनिष्ठता के बारे में सब लोगों को सब कुछ पता था, इस घटना का उन दोनों के विवाह पर कोई असर नहीं पड़ा। अस्पताल से आने के बाद, उनकी शादी की बाकी रस्म भी पूरी कर दी गयी। पशुओं की चर्चा समाप्त करने से पूर्व, मैं उस यूनिवर्सिटी की चर्चा ज़रूर करूँगा जिसने कि ऐसे-ऐसे घटिया लोगों को मानद डॉक्टरेट दी कि नगर के बुद्धिजीवियों ने एक और कन्वोकेशन किया और एक गधे को 'साहित्य के डॉक्टर' की उपाधि दी। गधे को बाकायदा गाउन पहनाया गया और दीक्षान्त समारोह के बाद उसे नगर में शान के साथ घुमाया गया। कौन कह सकता है कि इस देश के लोग हास-परिहास और मौलिकता में किसी दूसरे देश से पीछे पड़ते हैं?

विधान सभाओं में—और कभी-कभी तो संसद तक में—इतना शोरगुल होता है कि माननीय सदस्य क्या कह रहा है, यह किसी को सुनाई नहीं पड़ता। विधान सभाओं में तो हाथापाई तक की नौबत आ जाती है। अभी-अभी एक विधान सभा में विरोधी पक्ष की एक सुन्दर महिला तक से अभद्र व्यवहार किया गया। विरोधी पार्टियाँ इतनी ज़्यादा और इतनी स्वार्थी हैं कि आज़ादी के इतने वर्ष के बाद भी, कोई ऐसी सशक्त पार्टी नहीं है जो ज़रूरत पड़ने पर सरकार बना सके। राजगोपालाचारी जी ने कहा था कि जिस प्रजातन्त्र में सशक्त विरोधी पक्ष नहीं होता, वह प्रजातन्त्र तानाशाही से भी बदतर होता है।

मैं उन लोगों में से हूँ जो जीवन की छोटी-छोटी घटनाओं से प्रसन्न हो जाते हैं। अख़बार में भी जितना ध्यान मैं छोटी-छोटी घटनाओं पर देता हूँ उतना ध्यान मैं गम्भीर मुद्दों पर कभी नहीं देता। मगर हमारे समाचार पत्र इतने स्वार्थी हैं कि वे मेरे-जैसे साधारण पाठकों पर कभी ध्यान ही नहीं देते। वे तो उन घटनाओं में दिलचस्पी रखते है जिनके छपने से उनकी बिक्री बढ़े। पिछले एक वर्ष से सारे-के-सारे समाचार पत्र केवल दो मुद्दों पर ही जुटे हैं; एक मुद्दा है बोफोर्स तोपों की दलाली का और दूसरा है ठक्कर आयोग की रिपोर्ट का। इन मुद्दों को लेकर अख़बारनवीसों ने जितना धन कमाया है, उतना इससे पहले शायद कभी नहीं कमाया। मैं पूछता हूँ कि क्या इन समाचारों और अटकलबाजियों के अलावा, देश-विदेश में कुछ और ऐसा नहीं घटा जिस पर विस्तार से ध्यान दिया जाता?

विदेशों में पत्रकारिता के मापदण्ड कुछ अलग हैं। सबसे पहला समाचार पत्र शायद चीन में, सन् छः सौ उन्नीस में निकला था। अब तो स्थिति यह है कि अकेले इंग्लैण्ड में लगभग दो हज़ार और अमेरिका में लगभग बीस हज़ार समाचार पत्र रोज़ छपते हैं। लन्दन का 'टाइम्स' सन् सत्रह सौ पिचासी में निकला था और वह अपनी स्वतन्त्रता और निष्पक्षता के कारण आज भी उतना ही महत्त्वपूर्ण समझा जाता है जितना कि वह दो सौ वर्ष पूर्व था। लॉयड जार्ज ने एक बार 'हाउस ऑफ़ कॉमन्स' में कहा था कि मेरे नाम से जो वक्तव्य अख़बार में छपा है, वह सरासर ग़लत है मगर क्योंकि वह अख़बार 'टाइम्स' है, मैं उसमें छपे वक्तव्य को सच स्वीकार करता हूँ और उस वक्तव्य के लिए खेद प्रकट करता हूँ।

समाचार पत्रों में जो नीरसता आती जा रही है, वह दो मुद्दों के कारण काफ़ी टूट जाती है। एक मुद्दा है सलमान रुश्दी की किताब का और दूसरा मुद्दा है श्रीमती पामेला सिंह का। रुश्दी साहब ने अपना उपन्यास लिखकर कितनी ग़लती की, इसका अहसास उन्हें अब तक हो गया होगा। हाँ, अलबत्ता इतना ज़रूर है कि यदि वह उपन्यास पहले दस हज़ार बिकता तो अब दस लाख बिकेगा। दूसरा मुद्दा है, पामेलो बोर्ड्स का जो जन्म से भारतीय हैं और जिनका असली नाम पामेला सिंह है। क्रिस्चन कीलर के बाद वे दूसरी रूपसी हैं जिन्होंने ब्रिटेन के समाज और वहाँ की सरकार तक को हिला दिया है। मुझे गर्व है कि वे जन्म से भारतीय हैं। मैं पूछता हूँ कि यदि हम रानी दुर्गावती, रानी अहिल्याबाई, रानी लक्ष्मीबाई और रानी सारन्धा जैसी वीर नारियों को जन्म दे सकते हैं तो क्या हम क्रिस्चन कीलर जैसी विषकन्या पैदा नहीं कर सकते?

(धर्मयुग, बम्बई)

बिहार, जनसंख्या और प्रेमगीत

बिहार

दो अगस्त सन् छियासी की 'जनसत्ता' में पढ़ा कि राँची के मानसिक चिकित्सालय में एक रोगी की आँखें निकाल ली गयीं। अस्पताल के डोम ने बताया कि वह ऐसी सैकड़ों लाशें फूँक चुका है जिनकी आँखें निकाल ली गयी थीं। इन आँखों को कब, किसने और क्यों निकाला, इसका उत्तर वह नहीं दे पाया। मेरा तो निश्चित मत है कि पागलखाने में काम करते-करते उस कर्मचारी का निजी दिमाग़ भी पटरी से उतर गया था। और अगर बात सही है तो ज़रूर चिन्ताजनक है। चिन्ताजनक इस कारण नहीं कि मामला आँखों का है (क्योंकि आँखें जो हैं वे तो मात्र चर्मचक्षु हैं, ज्ञानचक्षु जो होते हैं वे तो मनुष्य के भीतर फ़िट होते हैं), चिन्ता का कारण यह है कि यह क्रिया बिहार में ही सम्पन्न क्यों की गयी? हरिजन जलाये जाते हैं तो बिहार में, रेलगाड़ियाँ पुल तोड़कर नदियों से आलिंगन करती हैं तो बिहार में, क़ैदी अन्धे किये जाते हैं तो बिहार में, बिना अदालत में पेश किये सैकड़ों आदमी सालों तक यूँ ही जेलों में पड़े रहते हैं तो बिहार में और अब अन्त में चलकर पागलखाने में कुछ हादसा हुआ तो वह भी बिहार में। बुद्ध और महावीर की इस भूमि को क्या हो गया? सारे अपराध बिहार ही में क्यों होते हैं? क्या भारतवर्ष में और राज्य नहीं हैं जो बिहार का भार उठा सकें। मैं सरकार से प्रार्थना करता हूँ कि वह बिहार की इस 'मोनोपली' को समाप्त करे और अपराधों का विकेन्द्रीकरण करे। नागार्जुन, रेणु और विद्यापति की भूमि कभी दूसरों का हक नहीं छीनेगी—यह मेरा विश्वास है। आज का अख़बार पढ़कर जहाँ यह दुःख हुआ कि हमारें भूतपूर्व सेनाध्यक्ष जनरल वैद्य मारे गये, वहाँ यह देखकर सन्तोष भी हुआ कि कम-से-कम यह क्रिया बिहार में नहीं, वरन् महाराष्ट्र में सम्पन्न की गयी।

मेरा सरकार से निवेदन है कि वह अपराधों का कुछ इस प्रकार विकेन्द्रीकरण करे कि प्रत्येक राज्य किसी अपराध-विशेष के बारे में 'स्पेशलिस्ट' बन सके। उदाहरण के लिए यह निश्चित किया जाए कि जेब काटने की वारदातें सिर्फ़ उत्तर प्रदेश में ही

होंगी, हरिजन जलाये जाएँगे तो मात्र मध्य प्रदेश में ही जलाये जाएँगे और रेल-दुर्घटना करायी जाएगी तो वह मात्र महाराष्ट्र में ही करायी जाएँगी। अगर कोई राज्य किसी दूसरे राज्य के काम में दखल देगा तो वहाँ गवर्नर का शासन लागू कर दिया जाएगा।

उपर्युक्त सन्दर्भ में यह सन्तोष की बात है कि घर की बहूरानी को जला देने की प्रथा मात्र दिल्ली (जिसमें शाहदरा शामिल है) में ही प्रचलित है और वहाँ तो इसने एक कुटीर-उद्योग का स्थान प्राप्त कर लिया है। हर तीसरे दिन कोई-न-कोई बहू स्टोव जलाते हुए आग पकड़ लेती है और सती हो जाती है। स्टोव की आग सास को क्यों नहीं पकड़ती, यह मेरी समझ में कभी नहीं आया। अपराधी पकड़ा जाता है सेशन्स की अदालत उसे फाँसी की सजा देती है, हाईकोर्ट मुजरिम को निर्दोष पाता है और सुप्रीम कोर्ट जो है वह उसी व्यक्ति को फिर से अपराधी ठहराता है। तथ्य वही रहते हैं, गवाह वही रहते हैं और कानून वही रहता है, मगर अदालतें हैं कि इतने गम्भीर मामले में भी अलग-अलग निष्कर्ष निकालती हैं। देश के नागरिक हैं जो अपनी पिछली टाँगों पर खड़े रहते हैं और तमाशा देखते रहते हैं। इसके अलावा और चारा ही क्या है?

जनसंख्या

जनसंख्या के सिद्धान्त को सबसे प्रथम माल्थस ने निश्चित किया था जो कि व्यक्तिगत जीवन में एक पादरी था। वह जानता था कि जनसंख्या की समस्या का हल यदि निकलना है तो वह 'धर्म' में से ही निकलना है। वह एकदम ठीक था। हमारे 'सारे जहाँ से अच्छे' इस हिन्दुस्तान में न जाने कितनी लाख बुलबुलें धर्म के नाम पर ही मारी जाती हैं। लाखों लोग गंगा नहाने आते हैं और अपनी इच्छा से डूबते हैं, धर्म के नाम पर दंगे होते हैं जिनमें हज़ारों आदमियों की जानें चली जाती हैं और 'अमुक नगर इस राज्य में रहे या किसी दूसरे राज्य में चला जाए' इस बात को लेकर स्यालदह एक्सप्रेस को पटरी से उतारा जाता है जिसके कारण सैकड़ों व्यक्तियों को सामूहिक मोक्ष की प्राप्ति होती है। मेरा परमपिता परमात्मा में पूरा विश्वास है कि वे हमारी जनसंख्या की समस्या को धर्म के द्वारा ही सुलझा देंगे। धर्म के नाम पर देश बँटा, लाखों लोग अकाल मृत्यु को प्राप्त हुए और जो बचे उनमें से काफ़ी बाद के युद्धों में मारे गये।

इस देश में 'लाल तिकोन' कभी नहीं चलेगा। इसमें तो चन्दन लगाये शास्त्र पढ़ते हुए 'चौकोन पुरोहित' ही चलेंगे जो जीते-जी ही राष्ट्र के श्राद्ध का पूरा प्रबन्ध कर देंगे। धर्म ही तो वह पदार्थ है जो हमें पशुओं से भिन्न करता है। धर्मेण हीनाः पशुभिः समानाः। और यह कथा मात्र हमारे देश की ही नहीं वरन् सारे विश्व की है। सारी मनुष्य जाति को सदा से हिन्दू, ईसाई, मुसलमान और बौद्ध इत्यादि धर्मों में बाँटा गया। हिन्दू जो थे वे बाद में चलकर शैव या वैष्णव हो गये। ईसाई लोग

प्रोटेस्टैण्ट या कैथोलिक हो गये, मुसलमान जो थे वे शिया या सुन्नी हो गये, जैन लोग दिगम्बर व श्वेताम्बर हो गये और बुद्ध के अनुयायी भी हीनयान और महायान हो गये। हिन्दुओं ने सबसे ज़्यादा तरक्की की। हिन्दू समाज को ब्राह्मण, क्षत्रिय, वैश्य और शूद्रों में बाँटा गया। यह सब होता रहा और पूँजीपति और जागीरदार ऐश करते रहे। यह किसी ने नहीं समझा कि आदमी के धर्म सिर्फ़ दो हैं : एक अमीरी और दूसरा ग़रीबी।

बहरहाल, कुछ भी हो, देश की आबादी तो कम करनी ही है चाहे इसके लिए हमें फिर से धर्मात्मा ही क्यों न बनना पड़े।

प्रेमगीत

मेरे मुहल्ले में एक लड़की रहती है। कॉलेज में पढ़ती है; काफ़ी शर्मीली है और काफ़ी शोख भी है। एक ज़माना था कि मैं उसकी अम्माँ पर जान देता था और एक ज़माना वह भी था जबकि उसकी दादी पर मेरे स्वर्गीय पिता प्राण न्यौछावर किया करते थे। हाँ, तो यह जो लड़की है वह प्रेम के धन्धे को कुटीर व्यवसाय की भाँति नहीं वरन् बड़े उद्योगों की भाँति ऊँचे पैमाने पर चलाती है। आठ-दस चाहनेवाले साथ-साथ चलते हैं। लड़की प्रेमपत्र लिखने को बड़ी व्याकुल रहती है और प्रायः मेरी लाइब्रेरी में से ऐसी पंक्तियाँ, गीतों के टुकड़े व सुभाषित वगैरह छाँटती रहती है जिनके प्रयोग के द्वारा विरह की पीड़ा सौ गुना ज़्यादा लगती है। मैं उसे देखता रहता हूँ मगर कुछ कहता नहीं। एक दिन मैंने वे पुराने ख़तूत निकाले जो कि उसकी दादी ने मेरे पिताजी को व उसकी अम्माँ ने कभी मुझे लिखे थे। उन पत्रों में जितने भी काव्यांश हैं, मैं उन्हें इकट्ठा करता हूँ और उस लड़की को दे देता हूँ। देश की बाकी लड़कियों का समय बचाने के लिए उन प्रेमप्रधान दोहों को मैं नीचे प्रस्तुत करता हूँ ताकि इस देश की माताएँ और बहनें उनका अवसर के अनुसार प्रयोग कर सकें। इस समस्त काव्य में से जो ज़्यादा मार्मिक (यानी कि अश्लील) अंश थे, उन्हें मैंने बड़े दुःख के साथ निकाल दिया है। सैकड़ों पत्रों के पढ़ने पर जो काव्य हाथ लगा है, वह इस प्रकार है :

कर काँपत पतियाँ लिखत, जल भरि आवत नैन।
कोरो कागद हाथ दे, मुख सौं कहियो बैन।।1।।

कागद भीगत नैन जल, कर काँपत मसि लेत।
पापी बिरहा मन बसा, बिथा लिखन नहीं देत।।2।।

भौंरा व्याकुल मद बिना, कोकिल बिना बसन्त।
हम व्याकुल तुम्हरे बिना, जानत श्री भगवन्त।।3।।

सूआ बन तुम उड़ि गये, खाली पड़े मकान।
दिन दिन तो हम काट दें, बैरन रात मसान।।4।।

प्रीतम! तुम मत जानियो, भयो दूर को वास।
देह गेह कितहूँ रहे, प्राण तिहारे पास।।5।।

पतियाँ ताइ पठाइये, जो साजन परदेस।
निसि दिन हियरे में बसें, ताको का सन्देस।।6।।

मनमाला तव नाम की, जपत रहत दिन-रैन।
नयन पियासे दरस के, नेक न पावें चैन।।7।।

मन चाहत है मिलन को, मुख देखन को नैन।
श्रवण जु चाहत हैं सुन्यो, पिय प्यारे के बैन।।8।।

जल में कूदी माछली, गँदला पानी होय।
तुम परदेसी बालमा, मिलना कैसे होय।।9।।

जी चाहत है मिलन को, पर बिन मिला न जाय।
कहा करूँ करतार ने, पर ना दिये लगाय।।10।।

कर कमलन पाती लिखी, प्यारी चतुर सुजान।
इक-इक अक्षर में पिया, वारौं तन मन प्रान।।11।।

तलफौं अति व्याकुल पड़ी, विरह लिया तन लूट।
का करिहौं फिर आयके, जब तन जइहैं छूट।।12।।

अब तक पाती ना लिखी, बहुत दिना गये बीत।
हम जानत हैं, जगत में मुँह देखन की प्रीत।।13।।

नदी किनारे रूखड़ा, पात गये सब सूख।
गोरी सूखे बाप के, तोरी जैसा फूल।।14।।

जल की शोभा कमल है, धन की शोभा दान।
मेरी शोभा आप हैं, जैसे मुख में पान।।15।।

सीसी भरी गुलाब की, भेजूँ किसके हाथ।
देह हमारी यह पड़ी, हृदय तुम्हारे पास।।16।।

हरा नगीना दमदमौं, उँगली में दुख देय।
ऐसे के पाले पड़ी, हँसे न उत्तर देय।।17।।

प्रीत करी, ऐसी करी, जैसी नीलो रंग।
धोये से छूटे नहीं, जाय प्राण के संग।।18।।

प्रीति ऐसी कीजिए, जैसा कच्चा सूत।
उलझे तो सुलझे नहीं, गाँठ पड़े मज़बूत।।19।।

काग़ज़ थोड़ा हित घना, क्योंकर लिखें बनाय।
सागर में पानी घना, गागर में न समाय।।20।।

कहन-सुनन की है नहीं, लिखी-पढ़ी नहिं जात।
अपने जी से पूछिए, मेरे जी की बात।।21।।

लिखना था सो लिख दिया, लिखना था कुछ और।
कलम हाथ से छुट गया, काग़ज़ है बेगौर।।22।।

(युगधर्म, नागपुर)

दुनिया चली गयी आगे...

उर्दू में काफ़ी बड़े-बड़े गम्भीर कवियों ने हँसी-मज़ाक़ की व्यंग्यपूर्ण कविताएँ लिखी है। 'दाग़' तो ख़ैर वैसे ही उर्दू के 'शरीर' कवि माने जाते हैं और अकबर तो अन्त में चलकर हास्य-व्यंग्य के आशुकवि ही हो गये थे, मगर आपको जानकर सुख होगा कि महाकवि इक़बाल जैसे दार्शनिक कवियों में भी हास्य-व्यंग्य की छटा कम नहीं थी। हिन्दी के गम्भीर कवियों ने ऐसा अपराध कभी नहीं किया; हाँ उनकी गम्भीर कविताएँ अपनी फूहड़ता के कारण, हँसी का जो फ़व्वारा खोल जाती हैं, वह एक दीगर बात है। इक़बाल के कुछ हास्य-व्यंग्य के शेर प्रस्तुत करता हूँ:

(एक)

मशरिक़ में उसूले दीन बन जाते हैं
मग़रिब में मगर मशीन बन जाते हैं
रहता नहीं एक भी हमारे पल्ले
वाँ एक के तीन तीन बन जाते हैं

(दो)

तालीमे-मग़रिबी है बहुत जुरूअत आफरी
पहला सबक़ है बैठ के कॉलेज में मार डींग,
बसते हैं हिन्द में तो ख़रीदार ही फ़क़त
आगा भी लेके आते हैं अपने वतन से हींग,
मेरा यह हाल, बूट की 'टो' चाटता हूँ मैं
उनका यह हुक्म देख, मेरे फ़र्श पर न रींग,

(तीन)

इन्तिहा भी इसकी है, आख़िर खरीदें कब तक
छतरियाँ, रूमाल, मफ़लर, पैरहन जापान से,

अपनी ग़फ़लत की यही हालत अगर क़ायम रही
आएँगे गुस्साल काबुल से, कफ़न जापान से।

(गुस्साल का अर्थ उस व्यक्ति से है जो मुर्दे को नहलाता है। जुरूअत आफ़री से मुराद है उस साहस की जो प्रशंसनीय होता है।)

बहरहाल, अब मैं असली मुद्दे पर आता हूँ। इन दिनों मैं मराठी कविताओं का एक हिन्दी अनुवाद पढ़ रहा हूँ। बड़ी ताज़गी है और चोरी करने की काफ़ी गुंजाइश है। इन कविताओं को पढ़ते-पढ़ते जब मैंने 'आदमी की दुम' शीर्षक कविता पढ़ी तो मुझसे रहा नहीं गया। इसकी चर्चा हमारे प्राचीन साहित्य में भी है और काफ़ी बड़े-बड़े मनीषी अभी भी अपनी दुम हिलाते हैं पर इस कवि ने जो कुछ कहा है, उसे पढ़कर कम-से-कम मेरी तबीयत तो दुम लगाने को करने लगी।

कवि कहता है कि बन्दर, गधा, शेर और बकरी—इन सबके पास जब दुम है तो आदमी ही इस वरदान से क्यों वंचित रखा गया? उसी ने दुम के स्थान पर चोटी क्यों रखी (क्षेपक : मेरे विचार में चोटी भी शायद दुम ही है। यह दीगर बात है कि वह पृष्ठभूमि से न प्रकट होकर सिर पर से निकलती है और ध्वजा की भाँति खड़ी की जाती है) कवि के अनुसार, दुम एक शानदार वस्तु है। दुम हो तो वह हिलायी जा सकती है, अपने या दूसरों के पैरों में फँसायी जा सकती है और वह रँगी भी जा सकती है। जिस रंग की ज़रूरत हो, उसी में रँगवा लो। यह क्या बात है कि जिन बड़े-बड़े बुद्धिजीवियों और आलोचकों के पास दुम है, वे उसे छिपाकर रखते हैं? लोगों को इन विशिष्ट प्रयोगवादी विभूतियों का दुम-मूल दिखाई क्यों नहीं देता क्योंकि वह तो एक तीर्थस्थान की भाँति पवित्र है जो प्रत्येक व्यक्ति को देखने के लिए सुलभ होना चाहिए। अगर आँसू होते तो दुम से पोंछ लिये जाते।

कविता समाप्त हो गयी पर बात नहीं समाप्त हुई। विनोद चन्द्र पाण्डेय के शब्दों में, "दुःखी गये यहाँ से, दुःख गया नहीं।" मेरे पास अगर दुम होती तो उससे पेण्टिंग करता, कविता लिखता, आलोचक बनता, उससे अपना फ़र्नीचर और प्रेयसी का मुख झाड़ता, उससे मच्छरमार तेल छिड़कता, दस्तख़त करता और बाज़ार जाता तो बीवी की दुम से दुम बाँधकर जाता। यदि प्रधानमन्त्री और भूतपूर्व रक्षामन्त्री ऐसा गठबन्धन करते तो रक्षामन्त्री को इस्तीफ़ा क्यों देना पड़ता। दुम होती तो सामूहिक नृत्य पर कितना निखार आ जाता! आगे हेमन्त कुमार गले से गाना गाते और पीछे से दुम के सहारे सितार बजाते। बड़े लोग जब विदेश जाया करते तो बतौर यादगार के दुम को अपनी पत्नियों के पास छोड़ जाया करते। मैं जूते की पालिश और सिर की मालिश दुम से ही करता, दुमदार दोहे लिखता, और हजामत के वक़्त चेहरे पर साबुन भी दुम ही से लगाता। राजनीतिक गठबन्धन होने पर नेता लोग दुम बाँधते और साथ-साथ विधान सभा पहुँचते। जिसकी दुम ज़्यादा बड़ी होती, उसे बड़ा नेता, बड़ा लेखक और बड़ा कलाकार मान लिया जाता। 'पद्मश्री' के स्थान पर 'दुम-श्री'

की उपाधि मिलती। लड़कियाँ पूँछ के सहारे मेकअप किया करतीं। फ़िल्मों में हीरो विलेन की पूँछ उखाड़ता। लोग अपनी दुम सेठजी के यहाँ गिरवी रखते और ऋण लेते। बच्चे दुम में बस्ता बाँधते और ख़ुशी-ख़ुशी स्कूल जाया करते। सिपाही अदालत जाता तो अभियुक्त को दुम से बाँधकर ले जाता। दुम को लेकर लोग महाकाव्य लिखते और उसका नाम 'दुम पुराण' या 'दुमायन' रखते। पेट्रोल के दाम और ज़्यादा बढ़ जाते तो बड़े-बड़े जज और सचिव दुम के सहारे मोटर खींचकर काम पर जाया करते। मेरी कल्पना तो एक के बाद एक आयाम ले रही है मगर रचना समाप्त भी तो करनी है। ठीक है न?

सोचता हूँ कि पुराने दिन भी क्या दिन थे! लोग चोटी रखते थे, यज्ञ करते थे, तिलक लगाते थे और हरिजनों को जलाते थे। लड़का लोग विवाह माँ-बाप की मर्ज़ी से करते थे और इश्क़ अपनी मर्ज़ी से। अंग्रेज़ी सरकार के आगे राजा लक्ष्मणसिंह तक ने दुम हिलायी थी। उन्होंने सन् अठारह सौ सत्तावन के गदर में अंग्रेज़ों की बड़ी सहायता की थी और उसके बदले उन्हें राजा की उपाधि और काफ़ी जागीर मिली थी। लोग सत्यनारायण की कथा सुनते थे और फिर कलावती नाम की कन्या के साथ गन्धर्व-विवाह रचाया करते थे। जब तक कि ब्राह्मण नहीं आता था तब तक मुर्दा नहीं फुँकता था। देश के एक महान् नेता जब विलायत गये थे तो दातुन, हाथ धोने के लिए मिट्टी और पीने के लिए गंगाजल यहीं से ले गये थे। ऑक्सीजन नहीं ले जा पाये थे जिसका मुझे दुःख रहा। ऐसे-ऐसे धर्मात्मा लोग थे जो अपना-अपना चूल्हा अलग-अलग जलाते थे हालाँकि खाते बकरा ही थे। संस्कृति का वह स्वर्णयुग समाप्त हो गया। अब तो स्थिति यह है कि मराठी कवि, पाडगाँवकर कहते हैं :

भूलो वह गान पुरातन
राधा-कृष्ण माता-पिता
अब तो हर होंठ पर
लारा लप्पा, लारा लप्पा :
अब तो जासूसी कथाओं का
बढ़ गया भाव
अब तो कुछ ऐसा लिखो
छह पन्नों में ख़ून हों सात :
संस्कृति के माने अब
लाल रँगे होंठ
हाथी ऊँट हों अंकित
ऐसा पहिनो रेशमी बुशकोट
सबको बदलकर पापे
दुनिया चली गयी आगे...

बहरहाल, मैं रचना समाप्त करता हूँ और दुम उगाने की प्रक्रिया में जुट जाता हूँ। दुम हुई तो इसी पत्नी की दुम को अपनी दुम के साथ बाँधकर अग्नि के चारों ओर फिर से फेरे लगाऊँगा। हनुमान जी को दुमदार होने के कारण अपना प्रथम देवता मानूँगा और उसके उपरान्त सच्चे अर्थों में अपनी निजी दुम दबाकर भागूँगा और रेल पकड़ूँगा। गाड़ी भी तभी खुलेगी जब गार्ड साहब झण्डी के स्थान पर, हरे रंग में रँगी अपनी दुम हिलाएँगे। और हाँ यदि डिब्बे में कोई युवती अकेली मिल गयी तो उसके गले में भी बाँहें नहीं डालूँगा बल्कि दुम ही डालूँगा। उसकी पकड़ शायद, ज़्यादा तगड़ी रहेगी।

(रविवार, कलकत्ता)

संगीत, कुबेर और प्रकाशक

संगीत

गुजरात देश में आजकल भयंकर सूखे की स्थिति है। इस स्थिति का सबसे ज़्यादा प्रभाव गायों पर पड़ा है। घास और पानी के अभाव में वहाँ गायें मात्र कंकाल रह गयी हैं। मगर उसी गुर्जरदेश में एक ऐसा उल्लास का द्वीप भी है जहाँ गायें औसत से ज़्यादा स्वस्थ हैं और बराबर दूध दे रही हैं। रहस्य की चाबी यह है कि उन्हें रोज़ बिस्मिल्ला खाँ की शहनाई सुनवायी जाती है। बाकी संगीतकारों की कला का उन पर कोई प्रभाव नहीं पड़ता। मुझे इस बात की कभी आशंका नहीं थी कि बिस्मिल्ला खाँ पशुओं के क्षेत्र में भी इतने लोकप्रिय होंगे। इस विचित्र स्थिति को देखकर मैं सहसा सोचने लगता हूँ कि गाय चराते समय श्री कृष्ण जी वंशी क्यों बजाया करते थे? मेरे विचार में उनका वंशीवादन सुनकर, गाय और गोपियाँ—दोनों ज़्यादा दूध देती थीं।

संगीत के बारे में क्या कहूँ? भर्तृहरि के शब्दों में साहित्य, संगीत और कला से विहीन व्यक्ति एक पशु से भी गया-बीता होता है। संगीत से मुझे भी प्रेम है जिसका प्रमुख कारण यह है कि मेरे पिताजी संगीत के बहुत बड़े प्रेमी थे और खुद भी हारमोनियम बजाया करते थे। बाद के जीवन में, मैंने ओंकारनाथ ठाकुर, दिलीप कुमार राय, और बिस्मिल्ला खाँ के दर्शन किये और बहुत देर तक उनका संगीत सुना। ओंकारनाथ ठाकुर का गाना सुनना तो एक ऐसा दृश्य काव्य होता था जो देखते ही बनता था। वे मात्र गले से ही नहीं वरन् सारे शरीर से गाते थे। कहते हैं कि एक बार उन्होंने अपने आलाप की ऊँचाई से रेल के इंजन की सीटी तक को नीचे दबा दिया था। मेरी तरह अकबर इलाहाबादी भी रेलवे के संगीत को पसन्द करते थे। एक स्थान पर उन्होंने कहा भी है : “मैं तो इंजन की गलेबाज़ी का कायल हो गया।” रेल की बात क्या चली, मुझे अकबर का एक और शेर याद आ गया। “खुदा की राह में रेल चल गयी अकबर, जो जान देनी हो तो इंजन से कट मरो इक दिन।” अपनी पुस्तक ‘पूरब के नाई’ में बलराज साहनी ने लिखा है कि “हज़ारीप्रसाद द्विवेदी जी रेल के प्रति बहुत भावुक थे, वे रेल देखंने के बड़े शौक़ीन

थे। दूर से आती रेलगाड़ी का स्वर सुनकर वे शास्त्रार्थ और चप्पल—दोनों को छोड़ पटरी की तरफ़ भागा करते थे।” यह बात उन दिनों की है जब कि ये दोनों सज्जन शान्तिनिकेतन में थे।

कुबेर

धन इकट्ठा करने की प्रवृत्ति व क्षमता सबमें नहीं होती। न जाने कितने लोगों ने राष्ट्रीयता आन्दोलन में भाग लिया और देश को स्वतन्त्र बनाया। मगर इन सबमें से सारे अमीर नहीं बने, हालाँकि वे विभिन्न प्रान्तों के मुख्यमन्त्री बनाये जा चुके थे। हाँ, अलबत्ता बाद की पीढ़ी में अनेक मुख्यमन्त्रियों पर उनके भ्रष्टाचार के कारण आयोग बैठाये गये। इसी प्रकार लेखकों में भी सभी लेखक ऐसे नहीं हैं जिन्होंने मात्र साहित्य के बल पर अमीरी प्राप्त की। मैथिलीशरण गुप्त अपवाद स्वरूप लोगों में कदाचित् सबसे आगे थे। उनके बाद यशपाल, जैनेन्द्र कुमार, वृन्दावन लाल वर्मा, रामनरेश त्रिपाठी और उपेन्द्रनाथ ‘अश्क’ ने भी अपने प्रकाशन खोले और बाकी लेखकों के साथ ठीक वही व्यवहार किया जो उनके साथ उनके प्रकाशकों द्वारा कभी किया जाता था।

साहित्यकारों की कई क़िस्में हैं। कुछ साहित्यकार ऐसे हैं जो कि अपने मरने के बावजूद ज़िन्दा हैं जैसे कि शरत् बाबू। उनकी पुस्तकें छापने पर प्रकाशक को कोई रॉयल्टी नहीं देनी पड़ती। मैंने यदि कभी प्रकाशन खोला तो सबसे पहले संस्कृत और शेष भाषाओं की वे उत्कृष्ट और कालजयी पुस्तकें प्रकाशित करूँगा जिनको लेकर कोई रॉयल्टी लेनेवाला खोजने पर भी न मिले। जीवित साहित्यकारों में लोकप्रिय साहित्यकार तो सदा से होते आये मगर इधर ‘जनप्रिय लेखक’ वाली जो साहित्य शाखा निकली है, वह अद्वितीय है। मेरठ में एक जनप्रिय प्रकाशक और लेखक हैं। इतनी सफलता और अमीरी के बाद भी वे नितान्त शिष्ट और साहित्य-प्रेमी व्यक्ति हैं।

जो लोग ज़्यादा तीव्र कुबेर-बुद्धि रखते हैं वे तो अपने विवाह के अवसर पर ही लाखों रुपयों की माँग करते हैं। माँग पूरी हो जाने के बाद भी वे अपनी सुन्दर और सुशील पत्नी की हत्या कर देते हैं ताकि दूसरी शादी की जा सके जिसमें फिर दहेज मिले। ऐसे लोगों की दूसरी शादी हो भी जाती है जिसका एकमात्र कारण यही है कि देश में कन्याओं की अपेक्षा योग्य वरों की संख्या बेहद कम है।

कुबेर धन के देवता थे। जो भक्त-जन उनके दर्शन करना चाहें वे दिल्ली के संसद मार्ग पर स्थित रिज़र्व बैंक भवन जाएँ। द्वार पर जो विशाल मूर्तियाँ लगी हैं वे कुबेर जी की व उनकी पत्नी की ही हैं, किसी और की नहीं।

प्रकाशक

प्रकाशक समाज के उन शालीन लोगों को कहा जाता है जो कि अपने खर्चे पर

लेखकों को प्रकाश में लाते हैं। प्राचीनकाल में किताबें छपती नहीं थीं, वे पत्थरों पर या भोजपत्रों पर अंकित की जाती थीं। वैसी सुविधा अब नहीं रही। अब कोई भी साहित्यकार बिना प्रकाशक के कुछ नहीं कर सकता।

प्रकाशन एक ऐसा धन्धा है जिसमें कभी भी हानि नहीं होती। लेखक का दिल टूट जाएगा मगर प्रकाशक की आँख में एक अदद आँसू भी शायद कभी नहीं आएगा। मेरी बत्तीस पुस्तकें जो अब तक निकली हैं, वे लगभग आठ सर्वश्रेष्ठ प्रकाशकों के यहाँ से छपी हैं। सबसे ज़्यादा लोकप्रिय प्रकाशक वह है जिसकी सेक्रेटरी बड़ी ख़ूबसूरत है। यह तो पता नहीं कि वह 'मूल' है या कि 'अनुवाद' है पर इतना पक्का है कि वह अभी भी 'मौलिक व अप्रकाशित' ही लगती है। यदि कभी वह मेरी दिशा में आयी तो मैं उसे 'खेद और अभिवादन सहित' कभी वापिस नहीं करूँगा।

सोना अग्नि में जलाकर परखा जाता है। सारी भाषाओं का साहित्य भी उत्कृष्ट तभी बनता है जब कि कवि या कहानीकार दुःख और अभाव में रहे और जीवन की यातनाएँ कस कर सहे। कितने सन्तोष की बात है कि हिन्दी के प्रकाशक, साहित्यकार को दुःखी रखने की दिशा में पूरा सहयोग देते हैं। इस दिशा में अपनी दुःखद ज़िम्मेदारी से वे कभी पीछे नहीं हटते।

(कादम्बिनी, नयी दिल्ली)

मेरे कुछ दिलचस्प रिश्तेदार

जब मैं निर्धन और असहाय था तो मेरा कोई रिश्तेदार नहीं था और अब जब कि मैं संसारी अर्थों में 'बड़ा आदमी' बन गया हूँ तो मेरे इतने रिश्तेदार हो गये हैं कि उनकी सही संख्या का मुझे खुद कोई पता नहीं। बहरहाल, आज मैं अपने इन्हीं रिश्तेदारों में से कुछ की चर्चा करूँगा।

मेरी पत्नी के दादा एक बड़े ज़मींदार थे। उनके पास सात गाँव थे जो ज़मींदारी-समाप्ति कानून के आने के बाद उनके हाथ से निकल गये। लोग मज़ाक़ में उन्हें 'राजा साहब' कहा करते थे। बड़े प्रतिभावान व्यक्ति थे; उन्होंने चार शादियाँ कीं और चालीस वर्ष की आयु में वे फिर विधुर हो गये। आदमी चरित्रवान थे; इस बार विधुर हुए तो फिर बाकी पैंतालीस वर्ष विधुर ही रहे। शतरंज और हुक्के के शौक़ीन थे और फ़ारसी में उनकी गति थी। उनकी तीन विशेषताएँ मुझे सदा आकृष्ट करती थीं। पहली बात तो यह थी कि वे कभी भी किसी की प्रशंसा नहीं करते थे। उनके पास से प्रत्येक आदमी सदा उदास होकर ही लौटता था। दूसरी विशेषता थी उनका भोजन-प्रेम। दोनों आँखों का ऑपरेशन एक साथ ही हुआ और उस हालत में भी उन्होंने तलवाँ अरबी खाने की इच्छा प्रकट की। जब उनके पुत्रों ने उन्हें वैसा करने से मना किया तो वे बोले कि ठीक है, मैं अभी खिड़की में से अस्पताल के धरातल की दिशा में कूदे जाता हूँ। फिर मुझे दोष नहीं देना। उनकी ज़िद के सामने सबको झुकना पड़ा। उनकी अन्तिम विशेषता थी, उनकी ख़ुशमिजाज़ी। उनके भतीजे श्री महावीर त्यागी ने जब उनसे नयी सरकार के बारे में अपनी प्रतिक्रिया व्यक्त करने को कहा तो उन्होंने खुलेआम कहा कि, "बरखुरदार, जिस सरकार में तुम जैसा वज़ीर और हाफ़िज़ जैसा गवर्नर हो, उसके बारे में कहने को बचता ही क्या है?" हाफ़िज़ मुहम्मद इब्राहीम बरसों पहिले उनके वकील होते थे। और हाँ, एक बात तो कहना मैं भूल ही गया। मुक़दमे वे हाईकोर्ट में लड़ते थे मगर पैदल चलने और गन्दे कपड़े पहनने का उन्हें ज़बर्दस्त शौक़ था। अपना ओवरकोट रेलवे स्टेशन के वेटिंग-रूम में न जाने कितनी बार खोया। उनके दोस्तों में दो लोग

बड़े होनहार थे। एक थे चौधरी होरी सिंह और दूसरे थे चौधरी राजनारायण। होरी सिंह काने थे और इसी कारण रात को उनकी कार में सिर्फ़ एक बत्ती ही जलती थी। चौधरी राजनारायण को सिर्फ़ एक ही शौक़ था और वह था रबड़ी खाने का। आज मुरादाबाद की रबड़ी खा रहे हैं तो कल हाथरस की। लाखों रुपयों की जायदाद सिर्फ़ रबड़ी खाने में ही निकल गयी।

मेरे ससुर साहब एक नितान्त ईमानदार, किफ़ायतशार, परिश्रमी और दयालु व्यक्ति हैं। जब तक वे भारत सरकार में निदेशक रहे, तब तक उनका घर एक धर्मशाला का वातावरण रखता रहा। मेहमान के बाद मेहमान। चार आते हैं, चार जाते हैं, चार उफ़-उफ़ से मगज़ खाते हैं (मीर तक़ी मीर)। उन्होंने न जाने कितने लोगों को नौकरियाँ दिलायीं। सतर्क इतने हैं कि अपनी लड़की की मेरे साथ सगाई करने से पहले, उन्होंने मात्र मुझसे ही नहीं वरन् कॉलेज के प्रिंसिपल से लेकर चौकीदार तक से पूरी पूछताछ की थी।

मेरी पत्नी के मामा एक बहुत सीनियर ब्यूरोक्रेट थे। वे पक्के आर्यसमाजी थे, रोज़ हवन करते थे, दातून करते थे, व्यायाम करते थे, यज्ञोपवीत पहिनते थे और इस सबके साथ एक परमसुन्दरी स्त्री से घरेलू सम्बन्ध भी रखते थे। वह महिला उनके एक मित्र की पत्नी थीं।

मेरी पत्नी का ममेरा भाई नटवर लाल का संशोधित संस्करण था। अंग्रेज़ की तरह सफ़ेद, छः फ़ीट लम्बा और तीन फ़ीट चौड़ा। बिना कुछ खास लिखे-पढ़े चिकित्साशास्त्र पर अधिकार रखता था, शानदार होटलों में ठहरता था और हवाई जहाज़ से चलता था। बड़े-बड़े मेडिकल कॉलेज उसे भाषण देने के लिए बुलाते थे। एक डॉक्टरनी तो उनके ज्ञान से इतनी प्रभावित हुई कि उसने उनके साथ शादी ही कर डाली। ये हज़रत एक ऐसे व्यक्ति को अपना व्यक्तिगत सहायक रखते थे जो पुलिस के डिप्टी इंस्पेक्टर जनरल का पुत्र था। हाई-क्लास फ्रॉड। बहरहाल, आप सब लोगों को सदा के लिए तो बेवक़ूफ़ बना नहीं सकते। एक दिन आया कि लोगों को सचाई का पता लगा और उन्होंने अदालतों में मुक़द्दमा दर्ज किया। जिन-जिन लोगों को ठगा था, उनकी तरफ़ से सम्मन आने लगे और उनके तनाव में वह हँसमुख नवयुवक हृदय-गति रुक जाने से अपने प्राण खो बैठा।

हमारे एक चाचा थे जो एक सरकारी दफ़्तर में काम करते थे। काम क्या करते थे—इसका पता उन्हें या किसी और को कभी नहीं लगा। इतना सरल और खुशमिजाज़ इंसान मैंने फिर कभी नहीं देखा। जैसे ही इलाके में बाढ़ आती थी, वे अपना छुट्टी का रजिस्टर हमेशा उसमें बहा देते थे और फिर नये सिरे से छुट्टियाँ लेना शुरू कर देते थे। हृदय से इतने सरल थे कि एक बार किसी बात पर अपने एक अफ़सर को ही पीट दिया। थोड़े दिनों बाद उन अफ़सर से मेरा कुछ काम पड़ा तो मेरी सिफ़ारिश करने उनके पास फिर पहुँच गये। उन्हें यह

महसूस ही नहीं हुआ कि जिस अधिकारी को परसों ही पीटा है, वह आज उनकी मदद कैसे कर देगा? 'मीर क्या सादा हैं बीमार हुए जिसकी सबब, उसी अत्तार के लौण्डे से दवा लेते हैं।' (मीर तक़ी मीर)

मेरी पत्नी की दो बहनें और हैं। एक बहन के पति सर्वगुण-सम्पन्न हैं मगर पता नहीं क्यों वे डरते बहुत हैं। बिजली ठीक करनेवाला आएगा तो ये समझेंगे कि कोई आतंकवादी आ गया है और पोस्टमैन आएगा तो समझेंगे कि डाकू बहराम है जो दिन दहाड़े डकैती डालने आया है। उसके हाथ में जो डाक होगी उसे वह तमंचा समझेंगे। बात भी ठीक है क्योंकि 'डाकू' शब्द जो है वह शायद 'डाक' से ही बना है। मेरे दूसरे साढू साहब जो हैं वे कवि हैं, अन्तर्मुखी हैं और जात-पाँत में कतई कोई विश्वास नहीं रखते हैं। दफ़्तर में जो उनकी 'बॉस' थी, वह एक आई.ए.एस. युवती थी, जो उनसे कुछ ग़लत काम करवाना चाहती थी। वह सुख नहीं मिला तो उन्होंने झूठ-मूठ एक केस गढ़ा जिसके अनुसार मेरे साढू साहब (क्रम संख्या दो) उससे छेड़खानी करना चाहते थे। बहरहाल लोगों ने झूठी गवाही देने से इनकार कर दिया और उस युवती अधिकारी का तबादला हो गया। मगर मेरे साढू हैं, जो अभी भी उदास हैं। 'किस्मत पे उस मुसाफ़िरे-खस्ता की रोइए, जो थक गया हो बैठ के मंज़िल के सामने।'

मेरे दो रिश्तेदार और हैं जिन्होंने अपनी व अपने लड़के की शादी में माँग-माँग कर दहेज लिया। लड़कीवाले नंगे हो गये। अब जब इनकी अपनी लड़कियों की शादी की उम्र हो रही है तो दोनों के दोनों रातोंरात आर्यसमाजी हो गये हैं जो दहेज नाम की प्रथा में विश्वास ही नहीं रखते।

मेरी बहन के देवर बड़े दिलचस्प इंसान हैं। वे एक प्रेस में कम्पोज़ीटर थे और बरसों से थे। एक दिन सेठजी से कुछ झगड़ा हो गया और उसका जो बदला उन्होंने लिया वह नितान्त मौलिक व अप्रकाशित था। जो पुस्तक कम्पोज़ हो रही थी उसमें 'सूत्रधार' की जगह 'मूत्रधार' और कवयित्री के 'स्तर' की जगह 'स्तन' छपा। किताब कोर्स में लगी थी और रातोंरात आउट हो गयी। बाद में जब शिकायतें आनी शुरू हुईं तो पुस्तक बाज़ार से वापिस लेनी पड़ी। सेठ जी का दिवाला निकल गया। हालाँकि क्या छात्र और क्या कवयित्री जी—दोनों लोग छापे की उन ग़लतियों को लेकर काफ़ी ख़ुश थे।

बस अब मात्र एक रिश्तेदार की चर्चा और करूँगा। ये सज्जन एक अख़बार के सम्पादकीय विभाग में थे और हर दृष्टि से प्रतिभावान थे। मगर इनकी निजी धर्मपत्नी ज़रूरत से ज़्यादा होनहार थीं। अकसर ऐसा होता था कि वे कनाट प्लेस या करोलबाग में अचानक अपने पति से हाथापाई करने लगती थीं और चिल्ला-चिल्लाकर कहने लगती थीं कि देखिए, यह लफंगा (यानी कि उनका पति) उनसे छेड़खानी करना चाहता है जबकि वे स्वयं उसे पहिचानतीं तक नहीं। लोग पति को गालियाँ

देते या उसकी बिना बात मरम्मत करते। घर पहुँचने पर वे पति से कहतीं—कहो, कैसी रही? एक दिन तो वह ग़रीब इतना ज़लील हुआ कि अपने चारों ओर इकट्ठी हुई भीड़ से पूछने लगा :

क्यों भीड़ लगायी मुझे देखकर बेताब
क्या कोई तमाशा है तड़पना मेरे दिल का?

(नवभारत टाइम्स, दिल्ली)

देश की एक समर्पित सेवा

कुछ वर्ष पूर्व इलाहाबाद हाईकोर्ट के माननीय न्यायाधीश मिस्टर जस्टिस आनन्द नारायण मुल्ला ने पुलिस विभाग के बारे में एक नितान्त ऐतिहासिक फ़ैसला दिया था जिसके अनुसार पुलिस विभाग 'देश में सबसे ज़्यादा व्यवस्थित गुण्डों का दल' करार दिया गया था। उन्होंने यह भी कहा था कि 'पुलिस का महकमा एक ऐसा तालाब है जिसमें एक या दो मछली ही बदबूदार नहीं हैं वरन् सारे-का-सारा तालाब ही सड़ाँध से भरा है।' जस्टिस मुल्ला जस्टिस इक़बाल की भाँति जज होने के साथ-साथ कवि भी थे। मुझे उनका निर्णय अख़बारों में पढ़कर सबसे बड़ी निराशा यह हुई थी कि इतना महत्त्वपूर्ण फ़ैसला उन्होंने कविता के रूप में क्यों नहीं दिया। 'पोइटिक जस्टिस' के सिद्धान्त के अनुसार उनके लिए यह निर्णय काव्य के रूप में ही देना ज़्यादा उचित होता। बहरहाल, ख़ुशी की बात यह है कि उनके उपर्युक्त फ़ैसले के बाद देश की पुलिस एकदम ईमानदार, कार्यतत्पर व सेवा की भावना से प्रेरित हो गयी। नीचे कुछ सामग्री पेश करता हूँ जो मेरे मत की पुष्टि करती है :

(अ) तीन जुलाई उन्नीस सौ छियासी के 'इण्डियन एक्सप्रेस' (चण्डीगढ़ संस्करण) के अनुसार बयालीस वर्ष की एक स्त्री के साथ एक थानेदार व एक हैड-कॉन्सटेबल ने बलात्कार किया। डॉक्टरी जाँच ने उपर्युक्त शिकायत की पुष्टि की। उस भद्र महिला ने (जो कत्ल के जुर्म में फँसी थी) बताया कि उसके साथ पुलिसवाले ऐसा गन्धर्व विवाह प्रायः रोज़ ही सम्पन्न करते रहे हैं।

(ब) तेरह जून उन्नीस सौ छियासी के दिन दिल्ली की पुलिस-पेट्रोल पार्टी ने एक व्यापारी को ज़बर्दस्ती पकड़ा और उसके पास से सत्तर हज़ार रुपये छीने। वह ग़रीब सौदागर जब पुलिस स्टेशन रिपोर्ट दर्ज़ कराने गया तो उसे बहुत तंग किया गया और बड़ी परेशानी के बाद कहीं वह रिपोर्ट दर्ज़ करा पाया।

(स) एक सेशन्स जज की पत्नी ने एक पार्टी में पुलिस कप्तान की पत्नी को धर दबोचा क्योंकि कप्तान साहब की धर्मपत्नी ने हीरों का वह हार पहन रखा था जो कि कुछ दिनों पूर्व जज साहब के यहाँ सम्पन्न की गयी चोरी में गायब हुआ था।

ज़ाहिर है कि कप्तान साहब चोरी के कुटीर उद्योग को खुद ही प्रोत्साहन देते थे।

(द) एक मुठभेड़ में कुछ ऐसे डकैत पकड़े गये जो कि सरकारी रिकार्ड के अनुसार जेल में बन्द थे। विश्वस्त सूत्रों से पता लगा कि उस जेल के जेलर, डाकुओं को अकसर बाहर जाने दिया करते थे और डकैती में प्राप्त सम्पत्ति को, पुलिस व जेलर साहब आपस में बाँटा करते थे।

(क) दिल्ली में एक पुलिस अधिकारी किसी जाँच के सन्दर्भ में एक सज्जन के घर गये और वहाँ उन्होंने शराब पीकर गृहलक्ष्मी से छेड़खानी करने की कोशिश की। भीड़ इकट्ठी हो गयी, उस पुलिस अफ़सर को नंगा किया गया और उसी स्थिति में उन्हें थाने तक पहुँचाया गया।

(ख) कत्ल के एक मुकद्दमे में किसी तरह यह साबित हो गया कि कत्ल जो किया था, वह अभियुक्त ने नहीं वरन् थाने के उस दारोगा ने किया था जिसने हत्या के जुर्म में अभियुक्त का चालान किया था।

(ग) एक रिपोर्ट के अनुसार काफ़ी राज्य ऐसे हैं जहाँ थानों की क़ीमत निश्चित है। उन थानों पर नियुक्ति पाने के लिए दारोगा जी को काफ़ी रुपया पुलिस के बड़े अफ़सरों को देना पड़ता था। एक थाने की क़ीमत तो एक लाख रुपया थी।

एक महानगर में 'लाल-बत्ती-क्षेत्र' पर धावा बोला गया और काफ़ी लोग हिरासत में लिये गये। गिरफ़्तार किये गये लोगों में एक तिहाई लोग पुलिस कर्मचारी निकले।

(च) एक राज्य में पुलिस ने काफ़ी अपराधियों को अन्धा किया और सैकड़ों व्यक्ति ऐसे पाये गये जो बिना किसी मैजिस्ट्रेट के सामने पेश करने के बावजूद, वर्षों से हवालात में पड़े थे।

(छ) एक पुलिस थाने में एक अभियुक्त को ज़बर्दस्ती पेशाब पिलाया गया। इस विशिष्ट अतिथि-सत्कार का प्रमुख कारण यह था कि अभियुक्त जो था वह हरिजन था। (वैसे इस केस से मुझे विशेष असन्तोष नहीं है। यदि हमारे भूतपूर्व और अभूतपूर्व प्रधानमन्त्री मोरारजी देसाई मूत्र का नियमित सेवन करते थे तो इसी केस में क्या बुरा मानना? बस इतना ही तो अन्तर है कि वे अपना शुद्ध मूत्र पीते थे जब कि इस केस में मूत्र जो था वह दारोगा जी का था। इतनी-सी बात में अपना-पराया करना ठीक नहीं लगता)

(ज) एक राज्य की 'लाल पुलिस' (यदि 'लाल सेना' हो सकती है तो 'लाल पुलिस' क्यों नहीं हो सकती?) ने एक जज की मोटर का तीन माह की अवधि में इक्कीस बार चालान किया। कभी गाड़ी ने लाल बत्ती पार की थी तो कभी वह ग़लत जगह पार्क की गयी थी। जज साहब का कसूर यह था कि उन्होंने पुलिस की मर्ज़ी के ख़िलाफ़ एक ऐसे अभियुक्त को जमानत पर रिहा कर दिया था जो कि काफ़ी कठिनाई से पकड़ा गया था।

(2)

उदाहरणों की सूची समाप्त करता हूँ। हरि अनन्त, हरि कथा अनन्ता। हाँ, अलबत्ता मूत्र के बारे में (जिसकी चर्चा ऊपर की जा चुकी है) कुछ जानकारी और देना चाहूँगा। पुराने ज़माने में मूत्र का प्रयोग कपड़े धोने के लिए किया जाता था। पेशाब में अमोनिया काफ़ी मात्रा में पायी जाती है और उसका प्रयोग चीज़ों को साफ़ करने के लिए अभी भी किया जाता है। इसके अतिरिक्त यह भी सच है कि पुराने ज़माने में स्पेन के लोग अपने दाँत पेशाब से ही साफ़ किया करते थे।

मुझे यह देख कर लज्जा आती है कि पुलिस फोर्स में अभी भी ऐसे व्यक्ति हैं जो अपनी ईमानदारी और हिम्मत की वजह से पुलिस की ऊपर बतायी गयी परम्परा के साथ विश्वासघात करते हैं। न जाने कितने सिपाही हैं जो डाकुओं को पकड़ने की प्रक्रिया में अपने प्राण गँवाते हैं। कम वेतन और बेहद कम सुविधाओं के बावजूद, हज़ारों पुलिस कर्मचारी ऐसे हैं कि अपनी जान पर खेल कर अपराधियों को पकड़ते हैं और उन्हें अदालत से सजा दिलवाते हैं। अभी-अभी महाराष्ट्र के एक पुलिस इंस्पेक्टर ने अपनी जान पर खेल कर चार्ल्स शोभराज को पकड़ा और अपने इस कुकृत्य से तिहाड़ जेल के अधिकारियों के सारे किये-धरे पर पानी फेर दिया। इस वीर इंस्पेक्टर को महाराष्ट्र की सरकार ने पन्द्रह हज़ार रुपये की महान् राशि बतौर इनाम के दी जब कि इतना रुपया तो एक मन्त्री के ऐसे दौरे पर खर्च होता है जिसकी उपयोगिता मन्त्री जी को स्वयं नहीं मालूम होती। ज़्यादा दुःख की बात तो यह है कि ऐसे विभीषण छाप ईमानदार पुलिस कर्मचारियों और अधिकारियों की संख्या अभी भी काफ़ी है। इधर तो लड़कियाँ भी भारतीय पुलिस सेवा में आने लगी हैं जिनमें से कुछ तो इतनी सुन्दर हैं कि उनके हाथों से सजा पाकर कम-से-कम मैं तो अपने को भाग्यशाली ही समझूँगा।

पुलिस के बारे में जो लोग ज़्यादा जानकारी चाहते हों, उन्हें मैं सलाह दूँगा कि वे डॉ. कैलाशनाथ काटजू द्वारा लिखित 'कुछ संस्मरणीय मुकद्दमे', जस्टिस खोसला की लिखी 'महात्मा गाँधी की हत्या तथा बाकी मुकद्दमे', उत्तर प्रदेश के रिटायर्ड इंस्पेक्टर जनरल लाहिड़ी की लिखी 'एक पुलिसमैन की डायरी', निशीथ कुमार राय की लिखी 'डिपुटी की डायरी' (दो भाग) व अजित प्रसाद जैन द्वारा प्रस्तुत 'पुलिस कमीशन की रिपोर्ट' ज़रूर पढ़ें। हाँ, अलबत्ता इस बात का पता इन किताबों से भी आपको नहीं लगेगा कि आज़ादी के बाद पुलिस वालों की परेशानियाँ कितनी बढ़ गयी हैं। स्थानीय नेता लोग डाकुओं को खुला प्रश्रय देते हैं, शाम को थानेदार के साथ दारू पीते हैं और गृहमन्त्री पर दबाव डाल कर पुलिस कप्तान का तबादला करवाते हैं। एक मुख्यमन्त्री ने तो एक पुलिस कप्तान को हत्या के अभियोग में बुरी तरह फँसाया था मगर सत्य की जीत हुई और वे मुख्यमन्त्री भी उस पुलिस कप्तान को अदालत

से सजा नहीं दिला सके। अदालत जो है वह अभी भी काफ़ी निर्भीक और ईमानदार है। उस पर मोरारजी देसाई का मूत्र भी कोई प्रभाव नहीं डाल सकता और यदि वह पेय अदालत में पेश किया गया तो अदालत वहाँ भी वही 'हंस की नीर-क्षीर विवेक' वाली पद्धति पकड़ेगी और बताएगी कि इसमें कितना मूत्र है और कितना पानी।

रचना समाप्त करते-करते मन उदास हो गया। अभी-अभी पढ़ा कि प्रख्यात पुलिस-सब-इंस्पेक्टर राजकुमार (जिन्हें 'आउट ऑफ़ टर्न' तरक्की दी गयी थी, जिन्हें पचास से ज़्यादा प्रशंसा पत्र मिले थे और जिन्हें सन् उन्नीस सौ पचासी का सर्वश्रेष्ठ पुलिस कर्मचारी घोषित किया गया था) एक 'तथाकथित' सड़क दुर्घटना में मार दिये गये। अब उनकी पत्नी पेंशन और फण्ड इत्यादि पाने के सन्दर्भ में सालों तक सरकारी दफ़्तरों का चक्कर काटेगी। यूँ तो सरकार के सभी दफ़्तर कार्य तत्पर हैं पर राज्यों के जो एकाउण्टेण्ट-जनरलों के दफ़्तर हैं, उनकी बराबरी कोई दफ़्तर नहीं कर सकता। स्थिति यह है कि हाईकोर्ट के एक जज की पेंशन सैंक्शन करवाने के लिए मुझे स्वयं एकाउण्टेण्ट-जनरल से (जो मेरी ही सर्विस के सदस्य थे) मिलना पड़ा था। एकाउण्टेण्ट जनरल का दफ़्तर वह पवित्र स्थान है जहाँ कि पुलिस वालों को भी रिश्वत देनी पड़ती है। ऐसी स्थिति में ऊपर चर्चित वीर पुलिस अधिकारी की पत्नी को पेंशन वगैरह पाने में कम-से-कम सात साल ज़रूर लगेंगे। और उस ठेले वाले का क्या होगा जिसने दुर्घटना की? उसे बहुत से बहुत सात साल की क़ैद मिलेगी।

(सारिका, नयी दिल्ली)

स्थितियाँ, ख़बरें और अफ़वाहें

पिछले दो-तीन महीनों में कुछ नहीं लिख पाया। पहला कारण तो यह रहा कि इस बीच मेरा तबादला हो गया और दूसरा कारण यह रहा कि इस अवधि में अख़बारों में ऐसी-ऐसी दिलचस्प ख़बरें छपीं कि तबीयत एक ही किश्त में बग़ीचा-बग़ीचा हो गयी और लेखनी को कष्ट देने की तबीयत ही नहीं हुई।

दक्षिण के क्विलोन नगर में बन्दरों ने इतना उत्पात मचाया कि शहर के सात सम्भ्रान्त नागरिकों ने उनके ख़िलाफ़ अदालत में मुकद्दमा चलाया। एक मन्दिर के प्रांगण में निवास करने वाले लगभग सौ बन्दर भक्तों द्वारा लाये गये फल और मिठाई वगैरह पर हमला करने लगे और शिकायत करने वालों ने अपने आरोप-पत्र में बताया कि यदि 'त्रावनकोर देवासम बोर्ड' बन्दरों की निश्चित खुराक में वृद्धि कर दे तो बन्दर पहले की भाँति फिर से देश के अनुशासित नागरिक हो जाएँगे। बहरहाल, जिस दिन हाईकोर्ट में मुकद्दमा शुरू होगा तो उस दिन वे सौ बन्दर भी अदालत में बाकायदा हाज़िर होंगे। इसके बाद क्या होगा—यह कहना कठिन होगा। संस्कृत के एक श्लोक में कहा गया है कि यदि बन्दर मदिरा पी ले, उसके बाद उसे बिच्छू काट ले और उसके साथ-ही-साथ उस पर कोई प्रेत भी चढ़ जाए तो जो कुछ भी हो जाए, वह कम है। बन्दरों की बात छोड़ता हूँ तो गधों पर ध्यान चला जाता है। उज्जैन में सौ वर्ष से चलता आया गधों का मेला इस वर्ष भी लगा। लगभग तीन हज़ार गधे इकट्ठे हुए। एक-एक गधे की क़ीमत एक हज़ार या उससे भी ज़्यादा लगी। विशेषज्ञों ने उनका अध्ययन भी किया और बताया कि गधा चौबीस घण्टों में मात्र तीस मिनट सोता है, उसे गाजर खाने से जुकाम हो जाता है और वह तभी रेंकता है जब कि उसे अपनी प्रेयसी की याद आती है। यही आदत मेरे साथ भी है। मैं 'टेपा पुरस्कार' लेने उज्जैन गया था। डॉ. शिवमंगल सिंह सुमन ने मुझे पाँच हज़ार रुपयों का पुरस्कार दिया। दूसरे शब्दों में उज्जैन की जनता ने मुझे पाँच गधों के बराबर सम्मान दिया। मैं उनके प्रति आभारी हूँ। मुझे यदि गधों के इस मेले का पता होता तो मैं एप्रिल के बजाय इस मेले के समय ही उज्जैन जाता। क्या पता, कोई हसीन बाई मुझे पसन्द कर लेती और पाँच हज़ार से ज़्यादा क़ीमत लगा देती। प्रत्येक शालीन महिला चाहती है कि उसका पति गधा हो।

बन्दरों और गधों के बाद देश की जनता के चुने हुए प्रतिनिधियों पर ध्यान देना शास्त्रसम्मत होगा। एक संसद सदस्य को जेल के कर्मचारियों ने पीट दिया। शरीफ़ आदमी बैरक के बाहर धरना देकर बैठ गया। जेल के स्टाफ़ को पता नहीं था कि माननीय विधायकों और सांसदों को मात्र सदन के भीतर ही पीटा जा सकता है—बाहर नहीं। इसी प्रकार कर्नाटक में किसी राजनीतिक मुद्दे को लेकर एक संसद सदस्य का अपहरण कर लिया गया जिन्हें राज्य की पुलिस ने खोज निकाला। मेरे विचार में पुलिस ने बेकार कष्ट किया, सांसद के साथ चौबीस घण्टे बिताने के बाद अपहरणकर्त्ता शायद स्वयं ही विदेश भाग जाते। जो लोग ज़्यादा जानना चाहते हों वे ओ. हेनरी की 'दी रैंज़म ऑफ़ दी रेड चीफ़' नामक कहानी पढ़ लें।

कैलिफोर्निया में एक महिला के गर्भाशय का ऑपरेशन किया गया क्योंकि उसमें कैंसर की आशंका थी। ऑपरेशन के बीच मालूम हुआ कि शरीर में कोई ठोस चीज़ थी जो कैंसर की गाँठ नहीं थी। उस ठोस पदार्थ को बाहर निकाला तो पता लगा कि वह एक हीरा था जिसकी क़ीमत कई लाख डालर थी। महिला ने बताया कि उसके उस अंग का ऑपरेशन कोई पचास वर्ष पहले हुआ था। डॉक्टरों ने हँसकर यह निष्कर्ष निकाला कि पचास वर्ष पूर्व जो ऑपरेशन सम्पन्न किया गया था, उसके मध्य ऑपरेशन करने वाले डॉक्टर की अँगूठी का हीरा गर्भाशय में गिर गया था। भगवान की लीला अपरम्पार है। जिस स्थान से पुत्र या पुत्री प्राप्त होते हैं, वहीं से एक हीरा प्राप्त हुआ। हमारे शास्त्रों में स्त्रियों की पूजा का जो विधान बनाया गया, वह कितना ठीक था। जिस देह से निकले हीरा-मोती उसका कौन ठिकाना...। और हाँ, एक तरफ़ विदेशों में ऐसा होता रहा और इधर हमारे देश में एक शानदार होटल से प्रख्यात चित्रकार हुसैन को इस कारण सम्मान के साथ बाहर निकाल दिया गया क्योंकि उसके पैरों में जूते नहीं थे। बेचारे हुसैन अब एक स्त्री की खोज में लगे हैं जिसके पेट से हीरा निकले या न निकले परन्तु वहाँ से एक जोड़ी जूते ज़रूर निकलें।

महाराष्ट्र सरकार ने एक पुरस्कार की घोषणा की है जिसके अनुसार उस दम्पती को दस हज़ार रुपये दिये जाएँगे जो एक पुत्री की प्राप्ति के बाद ही परिवार नियोजन करा ले। मैं कई व्यंग्यकारों को एक-एक हज़ार का इनाम अपने पास से दूँगा यदि वे तथाकथित व्यंग्य लिखना बन्द कर दें। और हाँ, यदि आप लोग मेरे लिए पचास हज़ार रुपये का चन्दा कर दें तो मैं भी अपनी लेखनी को विश्राम देने को तैयार हूँ।

अब रचना समाप्त करता हूँ। कारण यह है कि मेरे परम मित्र ठाकुर साहब सपरिवार आ पहुँचे हैं और जब आ ही गये हैं तो कम-से-कम तीन घण्टे तो बैठेंगे ही। ठाकुर साहब बड़े प्रतिभावान् पुरुष हैं। साहित्य हो या शिकार, इनके जैसा कार्यतत्पर व्यक्ति आपको कहीं नहीं मिलेगा। सिनेमा देखते हैं मगर केवल कलात्मक चित्र ही देखते हैं। पिछले सप्ताह हम दोनों एक परम कलात्मक पिक्चर देखने गये थे, जिसका नाम था 'गुरु सुलेमान, चेला पहलवान'। वैसे ये बड़े विद्वान् पुरुष हैं।

जब भी आते हैं तो कोई-न-कोई आश्चर्य दे जाते हैं। कल आये तो कहने लगे कि देहली शहर विक्रमादित्य के ज़माने में भी था। यदि न होता तो कालिदास मेघदूत में देहली का ज़िक्र कैसे करता? 'विन्यस्यन्ती भुवि गणनया देहलीमुक्त पुष्पैः (मेघदूत)' परसों आये थे तो श्रीधर पाठक की कुछ पंक्तियाँ सुना गये थे जिनसे तत्कालीन कविता का पूरा चित्र सामने आ जाता था। मुझे खड़ीबोली की उस प्रारम्भिक कविता से बड़ा सुख प्राप्त हुआ। आप लोगों के लिए उस मार्मिक कविता को यहाँ देता हूँ और रचना समाप्त करता हूँ :

भारत पर सैंया बलि बलि जाऊँ
बलि बलि जाऊँ, हियरा लगाऊँ
घरवा बनाऊँ, हरवा सजाऊँ
तेरे जियरवा का, तन का जियरवा का
मन का मदिरवा का प्यारा बसैया
मैं बलि बलि जाऊँ।

(धर्मयुग, बम्बई)

अपराधी कौन?

इन दिनों लोग काँग्रेस सरकार से और अपने नेताओं से काफ़ी अप्रसन्न चल रहे हैं। एक या दो समाचार पत्र हैं कि क्रोध की इस दावाग्नि को और भी भड़का रहे हैं। अँग्रेज़ी के एक सचित्र साप्ताहिक ने एक राज्य के मुख्यमन्त्री पर अश्लील हरकतें करने का आरोप लगाया जिसके ख़िलाफ़ मुख्यमन्त्री ने अदालत में मानहानि का दावा किया। कुछ लोगों का कहना है कि कुछ नेता ज़रूरत से ज़्यादा विलासी हैं और फिज़ूलख़र्ची इतनी की जा रही है कि कुछ कहा ही नहीं जा सकता। रिश्वत व भाई-भतीजावाद का बोल-बाला है। कुछ मन्त्रियों के बारे में कहा जाता है कि वे अपने पद के लिए एकदम अयोग्य हैं। कोई भी राजनीतिक पार्टी ऐसी नहीं रह गयी है जिसमें पारस्परिक वैमनस्य न हो और कहीं-कहीं तो पार्टी के ही लोग एक-दूसरे का गला काट रहे हैं। मैं इन सारी चर्चाओं को ध्यान से सुनता हूँ और सोचता हूँ कि इस देश की जनता शायद अपने इतिहास को भूल गयी है। इतिहास की एक आदत यह भी है कि वह अपने को दुहराता रहता है। इतिहास का प्रेमी होने के कारण मैं वर्तमान स्थिति से कतई परेशान नहीं हूँ। जो हो रहा है उसमें कुछ भी असंगत नहीं है। कम-से-कम हमारे देश के लिए तो जो हो रहा है वह कतई नया नहीं है। ठीक वही हो रहा है जो सदा से होता आया।

सबसे पहले में अश्लीलता के मुद्दे को पकड़ता हूँ। ख़िलजीवंश के सुल्तान कुतुबुद्दीन मुबारकशाह औरतों के कपड़े पहनकर दरबार लगाते थे। जब तबीयत ज़्यादा मचलती थी तो सुल्तान एकदम नंगा होकर नाचने लगते थे। राज्य-संचालन में बहस-मुबाहिसों के स्थान पर अश्लील इशारे चलते थे। बाद में चलकर लखनऊ में नवाब नासिरुद्दीन हैदर भी उतने ही खुशमिजाज़ निकले। वे भरे दरबार में स्त्रियों के कपड़े पहनकर नाचा करते थे और कभी-कभी गर्भवती स्त्री की भाँति आचरण करते थे। अपनी जिस प्रेमिका से वे ज़्यादा खुश होते थे, उसके कपड़े तो वे ज़रूर ही पहिनते थे और कभी-कभी उन्हें पहिने-ही-पहिने दरबार में भी चले आते थे। हमारा कोई भी मुख्यमन्त्री अभी तक सार्वजनिक सभा में नंगा नहीं हुआ और न कोई जनता का चुना हुआ प्रतिनिधि विधानसभा में नाचा।

जहाँ तक विलासी होने या फिज़ूलख़र्ची करने का प्रश्न है, स्थिति यह है कि वह पुराने ज़माने के मुक़ाबले में कुछ भी नहीं है। निराला ने एक निबन्ध लिखा है कि जो पुरुष शक्तिशाली होगा वह विलासी तो ज़रूर ही होगा। अन्तिम हिन्दू सम्राट पृथ्वीराज चौहान जितने बहादुर थे उतने ही बड़े वे विलासी भी थे। इस दिशा में वे इतने होनहार थे कि जो स्त्री एक बार उनके सम्पर्क में आ जाती थी वह फिर किसी दूसरे पुरुष को स्वीकार नहीं करती थी। उनसे पहले भी स्थिति यह थी कि विक्रमशिला के महान् विद्यालय के एक छात्र के पास मदिरा की बोतल पकड़ी गयी थी जो उसे किसी भिक्षुणी ने दी थी। राजे-महाराजे और शहंशाह क़िस्म के लोग अनेक शादियाँ करते थे और पत्नियों के अतिरिक्त वे लोग हरम भी रखते थे जिनमें देश-विदेश से लायी गयी हज़ारों सुन्दरियाँ निवास करती थीं। मीर कासिम तक इस सन्दर्भ में विशिष्ट स्थान रखता था। शहंशाह शाहआलम ने अपनी एक ग़ज़ल में कहा है कि ऐ ख़ुदा ये कैसे दिन आ गये कि सिवा अपनी पत्नी के और कोई भी रूपवती स्त्री हमारी सेवा नहीं कर रही है। लखनऊ के नवाब वाजिदअली शाह की कितनी पत्नियाँ थीं, यह तो किसी को पता नहीं; हाँ, अलबत्ता इतना ज़रूर पता है कि वे पैंतालीस लड़कों और चौंतीस लड़कियों के पिता थे। दरबार के अमीर व नवाब के दोस्त और रिश्तेदार अपनी हसीन बीवियों को छिपाकर रखते थे ताकि उन पर वाजिदअली शाह की निगाह न पड़े। अवध की एक बेग़म को देश से निर्वासित कर दिया गया था। लखनऊ से बाहर जाकर उन्होंने और कोई अफ़सोस ज़ाहिर नहीं किया था सिवा इसके कि उनका तोता लखनऊ में ही छूट गया था। नादिरशाह का मुक़ाबला करने जो शाही सेना दिल्ली से चली थी, वह दो महीने में करनाल पहुँची थी। रास्ते भर शराब के दौर चलते रहे और रँगरेलियाँ मनायी जाती रहीं। इसी प्रकार फिज़ूलख़र्ची की दिशा में अकबर के नौ रत्नों में से एक अब्दुर्रहीम खानखाना इतने खुले दिल के इंसान थे कि साल भर की कमाई एक ही दिन में उड़ा दिया करते थे। फिरोज़ तुग़लक को बिना किसी ज़रूरत के गुलाम रखने का ज़बर्दस्त शौक़ था। उसके ग़ुलामों की संख्या एक लाख अस्सी हज़ार तक पहुँच गयी थी और उनकी देखरेख के लिए एक स्वतन्त्र विभाग खोला गया था जिसके लिए एक पृथक् अधिकारी नियुक्त किया गया था। मुग़लकाल में शाही परिवार का कोई सदस्य किसी बीमारी से ठीक होता था तो एक त्यौहार मनाया जाता था जिसमें लाखों रुपये खर्च होते थे। शाही फ़ौज को जब वेतन नहीं मिला तो उसने छत की चाँदी निकाली और उसे दो लाख में बेचा और एक तरफ़ तो यह होता रहा और दूसरी तरफ़ कुदसिया बेग़म ने अपने जन्मदिन पर सिर्फ़ दो करोड़ रुपये खर्च कर डाले। सल्तनत के सरदार किशलू खाँ का यह हाल था कि एक दिन किसी शायर का कलाम पसन्द आ गया तो घुड़साल के सारे घोड़े, उसे इनाम में दे दिये। सुल्तान

जलालुद्दीन ख़िलजी ने एक दिन भाँड़ों की एक मजलिस में ख़ुश होकर पाँच लाख रुपये के तोहफे दिये थे। एक ओर देश ग़रीबी और अशिक्षा में पड़ा था और दूसरी ओर शहंशाह शाहजहाँ ने ताजमहल बनवाया था जिसमें करोड़ों रुपयों का खर्च आया था। (हाय मृत्यु का ऐसा अमर अपार्थिव पूजन, जब विषण्ण निर्जीव पड़ा हो जग का जीवन—सुमित्रानन्दन पन्त) अब इस स्थिति को सामने रख कर, क्या यह हमें शोभा देता है कि यदि हमारे नेता कामकाज से थककर किसी जगह मित्रों के साथ छुट्टी मनाने चले जाएँ तो हम उसकी आलोचना करें?

रिश्वत और भाई-भतीजावाद भी कोई ऐसी चीज़ नहीं है कि उन्हें लेकर हम दुःखी हों। फिरोज़शाह तुग़लक का एक रिश्तेदार काफ़ी परेशानी में पड़ा था क्योंकि उसके पास हाकिम को देने के लिए पैसे नहीं थे। बादशाह ने जब उसकी व्यथा सुनी तो उसने रिश्वत देने के लिए उसे पूरी रकम दे दी। हाँ, अलबत्ता रिश्वत लेने वाले उस हाकिम के ख़िलाफ़ कोई कार्रवाई नहीं की। शेरशाह तक दीवानी के महकमे से घूस लेना नहीं बन्द कर सका था। मुस्लिम सुल्तानों के समय में कोतवाल का पद उसे दिया जाता था जो कि गवर्नर (सूबेदार) को ज़्यादा-से-ज़्यादा रकम दे सकता था। जहाँ तक भाई-भतीजावाद का प्रश्न है, स्थिति यह थी कि आमदनी वाले ओहदों पर शेरशाह तक अपने रिश्तेदारों को ही लगाता था और उन्हें बदलता भी रहता था। लाल कुँवर नामक बेग़म की सोहबत शुरू से ही नीचे के तबके से रही थी और इसी कारण बेग़म होने के बाद उसने अपनी एक सब्ज़ी बेचने वाली सहेली को शहंशाह जहाँदारशाह से खिताब और जागीर दिलवायी थी।

जहाँ तक योग्यता और पारस्परिक वैमनस्य का प्रश्न है वहाँ भी स्थिति कोई विशेष भिन्न नहीं थी। सम्राट अहमदशाह सिर्फ़ गुड्डे-गुड़ियों का खेल खेलना जानता था, तलवार जैसी चीज़ से उसका कोई परिचय नहीं था। लड़ाई का नाम सुनते ही वह काँपने लगता था। एक बार जब वह अपनी बेग़मों के साथ दिल्ली आ रहा था तो मराठों ने शाही सवारी को ललकारा। अहमदशाह सिर पर पैर रख कर भागा और उसे अपनी बेग़मों की भी सुध न रही। मराठों ने शाही सवारी लूट ली। अहमदशाह वाकई बहुत होनहार था। उसने दीवाने-खास में दूध पीते और घुटनों के बल चलते शहज़ादों को हिन्दुस्तान की सूबेदारियाँ बाँटी थीं। सम्राट जहाँदारशाह लड़ाई में हार गया तो दाढ़ी-मूँछ मुँडवाकर एक बहली में बैठकर दिल्ली पहुँचा। इसी प्रकार वाजिदअली शाह का सारा सरकारी काम-काज गवैयों और तबलचियों के हाथ में था। प्रसिद्ध गवैये मुसाहिब अली को नवाब ने मुख्य न्यायाधीश का पद दिया था। पारस्परिक वैमनस्य के कारण ही नादिरशाह दिल्ली तक पहुँचा था वरना वह सिर्फ़ पचास लाख रुपये लेकर ही पानीपत से वापिस लौटने को तैयार हो गया था। वृद्ध निजाम आसफशाह को दरबार के लौण्डे बादशाह के सामने 'दक्खिन का

बन्दर' कहा करते थे। इसी प्रकार विदेशों में रुपया जमा करने की प्रथा भी कोई नयी नहीं है। सम्राट मुहम्मदशाह रँगीले ने नादिरशाह की मार्फ़त सत्तर करोड़ रुपये ईरान में जमा किये थे।

अब आप स्वयं सोचिए कि हमारे वर्तमान शासक हमारे साथ क्या कोई नया सलूक कर रहे हैं? और यदि कर भी रहे हैं तो कसूर किसका है? शासकों का या कि उस जनता का जिसने उन्हें चुना है और गद्दी दी है अपराधी है तो कौन है? क्या हेराल्ड लास्की की यह उक्ति ग़लत हो गयी कि हमें ठीक वही सरकार मिलती है जिसके कि हम लायक होते हैं?

(धर्मयुग, बम्बई)

जिन मकानों में ख़ाकसार रहा...

अपने चौंतीस वर्ष की नौकरी में मैं लगभग छब्बीस मकानों में रहा। आज उन्हीं में से कुछ की चर्चा करूँगा। मैं आपको यकीन दिलाता हूँ कि मैं सच बोलूँगा, और सच के सिवा कुछ नहीं बोलूँगा। हाँ, अलबत्ता पूरा सच नहीं बोलूँगा और उसके लिए आप मुझे क्षमा करेंगे।

मैं देश की सर्वोच्च सिविल सर्विसों में से एक के लिए सन् उन्नीस सौ पचपन में चुना गया था। सबसे प्रथम मैं जिस कोठी में रहा उसकी छत फूस की थी। उन्नीसवीं सदी में बनी ऐसी विशाल कोठियाँ मेरठ की छावनी में अभी तक कायम हैं। मेरी मकान मालकिन एक एंग्लो-इण्डियन महिला थीं जो सब तरफ़ से विशाल थीं। उनके पति—जो एक जर्मन पत्रकार थे—अपनी पत्नी की कटि तक भी मुश्किल से ही पहुँचते थे। पता नहीं गृहस्थाश्रम कैसे काम करता होगा। उस महिलारत्न की आवाज़ इतनी बुलन्द थी कि फतेहपुर सीकरी के बुलन्द दरवाज़े की याद दिलाती थी। वे अपने बड़े-बड़े अलसेशियन कुत्तों और अपने छोटे से पति को बराबर प्यार देती थीं। मैं जिस कोठी में रहता था उसके एक भाग में एक विधुर और धर्मात्मा तहसीलदार रहते थे और दूसरे भाग में एक ऐसे प्रोफ़ेसर रहते थे जो पशुशास्त्र के पण्डित थे। उनकी उम्र मेरी जितनी ही रही होगी और उन्होंने शादी नहीं की थी। वे एक सज्जन पुरुष की कई सुन्दर पुत्रियों में से एक से अनन्त प्यार करते थे। जब यह बात धीरे-धीरे सार्वजनिक हो गयी तो उन्होंने अपनी प्रेयसी की बड़ी बहन से शादी कर ली क्योंकि वह डॉक्टरनी थी और काफ़ी धन कमाती थी। प्यार प्यार की जगह और शादी शादी की जगह। तहसीलदार साहब सुबह को दो घण्टे पूजा और रामायण का पाठ करते थे और शाम को दो घण्टे रिश्वत लेते थे। जब कभी स्त्री-सुख की इच्छा प्रबल हो उठती थी तो देहात के दौरे पर निकल जाते थे। कभी-कभी मुझे बताया करते थे कि जितना ताज़ा और ख़ूबसूरत माल गाँव में मिलता था, उतना शहर में कभी नहीं मिलता था।

मेरठ में मैंने तीन बार मकान बदला। ऊपर बतायी कोठी के बाद मैं एक कोठी के पीछे बनी बैरकनुमा बैरक में रहा। मेन कोठी में एक अधेड़ सज्जन रहते

थे जिनकी पत्नी बहुत कम उम्र की थी और ग़ज़ब की हसीन थी। वह जब भी मुझे मिलती थी, बड़े प्यार से मिलती थी और हमेशा कहती थी कि तुम कितने जवान हो। मैं उसका दर्द समझता था मगर कुछ कर नहीं सकता था। एक तरफ़ मेरी दबंग पत्नी थी और दूसरी तरफ़ उस युवती का अधेड़ पति था जो हर वक़्त अपनी जेब में तमंचा रखता था। मैं जब भी उस स्त्रीरत्न को देखता था तभी मुझे रवीन्द्रनाथ ठाकुर का एक कवितांश याद आ जाता था। हिन्दी में उन पंक्तियों का रूप कुछ इस प्रकार था :

प्रहर-शेष में अरुण-ज्योति से रंजित था मधुमास
तेरे नयनों में देखा था अपना सत्यानाश

इसके बाद जो मैंने कोठी बदली वह सर्वश्रेष्ठ थी। उसमें ख़ूब आम लगते थे और उन्हें हम कस कर सेवन करते थे। आँधी आने पर छोटी-छोटी अम्बियाँ लगती थीं और सुमित्रानन्दन पन्त की नीचे लिखी पंक्तियाँ अनायास ही याद आ जाती थीं :

तुम मुग्धा थीं अतिभाव प्रवण
अम्बियों-से उभरे थे उरोज
चंचल प्रगल्भ हँसमुख उदार
मैं सलज तुम्हें था रहा खोज

इस कोठी के मालिक एक सरदार साहब थे जिनके पास काफ़ी सम्पत्ति थी। उनकी एकमात्र सन्तान एक लड़की थी जो विलायत में रहती थी। ये कोठी के मालिक विधुर थे और अपना सारा समय मुक़दमेबाजी में गुज़ारते थे। बड़े चौकन्ने पुरुष थे पर फिर भी हमेशा परेशानियों से घिरे रहते थे। उनके तनावपूर्ण जीवन को देखकर मैं फ़िराक़ साहब का एक शेर हमेशा याद करता था :

हुशियारी का कौन ठिकाना
ज़ालिम कुछ तो धोखा खा ले

मेरठ से मेरा तबादला पटना को हो गया। वहाँ मैं एक ऐसे सज्जन की कोठी में रहा जो नितान्त सुन्दर, सम्भ्रान्त, गम्भीर और शालीन थे। पेशे से वे बैरिस्टर थे। तमाम गुणों के बावजूद उनकी समाजवादी पत्नी एक खानसामा के साथ भाग गयी थी। बकौल चाणक्य के, स्त्री के चरित्र को तो स्वयं ब्रह्मा भी नहीं जानते, इंसान की तो बिसात ही क्या है!

पटना की कोठी में फ्लश नहीं था। पुराने ज़माने की टट्टियाँ थीं जिन्हें मेहतर साफ़ करता था। एक बार ऐसा हुआ कि भंगियों ने हड़ताल कर दी और स्थिति यह हो गयी कि चिरकीन का दीवान याद आने लगा। ठीक वही स्थिति हो गयी जिसकी चर्चा सैयद मुहम्मद जाफ़री ने कभी उर्दू में की थी। कलाम हाज़िर है :

भंगियों की आजकल हड़ताल है
कहतरो मेहतर का पतला हाल है,

गर्दिशे दौराँ ने साबित कर दिया
रफ़अ हाजत भी बड़ा जंजाल है,
ज़ब्त की हद पर खड़े हैं शेख जी
साँस खींचे हैं मगर मुँह लाल है,
पेट पकड़े फिर रहे हैं सेठ जी
उनकी धोती में बहुत-सा माल है,
आ गया रोके से रुक सकता नहीं
अपना-अपना नामाए-ए-एमाल है।

ज़िन्दगी में पहली बार पता लगा कि बापू भंगी-कालोनी में क्यों रहा करते थे। बड़े दूरदर्शी और समझदार इंसान थे। एक तरफ़ यह स्थिति है कि भंगी का आना ज़रूरी है और दूसरी तरफ़ यह स्थिति है कि बड़े-बड़े लोग हैं जिनके बाथरूम उनकी रसोई से ज़्यादा साफ़ और ख़ूबसूरत हैं पर ये हैं कि कोष्ठबद्धता के कारण उनका उपयोग ही नहीं कर सकते। बाथरूम जाते हैं और आधा घण्टा प्रभु की प्रार्थना के बाद महाकवि चिरकीन का शेर पढ़ते हैं :

अबे अकड़ता है, निकलता क्यों नहीं
क्या मैं हव्वा हूँ जो तुझे खा जाऊँगा?

पटना से स्थानान्तरित होकर मैं प्रयाग आया और तीन नदियों के संगम की भाँति मैंने भी तीन मकान बदले। एक मकान बड़ा दिलचस्प निकला। उसके मालिक एक ईसाई थे जिनकी उम्र कोई साठ साल थी। उनकी हसीन और शोख पत्नी उनसे तीस वर्ष छोटी थी। बात यह थी कि उनकी पत्नी ने उनसे यह सोच कर शादी की थी कि बुड्ढा कोई ज़्यादा दिनों थोड़े ही चलेगा! वह सवारी बढ़ाएगा और वह उसके लाखों रुपयों की वारिस बनेगी और ठाट से रहेगी। मगर वैसा नहीं हुआ। पति ने उसे अधेड़ बना दिया और अपनी सेहत ठीक रखी। वह ज़्यादातर घर पर ही रहता था और उसकी वह कम उम्र और हसीन बीवी या तो बाज़ार में रहती थी या क्लब में शाम गुज़ारती थी। स्थिति यह थी कि कवि को कहना पड़ा :

औरतें पर्दे से बाहर आ गयीं
मौलवी लोटे के अन्दर हो गया,
जाने महफ़िल था, ख़ुदा बख़्शे जमीर
अब तो एक मुद्दत से शौहर हो गया

अगली बार जब मैं प्रयाग में पोस्ट हुआ तो ऐसी कोठी में रहा जिसमें सोलह कमरे थे। लॉन बहुत बड़ा था और उसमें साँप भी बहुत थे। सन्तोष की बात यही थी कि मुर्दघाट बहुत पास था और श्मशान में जलने की सुविधा चौबीसों घण्टे रहती थी।

अपनी नौकरी के सात वर्ष मैंने दिल्ली में गुज़ारे। सरकारी मकान मिलने तक मैं तीन मकान बदल चुका था। एक मकान के मालिक अपने मन्त्रालय के 'सतर्कता

अधिकारी' थे जो सारे मन्त्रालय में ईमानदारी बरकरार करने के लिए इस पद पर लगाये गये थे। स्थिति यह थी कि ये खुद हददर्ज़ा भ्रष्ट थे। उनका घर मेरे लिए छोटा था और इसी कारण मैं एक और फ्लैट में गया। वहाँ और तो सब ठीक था मगर मकान मालिक की पत्नी इतनी हसीन थी कि मेरा वहाँ चरित्रवान् रहना कठिन था। एक बार कुछ रीतिकालीन पद्धति का अनुकरण किया मगर स्थिति ऐसी रही कि कुछ कर न सका :

बाहम शब-बिसाल गलतफहमियाँ हुईं
मुझको परी का शुब्हा हुआ, उनको भूत का

इसके बाद एक ऐसी कोठी में गया जहाँ एक जोड़ा पति-पत्नी पहले ही से रहते थे। पत्नी बड़ी दयालु थी; वह मात्र हर किरायेदार से सिर्फ़ एक अदद बच्चा चाहती थी। पिछले ग्यारह सालों में उन्होंने ग्यारह किरायेदार रक्खे थे और उनकी याद को ताज़ा रखने के लिए उनके यहाँ कुल ग्यारह बच्चे थे। मैं उनका स्वप्न पूरा नहीं कर सका क्योंकि मुझे तो वे स्त्री कम और मॉडर्न पेण्टिंग ज़्यादा लगती थीं। स्थिति यह रही कि :

एक तसवीर को देखा जो कमाले फ़न थी
भैंस के जिस्म पै इक ऊँट-सी गर्दन थी
एक तसवीर जो देखी तो सूरत यह थी
जिसको समझे थे अनन्नास, वह औरत निकली

बाक़ी मकानों की चर्चा फिर कभी करूँगा। फ़िलहाल तो स्थिति यह है कि मैं देहरादून में अपने ही बँगले में निवास करता हूँ और इस एहसान के बदले सरकार से पाँच सौ रुपये 'हाउस रेण्ट एलाउन्स' के नाम से प्रतिमाह पाता हूँ। अपना मकान होना बड़ा ज़रूरी है। मेरा तो यह निश्चित मत है कि पत्नी भले ही परायी रख लो मगर मकान हर हालत में अपना रखो। हमारे देश में स्थिति यह हो गयी है कि सारे देश के तीन बार प्रधानमन्त्री बनने के बाद भी श्री गुलजारी लाल नन्दा के पास अपना मकान नहीं है। स्थिति यह आ गयी है कि जहाँ कहीं वे 'आउट हाउस' में रहते थे, वहाँ से भी निकाल देने के लिए अदालत का हुक्म जारी हो चुका है। मेरे पड़ोसी हैं एक हाईकोर्ट के जज (जिनकी पत्नी विदेशी हैं) एक डिस्ट्रिक्ट जज (जिनकी पत्नी विदेशी नहीं है) और एक कर्नल (जिनके पास किसी क़िस्म की भी पत्नी नहीं है)। आसपास के प्लाट खाली हैं जिनके कारण अपना मकान साफ़ रखने में बड़ी आसानी है। यदि मेरे चारों तरफ़ मकान बन गये तो मैं अपने मकान का कचरा कहाँ डालूँगा?

(साप्ताहिक हिन्दुस्तान, दिल्ली)

पिछले दिनों...

मैं उन लोगों में से हूँ जो अख़बार पढ़ने में कम-से-कम वक़्त लगाते हैं। कुछ लोग होते हैं जो 'डाक संस्करण' से शुरू करके अख़बार का अध्ययन वहाँ तक करते हैं जहाँ कि प्रकाशक व मुद्रक का नाम छपा रहता है। मैं उनमें से नहीं हूँ। मगर पिछले सप्ताह दफ़्तर में काम-काज इतना कम रहा कि मैंने भी विभिन्न समाचार-पत्रों का विधिवत् पूर्ण सेवन किया और पाया कि अख़बार पढ़ने में जो आनन्द है वह अन्यत्र पाना दुर्लभ है। कुछ समाचार तो ऐसे पढ़ने को मिले जो वाकई लाजवाब थे।

सबसे ज़्यादा ख़ुशी तो यह पढ़कर हुई कि भारत के दो बार प्रधानमन्त्री बनने वाले श्री गुलजारी लाल नन्दा का सामान बाहर सड़क पर फेंका गया। यह सब कुछ जो हुआ, वह दिल्ली के किराया-नियन्त्रक के आदेश के अनुसार हुआ। सौभाग्य से नन्दा साहब के पास जो सामान था वह कुछ ज़्यादा नहीं था। एक कुर्सी थी, कुछ रसोई के बर्तन थे, एक मेज़ थी और सबके बाद में एक दरी थी। भारत-साधु-समाज के कर्ता-धर्ता के पास और किसी सामान के होने की वैसे भी कोई सम्भावना नहीं थी। भगवान के नाम पर आचार्य रजनीश जी स्वयं भगवान हो गये और इधर नन्दा साहब थे कि प्रधानमन्त्री होने के बावजूद नंगे के नंगे ही रहे। मैं समझता हूँ कि नन्दा साहव ज़रूरत से ज़्यादा चतुर हैं। यहाँ वे भले ही सादगी से रहते हों मगर विदेशी बैंकों में उनके नाम करोड़ों रुपये जमा होंगे। यदि आपको विश्वास न हो तो मुझे जाँच करने के लिए विदेश भेज दीजिए। जो कुछ भी सरकार चाहेगी, वही साबित कर दूँगा।

हेग में एक बीस वर्ष की डच युवती-जो ज़रूरत से ज़्यादा सुन्दर थी—पार्सल द्वारा भेजी गयी और वह गन्तव्य स्थान पर ठीक-ठाक पहुँच गयी। एक हमारे देश का डाक विभाग है जो पोस्टकार्ड पहुँचाने में भी कभी-कभी पन्द्रह वर्ष लगाता है और एक हालैण्ड की डाक-व्यवस्था है कि पार्सल में बन्द नवयुवती भी बिना किसी छेड़छाड़ के कहीं-से-कहीं पहुँच गयी। यदि हमारे देश में लड़कियाँ मनीऑर्डर से भेजी जाने लगें तो पता नहीं क्या होगा। पोस्टमैन से लेकर पोस्टमास्टर जनरल तक उस युवती पर अपनी मुहर का ठप्पा लगाएँगे और स्थिति यह होगी कि जब तक वह

युवती अपने असली पाने वाले तक पहुँचेगी तब तक वह बयालीस बच्चों की माँ बन चुकी होगी और तैंतालीसवाँ बच्चा निर्माणाधीन होगा।

शेक्सपीयर कें बारे में कुछ-न-कुछ चर्चा चलती ही रहती है। इधर लीबिया के एक नेता ने यह दावा किया है कि शेक्सपीयर वास्तव में अरब देश का निवासी था। अनेक अरबी अख़बारों ने इस दावे का समर्थन किया है। उसकी मानसिक शक्ति और शारीरिक गठन इस बात को साबित करती है कि वह अरबी ही था। इन अरब लोगों का कहना है कि 'रोम्यो एण्ड जूलियट' तथा 'ओथैलो' अरबी लोककथाओं की नकल हैं। ट्यूनीशिया के बुद्धिजीवियों ने भी कहा है कि शेक्सपीयर ने अपने ड्रामों में अरबी कहानियों को ही आधार बनाया है और सच्चाई यह है कि वह एक 'सांस्कृतिक दस्यु' है। मैं सोचता हूँ कि मेरे मरने के बाद भी इस प्रकार की चर्चा चलेगी। हाँ, अलबत्ता यह दीगर बात है कि शेक्सपीयर के सन्दर्भ में जनता यह साबित करने की कोशिश करती है कि वह उनके देश का निवासी था जब कि मेरे सन्दर्भ में सब देश यही कहेंगे कि रवीन्द्रनाथ त्यागी नाम का यह कूड़ा-लेखक और किसी भी देश का भले ही हो, हमारे देश का हर्गिज़ नहीं था।

रेलवे मन्त्री श्री सिन्धिया ने बजट पेश करते हुए न जाने कितने गिलास पानी पिया और हर बार पानी पीने के बाद किसी-न-किसी भाड़े में वृद्धि की सूचना दी। मैं सोचता हूँ कि यदि रेलवे मन्त्री व वित्तमन्त्री को सदन में बजट-भाषण के समय पानी देने की व्यवस्था न हो तो आम आदमी का दर्द काफ़ी कम हो जाए। इस बार रेलवे मन्त्री ने बताया कि बूढ़े लोगों पर सफ़र करते समय आधा किराया लिया जाएगा। मन्त्री जी काफ़ी दूरदर्शी हैं। वे जानते हैं कि यह लाभ केवल पुरुषों को ही दिया जाएगा क्योंकि कोई भी स्त्री अपनी आयु पैंसठ वर्ष या उससे ज़्यादा कभी बताएगी ही नहीं!

एक ख़ूबसूरत ख़बर और पढ़ने को मिली। एक सज्जन व्यक्ति ने हिरोइन ड्रग को कैपशूल में बन्द करके ऊपर से पिया और गन्तव्य स्थान पर पहुँचकर यह सारी सामग्री नीचे की दिशा से निर्यात की गयी। जब तक वह क़ीमती ड्रग उसके पेट में रही, उन सज्जन की क़ीमत सत्तर लाख रुपये रही। कितने दुःख की बात है कि महाकवि चिरकीन हमारे बीच नहीं हैं। वे होते तो इस घटना को लेकर एक महाकाव्य ज़रूर लिखते। जैसाकि मैं पहले भी कहीं कह चुका हूँ महाकवि चिरकीन के काव्य में जो ताज़गी, सुगन्ध और स्वाद मिलता है वह हमें मीर, ग़ालिब, इक़बाल, पन्त और निराला के काव्य में भी नहीं मिलता। हिन्दी में तो इस अछूते क्षेत्र में किसी ने क़दम ही नहीं रखा। मैं अब हिन्दी का चिरकीन बनना चाहता हूँ। शायद कभी भगवान और मेरा आमाशय मेरा साथ दे ताकि मैं वैसा कर सकूँ और 'युग प्रवर्तक' कहला सकूँ।

कलकत्ता में विरोधी पक्ष के विधायकों ने गवर्नर को अपमानित किया। कुछ

ने उन्हें खिजाया और कुछ ने उनसे हाथापाई करने की चेष्टा भी की। कलकत्ता में ऐसा व्यवहार एक और बार गवर्नर के साथ भी किया गया था उधर उन दिनों अपमान करने वाले लोग वे थे जिनकी कि इन दिनों बंगाल में सरकार है। जिन प्रदेशों में गैर-काँग्रेसी सरकार है, उनमें गवर्नर की स्थिति ठीक वही होती जा रही है जो कम्पनी सरकार के ज़माने में रेजीडेण्ट की होती थी। बहरहाल, कुल मिलाकर हालत इतनी खस्ता हो गयी है कि मैं तो किसी भी हालत में गवर्नर नहीं बनना चाहूँगा।

पिछले सप्ताह पार्लियामेण्ट के दोनों सदनों में सारी विरोधी पार्टियों के सांसदों ने 'वाक आउट' कर दिया। यह पहला अवसर था कि बजट पेश होते समय सारी विरोधी पार्टियाँ सदन में पूरी तरह अनुपस्थित हों। बहरहाल, दो दिनों के बाद सब सदस्य फिर प्रकट हो गये और माननीय सांसद ने तो यह भी कहा कि "हमी जब न होंगे तो क्या रंगे-महफिल, किसे देखकर आप शर्माइएगा?" बालकवि 'वैरागी' ने भी बजट के बीच अपनी कविताएँ पढ़ीं जिससे उनका दर्ज़ा बाबू मैथिलीशरण गुप्त के बराबर हो गया क्योंकि वे भी ऐसा ही किया करते थे। मेरा तो सरकार से नम्र सुझाव है कि वह मैथिलीशरण गुप्त, रामधारी सिंह 'दिनकर' और सोहनलाल द्विवेदी के बाद बालकवि 'वैरागी' को राष्ट्रकवि के रूप में मान्यता दें। इससे बहुतों का भला होगा।

आज पढ़ा कि लन्दन में पार्लियामेण्ट के सदस्य, हाईकोर्ट के जज, और लार्ड चान्सलर तक सरकारी गाड़ी के बजाय साधारण साइकिल की सवारी कर रहे हैं क्योंकि पेट्रोल के दाम काफ़ी ज़्यादा हैं, हालाँकि हमारे देश के दामों की तुलना में वे फिर भी कम हैं। एक उनका देश है और एक हमारा देश है जहाँ कि मेजर साहब की बीवी और ब्लॉक डेवलेपमेण्ट ऑफ़िसर की पत्नी खुलेआम स्टाफ़ कार और जीप में घूमती हैं। आप से जो कुछ हो, वह कर लें। मुझसे तो कुछ हुआ नहीं।

पिछले दिनों स्वामी अग्निवेश व शबाना आजमी दिल्ली से मेरठ तक पदयात्रा करने आये। कितना अच्छा होता यदि मैं उन दिनों दिल्ली में होता। शबाना जैसी कलाकार कविपुत्री के साथ मैं दक्षिणी ध्रुव तक जा सकता हूँ, मेरठ तो चीज़ ही क्या है? रामायण के हनुमान और मेरे प्रिय कलाकार दारासिंह शूटिंग के दौरान घोड़े पर से गिर गये। उनके ज़्यादा चोट नहीं आयी। घोड़े की क्या हालत है, यह किसी ने नहीं बताया।

दिल्ली में दो लड़कियों ने आपस में शादी की। माँ-बाप ने बहुत मना किया मगर उससे कोई प्रभाव नहीं पड़ा। शादी होने के बाद उन दोनों को पता चला कि उनमें से यदि एक पुरुष होता तो जीवन कहीं ज़्यादा खुशी के साथ बिताया जा सकता था। बहरहाल, पैंतीस हज़ार रुपयों से ऑपरेशन किया गया है और एक ऑपरेशन अभी और होगा। युवतियों में से एक का यौन-परिवर्तन सम्भव है और उसी के लिए अब दौड़-धूप की जा रही हे। भगवान उनका भला करे। यदि ऑपरेशन कामयाब

नहीं हुआ तो मैं उन दोनों के साथ 'पेइंग गेस्ट' की हैसियत से रहने को ख़ुशी से तैयार हूँ। परोपकाराय सतां विभूतयः।

देख लीजिए, पिछले कुछ दिनों में इतना कुछ हो गया मगर मैं हूँ कि मजमून ही लिखता रहा। बकौल अकबर के, कर ही क्या सकता था बन्दा खाँस लेने के सिवा? विधान सभाओं में जूते चले और मजमून बहुत से बहुत अख़बार में छप जाएगा। जूते की और मजमून की भला क्या तुलना? कवि ने कभी ठीक ही कहा था।

बूट डासन ने बनाया, मैंने एक मज़मूँ लिखा।
मुल्क में मज़मूँ न फैला, और जूता चल गया।।

(रविवार, कलकत्ता)

सामान्य ज्ञान का सन्दर्भ

मेरे विभाग के एक बहुत वरिष्ठ अधिकारी थे जिन्होंने कैम्ब्रिज से शिक्षा प्राप्त की थी। एक बार उन्होंने हमें बताया कि अपने छात्र जीवन के दौरान, एक दिन वे कैम्ब्रिज से लन्दन गये। वे सड़क के किनारे बने फुटपाथ पर चले जा रहे थे कि अचानक स्कूलों के काफ़ी बच्चे—जों उन्हीं की भाँति सड़क के किनारे-किनारे चले जा रहे थे—सहसा चिल्लाने लगे कि "लांग लिव दी किंग।" नायर साहब इस शोर से चौंक गये और आँखें उठाने पर उन्होंने देखा कि पास की ही खुली गाड़ी में इंग्लैण्ड के सम्राट और उनकी महारानी बैठी थीं जो कि प्राइवेट विजिट पर कहीं जा रही थीं। ट्रैफिक की बत्ती लाल हो गयी थी और शेष लोगों की भाँति बादशाह की गाड़ी भी रुक गयी थी। जब तक बत्ती हरी नहीं हुई तब तक सम्राट् की कार रुकी रही और वे अपने हैट से स्कूल के बच्चों का अभिवादन करते रहे। अपने देश की क्या स्थिति है, यह जानने के लिए आप छब्बीस फ़रवरी का 'सण्डे' पढ़िए। अख़बार में लिखा है कि हमारे प्रधानमन्त्री श्री गाँधी कहीं जा रहे थे और जब तक वे निकले तब तक दूर-दूर तक यातायात बन्द कर दिया गया था। एक युवती टैक्सी में थी और उसके किसी भी समय वच्चा हो सकता था। उसकी बार-बार की गयी करबद्ध प्रार्थना से भी ट्रैफिक पुलिस का हृदय नहीं पिघला हालाँकि ज़नाना अस्पताल सिर्फ़ दस गज़ की दूरी पर ही था। अन्त में वही हुआ जो होना था। उस युवती ने कार में ही बच्चा दे दिया और दर्द के मारे तड़फड़ाती रही। प्रधानमन्त्री को यह पता कभी नहीं लगेगा कि उनके नाम पर नीचे वाले अधिकारी क्या गुल खिलाते हैं। यह ऐसा ही सरकारी अमला है जो वरिष्ठ नेताओं की छवि बिगाड़ता है। मेरे विचार में ऐसे कर्तव्यपरायण पुलिस कर्मचारियों को पूरी तरह नंगा करके बाज़ार के बीच से निकाला जाना चाहिए। मगर ऐसा होगा नहीं। बहुत सम्भव तो यह है कि सम्बन्धित पुलिस कर्मचारी को 'विशिष्ट सेवा पदक' दिया जाएगा।

दुखी होकर मैंने एक बच्चे से अख़बार खरीदा और पढ़ने लगा। दूसरे पृष्ठ पर छपा था कि इतिहासपुरुष पण्डित जवाहरलाल नेहरू की शताब्दी के सन्दर्भ में जो राष्ट्रीय दौड़ सम्पन्न हुई उसमें तीन लड़कियों के साथ बलात्कार किया गया।

बलात्कार के लिए इसमें ज़्यादा उपयुक्त वेला और कौन-सी हो सकती थी? बहरहाल, रिपोर्ट लिखवाने पर भी सारे कार्यक्रम में पुलिस ने कोर्ट दखलअन्दाज़ी नहीं की। हमारी पुलिस तो एकदम गाँधीवादी होती जा रही है। न बुरा कहो, न बुरा सुनो और न बुरा देखो। और पुलिस ऐक्शन लेती भी तो क्या होता? केस पहले सेशन्स कोर्ट में लटकता जहाँ कि लड़कियों से अश्लील प्रश्न पूछे जाते और फिर मामला हाईकोर्ट और सुप्रीमकोर्ट जाता। अन्त में क्या होता यह तो शायद श्री जेठमलानी भी नहीं बता सकते।

ट्रेन चलने में अभी देर थी। पहले कोई चने बेचने आया और उसके बाद कोई सज्जन आँखों का सुरमा बेचने आये। उसके बाद एक मरियल-सा व्यक्ति ताकत की दवा बेचने आया। उसने दवा के गुण इतने विस्तार में बताये कि डिब्बे में बैठे लड़का लोग हँसने लगे और लड़कियों ने गर्दन झुका ली। एक पुस्तक विक्रेता आये जो दो रुपये की एक सामान्य ज्ञान की पोथी मुझे मात्र एक रुपये में ही दे गये। मैंने पोथी को खोला तो काफ़ी ज्ञान की बातें पढ़ीं। पोथी से पता लगा कि फ्रांस में मच्छर नहीं होते, जार्डन नदी में मछली नहीं पायी जाती और स्पेन में अख़बार कपड़े पर छपते हैं। श्री हरवोडान अपनी दाढ़ी में शहद की मक्खियाँ पालते हैं। शुद्ध और ताज़ा शहद प्राप्त करने की ऐसी विधि मुझे पहले नहीं मालूम थी। मिस्टर लेम्सेट की दाढ़ी की लम्बाई साढ़े पाँच मीटर है। आम आदमी के दिमाग़ का भार लगभग तीन प्वाइण्ट होता है और एक औसत व्यक्ति चौबीस घण्टों में इक्कीस हज़ार बार साँस लेता है। अफ्रीका में तोते पाये जाते हैं जो कि इस संसार में रहने वाली स्त्रियों से भी ज़्यादा बोलते हैं और पतंगबाजी की शुरुआत भी काफ़ी और चीज़ों की भाँति चीन से ही हुई। फ्रांस के राष्ट्रपति इतने होनहार थे कि उनकी पत्नी को एक वनमानुस उनके सामने से उठाकर ले गया था। विश्व की सबसे लम्बी स्त्री चीन में है और सबसे संक्षिप्त स्त्री हाईलैण्ड की है। फ्रांस की रानी कैथराइन की कमर मात्र तेरह इंच थी। महाराष्ट्र में अभी भी ऐसे गाँव हैं जहाँ घरों में ताले नहीं लगाये जाते। पीटर-दी-ग्रेट उन लोगों से टैक्स लेता था जो कि तम्बाकू नहीं पीते थे। फ्रांस के जनरल माण्ट मारीना को पाँच बार मृत घोषित किया गया था हालाँकि पाँचों बार दफ़नाने के वक़्त उसने खुद बताया था कि वह ज़िन्दा है। सीतापुर में एक ऐसा बकरा है जो रोज़ दो सौ ग्राम दूध देता है। सबसे ज़्यादा काम की सूचना यह थी कि गर्भवती स्त्री को चुकन्दर की पत्ती रगड़कर सुँघानी चाहिए। यदि इस क्रिया-कलाप के बाद उसे छींक न आये तो निश्चित रूप से जान लीजिए कि वह लड़का ही देगी, लड़की नहीं।

मैं उकता रहा था कि प्लेटफॉर्म पर एक बन्दर नचाने वाला आ गया। बन्दर और उसकी पत्नी—दोनों पहुँचे हुए कलाकार थे। पहले कत्थक पेश किया गया और फिर कुचिपुड़ि। इसके बाद जब पॉप-म्यूज़िक को पेश किया गया तो पता नहीं क्यों

उस बन्दर को कुछ कारणों से गुस्सा आ गया। उसने विद्रोह कर दिया। एक साहब की धोती खुल गयी और उस पुस्तक विक्रेता की कोई पचास प्रतियाँ देखते-देखते फाड़ डाली गयीं। और लोग तो हँस पड़े पर वह पुस्तक विक्रेता रोने लगा। उसने बताया कि सारे दिन परिश्रम करके वह कोई पाँच रुपये रोज़ कमाता था पर आज तो लेने के देने पड़ गये। घर में शायद आज चूल्हा भी नहीं जलेगा। इतना बताने के बाद वह फिर रोने लगा। एक हसीन बाई ने उसकी हिम्मत बँधायी और पाँच रुपये का नोट उसकी तरफ़ निकाला। पुस्तक विक्रेता ने भिक्षा स्वीकार नहीं की और बताना शुरू किया कि देश के विभाजन के पूर्व उसकी कितनी बड़ी हस्ती थी। मेरे पास बैठी, धूप का चश्मा लगाये हुए एक देशी मेम साहिबा ने उस आदमी की ओर कोई ध्यान नहीं दिया और वह उस नरपुंगव को देख-देखकर हँसती रही जिसकी कि बन्दर ने धोती खोल दी थी। लगता था कि किसी नवदौलतिये की पत्नी थी।

गाड़ी चल पड़ी। मैं विरक्त भाव से सब कुछ देखता रहा और शायर का कलाम याद करता रहा :

कैसे-कैसे ऐसे-वैसे हो गये।
ऐसे-वैसे कैसे-कैसे हो गये।।

(नवभारत टाइन्स, नयी दिल्ली)

नार्यस्तु यत्र पूज्यन्ते...

हमारे प्राचीन स्मृतिग्रन्थों में लिखा है कि जहाँ कहीं भी नारियों की पूजा की जाती है, वहीं देवता लोग रमण करते हैं। नार्यस्तु यत्र पूज्यन्ते, रमन्ते तत्र देवताः। इस सन्दर्भ में यह प्रश्न उठाया जा सकता है कि देवता लोग रमण किसके साथ करते हैं? इस शंका का समाधान यह है कि देवता लोग उन्हीं रमणियों के साथ रमण करते हैं जिनकी पूजा की जाती है। सच्ची बात तो यह है कि सुन्दर युवतियों के साथ रमण करना ही उनकी असली पूजा करना है। इस सन्दर्भ में विस्तार से फिर कभी लिखूँगा।

मुझे यह बताते हुए हर्ष होता है कि स्त्रियों की ऐसी पूजा करना हमारे देश में अभी भी उतनी ही मात्रा में पाया जाता है जितना कि कभी पहले होता था। हम लोग अपने शास्त्रों को कभी नहीं भूलते। लड़कियाँ भगायी जाती हैं, उन्हें वेश्या बनाने के लिए बेचा जाता है, दहेज कम लाने के जुर्म में ज़िन्दा जलाया जाता है और कभी-कभी उन्हें सती होने के लिए विवश भी किया जाता है। विधानसभा में एक महिला के साथ खुलेआम दुर्व्यवहार किया गया और एक-दूसरे राज्य की विधानसभा में एक मन्त्रिणी के साथ ऐसी पूछताछ की गयी कि वे बेचारी वहीं निःसंकोच होकर रोने लगीं। ये ही वे वीर महिलाएँ हैं जो देश की स्त्रियों का उद्धार कर सकती हैं। बाकी महिलाएँ देश के लिए कुछ नहीं कर सकतीं। इस सन्दर्भ में उस युवती विशेष की चर्चा मैं अवश्य करूँगा जिसका दिल्ली में ऑपरेशन हुआ और जिसके फलस्वरूप पाकिस्तान की वह फरीदा बेग़म, फरीदा खान हो गयीं। यौन-परिवर्तन के कारण कानूनी स्थिति यह हो गयी है कि अब उस ग़रीब भूतपूर्व युवती को नया पासपोर्ट लेना पड़ेगा। कभी-कभी मैं तो यह सोचकर काँप उठता हूँ कि यदि कहीं मेरा यौन-परिवर्तन हो गया तो क्या होगा?

यह सन्तोष की बात है कि स्त्रियों के प्रति अपना आदर प्रकट करने में हम देश या विदेश की कोई परवाह नहीं करते। वसुधैव कुटुम्बकम्। हमारे कुछ नौजवान मास्को तथा प्योंगांग गये तो उन्होंने वहाँ कुछ युवतियों के साथ बलात्कार करने की कोशिश की, अपना समय उन स्थानों पर बिताया जहाँ विदेशी युवतियाँ नंगी होकर

स्नान करने लगी थीं और विमान की परिचारिकाओं के प्रति ऐसा स्नेह दिखाया कि अधिकारियों ने स्त्री परिचारिकाओं के स्थान पर पुरुष परिचारक नियुक्त किये। हमारे डेलीगेशन का एक नवयुवक सदस्य एक लड़की के ऊपर ऐसे कूदा जैसे कि भेड़िया बकरी पर कूदता है। यदि आपने कभी भेड़िये को बकरी के ऊपर कूदते हुए नहीं देखा है तो आपका जीवन व्यर्थ हो गया।

महिलाओं के आवास के लिए सरकार ने नारी निकेतन और महिलासदनों की स्थापना की। इनमें स्त्रियों ने बड़ा सुख पाया। एक महिलासदन में एक युवती को इसलिए ज़िन्दा जला दिया गया क्योंकि उसने अधिकारियों के आदेशानुसार एक पुरुष के साथ सहवास करने से इनकार कर दिया था। उस युवती की आयु मात्र सोलह वर्ष की थी। एक महिलासदन से पन्द्रह लड़कियों ने दीवार फाँदकर भागने की चेष्टा की क्योंकि वे वहाँ के नारकीय जीवन से तंग आ चुकी थीं। एक महिलासदन को वहाँ के अधीक्षक ने ऐशगाह बनाकर रखा और क़रीब आधा दर्जन युवतियों को बीसियों बार शारीरिक सुख दिया। यदि किसी युवती ने उसकी या उसके किसी मित्र की वासना का शिकार बनने को मना किया तो उसके शरीर पर जलती हुई सिगरेट जगह-जगह दागी गयी। महिलासदन में हफ़्ते में दो बार पार्टियाँ होती थीं जिसमें साहब, उनके मेहमान और दोस्त आते थे, मुर्गा पकता था, दारू पी जाती थी और फिर रात के अँधेरे में रँगरेलियाँ मनायी जाती थीं। मैं सोचता हूँ कि वह अधीक्षक कितना दयालु था जो उन भाग्यहीन नारियों को प्रत्येक प्रकार से सुखी रखना चाहता था। काश, ऐसा पद मुझे प्राप्त हो सकता।

स्त्रियों की स्थिति सुधारने के लिए एक विशिष्ट राजनीतिज्ञ की होनहार पत्नी ने एक सम्मेलन आयोजित किया जिस पर केवल नौ करोड़ रुपयों का खर्चा आया। महिलाओं के प्रति किये जा रहे अत्याचारों की कड़े शब्दों में निन्दा की गयी और उनकी सारी समस्याओं पर विशद रूप से विचार किया गया। इस सम्मेलन की सफलता इतनी ज़्यादा रही कि सम्मेलन के दौरान ही दो युवतियों को भगा लिया गया और उनमें से एक के साथ बलात्कार भी किया गया। अगर मैं स्त्री होता तो इस सम्मेलन में अवश्य भाग लेता।

हमारे प्रधानमन्त्री स्त्रियों की समस्याओं को दूर करने के लिए और समाज में उन्हें उचित सम्मान देने के लिए बराबर प्रयत्नशील हैं। मेरा विश्वास है कि सफलता तो उन्हें मिलेगी मगर उसमें समय लगेगा। सत्ताईस जून उन्नीस सौ नवासी के इण्डियन एक्सप्रेस के अनुसार राष्ट्रपति ने एक राज्य के एक बिल को बारह वर्ष बाद वापिस किया है। इस देरी के लिए राज्य की विधानसभा में सरकारी पक्ष व विरोधी पक्ष ने एक-दूसरे को ज़िम्मेदार ठहराया है। इसी प्रकार दिल्ली में इण्डिया गेट के पास जो छतरी लगी है उसमें से अंग्रेज़ सम्राट की प्रतिमा कोई पच्चीस वर्ष पहिले हटा दी गयी थी और यह निर्णय लिया गया था कि वहीं राष्ट्रपिता महात्मा गाँधी की प्रतिमा

स्थापित की जाएगी। इस निर्णय के बाद प्रश्न यह उठा कि गाँधी जी की प्रतिमा के ऊपर छतरी रहे या न रहे। अन्त में चलकर यह तय किया गया है कि छतरी हटा ली जाए क्योंकि यह अच्छा नहीं लगता कि बापू की प्रतिमा अंग्रेज़ी छत्रछाया में खड़ी की जाए। निर्णय तो ठीक लिया गया मगर इस निर्णय के लेने में सरकार को मात्र बीस वर्ष लगे। ऐसी स्थिति में महिलाओं के लिए कोई ठोस काम करने में सौ वर्ष से कम क्या लगेंगे? रोम के नगर का निर्माण क्या कोई एक दिन में हुआ था?

संसार के सारे इतिहास में स्त्रियों का शोषण सदा से होता आया। महामुनि मनु के अनुसार स्त्री को बचपन में पिता की, जवानी में पति की व वृद्धावस्था में पुत्र की अधीनता में रहने को कहा गया है। सुन्दर युवतियों के कारण हज़ारों युद्ध हुए और लाखों लोग मारे गये। सीता के कारण राम और रावण का युद्ध हुआ और अन्त में चलकर राम ने सीता का परित्याग कर दिया। हेनरी अष्टम ने एनी बोलेन के कारण पोप से रिश्ता तोड़ा और बाद में चलकर अपनी उसी प्रियतमा को फाँसी दी। कुछ धर्मों में स्त्रियों को कड़े पर्दे में रखा गया जब कि पुरुष सैकड़ों रखैल रखता रहा। मेरे तुच्छ विचार में स्त्रियों को पुरुषों की बराबरी का हक कभी नहीं मिलना चाहिए क्योंकि वह धर्म के ख़िलाफ़ है, इतिहास के ख़िलाफ़ है और प्रकृति के ख़िलाफ़ है। स्त्री और पुरुष दोनों का निर्माण अलग-अलग उद्देश्यों के लिए हुआ है। पुरुष का उद्देश्य है शोषण करना और स्त्री का धर्म है शापित होना। यह एक ऐसा कटु सत्य है जो शायद कभी नहीं बदलेगा। जिस रूपवती अधेड़ अबला को इसमें कोई सन्देह हो, वह ख़ाकसार से सम्बन्ध स्थापित करे।

(धर्मयुग, बम्बई)

निराला की कविता में हास्य-व्यंग्य

हिन्दी में हास्य-व्यंग्य, एक बहुत बड़ी हद तक, गद्य की विधा में ही फला-फूला। जहाँ तक कविता की विधा है, उसमें उसका स्तर बराबर गिरा और लगातार गिरता ही रहा। इधर पिछले दस-पन्द्रह वर्षों में तो हास्यकवि हास्यास्पद ही होते गये। चुटकुलों को कविता के रूप में ढाला गया और श्रोताओं को बुरी तरह लूटा गया। मगर मैं देखता हूँ कि ऐसा नहीं है कि श्रेष्ठ लेखकों ने हास्य-व्यंग्य की काव्यसृष्टि नहीं की। प्रभाकर माचवे, भारतभूषण अग्रवाल, नागार्जुन और भवानीप्रसाद मिश्र ने उच्चकोटि की व्यंग्य-कविताएँ लिखीं। मगर फिर भी कुल मिलाकर स्थिति वही रही जिसे शरद जोशी ने 'हिन्दी हास्य-व्यंग्य की अफ़सोस शाखा' कहकर पुकारा था।

छायावाद के कवियों में प्रसाद जी बड़े हास्यकार थे। मैंने जब-जब 'कामायनी' पढ़ी, मुझे तभी-तभी कवि की फूहड़ता पर हँसी आयी। और ऐसा नहीं है कि ऐसी प्रतिक्रिया मात्र मेरे ही मन में उठी। न जाने कितने ही साहित्य-प्रेमी हैं जो प्रसाद जी को मात्र एक साधारण पद्यकार ही मानते हैं, कवि नहीं। बहरहाल, निराला जी ने भी अपने काव्य में हास्य-व्यंग्य को बराबर बरकरार रखा और उसे कलात्मक भी बनाया। उनकी इस प्रकार की कविताओं के कुछ अंश नीचे देता हूँ जिन्हें पढ़कर आप शायद मुझसे सहमत होंगे। ऐसे अंश इस प्रकार हैं :

(एक)

माँ उसको कहती है रानी
लेकिन उसका उल्टा रूप
चेचक के दाग़, काली नाक चिपटी
गंजा सिर, एक आँख कानी

(दो)

मेरे पड़ोस के वे सज्जन
करते प्रतिदिन सीखा मज्जन
झोली से पुए निकाल लिये
बढ़ते कपियों के हाथ दिये

देखा पर नहीं उधर फिर कर
जिस ओर रहा वह भिक्षु इतर

(तीन)

बापू तुम मुर्ग़ी खाते यदि
तो क्या भजते होते तुमको
ऐरे, गैरे, नत्थू ख़ैरे?
सर के बल खड़े हुए होते
इतने हिन्दी के लेखक कवि
बापू, तुम मुर्ग़ी खाते यदि

(चार)

बह्मन का लड़का मैं
उसको प्यार करता हूँ;
जात की कहारिन
उसके पीछे मैं मरता हूँ
कोयल-सी काली
चाल नहीं उसकी मतवाली
ले जाती है मटका बड़का
मैं देख-देख धीरज रखता

(पाँच)

राजा ने अपनी रखवाली की
क़िला बना कर रहा
बड़ी-बड़ी फ़ौजें रखीं।
कितने-कितने ब्राह्मण आये
पोथियों में जनता को बाँधे हुए;
कवियों ने बहादुरी के गीत गाये
ऐतिहासिकों ने इतिहास के पन्ने भरे
लोक नारियों के लिए रानियाँ आदर्श बनीं
लोहा बजा धर्म पर, सभ्यता के नाम पर
ख़ून की नदी बही

(छह)

ज़मींदार का सिपाही लट्ठ कन्धे पर डाले
आया और लोगों को देखकर कहा
डेरे पर थानेदार आये हैं
डिप्टी साहिब ने चन्दा लगाया है

एक हफ़्ते के अन्दर देना है :
कौड़े से कुछ हट कर
लोगों के साथ कुत्ता खेतिहर का बैठा था
चलते सिपाही को देखकर खड़ा हुआ
और भौंकने लगा...
पास का मेंढक थाले के पानी से उठकर
मूत-मूत कर छलाँग मारता चला गया...

(सात)

आजकल पण्डित जी देश में बिराजते हैं
माताजी को स्विट्ज़रलैण्ड
तपेदिक के इलाज के लिए छोड़ा है :
बड़े भारी नेता हैं—
कुइरीपुर गाँव में लेक्चर देने को
आये हैं मोटर पर
लन्दन के ग्रेजुएट, बैरिस्टर :
बड़े बाप के बेटे
बीसियों पर्तों के भीतर भी
एकदम खुले हुए

(आठ)

क़ैद पासपोर्ट की नहीं तो कभी
देश आधा ख़ाली हो गया होता
देविका रानी और उदय शंकर के
पीछे लगे-लगे चला जाता

(नौ)

किसी ने कहा कि एक तीन हैं
किसी ने कहा कि तीन-तीन हैं
किसी ने नसें टोयीं, किसी ने कमल देखे
किसी ने विहार किया, किसी ने अँगूठे चूसे
लोगों ने कहा कि धन्य हो गये!

(दस)

वाल्मीकि ने पहले वेदों की लीक छोड़ी
छन्दों में गीत रचे, मन्त्रों को छोड़ कर
मानव को मान दिया
धरती की प्यारी लड़की सीता के गाने गाये

'वर्जिन स्वैल' 'गुड-अर्थ' उसके परिणाम रहे

(ग्यारह)

कहीं का रोड़ा लिया और कहीं का पत्थर
टी.एस. इलियट ने जैसे दे मारा
पढ़ने वालों ने जिगर पर हाथ रखकर
कहा कैसा लिख दिया संसार सारा :
आगे चली गोली जैसे डिक्टेटर
उसके पीछे बहार, जैसे भुक्खड़ फॉलोअर
उनके पीछे दुम हिलाता टेरियर
आधुनिक पोइट

(बारह)

गुस्से के मारे काँपने लगे नव्वाब
कहा, "चल गुलाब जहाँ थे, उगा
सबके साथ चाहते हम भी कुकुरमुत्ता"
माली ने कहा "मुआफ़ करें ख़ता
कुकुरमुत्ता उगाया नहीं जाता"

(तेरह)

गर्म पकौड़ी
तेल की भुनी
नमक मिर्च की मिली
ऐ, गर्म पकौड़ी!
मेरी जीभ जल गयी
सिसकियाँ निकल रहीं
अरी, तेरे लिए छोड़ी
बह्मन की पकायी
मैंने घी की कचौड़ी!

(चौदह)

ज़मींदार चाँद जैसे कर के लिए लगे रहे
देश के आकाश पर;
माल के दलाल ये वैश्य हुए देश के;
कितना विहार किया कानूनी पानी पर
बँधे भी खुले रहे।

(कहानीकार, वाराणसी)

एका भार्या...

जैसा कि आप जानते ही हैं, संसार में पुरुष लोग दो प्रकार के होते हैं। कुछ पुरुष सुखी होते हैं और कुछ विवाहित। एक बार एक नवयुवक ने विवाह के लिए एक सुन्दर और सुशील पत्नी प्राप्त करने के वास्ते विज्ञापन छपाया था और उसके उत्तर में उसे हज़ारों तार और चिट्ठियाँ ऐसी मिली थीं जिनमें अनेक व्यक्तियों ने सूचना दी थी कि वे चाहें तो उनकी सर्वगुणसम्पन्न पत्नियों को बिना किसी व्यय के ले जा सकते थे। कुछ ने तो समुचित दहेज देने तक का वादा भी किया था। इन शुभ समाचारों को प्राप्त करने के बाद, विवाह के लिए उत्सुक वह व्यक्ति ठीक वैसी ही परेशानी में पड़ गया था जिसमें कि एक बार भगवान महादेव पड़े थे। हुआ यह था कि एक बार भगवान महादेव ने गजचर्म पहिना और बतौर इज़ार-बन्द के साँप को लपेट लिया। इत्तफ़ाक की बात कि ठीक उसी समय भगवान विष्णु अपने वाहन गरुड़ पर चढ़कर उनसे भेंट करने आ गये। गरुड़ को देखते ही सर्पराज भाग निकले और भगवान शिव का गजचर्म नीचे गिर पड़ा। अब शंकर भगवान की क्या स्थिति हुई होगी, यह आप स्वयं विचार कर सकते हैं। पार्वती और लक्ष्मी—ये दोनों देवियाँ भी शिव के इस नग्न नृत्य को देखकर संकुचित हो उठी होंगी।

हमारे शास्त्रों में लिखा है कि पत्नी के बिना पुरुष अधूरा है। पत्नी को इसी कारण अर्धांगिनी कहते हैं। शिव के अनेक नामों में से एक नाम है—अर्धनारी-नटेश्वर। हाँ, अलबत्ता पत्नी एक हो या ज़्यादा—इस बात को लेकर ज़रूर मतभेद रहा। भर्तृहरि का कहना था कि पत्नी एक ही होनी चाहिए—चाहे वह अप्सरा की भाँति सुन्दर हो या गुफा के समान डरावनी हो। एका भार्या सुन्दरी वा दरी वा। ठीक इसके विपरीत हमारे दोनों महाकाव्यों में लोग एक से ज़्यादा पत्नी रखते थे। रामायण के राजा दशरथ के तीन पत्नियाँ थीं। कैकेयी सबसे कम उम्र की होने के कारण और अपने अपूर्व रूप के कारण राजा को सर्वाधिक प्रिय थी। इक्ष्वाकु वंश के राजा लोग मात्र सन्तान के लिए ही विवाह करते थे और राजा दशरथ को इसी कारण एक के बाद एक शादी करनी पड़ी थी। इसके बाद पत्नियों के हाथ कुछ ऐसा उर्वरक लगा कि सभी को बच्चों का सुख प्राप्त हुआ। एक रानी को तो दो पुत्र प्राप्त हुए। इसी

प्रकार महाभारत में राजा पाण्डु के भी दो रानियाँ थीं। पति का पुरुषत्व से वियोग होने के कारण सारे बच्चे 'नियोग' के प्रयोग से हुए थे। और रानी गान्धारी का तो कहना ही क्या। आँखों पर पट्टी बाँधने के बावजूद, उसे बिना किसी बाहरी सहायता के सौ पुत्र प्राप्त हुए थे। उत्तर प्रदेश के एक लोकगीत में बताया गया है कि धोबी तक के चार पत्नियाँ होनी चाहिए। 'धोबी के चहिए चार मेहरिया एक घर की एक घाट, एक मेहरिया रोटी पकावै एक बिछावै खाट।' हमारे बाद के राजा और सुल्तान भी अनेक पत्नियाँ रखते थे। अकबर के हरम में चार हज़ार बेग़में थीं और हैदराबाद के अन्तिम निजाम जैसा मितव्ययी व्यक्ति भी सात सौ स्त्रियाँ रखता था। हमारे काफ़ी देवता तक बहुपत्नीवाद में विश्वास रखते थे।

यूँ तो हमारे यहाँ राजा ययाति जैसी प्रतिभाएँ भी हुईं जिन्होंने अपना यौवन समाप्त होने पर अपने पुत्रों तक का यौवन माँगा पर मैंने इस दिशा में मात्र दो ही व्यक्ति देखे हैं जिन्हें मैं कभी नहीं भूल सकता। एक आर्यसमाजी त्यागी थे और एक मेरे कस्बे के वैद्य थे। दोनों आपस में मित्रता भी रखते थे। वे आर्यसमाजी त्यागी हवन करते थे, व्रत रखते थे और पता नहीं उनमें और कितने गुण थे और इसी प्रकार वे वैद्यप्रवर भी सार्वजनिक कामों में हमेशा सबसे आगे रहते थे। हाँ बस, औरत ही एक ऐसी चीज़ थी जिसके बिना उनकी रात क्या, दुपहरी तक नहीं कटती थी। दोनों ने शादी के बाद शादी की और मरते समय अपनी विधवाओं को पीछे छोड़ गये। उनमें से एक की विधवा तो वास्तव में अनुपम सुन्दरी थी।

मेरे एक दोस्त हैं जो हकीम भी हैं और शायर भी हैं। मेरी ही उम्र के हैं मगर अधेड़ होने पर भी उनकी स्त्रियों के प्रति आसक्ति ख़त्म नहीं हुई। जहाँ भी किसी ख़ूबसूरत मूर्ति को देख लेते हैं वहीं इनके मनमन्दिर में प्रेम के घण्टे बजने लगते हैं। प्रत्येक दिन ऐसा दो-चार बार तो होता ही रहता है। उनके बारे में मैं चार पंक्तियाँ उद्धृत करता हूँ जो परिवार-नियोजन के सन्दर्भ में बेहद उपयुक्त हैं :

तीसरी बीवी जो मैंने की तो वालिद ने कहा–
खुश हूँ मैं, अच्छा है ज़ौक़े-शौहरी ठण्डा न हो
हाँ, मगर इस दौर में ये मशविरा दूँगा ज़रूर
चाहे जितनी मुर्गियाँ पालो मगर अण्डा न हो

मेरे जो ये शायर (और हकीम) मित्र हैं, उनके पास हर मौक़े के लिए मौजू शेरों का बहुत बड़ा ख़ज़ाना छिपा है। जहाँ किसी हसीन रूपसी को देखा (चाहे वह विधवा ही क्यों न हो), वहीं इनके श्रीमुख से एक सुभाषित निकल गया। यूँ तो ये हर शेर को अपना ही बताते हैं पर मैं जानता हूँ कि असली शायर कौन है। कुछ ऐसे ही अशआर नीचे पेश करता हूँ। मुझे दुःख है कि उनके सुनाये कुछ परम मार्मिक शेर मुझे छोड़ने पड़ रहे हैं क्योंकि वे अश्लील हैं। कलाम हाज़िर है :

यारब कहीं से गरमि-ए-बाज़ार भेज दे
दिल बेचता हूँ कोई खरीदार भेज दे
(सौदा)

आईना देखा तो लेके रह गये अपना-सा मुँह
साहब को दिल न देने पै, कितना गुरूर था
(ग़ालिब)

है ख़बर गर्म उनके आने की
आज ही घर में बोरिया न हुआ
(ग़ालिब)

कोई मुँह चूम लेगा इस 'नहीं', पर
शिकन रह जाएगी यूँ ही ज़बीं पर
(रियाज़)

वस्ल का दिन और इतना मुख़्तसर
दिन गिने जाते थे इस दिन के लिए
(अमीर)

मेरा दामन से लिपटना आप शायद भूल जाएँ
मुझको अब तक आपका दामन छुड़ाना याद है
(नख्शब)

राह पर उनको लगा लाये तो हैं बातों में
और खुल जाएँगे, दो-चार मुलाक़ातों में
(दाग़)

मैं सोचता हूँ, ज़माने का क्या हाल होगा
अगर यह उलझी हुई जुल्फ तूने सुलझायी
(राही)

आँचल-ढला रहा मिरे मस्ते-शबाब का
ओढ़ा गया कभी न दुपट्टा सँभाल के
(रियाज़)

ये काली-काली बोतलें जो हैं शराब की
रातें हैं इनमें बन्द हमारे शबाब की
(रियाज़)

मैखाने में मज़ार हमारा अगर बना
दुनिया यही कहेगी, जन्नत में घर बना
(रियाज़)

शहीद-ए-नाज़ हूँ, उस गुलबदन का

गुलाबी रंग हो मेरे कफ़न का

(खटमल)

इक तुम कि वफ़ा तुमसे न होगी, न हुई है
इक हम कि तकाज़ा न किया है न करेंगे

(हसरत)

ऊपर एक शेर है जो 'खटमल' साहिब का है। पता नहीं मैं कहाँ तक ठीक हूँ। बात पत्नी से चली थी और खटमल तक आ गयी। काफ़ी लोग हैं जिनके लिए क्या पत्नी और क्या खटमल, दोनों से बराबर परेशानी रहती है क्योंकि दोनों ही चीज़ें रात भर सोने नहीं देतीं। खटमल से 'अकबर' इलाहाबादी की तरह मैं भी बेहद डरता हूँ। और मैं क्या, हमारे देवता तक उनसे डरते थे। संस्कृत में एक श्लोक है जिसमें बताया गया है कि लक्ष्मी जो कमल पर सोती हैं, शंकर जो हिमालय पर सोते हैं और स्वयं विष्णु जो हैं, वे क्षीर सागर में सोते हैं उसका एकमात्र कारण यह है कि वे खटमलों से डरते हैं। श्लोक का मूल पाठ नीचे देता हूँ और पत्नी से खटमल तक की यह यात्रा समाप्त करता हूँ :

कमला कमले शेते, हरः शेते हिमालये
क्षीराब्धौ च हरिः शेते, मन्ये मत्कुणशंकया।।

(सण्डे साप्ताहिक मेल, नयी दिल्ली)

समकालीन जीवन

स्वाधीनता दिवस के पवित्र अवसर पर श्रीमती मेनका गाँधी के हाथों लगभग तीन हज़ार चिड़ियाँ पिंजरों से निकालकर मुक्त आकाश में छोड़ी गयीं ताकि वे मुक्त गगन के भीतर फिर से स्वच्छन्द उड़ान भर सकें। ये सारी चिड़ियाँ चिड़ीमारों से खरीदी गयी थीं जो बिहार व शेष पूर्वी भारत में पक्षी पकड़ने का धन्धा करते हैं और उन्हें क़ैद करने के बाद चन्द पैसों के बदले उन्हें बेचते हैं। पकड़ी गयी हर दस चिड़ियों में से औसतन नौ चिड़ियाँ क़ैद होने की प्रक्रिया में मर जाती हैं और उन सबकी क़ीमत चिड़ीमार जो है, वह बाकी बची एक चिड़िया को बेच कर वसूल करता है। अकेले दिल्ली शहर में प्रतिदिन लगभग तीन हज़ार चिड़ियाँ बेची जाती हैं और इनकी बिक्री का केन्द्र जामा मस्जिद के आसपास कहीं बताया जाता है। कलकत्ता में भी चिड़ियों की काफ़ी बिक्री की जाती है। इन पक्षियों को मुक्ति देकर श्रीमती मेनका गाँधी ने दयालुता का वाकई एक बड़ा काम किया। भगवान उन्हें लम्बी आयु दे।

इसी देश में लाखों ऐसे अबोध बच्चे हैं जो बँधुआ मज़दूर की ज़िन्दगी बसर करते हैं। दक्षिणी एशिया में बच्चों की संख्या लगभग दो करोड़ है। इनमें से काफ़ी ऐसे हैं जिन्हें उनके निजी माता-पिता ने मजबूरी में आकर पूँजीपतियों के हाथों बेचा है। वे सारा दिन गन्दा काम करते हैं, गन्दी बस्तियों में रहते हैं और गन्दे कपड़े पहिनते हैं। जस्टिस भगवती के शब्दों में इनका जीवन पशुओं से भी बदतर है। उनसे भीख मँगवायी जाती है, उन्हें जेब काटना सिखाया जाता है और उनके द्वारा तस्करी का माल एक स्थान से दूसरे स्थान पर पहुँचाया जाता है। स्वामी अग्निवेश ने इन बच्चों की स्थिति का बड़ा करुण चित्र खींचा है। इन बच्चों ने बचपन कभी नहीं देखा। मैं सोचता हूँ कि क्या कोई दिन ऐसा भी आएगा जिस दिन ऊपर बतायी गयी चिड़ियों की भाँति इन्हें भी कोई माई का लाल मुक्त आकाश में छोड़ेगा?

हमारे एक प्रदेश में बेकार इंजीनियरों ने एक दिन नगर में पहुँच कर जूते पालिश करना शुरू कर दिया। जो पेशेवर पालिश करने वाले थे, वे घबरा उठे। स्थिति तनावपूर्ण हो गयी। पुलिस ने सत्तावन इंजीनियर गिरफ़्तार किये। एक इंजीनियर ने बताया कि धन्धा कुल मिलाकर उतना बुरा नहीं रहा। कुछ एक इंजीनियरों ने तो

पालिश के द्वारा पाँच सौ रुपया प्रतिदिन तक कमाया। कुछ दयालु दम्पतियों ने तो एक-एक जूते की पालिश के पचास-पचास रुपये तक दिये। जूते पालिश करना सदा से एक फलदायी धन्धा रहा है और इसी कारण आप राजधानी चले जाइए और देखिए कि हर बड़ा आदमी अपने से बड़े आदमी का जूता पालिश करने को चौबीस घण्टे तैयार रहता है और पालिश करने वालों की यह कतार दिन-प्रतिदिन और लम्बी ही होती जा रही है। एक बार ख़ाकसार ने भी एक विभूति के जूते चमकाने चाहे थे पर दुर्भाग्यवश वे जूते अगले दिन चोरी हो गये। मैं जेल जाते-जाते बचा।

लाओस के एक गिर्जाघर में कुछ तस्करों ने चोरी की और पादरी से कहा कि वह उनके लिए ईश्वर से प्रार्थना करे। एक विदेशी सिने-कलाकार के, जिसकी मात्र पैंतालीस पत्नियाँ हैं और जिनमें से पन्द्रह पतिव्रताओं ने तलाक की धमकी दी है, जो सिर्फ़ इस शर्त पर वापिस ली जा सकती है कि वह कलाकार उनमें से प्रत्येक को एक-एक नयी कार खरीद कर दे। विक्टर ह्यूगो सत्तर वर्ष की आयु में सत्ताईस वर्ष की धोबिन से प्यार करता था। बर्ट्रेण्ड रसेल ने अपनी अन्तिम शादी नब्बे साल की उम्र के बाद की थी। चार्ली चैपलिन ने चौथी शादी अठारह वर्ष की एक अल्हड़ किशोरी के साथ की थी। पिकासो ने कितने प्रेम और कितने विवाह किये—इसका पूरा पता उसे खुद नहीं था। सोचता हूँ कि एक वे देश हैं जहाँ जीवन इतना मुक्त और स्वच्छन्द है और एक यह हमारा 'सारे जहाँ से अच्छा हिन्दोस्ताँ' है जहाँ पक्षी तो पक्षी, बच्चे तक बँधुआ बनाये जाते हैं। और उस पर भी तुर्रा यह है कि पक्षियों की मुक्ति को तो फिर भी अख़बारों में जगह दी जा रही है जब कि उन लाखों निरीह बच्चों के लिए कोई भी कुछ नहीं कर रहा।

मैं अपने चारों तरफ़ देखता हूँ तो पाता हूँ कि लोग और रचनात्मक कार्यों में इतने व्यस्त हैं कि बच्चों की ओर देखने का उन्हें अवकाश ही नहीं है। किसी-किसी स्थिति में बच्चों की माताओं को ज़रूर देख लिया जाता है—वह अलबत्ता एक दीगर बात है। अभी-अभी एक राजनीतिक पार्टी की मीटिंग में खुलेआम हाथापाई की गयी। उपस्थित सज्जनों के कपड़े तक फाड़ दिये गये ताकि वस्तुस्थिति जो है, वह पूरी तरह सामने आ जाए। विधान सभाओं में जूता चलता है। और काफ़ी तीव्रगति से चलता है। एक विधान सभा में एक महिला विधायिका को काफ़ी अपमानित किया गया जिसका एक कारण शायद यह भी था कि वह ज़रूरत से ज़्यादा हसीन थी। दादागीरी और पैसे की शक्ति से जो चीज़ बाहर नहीं मिल सकती, वह आपको जेल की चहारदीवारी के भीतर मिल सकती है और आसानी से मिल सकती है। एक हमारे स्पीकर हैं जो बेचारे देश के लिए सस्ता चारा उगाना चाहते थे और परेशानी में पड़ गये और एक और स्पीकर हैं जिनके ख़िलाफ़ बलात्कार का जुर्म लगाया जा रहा है। अब आप ही बताइए कि ऐसे में कोई करे तो क्या करे?

सब कुछ लिखने के बाद सोचता हूँ कि आख़िर देश के लिए मैं खुद क्या

कर रहा हूँ? क्या मजमून लिखने से सारी ज़िम्मेदारी पूरी हो गयी? क्या मैं पक्षियों की मुक्ति के लिए एक संगठन नहीं बना सकता जिसका कि लाखों रुपया बाद में गोलमाल किया जा सके? क्या मैं बँधुआ बच्चों की मुक्ति के लिए 'संघर्ष समिति' नहीं बना सकता जिसके बूते पर सेठ जी से मोटी रकम वसूल की जा सके? क्या मैं तस्करी नहीं कर सकता जिसके बल पर प्रबुद्ध राजनीतिक नेताओं को कब्ज़े में किया जा सके? क्या मैं सिवा एक लेखक के और कुछ नहीं बन सकता? क्या मेरी यही नियति है कि लोग पढ़ें, तारीफ़ करें और फिर कूड़ेदान में फेंक दें। मैं सोचता हूँ और सोचता हूँ और इसी नतीजे पर पहुँचता हूँ कि मैं हीनभावना से ग्रस्त नहीं हूँ। मैं तो वास्तव में हीन हूँ। मेरे पूर्वज अमीर खुसरो भी एक ऐसे ही नाकारा व्यक्ति थे। जब रुकने का वक़्त होता था, वे चलने की सोचते थे। यकीन न हो तो उनका यह शेर हाज़िर है जो स्थिति को पूरी तरह स्पष्ट करता है :

गोरी सोवे सेज़ पर, मुख पर डाले केस
चल खुसरो घर आपने, रैन भयी चहुँदेस

(साप्ताहिक हिन्दुस्तान, नयी दिल्ली)

मनोरंजन के विभिन्न प्रकार

भगवान ने हमें एक अदद मन दिया है जिसके रंजन के लिए—यानी जिसको खुश रखने के लिए—हमने अनेक साधनों का आविष्कार किया है। लेनिन का कहना था कि जब सारे संसार में पूर्ण साम्यवाद आ जाएगा तो मकान, रोटी और कपड़े की बुनियादी समस्याएँ हल हो जाएँगी और तब संसार के सारे लोग रात-दिन मनोरंजन ही किया करेंगे। 'एग्रीकल्चर' का स्थान 'कल्चर' को मिल जाएगा। इस नश्वर संसार में ऐसे न जाने कितने लोग हैं जो साम्यवाद के पूरी तरह आ जाने के पहिले ही अपना सारा समय मनोरंजन ही में गुज़ारते हैं। आज मैं कुछ ऐसे विचित्र लोगों की चर्चा करूँगा।

सबसे पहले मैं अपने मित्र क्रमसंख्या एक को पकड़ता हूँ। ये एक रायबहादुर के पौत्र हैं जिनके पास आजीविका के अनेक साधन हैं। इनके पास फालतू वक़्त काफ़ी है जिसे इन्होंने विशुद्ध विज्ञान को समर्पित किया है। अपने क्षणभंगुर जीवन के काफ़ी वर्ष इन्होंने यह जानने में गुज़ारे हैं कि विमान जो हैं, वे तेल की सहायता के बिना क्यों नहीं उड़ते? आख़िर जितने भी पक्षी हैं वे तेल की सहायता के बिना मात्र पंखों के सहारे ही उड़ते हैं। यदि पक्षी वैसा करते हैं तो हवाई जहाज़ वैसा क्यों नहीं कर सकते? इस मुद्दे के बाद काफ़ी वर्ष इस खोज में लगाये गये कि साइकिल जो है वह बिना पहियों के क्यों नहीं चलती? दियासलाई की जो तीली है वह उधर से ही क्यों जलती है जिधर बारूद लगी रहती है? दूसरी तरफ़ से क्यों नहीं जलती? सिगरेट का धुआँ ऊपर की ही दिशा में क्यों प्रवाहित होता है, नीचे की दिशा में क्यों नहीं होता? चीनी न डालने पर भी यदि चाय के कप में चम्मच बराबर चलायी जाए तो वह मीठी क्यों नहीं होती? चाय को मीठी करने के लिए चीनी ज़रूरी है या चम्मच? फ़िलहाल तो ये इस प्रोजेक्ट में उलझे हैं कि बच्चे को जन्म देने के लिए स्त्री जो है वह स्वयं ही वैसा क्यों नहीं कर पाती? पुरुष की जो दरकार होती है, वह किसलिए होती है? संसार की सारी स्त्रियाँ यदि अपने आप ही मातृत्व को प्राप्त करने लगें तो उनका हज़ारों साल पुराना शोषण चुटकी बजाते ही ख़त्म हो जाए। स्त्रियों से उनका अर्थ जवान स्त्रियों से है। वृद्धा स्त्री को स्त्री कहना मात्र उसका

अपमान करना ही है; और कुछ नहीं।

मेरे एक और मित्र हैं जिनके जीवन का एकमात्र ध्येय है भाषण देना। यदि भाषण दिये बिना एक दिन भी गुज़र जाए तो इनको अपना जीवन व्यर्थ लगने लगता है। कहीं किसी का जन्म हो तो ये हाज़िर और कहीं किसी की मृत्यु हो जाए तो ये हाज़िर। एक क्वारी कन्या के विवाह के बिना ही बच्चा हो गया तो इन्होंने अपने खर्चे पर सार्वजनिक सभा की और दो घण्टे भाषण दिया। इन्होंने बताया कि बिना विवाह के बच्चा देना तो हमारे देश की युवतियों का जन्मसिद्ध अधिकार है। विश्वास न हो तो शकुन्तला को देख लो। यदि वह हराम का बच्चा न देती तो इस देश का नाम भारत कभी नहीं पड़ता। हमारे देश का 'भारत' जो नाम है वह केवल शकुन्तला के अवैध पुत्र 'भरत' के कारण ही तो है। और हाँ, यदि शकुन्तला वैसा नहीं करती तो महाकवि क़ालिदास 'अभिज्ञान शाकुन्तलम्' जैसा कालजयी नाटक कभी नहीं लिख पाते। दूसरे शब्दों में विवाह के पहले बच्चा होना समाज के हित में तो है ही, वह साहित्य के हित में भी है। शोक सभाओं में भाषण देना तो इन्हें इतना प्रिय है कि यदि किसी के बीमार पड़ने की ख़बर मिल जाती है तो ये उसकी मृत्यु की प्रतीक्षा में उसके घर के चक्कर लगाने लगते हैं। कहीं ऐसा न हो कि बीमार बच जाए। उसे ऐसे-ऐसे डॉक्टरों के नाम बताते हैं जो इस क्षेत्र की जनसंख्या कम करने की दिशा में उतनी ही बहुमुखी प्रतिभा के धनी हैं जितने कि जयशंकर प्रसाद साहित्य के क्षेत्र में थे।

मेरे एक तीसरे मित्र हैं जो प्राकृतिक चिकित्सा व योग के क्षेत्र में भगवान रजनीश व महेश योगी से भी कहीं ज़्यादा प्रतिभा रखते हैं। एक बार एक हसीन युवती की कुण्डलिनी ऐसी उठायी कि उसके पति का जूता खुद-बखुद उठ गया और इनकी कमर के निचले हिस्से की सार्वजनिक तौर पर सेवा करने लगा। न जाने कितने लोग बीच में पड़े कि बात रफ़ा-दफ़ा हुई। इसी प्रकार एक अमीरज़ादे को शवासन की ऐसी सच्ची शिक्षा दी कि उस बेचारे ने अपना दम ही तोड़ दिया। वह दिन है और आज का दिन है कि इन सज्जन ने अपने जीवन की दिशा ही बदल दी। आजकल ये सारा दिन लेटे ही रहते हैं। लेटे-लेटे थक गये तो बैठ गये और जब बैठने से दिल उकता गया तो फिर लेट गये। सादा जीवन, सादे विचार।

मेरे एक और मित्र हैं जिन्हें सिर्फ़ दो चीज़ों का शौक़ है। दोपहर से पहले वे खेलकूद में मस्त रहते हैं और दोपहर के बाद वे बड़े लोगों को चिट्ठियाँ लिखते हैं। इनके खेलकूद में 'कूद' ज़्यादा है और 'खेल' कम। शतरंज तक खेलते हुए ये कूदते रहते हैं। कूदने के इस हुनर को इन्होंने सालों तक सीखा है और उसे शास्त्रीय रूप दिया है। जहाँ तक चिट्ठी लिखने का प्रश्न है, स्थिति यह है कि गवर्नर से कम ओहदे वाले को तो लिफ्ट ही नहीं देते। आज राष्ट्रपति को एक अन्तर्देशीय लिख रहे हैं तो कल लोकसभा के स्पीकर को रजिस्टर्ड लिफ़ाफ़ा। बाग में अगर आम अच्छे

हुए तो 'दशहरियों' की एक बिल्टी मुख्यमन्त्री को अवश्य भेजी जाएगी और सबको दिखाकर भेजी जाएगी। ख़त का जो भी जवाब उन लोगों के दफ़्तरों से आता है, वह सहेज कर रखा जाता है ताकि भावी पीढ़ियाँ उन्हें देख सकें और एक या दो अदद प्रेरणाएँ ग्रहण कर सकें।

मेरे एक मित्र ऐसे हैं कि वे हमेशा भूतकाल में ही रहते हैं। पुरातत्त्व का इतना बड़ा प्रेमी मैंने जीवन में दूसरा नहीं देखा। जिस भग्नावशेष कोठी में मेरे ये मित्र रहते हैं, वह उनके परदादा ने बनवायी थी। फ़र्नीचर और पर्दे वे हैं जिन्हें परदादा के परदादा ने बनवाया था। लाइब्रेरी पिछली शताब्दी के प्रारम्भ की है। इनकी अपनी पत्नी इनकी दादी लगती है। आप घर में जैसे ही घुसते हैं वैसे ही मकान के फ़र्श और दीवारों का पुरातत्त्व टूटकर नीचे गिरने लगता है। इनके पूज्य पिताजी ने सात शादियाँ की थीं। जो सबसे छोटी पत्नी है, उससे मेरे दोस्त का इश्क़ जारी रहता है। मैं उस दिन की प्रतीक्षा में हूँ जिस दिन इनके मकान को 'मौन्युमेण्ट एक्ट' के तहत सरकार अपने संरक्षण में ले लेगी। मकान अजायबघर बनेगा और उसके बाशिन्दे जो हैं, वे किसी चिड़ियाघर में रखे जाएँगे।

अब मैं एक ऐसे मित्र की चर्चा करूँगा जो साहित्य के मर्मज्ञ हैं और जिनका सारा जीवन या तो साहित्य के साथ गुज़रा है या फिर नारी जाति के उद्धार में व्यतीत हुआ है। बड़े प्रेमी पुरुष हैं। एक बार तो स्थिति इतनी नाज़ुक हो गयी थी कि जिस बँगले में ये रहते थे वहाँ के मकान मालिक की माता, उसकी पत्नी और उसकी लड़की—इन सबके साथ उनका प्रेम एक साथ जारी था। इन तीनों देवियों को सबके सामने वे क्रमशः माता-बहिन-पुत्री कहकर पुकारते थे मगर अकेले में यही कोशिश रहती थी कि वे तीनों देवियाँ इनकी सन्तान की माता बनें। प्रेम करना इनकी पुरानी आदत थी और स्थिति यही रहती थी कि इधर इन्होंने कोई रूपवती स्त्री देखी और उधर इनके मन-मन्दिर में प्रेम के घण्टे बजने शुरू हो गये। औरतों को भगाने में ये इतने प्रसिद्ध और पारंगत थे कि शहर में जिस किसी को भी अपनी पत्नी को भगवाना होता था, वह इन्हें अपना किरायेदार रख लेता था। नवाब वाजिदअली शाह और चार्ल्स द्वितीय की भाँति इन्हें भी अपनी सन्तानों की संख्या याद नहीं थी।

देश की स्त्रियों से जो समय बचता था वह साहित्य को समर्पित था। न जाने कितने कवियों और शायरों का कलाम इन्हें याद था। जब भी भेंट होती थी, कोई नयी चीज़ सुनने को मिलती थी। कुछ अशार तो मुझे अभी तक ख़ूब याद हैं। नहीं मोहताज ज़ेवर का जिसे ख़ूबी ख़ुदा ने दी, कि देखो ख़ुशनुमा लगता है जैसे चाँद बिन गहने। प्यारी के नाज़ुक पाँव निहारि कै हाथ लगावत दासी डरैं, धोवत फूल गुलाब के लै पै तऊ झझकै मति छाले परैं। कनक-छरी-सी कामिनी काहे को कटि छीन, कटिकै कंचन काट विधि कुचन मध्य धरि दीन। प्रीतम नहीं बज़ार में वहै बज़ार उजार, प्रीतम मिले उजार में वहै उजार बज़ार। ढलै ही ढाल को तजकर

किसी साँचे नहीं ढलते, ये नैना आन आनन पर किसी सूरत नहीं चलते। देखे श्री हरिश्चन्द नयन भरि लखैं न सखियाँ, कठिन प्रेम गति रहत सदा दुखिया ये अँखियाँ। सन सूफो सीत्यौ बनौ ऊखन लयी उखारि, हरी-हरी अरहरि अजौं धर धीरज हय नारि। छूट जाए ग़म के हाथों से जो निकले दम कहीं, खाक़ ऐसी ज़िन्दगी पर तुम कहीं और हम कहीं। पायन के रंग सो रंगि जात-सी भाँति ही भाँति सरस्वती सेनी, तैरै जहाँ ही जहाँ वह बाल तहाँ-तहाँ ताल में होत त्रिवेनी। लम्बकुचालिंगनतः लकुचकुचापादताडनं श्रेयः। मुस्कुराते जाते हैं कुछ मुँह से फ़रमाने के बाद, बिजलियाँ चमका रहे हैं मेंह बरसाने के बाद। तनक कंकरी के परै होत महा बेचैन, वे बपुरे कैसे जिएँ जिन नैनन में नैन। नातवानी ने बचायी जान मेरी हिज्र में, कोने-कोने ढूँढ़ती फिरती कज़ा थी मैं न था। धनि वे धनि पावस की रतियाँ, पति की छतियाँ लगि सोवत सखियाँ। कमीना सीना डट फुटबाल के फ़ैशन पै चलता है, जो सिर पर लात मारै और ऊपर को उछलता है। गर गधी के कान में कह दूँ कि हूँ तुझ पर फ़िदा, तो थकीं कामिल है कि वो खेत खाना छोड़ दे। खुदा जब मेहरबान होता है, तो गधा पहिलवान होता है।

ऊपर बताये गये मेरे मित्र अब बूढ़े हो चले हैं। आजकल ये काफ़ी समय पूजा-पाठ में गुज़ारते हैं, बाढ़ पीड़ितों के लिए चन्दा इकट्ठा करते हैं और सुबह-शाम घूमने जाते हैं। महाकवि चिरकीन भी सुबह-सुबह खेतों पर घूमने जाया करते थे। चने के खेत से उन्हें अतिरिक्त मोह था। इस सन्दर्भ में मैं उनका एक शेर उद्धृत करता हूँ और आप लोगों से विदा लेता हूँ। कलाम में अनुप्रास की छटा देखने के क़ाबिल है। शेर का मूल पाठ इस प्रकार है :

चिरकीन चने के खेत में चिरको अलग-अलग
सूरत अलग-अलग, सीरत अलग-अलग

(मनोरमा, इलाहाबाद)

सारे जहाँ से अच्छा...

इन दिनों तबीयत कुछ उखड़ी-उखड़ी चल रही है। पिछले सप्ताह 'शुकसप्तति' का अध्ययन किया। सत्तर अश्लील कथाओं को पढ़ने में बड़ा रस मिला। स्थिति इतनी नाज़ुक हो गयी कि उस पोथी के बाद सिवा अख़बार पढ़ने के कुछ और काम करने को तबीयत ही नहीं करती। हाँ, अलबत्ता अख़बार ज़रूर ऐसी चीज़ है जो मन को अभी भी पकड़ती है। इन दिनों तो इतने अच्छे-अच्छे समाचार सामने आ रहे हैं कि स्टण्ट फ़िल्म भी उनके आगे नहीं ठहर सकती।

मार्लिन मनरो का एक साधारण हस्तलिखित पत्र सात हज़ार डालर में नीलाम हुआ। इतनी क़ीमत किसी फ़िल्मी हस्ती के पत्र को कभी नहीं मिली थी। मन गद्‌गद हो गया। एक अमेरिका है जहाँ प्रतिभा और प्रतिष्ठा का इतना मूल्य है और एक सारे जहाँ से अच्छा यह हिन्दोस्ताँ है जहाँ स्थिति यह है कि मेरे पास संगृहीत सारे पत्र (जिनमें सुमित्रानन्दन पन्त, फ़िराक़, बच्चन, अमृतराय, हरिशंकर परसाई, कुबेरनाथ राय, विद्यानिवास मिश्र, राजेश्वर प्रसाद नारायण सिंह, कुँवर सुरेशसिंह, शानी, शरद जोशी, श्रीलाल शुक्ल, लतीफ घोंघी, धर्मवीर भारती, राजेन्द्र यादव, कमलेश्वर, प्रकाशचन्द्र गुप्त, वाचस्पति पाठक, नागार्जुन, जगदीशचन्द्र माथुर, विनोद भट्ट, महादेवी वर्मा, उपेन्द्रनाथ अश्क, शिवप्रसाद सिंह, राधाकृष्ण और बालकृष्ण राव जैसे सिद्ध साहित्यकारों के पत्र शामिल हैं) कुल मिलाकर रद्दी के भाव कोई पाँच रुपये में बिकेंगे। मैं उदास होने लगता हूँ पर तभी अख़बार में पढ़ता हूँ कि मलेशिया के प्रधानमन्त्री वहाँ के सुल्तान की सुपुत्री के साथ भाग गये। प्रधानमन्त्री के एक पत्नी पहले से मौजूद है और राजकुमारी की भी तीन शादियाँ पहले हो चुकी हैं जिनके फलस्वरूप उनके तीन बच्चे भी हैं। मगर इस सबसे क्या होता है? कामातुराणां न भयं न लज्जा। मैं कितना बदनसीब हूँ कि इस देश में कोई सुल्तान ही नहीं है। यदि वह होता तो मैं भी उसकी पत्नी या पुत्री को भगाने की सोचता।

इधर हमारे गृहमन्त्री श्री बूटा सिंह काफ़ी लोकप्रिय होते जा रहे हैं। एक दिन दलित लोग एक बारात ले कर उनकी कोठी पर गये जिसमें दूल्हा जो था, वह घोड़े पर बैठ कर गया। यह इस कारण किया गया क्योंकि वैसे राजस्थान में अभी भी दलित वर्ग का दूल्हा घोड़े पर बैठ कर बारात में नहीं जा सकता। पुलिस ने बारात

रोक ली मगर बारात ने सड़क पर ही हवनकुण्ड खोद डाला और दुल्हन के बिना ही विवाह का यज्ञ प्रारम्भ कर दिया। मन्त्रों के स्थान पर गृहमन्त्री के ख़िलाफ़ नारे लगाये। इसी प्रकार एक दिन दस गधे, तीन बन्दर, एक लंगूर और एक भालू उन्हीं गृहमन्त्री के निवास पर ले जाए गये और उनसे प्रदर्शन करवाया गया। यह प्रदर्शन साम्प्रदायिकता के विरुद्ध था जिसमें इंसान जो है, वह जानवर से भी निचले स्तर पर उतर आता है। जानवर इस कारण ले जाए गये थे क्योंकि वे कम-से-कम साम्प्रदायिक दंगे तो नहीं करते। और कुछ नहीं तो हम कम-से-कम जानवरों के स्तर तक तो उठ जाएँ।

पुलिस सच्चे अर्थों में जनता की सेवक होती जा रही है और कानून की तो इतनी इज़्ज़त करती है कि कुछ कहा ही नहीं जा सकता। एक प्रदेश में पुलिस एक जुडीशियल मैजिस्ट्रेट से नाराज़ हो गयी। अदालत ने पुलिस की इच्छा के विरुद्ध एक अभियुक्त को जमानत पर छोड़ दिया और एक और मुकद्दमे में पुलिस के ख़िलाफ़ कुछ कड़े रिमार्क भी दिये। बस फिर क्या था, पुलिस की अहिंसावृत्ति जाग्रत हो गयी। उन्होंने मैजिस्ट्रेट को हथकड़ियाँ पहनायीं, उसके कपड़ों और मुँह पर शराब फेंकी और उसे सरे-बाज़ार घुमाकर हवालात में बन्द कर दिया। कोशिश यह की गयी कि मैजिस्ट्रेट ने मदिरापान कर रखा था और उन्होंने इस स्थिति में पुलिस पर हमला भी बोला था। बहरहाल, ख़बर सारे देश में फैल गयी, अदालतों ने काम करना बन्द कर दिया और प्रदेश सरकार की निष्क्रियता के कारण अन्ततोगत्वा सर्वोच्च न्यायालय ने अपराधी पुलिस कर्मचारियों की गिरफ़्तारी के आदेश जारी किये। नोट करने लायक एक दिलचस्प बात यह है कि प्रदेश सरकार या हाईकोर्ट ने कुछ नहीं किया। इन दिनों यदि न्याय मिलता है तो मात्र सर्वोच्च न्यायालय में ही मिलता है, और कहीं नहीं। बाकी अदालतें या तो बन्द रहती हैं या फिर तारीख के बाद तारीख लगाती जाती हैं। ऐसी सुविधा और किस देश में मिलेगी?

किसानों में इधर बड़ी जागृति आ रही है। उत्तर प्रदेश में श्री महेन्द्र सिंह टिकैत और महाराष्ट्र में श्री शरद जोशी (शरद जोशी और भी हैं, शरद जोशी के सिवा) दिल्ली में एक विशाल रैली में एक-दूसरे से मिले। संयुक्त मंच से भाषण देने की योजना बनी मगर ऐन वक़्त पर उनमें ऐसा पारस्परिक स्नेह उमड़ा कि एक को बीस फ़ीट ऊँचे मंच से जान बचाने के लिए कूदना पड़ा। भाषण का भाषण और व्यायाम का व्यायाम। पहले राजनीति में जाने के लिए बुद्धि की ज़रूरत होती थी, सेहत की नहीं। गाँधी जी और जिन्ना साहब—दोनों पतले-दुबले व्यक्ति थे। इन दिनों स्थिति यह है कि बाकी गुण पीछे और सेहत पहिले। पहिला सुख नीरोगी काया।

गाँव बड़ी तरक्की कर रहे हैं। बिहार में एक गाँव है जहाँ के निवासी प्रधानमन्त्री तो क्या, अपने मुख्यमन्त्री तक का नाम नहीं जानते। सरकारी रेट पन्द्रह रुपया है पर उन्हें जो मज़दूरी मिलती है, वह तीन से छः रुपया प्रतिदिन तक ही मिलती

है। स्कूल हैं पर उनमें निचली जाति के बच्चे घुसने की हिम्मत नहीं कर सकते। एक हरिजन की मृत्यु हो गयी तो उसे जलाया नहीं जा सका। लकड़ी जुटाने को पैसे नहीं थे। वह दफ़ना दिया गया। एक और गाँव में शहर से आयी नये विचारों वाली डॉक्टरनी के साथ ऐसा सामूहिक बलात्कार किया गया कि वह बेचारी शरीर ही छोड़ गयी। सरकार को इस बात का विशेष ध्यान रखना उचित होगा कि देहाती क्षेत्र में जो अध्यापिकाएँ या डॉक्टरनियाँ नियुक्त की जाएँ वे हसीन न हों। गाँव के लोग सौन्दर्य के इतने पारखी होते हैं कि उनके आगे शहर पीछे पड़ता है। और ग्राम पंचायतों को नये अधिकार मिलने के बाद और जवाहर रोज़गार योजना लागू होने के बाद तो स्थिति यह होगी कि सरपंच विलायती पिएगा और पंचायत में रोज़ शाम को इन्द्रसभा जुड़ेगी। गाँव वाले कुछ मामलों में पीछे हैं, सबमें नहीं। यदि बाकी मामलों में वे प्रगतिशील और जागरूक नहीं होते तो आप ही बताइए कि फिर कलकत्ता, दिल्ली, बम्बई, मद्रास, चण्डीगढ़ और बंगलौर को छोड़कर भारत माता ग्रामवासिनी क्यों बनती? थोड़े में निर्वाह यहाँ है, ऐसी सुविधा और कहाँ है?

'हैदराबाद हाउस' का कायाकल्प किया जा रहा है—ठीक उसी प्रकार जैसे कभी महामना मदनमोहन मालवीय का किया गया था। अन्तर बस इतना है कि मालवीय जी का कायाकल्प मुफ़्त हुआ था जब कि 'हैदराबाद हाउस' के नवीनीकरण में बीस करोड़ मुद्राओं का खर्चा आएगा। नकली पहाड़ बनेंगे, नकली झीलें बनेंगी और घुमावदार पहाड़ी रास्ते बनेंगे। कमरों की सजावट होगी, पेण्टिंग लगेंगी, रेशमी खादी के पर्दे टँगेंगे और देशी मखमल के कालीन बिछेंगे। फिर उन पर्दों के पीछे और मखमल के ऊपर क्या होगा, यह आप मुझसे पूछेंगे? यह बात आप हरियाणा के सूबेदार चौधरी देवीलाल से पूछिए जिनकी रैली पर विरोधी पार्टियों के अनुसार तीस करोड़ रुपया लगा है। वैसे यह रकम भी कुछ ज़्यादा नहीं है।

आख़िरकार यह देश के इतने बड़े सेवक का पचहत्तरवाँ जन्मदिन था। आज से सैकड़ों वर्ष पहले कुदसिया बेग़म ने अपने जन्मदिन मनाने पर एक करोड़ खर्च किया था। उन दिनों का एक करोड़ आज के सौ करोड़ से ज़्यादा बैठेगा, कम नहीं। मेरा लड़का दौरे पर अफ्रीका जा रहा है। मैं कहीं नहीं जाना चाहता। हिन्दुस्तान जैसा दिलचस्प मुल्क़ और कहीं मिलेगा? एक ओर समुद्र और दूसरी ओर पहाड़, एक ओर भयंकर भुखमरी और दूसरी ओर ऐसी दावतें जिनमें मुर्गा शराब में पकाया जाता है—कहीं देखने को मिलेंगी?

(सण्डे साप्ताहिक मेल, नयी दिल्ली)

मेरे कुछ महल्लेदार

आज के अख़बार में तीन दिलचस्प ख़बरें पढ़ने को मिलीं। पहली ख़बर तो यह थी कि हमारे एक वायुयान के उतरते समय एक साँड़ उसमें फँस गया और लगभग एक किलोमीटर तक हवाई अड्डे की हवाई पट्टी पर घिसटता गया। हवाई अड्डे के अधिकारी वर्ग ने साँड़ से टिकट नहीं माँगा और न यह पता लगाया कि साँड़ हवाई अड्डे के भीतर आया तो कैसे आया। बात भी ठीक है। यदि गाय हमारी माता है तो बैल हमारा पिता है। अधिकारियों ने अपने बाप के साथ जो शिष्टता बरती वह ठीक ही थी। दूसरी ख़बर यह है कि फ्रांस में एक पालतू बिल्ली ने अपने पुराने मालिक की खोज में दो वर्ष का समय व एक हज़ार मील का सफ़र तय किया। बिल्ली का स्नेह देखकर पुराने मालिक की आँखों में आँसू आ गये। तीसरी ख़बर यह है कि मेरठ का घण्टाघर कोई दस वर्ष बाद, फिर समय बताने लगा। घड़ी की दुरुस्ती में दस वर्ष लगे। अख़बार के मुताबिक मेरठ का घण्टाघर भारत में सबसे बड़ा घण्टाघर माना जाता है। इसकी घड़ी की सुई तक का वज़न मात्र सौ किलोग्राम है। ख़बरें तीनों सनसनीखेज हैं मगर मैं उन पर कोई रचना नहीं लिखूँगा। आज तो मुझे कुछ महल्लेदारों की याद सता रही है और रचना जो होगी वह महल्लेदारों पर ही होगी। बिल्ली के मालिक ने मन-ही-मन कहा होगा कि काश, उसकी पत्नियाँ भी उतनी ही स्वामिभक्त होतीं जितनी कि वह बिल्ली थी क्योंकि दो वर्ष में उनकी तीन पत्नियों ने उनसे तलाक प्राप्त किया था। मैं भी यही सोच रहा हूँ। काश, मेरे महल्लेदार भी ऐसे होते जिनसे मैं प्यार कर सकता।

अरसा गुज़रा जब कि ख़ाकसार मेरठ की चर्च स्ट्रीट पर एक कोठी के एक हिस्से में रहता था। मेरे साथ-साथ दो परिवार वहाँ और रहते थे; एक था तहसीलदार साहब का परिवार और दूसरी थीं मकान मालकिन स्वयं। अपने सगे और इकलौते पति को छोड़कर पाँच ज़बर्दस्त कुत्तों के अतिरिक्त उनका और कोई परिवार नहीं था। क्या महिला थीं! यदि रक्त-क्रान्ति के समय वह फ्रांस में होतीं तो नेपोलियन वहाँ का सम्राट हर्गिज़ नहीं बन सकता था। छह फ़ीट की लम्बाई और चार फ़ीट की चौड़ाई ने उस एंग्लोइण्डियन महिलारत्न को जो गरिमा प्रदान कर रखी थी, उसका

वर्णन शब्दों में नहीं किया जा सकता। उस महिला के पति एक जर्मन थे जो हददर्ज़ा नाटे थे, पतले-दुबले थे। उनकी पत्नी यदि शेर थीं तो वे बेचारे बकरी थे। जब भी वह भद्र महिला अपने कुत्तों को बुलाती थी तो कुत्तों के साथ-साथ, वे भी अपनी पत्नी की सेवा में हाज़िर हो जाते थे। ऐसा सुखी दाम्पत्य-जीवन मैंने कहीं और नहीं देखा। तहसीलदार साहब जो थे, वे विधुर थे मगर स्त्रीसुख से वंचित हर्गिज़ नहीं थे। सुबह-सुबह वे 'रामचरितमानस' का पाठ करते थे, मन्दिर जाते थे और तिलक लगाते थे और इतना सब कुछ कर लेने के बाद सारा दिन रिश्वत लेते थे। रिश्वत में पैसा भी चलता था और स्त्री भी। शाम को फिर मन्दिर जाते थे। और रात को 'विष्णुसहस्रनाम' का जाप करते थे। गाहे-बगाहे सत्यनारायण की कथा भी चलती थी। इन सब चीज़ों के साथ-साथ उन्हें फिसलने का बड़ा शौक़ था। कोठी से गेट तक जाने में ही कोई चार-पाँच बार फिसल लेते थे। एक बार तो ऐसा हुआ कि वे और ऊपर बतायी मकान मालकिन दोनों इस तरह फिसले कि तहसीलदार साहब नीचे और वह विशालकाय महिला उनके ऊपर। महिला के पति सहायता के लिए भागे मगर अपनी पत्नी को उठाने की प्रक्रिया में वे खुद उसके नीचे आ गये। हास्य से लेकर अद्भुत तक जितने भी रस हैं, उन सबकी उत्पत्ति एक साथ ही हो गयी।

तबादले वाली नौकरी के कारण मुझे न जाने कितने मकान बदलने पड़े। एक बार एक वैद्य जी का पड़ोस मिला जो काफ़ी दिलचस्प रहा। वैद्य जी की निगाह कमज़ोर थी और स्थिति यह थी कि वे स्वयं अपने सारे पुत्रों और प्रपौत्रों को नहीं पहचान सकते थे। हाँ, यह दीगर बात है कि सामने से आती किसी भी हसीन विधवा को वे तुरन्त पहचान जाते थे और उसे अपने सीने से लगाने की कोशिश करते थे। कुछ महिलाएँ तो वैद्य जी के प्रताप के कारण ही विधवा हुई थीं, न उनके पति वैद्य जी की चिकित्सा कराते और न वे कभी मरते। वैद्य जी ज्योतिष की जानकारी भी रखते थे और इस सन्दर्भ में वे युवतियों की मात्र हथेली ही नहीं, उनका वक्ष, उनकी जंघाएँ वगैरह दीगर चीज़ों को भी देख लिया करते थे। स्थिति यह थी कि उनकी वैद्यक कभी-कभी ज़रूर खलास हो जाती थी पर उनका ज्योतिष कभी फेल नहीं होता था। वे स्त्री का अंग-प्रत्यंग देख लेने के बाद, ठीक उसी भाँति भविष्यवाणी करते थे जैसी कि सम्राट हर्ष द्वारा रचित 'नागानन्द' नाटक में राजकुमारी मलयवती ने राजकुमार जीमूतवाहन के बारे में उसके चरणों की छाप देख कर की थी। भीगी बालू पर जीमूतवाहन ने अपने नंगे पैरों से जो छाप छोड़ी थी उसमें गदा, शंख, चक्र व राजा बनने के सारे शेष चिह्न अंकित थे। राजकुमारी थी चतुर; उसने सोचा कि जब जीमूतवाहन एक राजकुमार है तो उसके साथ विवाह करने में क्या संकोच? पति के 'स्टेटस' का नारी जाति पर बहुत प्रभाव पड़ता है। सिक्किम के महाराजा ने जैसे ही गद्दी छोड़ी, वैसे ही उनकी प्राणों से भी प्रिय और पतिव्रता पत्नी ने अमेरिका का टिकट खरीद लिया।

मुझे एक बार ऐसे पड़ोसी मिले जो सच्चे अर्थों में नेता थे। उनके जीवन में मात्र तीन ही काल थे। पहला काल था चुनाव के पहले वाला काल, दूसरा था चुनाव होने का काल और तीसरा था मतदान में जीत जाने या हार जाने के बाद का काल। चुनाव से पहले वाले काल में वे महात्मा गाँधी के मार्ग पर चलते थे, सूत कातते थे, खादी पहनते थे, अपने क्षेत्र का विस्तृत दौरा करते थे और हर स्त्री को सार्वजनिक तौर पर माता ही स्वीकार करते थे। जैसे-जैसे चुनाव पास आते जाते थे, वैसे-ही-वैसे उनकी राष्ट्र-चिन्ता व सरगर्मियाँ बढ़ती जाती थीं। काला धन बाकायदा सफ़ेद किया जाता था और जनता के साथ न जाने कितने वादे भी किये जाते थे। चुनाव के बाद वे यदि जीत जाते थे तो एकदम लखनऊ की दिशा में भागते थे ताकि मन्त्रिमण्डल की घोषणा से पहले वहाँ पहुँच जाएँ और चुनाव में वे यदि हार जाते थे तो घोषणा की जाती थी कि वोट झूठे डाले गये हैं और वे आमरण अनशन पर बैठने जा रहे हैं। उन्होंने अपने इस क्षणभंगुर जीवन में सैकड़ों बार आमरण अनशन की घोषणा की थी पर देश के 'बृहत्तर हित' को ध्यान में रखते हुए उनका आमरण अनशन भी सदा डिनर से कुछ देर पहले ही तोड़ दिया जाता था। उस रात वे कस कर पीते थे और अपनी रखैल के साथ रात गुज़ारते थे। गाँधी जी के सिद्धान्तों को ध्यान में रखते हुए, क्या शराब और क्या रखैल—दोनों देशी होती थीं, विदेशी नहीं। और हाँ, यह सारा खर्चा पार्टी ही उठाती थी क्योंकि पराजय का श्रेय तो सदा दूसरों पर ही डाला जाता है, न कि अपने ऊपर।

अपने पड़ोस की दो युवतियों की चर्चा भी ज़रूर करूँगा। एक ऐसी ईसाई युवती थी जिसने एक लखपति वृद्ध से इस आशा से शादी की थी कि एक-दो साल में वह बूढ़ा खूसट मर जाएगा और उसकी असीम सम्पत्ति को वह भोगेगी। मगर वैसा हो नहीं पाया। बुड्ढे का स्वास्थ्य दिन-ब-दिन और अच्छा होता गया और इसी चिन्ता में उसकी पत्नी और भी उदास व बदसूरत होती गयी। जब मैं उससे मिला तब भी वह काफ़ी आकर्षक और खुली हुई थी। मैं गन्धर्व विवाह की सोच ही रहा था कि पता चला कि वह अपनी उदारता के कारण नगर की सर्वप्रमुख 'गुप्तरोग वितरण केन्द्र' थी। मैं बच गया। एक बार एक रूपवती विधवा से भी पाला पड़ा जो और चीज़ों के साथ-साथ साहित्य-प्रेमी भी थी। मैं अपनी पुस्तकें कभी किसी को नहीं देता मगर वह सिद्धान्त भी यहीं तोड़ना पड़ा। वे जौन-सी किताब चाहतीं, उसे ले जातीं। जब वे किताब लौटातीं तो मैं देखता कि उसमें कोई प्रेमपत्र रखा है या नहीं। मुझे वैसा पत्र कभी नहीं मिला हालाँकि एक हज़ार रुपयों की पुस्तकें कभी नहीं लौटायी गयीं। मैंने माँगी भी नहीं, मेरा प्रेम सच्चा है, वे जब-जब उन किताबों को पढ़ेंगी, तभी-तभी वे इस ख़ाकसार को याद करेंगी।

पड़ोसियों के सन्दर्भ में एक और सज्जन की याद भी आ रही है जिन्हें सब लोग 'महाशय जी' कहकर पुकारा करते थे। एक साधारण ग़रीब आदमी जिसने

अपनी प्रतिभा से हम सबको चकित कर दिया। जिस कोठी के एक छोटे से हिस्से में ये रहते थे, उस पर कब्ज़ा कर लिया, झूठी दवाइयाँ बेचीं, पत्नी से पेशा करवाया और लखपति हो गये। विधान सभा का इलेक्शन जीता, उपमन्त्री बने, बसों का ठेका लिया और लाखों का ग़बन किया। इन दिनों एक नारीनिकेतन के 'सर्वेसर्वा' हैं। न जाने कितना चन्दा इकट्ठा किया और न जाने कितना सरकार से अनुदान के नाम पर बटोरा। जन्माष्टमी व रामनवमी के त्यौहारों पर हर वर्ष हज़ारों रुपया लगाते है और दरिद्र विद्यार्थियों की सहायता भी करते हैं। सहायता तो नारीनिकेतन की एक नवयुवती की भी करना चाहते थे पर वह चिल्ला पड़ी और बात खुल गयी। लड़की ने उनकी लुंगी फाड़ दी और पर्दाफ़ाश कर दिया। महाशय जी पर इस सबका कोई प्रभाव नहीं पड़ा। वे तो अगले दिन ही बद्रीनाथ और केदारनाथ की यात्रा पर निकल पड़े।

चर्चा समाप्त करता हूँ। हाँ, अलबत्ता एक ऐसे कवि जी की याद बड़े ज़ोरों से आ रही है जो कि इसी महल्ले में रहते हैं। उनकी एक कविता है—प्रयाणगीत। इस कविता को वे सस्वर सुनाते हैं और ठीक वैसा समाँ बँध जाता है जैसा कि चन्द गधों के रेंकने पर होता है। मैंने यह कविता कई बार सुनी है और इसका शीर्षक भी 'प्रयाणगीत' के स्थान पर 'महाप्रयाण गीत' रख दिया है क्योंकि इस कविता को सुनते ही हत्या या आत्महत्या की इच्छा प्रबल हो उठती है। रचना सुनाने में ये देवेन्द्र सत्यार्थी से भी एक क़दम आगे हैं। यदि मैं बाथरूम में भी होता हूँ तब भी बाहर खड़े-खड़े ही कवितापाठ शुरू कर दिया जाता है। हाँ, अलबत्ता इनमें एक गुण ज़रूर है और वह है प्रत्येक परिस्थिति पर चुना हुआ उर्दू का एक शेर पेश करना। अगर यह गुण न होता तो इनका 'प्रयाणगीत' सुनकर मैं कभी का महाप्रयाण कर चुका होता। इधर मेरी निजी पत्नी एक कान्वेण्ट में अध्यापक होना चाहती थी। मैंने बहुत समझाया कि मैं खुद ही काफ़ी कमाता हूँ, उसे नौकरी करने की कोई ज़रूरत नहीं है मगर उसने मेरी बात नहीं मानी। मैंने कविवर से पूछा तो उन्होंने कण्ठ खोला और इस शेर को बाहर निकलने का अवसर दिया :

मेहतरानी से दिल लगाते हैं
वह कमाती है, आप खाते हैं

(साप्ताहिक हिन्दुस्तान, दिल्ली)

जूते, वसीयतनामे और दिल्ली

जूते

एक रानी थी जिसका पति इत्तफ़ाक से राजा था। राजा नाम का वह प्राणी समझदार व समर्थ व्यक्ति था पर फिर भी वह अपनी पत्नी की प्रत्येक इच्छा को पूरी किये बिना सुख की नींद नहीं सो पाता था। इस स्थिति का कारण वही पुराना था—रानी जो थी वह ग़ज़ब की हसीन थी। 'भार्या रूपवती शत्रुः'—यह कहना आसान है पर निभाना बहुत कठिन। इसी कारण 'व्यर्थ है कवि की वाणी।'

जैसा कि दस्तूर है, रानी के चरण रूपी कमल (या कमल रूपी चरण) बहुत ही कोमल थे। चरण कमल बन्दौ हरि राई। राजा इसी पद को ध्यान में रखकर पत्नी के चरणकमलों की नित्यप्रति वन्दना करता था। रानी जब भी महल के बाहर निकलती थी तो सड़कों पर पड़ी धूल और पत्थरों के टुकड़े उसे बहुत कष्ट पहुँचाते थे। रानी की सलाह पर राजा ने आज्ञा जारी की राज्य की सभी पृथ्वी को चमड़े से ढक दिया जाए। वज़ीर पहले तो चुप रहा और फिर बोला कि अन्नदाता, भवभूति नामक कवि की सूचना के अनुसार पृथ्वी बहुत बड़ी है (विपुला च पृथ्वी) और उसे चमड़े से ढकवाने पर राजकोष खाली हो जाएगा। इससे कहीं ज़्यादा श्रेष्ठ तो यह होगा कि मात्र मातृ-तुल्या रानी (यह पता नहीं वह रानी प्रजा के लिए ही माता थी या स्वयं राजा के लिए भी) के चरणों को ही चमड़े से ढक दिया जाए। राजा बड़ा प्रसन्न हुआ। वज़ीर को एक शोख बाँदी इनाम में दी गयी और जूते का आविष्कार हुआ। जूते के जन्म की कथा को और भी अनेक प्रकार बताया गया है मगर मैं उसी पर विश्वास करता हूँ जो मैंने ऊपर लिखी है। यदि रूपवती रानी, समझदार वज़ीर और परममूर्ख राजा न हो तो फिर वह लोककथा कैसे कहलाएगी? वह तो मात्र इतिहास ही रहेगा। वैसे सच्चाई तो यह है कि यदि रूपवती रानियाँ न होतीं तो शायद इतिहास जैसी चीज़ होती ही नहीं।

हमारे पूर्वज 'पादुका' पहना करते थे जिन्हें वे अपनी दाढ़ी से साफ़ किया करते थे। जब जूते आ गये तो उनमें दाल बँटने लगी। जूतों द्वारा दाल बाँटने पर शायद

सबको निष्पक्ष रूप से बराबर ही दाल मिलती थी। कभी कोई चरित्रवती मुसम्मात अपने शौहर को पीट़ती थी तो वह क्रिया भी वह पति के जूतों से ही सम्पन्न करती थी। मियाँ की जूती, मियाँ का सिर। ऐसा करने से न पत्नी को कोई क्षति पहुँचती थी और न उसकी जूतियों को। कुछ नरपुंगव थे जो अपनी प्रियतमा पत्नी को हमेशा पैर की जूती समझते थे। जब भी जूती पुरानी हो गयी या उससे मन भर गया, तभी नयी जूती ले आये। नये जूते खरीदने पर अब भी पूछा जाता है कि दोस्त, ये जूते तुम्हें कितने में पड़े। कहते हैं कि भारतेन्दु हरिश्चन्द्र ने एक बार अपने साहित्यिक मित्रों को खाने पर बुलाया। रिवाज़ के अनुसार ज़मीन पर पानी छिड़क कर चादरें बिछायी गयीं, पत्तलें और कुल्हड़ रखे गये और भोजन प्रारम्भ हुआ। इसी बीच एक कविहृदय कवि ने कहा कि, "अरे, क्या जूते भी उतारने पड़ेंगे?" भारतेन्दु जी, ने हँसकर उत्तर दिया कि, "अरे भाई, जूते नहीं उतारोगे तो खाओगे क्या?"

जूते को पानी में भिगोकर मारने की प्रथा बड़ी पुरानी है। भींग जाने पर जूते का भार बढ़ जाता है और चोट ज़्यादा लगती है। इस सन्दर्भ में अलबत्ता दाग़ देहलवी ने ज़रूर कुछ परिमार्जन किया था : ऐ दाग़ जो बताये मये-इश्क़ को हराम, ऐसे के दो लगाये भिगो कर शराब में। वैसे ख़ाकसार का ख़याल है कि यदि लोगबाग अन्न के स्थान पर जूते खाने की आदत डाल लें तो अन्न का जो संकट है वह मिट सकता है।

कुछ लोग अपनी सम्पत्ति जूते के रूप में अपने पास रखते हैं। अभी-अभी पढ़ा कि फ़िलीपीन के भूतपूर्व राष्ट्रपति की सुन्दर पत्नी के पास तीन हज़ार जोड़ी जूते थे। संस्कृत में जूते को 'पादत्राण' कहा जाता है हालाँकि मुझे अभी तक संस्कृत का कोई ऐसा सच्चा पण्डित नहीं मिला जो अपने पैरों के लिए जूते खरीद सकता। मौत का इलाज है फ़िराक़, ज़िन्दगी का कोई इलाज नहीं। जो लोग इस बारे में ज़्यादा जानना चाहते हों तो वे सैयद मुजतबा अली की लिखी 'पाद टीका' नाम की कथा पढ़ें।

जूतों के बारे में जितने मुहावरे मुझे याद थे, वे सब आपको सुना दिये। एक मुहावरा बचता है—जूता चलना। अब इसके बारे में मैं आपको महाकवि अकबर का एक शेर सुनाता हूँ जो स्थिति को पूरी तरह स्पष्ट करता है :

बूट डासन ने बनाया, मैंने एक मज़मूँ लिखा
मुल्क़ में मज़मूँ न फैला, और जूता चल गया

वसीयतनामा

संसार के अमीर लोग हमेशा एक वसीयतनामा लिखकर छोड़ते हैं ताकि उनकी मृत्यु के पश्चात् इस नश्वर संसार की तीन अनश्वर चीज़ों को लेकर बाद में कोई झगड़ा-टण्टा न हो। ये तीन अनश्वर चीज़ें है ज़र, जोरू, ज़मीन। जैसा कि हमेशा से होता आया, इस क्षेत्र में भी ऐसे प्रतिभावान् व्यक्ति हुए जिन्होंने इस छोटे से काम को कला के स्तर तक पहुँचाया।

एक अमीर की पत्नी को पति के धूम्रपान से बड़ी नफ़रत थी। वह व्यक्ति जब स्वर्गवासी हुआ तो उसके पहले उसने अपनी वसीयत लिखी कि मेरी साठ लाख डालर की बैंक में जमा रकम मेरी प्रिय पत्नी को सिर्फ़ इस शर्त पर मिलेगी कि वह कम-से-कम पाँच सिगार रोज़ पिएगी। पिछले बाईस वर्षों से वह पतिव्रता पत्नी बराबर पाँच सिगार रोज़ पी रही है। पति की आज्ञा को कोई पतिव्रता पत्नी भला कैसे टाल सकती है? लन्दन में एक अमीर महिला ने अपनी लाखों-करोड़ों की सम्पत्ति एक ऐसी लड़की को देनी चाही जो दस बरस की अवधि में ग्यारह बच्चे दे सके। बड़ी दौड़ मची। कुछ लड़कियों ने तो बिना शादी के ही घुड़दौड़ में हिस्सा लेना शुरू किया, जिसके बारे में वसीयत में कोई शर्त नहीं थी। मगर दुर्भाग्य है कि वह पैसा अभी तक किसी को नहीं मिला हालाँकि अदालत में ऐसी तीन युवतियाँ गयीं जिनमें से प्रत्येक ने नौ बच्चे दिये थे। मेरी तो सलाह है कि ये सारा रुपया हिन्दी के कविसम्मेलनी कवियों और सम्मेलनों के अध्यक्षों को दे दिया जाए ताकि वे भी कुछ ठोस लिख सकें। अब अगर आज भटिण्डा जाना है और परसों जबलपुर, तो आप ही बताइए कि अकेली प्रतिभा क्या खाक मदद करेगी? और हाँ, कवि-सम्मेलनों के अध्यक्षों और संचालकों को तो अनुदान मिलना ही चाहिए। ये ही तो वे पण्डे हैं जो हिन्दी-कविता का अन्तिम-संस्कार कर रहे हैं। ठीक कह रहा हूँ न?

दुनिया की सबसे बड़ी वसीयत जो है वह स्काटलैण्ड के एक ड्यूक की है जिसने उस वसीयत को केवल चार हज़ार आठ सौ पृष्ठों में लिखा है। इसी प्रकार फ्रांस के एक डॉक्टर ने अपनी सारी सम्पत्ति उस मित्र को दे दी है जिससे उसने प्रार्थना की है कि वह उसकी पत्नी से प्रेम करना छोड़ दे। मगर मित्र था कि सारी सम्पत्ति छोड़ दी और अपने दिवंगत मित्र की पत्नी से शादी कर ली। लोग कहते हैं कि वह युवती इतनी सुन्दर है कि यदि वह पैदल बाहर निकलती है तो ट्रैफिक 'जाम' हो जाता है। एक यह विदेशी है जिसने कि प्रेम के लिए सारी सम्पत्ति छोड़ दी और इधर मेरे देशी भाई हैं जो दहेज कम लाने पर जीते जी अपनी पत्नी को ही सती करते हैं। ठीक है न?

बंकिम बाबू ने 'कृष्णकान्त का वसीयतनामा' नाम से एक बहुत रोचक कथा लिखी है। उसे आप ज़रूर पढ़ें। अगर वह पसन्द न आये तो लहरी प्रेस बनारस से कभी छपा 'ख़ूनी वसीयतनामा' नाम का उपन्यास पढ़ें। बंकिम बाबू का उपन्यास फेल हो सकता है पर 'ख़ूनी वसीयतनामा' नहीं।

वसीयत मृत्यु के पूर्व लिखी जाती है। इस काम को सम्पन्न करने के बाद सिर्फ़ भगवान को याद करना ही शेष रह जाता है। इस सन्दर्भ में मैं फिर अकबर इलाहाबादी को कष्ट देता हूँ। वे कहते हैं :

ख़ुदा की राह में अब रेल चल गयी अकबर
जो जान देनी हो, इंजन से कट मरो एक दिन

दिल्ली

दिल्ली कभी एक शहर का नाम होता था मगर धीरे-धीरे वह एक सूबा हो गया। गदर के बाद यह सूबा पंजाब का भाग था और यहाँ सिर्फ़ एक कमिश्नर रहता था। इसे पूर्व का 'रोम' भी कहा जाता है क्योंकि यहाँ भी इतिहास के इतने संशोधित संस्करण निकले हैं कि कुछ कहा नहीं जा सकता। इस नगर का जो वर्तमान नाम है वह राजा दिल्लू के पीछे है जिन्होंने ईसा से पूर्व यह नगर अन्तिम बार बसाया था। उस प्रतिहार वंश के अन्तिम शासक सम्राट पृथ्वीराज चौहान थे। सम्राट पृथ्वीराज ने एक लड़की को भगाया और राज्य और जीवन—इन दोनों को खो दिया। उनके दरबारी कवि थे चन्दबरदाई। एक जनश्रुति है कि सम्राट और राजकवि, दोनों एक ही दिन पैदा हुए थे और एक ही दिन मरे। ऐसा सच्चा प्रेम तो अब प्रेमी और प्रेयसी के बीच भी नहीं पाया जाता। प्रेमी आमतौर पर पहले मरता है और प्रेयसी बाद में।

पृथ्वीराज के बाद देश की राजधानी तो दिल्ली ही रही मगर गद्दी पर कौन बैठे—इस बात का फ़ैसला हमेशा पानीपत में ही हुआ। बाबर दिल्ली को पानीपत से दूर हटाना चाहता था, वह राजधानी को आगरा लाया। मुहम्मद तुग़लक और भी ज़्यादा समझदार था; वह राजधानी को दौलताबाद ले गया। राजधानी को हटाना व चमड़े के सिक्के चलाना ऐसे काम थे जो उस बादशाह को निगाह में बहुत ऊँचा उठा देते हैं; यह बात अलग है कि जेम्स प्रथम की भाँति मुहम्मद तुग़लक भी 'एक विद्वान् मूर्ख' ही कहकर इतिहास में पुकारा गया। अँग्रेज़ी शासन के बाद दिल्ली फिर राजधानी बनी। गुलाम देश जिस तरह मुर्दे को नया कफ़न देते हैं, वैसे अंग्रेज़ों ने दिल्ली को 'नयी दिल्ली' कहकर पुकारा।

बाबर मेरा बहुत प्रिय चरित्र है। इस स्थिति का एक कारण यह भी है कि वह सुबह-सुबह दो आदमियों को बगल में दबाकर पुराने क़िले की चौड़ी दीवारों पर दौड़ा करता था। इसके अलावा वह एक लेखक भी था! दीवार पर दौड़ने के बाद जो समय बचता था, उसमें उसने 'बाबरनामा' नाम से अपनी जीवनगाथा लिखी। मैंने उस पुस्तक का अँग्रेज़ी संस्करण पढ़ा है। बहुत रोचक है। हुमायूँ का विद्याप्रेम एक व्यसन था और इसी हादसे में उसकी जान गयी। जो राजा ज़्यादा लिखता-पढ़ता है, वह हकूमत के लायक नहीं रह जाता। अकबर की महान् सफलता का सबसे बड़ा कारण यह है कि वह निरक्षर था।

पुराने ज़माने में लोग दिल्ली आया करते थे, दर्शनीय स्थान देखते थे और शायरी के बड़े-बड़े उस्तादों से मिलते थे। कोई-कोई आदमी बादशाह से कुछ फरियाद करने भी आता था और आमतौर से प्रत्येक फरियादी खुश होकर ही लौटता था। कारण यह था कि बादशाह एक था और वज़ीर भी एक ही होता था। मामला एकदम सुलझ जाता था। आज की नयी दिल्ली में हर तीसरा आदमी वज़ीर है। ऐसे में न्याय या

सहायता मिलने की सुविधा कम है। दया की भिक्षा माँगना बड़ी कठिन चीज़ है। इस कार्य को करने के लिए स्वयं भगवान को भी छोटा बनना पड़ा था (वामन कथा)।

अब लोग दिल्ली जाते हैं तो 'तिहाड़-जेल' देखने जाते हैं। यह वह जेल है जिसमें नवाब वाजिदअली शाह के हरम का मज़ा आता है। लोग ऐश से रहते हैं और 'हर प्रकार की हर सुविधा' उन्हें प्राप्त करायी जाती है। जेल क्या है, आश्रम है। दिन में तपस्वी लोग बाहर घूमने जाते हैं, होटलों में अपनी पसन्द का खाना खाते हैं और लगे हाथों एक-आध जुर्म और भी कर लेते हैं। इन छुटपुट अपराधों में वे इस कारण नहीं पकड़े जाते क्योंकि सरकार के रिकार्ड के अनुसार तो वे उस समय जेल के अन्दर थे। शान्ताराम ने अपनी 'दो आँखें बारह हाथ' नामक फ़िल्म में जो करने की कोशिश की थी, वह उनके जीवन में ही कार्यान्वित हो गयी। हे प्रभु, यदि कभी जेल ही भेजना है तो तिहाड़ जेल भेजना। गुप्त जी के शब्दों में—"सस्ते में निर्वाह यहाँ है, ऐसी सुविधा और कहाँ है?"

दिल्ली शहर की चर्चा अनेक लोगों ने की। मीर की आत्मकथा (ज़िक्रे मीर) मैंने पढ़ी है। उसमें नादिरशाह के हमले का आँखों देखा हाल लिखा है। मुग़ल साम्राज्य गिरता गया मगर उर्दू कविता निखरती गयी! बाद में हालत यह हो गयी कि शाह आलम और बहादुरशाह 'ज़फ़र' खुद ही कविता लिखने लगे ताकि एक शायर को दरबार में रखने का खर्चा बचे।

दिल्ली न जाने कितनी बार बनी और न जाने कितनी बार उसे लूटा गया, उजाड़ा गया पर वह है कि फिर भी जीवित है। दिल्ली देख कर लगता है कि आत्मा भी अजर और अमर हो सकती है। इस बारे में पढ़ूँगा और फिर लिखूँगा। फ़िलहाल तो एक शेर सुनाता हूँ जो 'दिल्ली' के दर्द को 'दिल के दर्द' तक पहुँचाता है। कवि कहता है:

दिल की बस्ती भी शहर दिल्ली है
जो भी गुज़रा है, उसने लूटा है

(धर्मयुग, बम्बई)

नोबिल प्राइज़, पद्माकर और प्रेम-विवाह

नोबिल प्राइज़

प्रख्यात उपन्यासकार इरविंग वैलेस ने तो नोबिल प्राइज़ प्राप्त करने के बारे में एक पूरा उपन्यास ही लिख डाला। इस पुस्तक में उस सारी धाँधलेबाजी का पर्दाफ़ाश किया गया था जो कि इस पुरस्कार को लेकर पर्दे के पीछे चलती है। मैंने यह उपन्यास अभी तक नहीं पढ़ा है। नोबिल प्राइज़ के बारे में इधर-उधर जो कुछ पढ़ा है, उसी के आधार पर यह लेख लिखने बैठा हूँ। आख़िरकार मैं भी तो एक लेखक हूँ और क्या पता कि एक दिन मुझे भी नोबिल पुरस्कार मिल ही जाए। इस सबके लिए पहले से ही तैयार रहा जाए तो बेहतर है। आप मेरी आशावादी प्रवृत्ति पर सम्भवतः मुसकुराएँ पर हक़ीक़त यह है कि मेरे से कहीं ज़्यादा लचर लोगों को उनकी तीसरे दर्जे की कृतियों को लेकर यह इनाम पहले ही कई बार दिया जा चुका है। अगर यह पुरस्कार ख़ाकसार को दिया जाता है तो किसी को उस पर विस्मय करना उचित नहीं होगा। रुडयार्ड किपलिंग यदि नोबिल प्राइज़ पा सकते हैं तो मैं क्यों नहीं?

कुछ प्रबुद्ध साहित्यकारों का कहना है कि नोबिल प्राइज़ सिर्फ़ राजनीति के आधार पर ही दिया जाता है और साहित्य से उसका कोई वास्ता कभी नहीं होता। पास्तरनाक व शोलोखोव इसके प्रत्यक्ष उदाहरण हैं। रुडयार्ड किपलिंग ने कुछ भी तो ऐसा नहीं लिखा जिसे महान् कहा जा सके पर दिलचस्प बात यह है कि उन्हें नोबिल पुरस्कार मिला और धड़ल्ले के साथ मिला। अफ्रीका और एशिया के लेखकों को उपेक्षित किया गया क्योंकि उनकी खाल काली थी। जिन किताबों के ऊपर यह पुरस्कार दिया गया, उन किताबों के बारे में कभी-कभी पुरस्कार देने वाले स्वयं भी अनजान रहे। अब आप ही बताइए कि ऐसी स्थिति में लेखक करे तो क्या करे। पाब्लो नेरुदा ने पुरस्कार पाने के लिए सारे हथकण्डे खुद ही किये और किसी-न-किसी तरह इनाम हासिल कर ही लिया। एक ईमानदार लेखक इस दिशा में और कर ही क्या सकता था। 'अज्ञेय' जी को भी यही सब करना पड़ता।

ऊपर बतायी गयी दुविधाओं के कारण न जाने कितने बड़े-बड़े लेखक इस

महान् पुरस्कार से वंचित रह गये। तालस्ताय, गोर्की, शरत्चन्द्र, इब्सन और स्ट्रीटबर्ग जैसे चोटी के कलाकारों को यह इनाम नहीं दिया गया। जहाँ तक जेम्स जॉयस का प्रश्न है, स्थिति यह थी कि निर्णायक समिति के एक नितान्त वरिष्ठ सदस्य उनका नाम तक नहीं जानते थे। इन्हीं सारी बातों को ध्यान में रखकर, बर्नाड शॉ व सार्त्र ने पुरस्कार लेने से इनकार कर दिया और हेमिंग्वे तथा स्टीफ़ेन ज्वैग ने पुरस्कार तो ले लिया पर बाद में आत्महत्या कर ली।

पुरस्कार मिल जाने के बाद लेखक की परेशानियाँ कितनी बढ़ जाती हैं—इस बात का सही अनुमान लगाना और भी कठिन है। रवीन्द्रनाथ ठाकुर ने इनाम मिलते ही पहली बात जो कही थी वह यह थी कि अब उन्हें एकान्त में रहना शायद मयस्सर न होगा। उनका भय सच निकला। एक दिन तो ऐसा गुज़रा जिसमें लगभग पाँच सौ से ऊपर व्यक्ति उनके दर्शन करने आये। इनमें से अनेक लोग तो ऐसे थे जिन्होंने कवि की कोई भी रचना कभी नहीं पढ़ी थी। गुरुदेव के अनुसार वे लोग 'उनका सम्मान' नहीं वरन् उनकी 'कीर्ति का सम्मान' करने आये थे। पुरस्कार के प्राप्त होने से टैगोर के शत्रु भी काफ़ी हो गये थे और उन्होंने कवि के ख़िलाफ़ काफ़ी विषवमन भी किया था। अर्नेस्ट हेमिंग्वे भी इनाम के बाद काफ़ी परेशान रहते थे। उनका कहना था कि यदि कोई हमदर्द उन्हें बधाई देने आया तो वे उसे गोली का निशाना बना देंगे। इसके अतिरिक्त उन्होंने यह भी कहा था वे पुरस्कार लेने के समारोह में हर्गिज़ नहीं शामिल होंगे क्योंकि वहाँ जो औपचारिक पोशाक पहनी जाती थी, उससे उन्हें जन्मजात घृणा थी। बनियान और अण्डरवियर—इन दो वस्त्रों के अतिरिक्त, हेमिंग्वे बाकी सारी पोशाकों को फ़ार्मल मानते थे।

ऊपर लिखी स्थिति को देखते हुए यह कहना सही होगा कि मैं जो कुछ भी लिखूँ, वह यह सोचकर लिखूँ कि मेरी किसी भी कृति को नोबिल पुरस्कार से सम्मानित नहीं किया जाएगा। यह बात दीगर है कि मेरी हज़ार कोशिशों के बाद भी मुझे ठीक उसी तरह सम्मानित कर दिया जाए जैसे कि कभी सलमा लागरलाव को उस पुस्तक के लिए नोबिल प्राइज़ दिया गया था जो कि उसने अपने नन्हे बच्चों को हँसाने के लिए लिखी थी। मैं पूछता हूँ कि यदि कालिदास और भवभूति बिना नाविल प्राइज़ मिले ही अमर हो गये तो वैसा मेरे साथ क्यों नहीं हो सकता? हाँ, अलबत्ता यह बात ज़रूर है कि यदि मुझे नोबिल पुरस्कार प्रदान किया गया तो मैं उसे बिना किसी दुःख या संकोच के स्वीकार करूँगा। सारे सिद्धान्त एक तरफ़ और यश व पैसा एक तरफ़। इनाम लेने के बाद मैं फिर उपेन्द्रनाथ 'अश्क' की तरह दुःखी रहूँगा और कहा करूँगा कि भाई, यदि सच्चा साहित्यकार बनना है तो निराला की तरह रहो। अपनी निःस्वार्थता के कारण मैंने अब तक तो धोखा खाया, मगर भविष्य में वैसा नहीं होने दूँगा। अब तक जो जीवन मैंने जिया उसे लेकर सुमित्रानन्दन पन्त ने 'युगान्तर' में साफ़-साफ़ कहा :

तुम त्यागी बन
रिक्त रह गये पामर
प्रभुता के क्षण में

प्रेम-विवाह

आज अप्रैल की दूसरी तारीख है। सात अप्रैल को मेरे सगे लड़के का तिलक होगा। वह अपने साथ पढ़ने वाली एक सुन्दर और कुलीन लड़की से विवाह करने जा रहा है। विवाह के बाद भी उनमें एक-दूसरे के प्रति इतना ही प्यार रहेगा—यह बात तो भविष्य ही बताएगा। प्रेम जो होता है वह प्रायः विवाह के बाद ख़त्म हो जाता है। इसी कारण मैंने खुद उन लड़कियों से कभी शादी नहीं की जिनसे मैं प्रेम करता था। वैसे भी ऐसी लड़कियों की संख्या पचास से तो ऊपर ही रही होगी। अगर मैं प्रेम-विवाह करता भी तो किस-किस के साथ करता? महाकवि अकबर ने कहा है : तआउल्लक आशिको माशूक का जो लुत्फ़ रखता था, मज़े वे अब कहाँ बाकी रहे बीवी मियाँ होकर? इसी कारण जैनेन्द्र कुमार प्रत्येक कलाकार को कम-से-कम एक अदद प्रेयसी रखने की सही सलाह देते थे। यूँ कभी-कभी प्रेम जो होता है वह पति और पत्नी के बीच भी पाया जाता है मगर वह केवल उनमें से किसी एक की मृत्यु के बाद ही प्रकाश में आता है। जो लोग मेरी बात पर विश्वास न करते हों, वे कालिदास का लिखा 'अजविलाप' और 'रतिविलाप' पढ़ें।

प्रेम-विवाह गन्धर्वविवाह से—जो कि दुष्यन्त ने शकुन्तला के साथ सम्पन्न किया था—एकदम अलग चीज़ है। प्रेम के कारण विवाह करने का नाम, प्रेम-विवाह है। विवाह रस्म है जिसे हम सभी लोग भलीभाँति जानते हैं और जहाँ तक प्रेम का प्रश्न है, उस पर तो संसार की सारी भाषाओं में पहले ही विस्तृत रूप से लिखा जा चुका है। बकौल कबीर के—ढाई आखर प्रेम का, पढ़े सो पण्डित होय। प्रेम की इससे ज़्यादा संक्षिप्त और सच्ची परिभाषा मुझे और कहीं पढ़ने या सुनने को नहीं मिली। प्रेम और विवाह इन दोनों के मिलने पर जो स्थिति होती है, उसे प्रेम-विवाह की संज्ञा दी गयी है। यह दीगर बात है कि विवाह के पहले प्रेम रहता है और विवाह के बाद बच्चे होते है। मैंने एक ऐसा युगल भी देखा है जिनके यहाँ प्रेम जो था, वह विवाह के बाद ही हुआ था' प्रेम उनके बड़े लड़के का नाम था।

विश्व के इतिहास में बड़े-बड़े प्रेमी हुए हैं। लैला-मजनूँ, हीर-राँझा, सोहनी-मोहिवाल और सैमसन व दिलायला उन प्रेमियों में से हैं जिनके नाम एकदम ज़ुबान पर आते हैं। लोगों का कहना है लैला बड़ी बदसूरत थी। वास्तविकता क्या थी, यह तो कहना कठिन है क्योंकि व्यक्तिगत रूप से मैं उस बाई से कभी नहीं मिला? हिन्दी में इस सन्दर्भ में जो चलचित्र बने हैं उनके आधार पर तो मैं यही कहूँगा कि लैला एक

निहायत उम्दा, ख़ूबसूरत और 'स्मार्ट' क़िस्म की कन्या थी जो गाना व नाचना भी बख़ूबी जानती थी। रूसो की प्रेमिका उससे कोई बारह वर्ष बड़ी थी और रूसो प्यार में उसे 'मामा' ही कहा करता था। शैली एक बैरोनेट का लड़का था मगर प्रेम के जाल में ऐसा फँसा कि उसे साधारण कुल में उत्पन्न अपनी प्रेयसी को भगाना पड़ा। महामति प्लेटो की भाँति, शैली के परम मित्र हाग का भी कहना था कि सुन्दर स्त्री पर समाजवाद लागू होना चाहिए और वह किसी एक व्यक्ति की सम्पत्ति नहीं रहनी चाहिए। कुछ रूपवती युवतियाँ मैंने भी ऐसी देखी हैं जिनका कि राष्ट्रीयकरण मेरे विचार में भी होना उचित था। गेटे अपने मित्र की पत्नी से प्रेम करता था। जार्ज इलियट ने इकसठ वर्ष की आयु में चालीस वर्ष पुरानी जान क्रास नाम की महिला से प्रेम किया था। डॉक्टर जानसन व डिज़रायली—इन दोनों की पत्नियाँ भी उनसे उम्र में बहुत ज़्यादा बड़ी थीं। जहाँ तक बायरन का प्रश्न है वहाँ तो मात्र यही कहा जा सकता है कि "उसे तो सिर्फ़ औरत चाहिए थी; वह बहिन भी हो सकती थी और मित्र या गुरु की पत्नी भी हो सकती थी; वह सोलह साल की षोडशी भी हो सकती थी और पचास वर्ष की अधेड़ भी हो सकती थी।" पिकासो ने न जाने कितनी स्त्रियों से प्रेम किया। सबसे अन्तिम और स्थायी प्रेयसी उसे तब प्राप्त हुई थी जब कि वह बासठ वर्ष का हो चुका था। बर्ट्रेण्ड रसेल ने भी अपनी आख़िरी शादी नब्बे वर्ष की आयु में ही की थी।

प्रेम करने के क्षेत्र में कभी-कभी बड़ी-बड़ी दिलचस्प बातें देखने को मिलती हैं। जिनेवा में एक व्यक्ति को एक विशिष्ट युवती से प्रेम करने की कोशिश में पन्द्रह बार जेल जाना पड़ा मगर वह था कि जेल से छूटते ही, उस युवती विशेष के पास फिर पहुँच जाता था। लन्दन में एक सोलह वर्ष के लड़के ने पैंतीस वर्ष की एक ऐसी महिला से प्रेमविवाह किया है जिसके कि पाँच बच्चे हैं और सबसे बड़े बच्चे की उम्र उसकी अपनी उम्र से ज़्यादा है। मैं हिन्दी के एक ऐसे रसिक कवि को जानता हूँ जिन्हें अपनी प्रेम करने की अनन्त प्रतिभा के कारण, न जाने कितने कस्बे और शहर रातों-रात छोड़ने पड़े। यदि मुझे अपने पिटने का भय न होता तो मैं आपको उस कविप्रवर का नाम भी बता सकता था। सुमित्रानन्दन पन्त ने प्रणय किया मगर 'प्रणय पत्रिका' 'बच्चन' ने ही लिखी। पन्त जी ने विवाह नहीं किया और शायद इसी कारण वे इतने महान् कलाकार बने। उनके बरख़िलाफ़ अज्ञेय ने विवाह तो कई किये मगर प्रेम शायद कभी नहीं किया।

प्रेमिका प्रायः संगदिल होती हैं। माशूक़ की इस आदत पर उर्दू शायरों ने काफ़ी कुछ लिखा है। आपके मनोरंजन के लिए चन्द शेर यहाँ प्रस्तुत करता हूँ जिनका सम्बन्ध मुहब्बत से कम और मौसम से ज़्यादा है :

गले लिपटे हैं वे बिजली के डर से
इलाही, ये घटा दो दिन तो बरसे

(रियाज़ खैराबादी)

उम्र क्या है, अभी कमसिन है, न तनहा लेटे
सो रहें पास मेरे ख़्वाब में डरने वाले

(रियाज़ खैराबादी)

क्या मज़ा देती है बिजली की चमक मुझको
मुझसे लिपटे हैं मेरे नाम से डरने वाले

(रियाज़ खैराबादी)

महाकवि पद्माकर

मेरे प्रिय जितने भी कवि हैं उनमें पद्माकर का स्थान कदाचित् सबसे ऊँचा है। इस सुखद स्थिति के कई कारण हैं। पहला कारण तो यह है कि वे ठीक उसी बाँदा नगर में पैदा हुए थे जहाँ कि मेरे प्रिय कवि केदारनाथ अग्रवाल और मेरे प्रिय कथाकार गोविन्द मिश्र बाद में चलकर प्रकट हुए। दूसरा कारण यह है कि श्रीलाल शुक्ल, बालकृष्ण राव, जगदीशचन्द्र माथुर, बंकिमचन्द्र चट्टोपाध्याय और ख़ाकसार की तरह, वे भी जीवन भर अपनी जीविका के लिए 'राज्याश्रय' पर ही निर्भर रहे। तीसरा कारण यह है कि मेरी तरह वे भी प्रकृति के प्रेमी थे। चौथा कारण यह है कि मेरी तरह वे भी अपनी प्रशंसा खुद ही कर लिया करते थे। और अन्त में चलकर अन्तिम कारण यह है कि उनकी कविता में रीतिकाल के पतन का आभास ठीक उसी भाँति मिलता है जिस प्रकार मेरी कविता में आधुनिक हिन्दी कविता के पतन का मिलता है। इतने कारण होते हुए भी यदि मैं उनकी चर्चा न करूँ तो यह मेरे साथ अन्याय होगा।

रीतिकाल के अन्तिम आचार्य-कवि पद्माकर का जन्म संवत् अठारह सौ दस में सम्पन्न हुआ था और वे लगभग अस्सी वर्ष तक जीवित रहे थे। उनकी पुस्तकों के पूरे नामों का निश्चित ज्ञान किसी को नहीं है पर फिर भी यह स्वीकार किया जाता है कि 'जगद् विनोद' 'हिम्मतबहादुर विरुदावलि' 'पद्मभरण' 'जयसिंह विरुदावलि' 'अलीजाह प्रकाश' 'राम रसायन' 'प्रबोध पचासा' और 'गंगालहरी' को उन्हीं ने लिखा था। मिश्रबन्धुओं ने उन्हें नवरत्नों में शामिल नहीं किया पर रामचन्द्र शुक्ल ने उन्हें 'परमोत्कृष्ट' कवि स्वीकार किया। चूँकि वे कभी भी किसी राजा के दरबार में ज़्यादा दिनों नहीं टिके, उन्होंने कोई प्रबन्ध-काव्य नहीं लिखा। इनके पिता भी पन्ना राज्य के राजगुरु थे। पद्माकर मेरी भाँति जाति के ब्राह्मण थे और उनकी उत्कृष्टता का एक कारण यह भी रहा।

पद्माकर कें राज्याश्रयों की कथा अनन्त है। अपने जीवन-काल में वे सागर नरेश अर्जुन सिंह, दतिया नरेश महाराज परीक्षित, रजगाँव के गोसाईं हिम्मतबहादुर, सितारा के नरेश रघुनाथ राव, सवाई महाराजा प्रतापसिंह और ग्यालियर नरेश दौलतराव सिन्धिया 'प्रभृति अनेक आश्रयदाताओं' के दरबार में राजकवि की हैसियत

से सुशोभित रहे। वे शान से रहते थे और एक बार जब लोगों ने उन्हें राजा ही समझ लिया तो उन्हें कहना पड़ा—हम कविराज हैं प्रताप महाराज के। चरखारी राज्य के राजा ने जब उन्हें कुछ उपेक्षा की निगाह से देखा तो पद्माकर ने भरे दरबार में कहा कि 'तुम महाराज हो तो हम भी कविराज हैं' और इतना कहने के तुरन्त बाद दरबार छोड़ दिया (जो मेरी बुद्धि के अनुसार काफ़ी अक्लमन्दी का काम था)। वे आजकल के हिन्दी कलाकारों की भाँति नहीं थे जो दरबार का आश्रय तो लेना जानते हैं पर जिनमें दरबार छोड़ने की हिम्मत नहीं है। वाचस्पति पाठक ने मुझसे एक बार कहा था कि यदि सरकार ने मैथिलीशरण गुप्त को राज्यसभा में और नहीं रहने दिया तो वे ज़्यादा दिन जीवित नहीं रहेंगे। ठीक वैसा ही हुआ। इस सन्दर्भ में मैं आपको बता दूँ कि मैं भी बहुत स्वाभिमानी साहित्यकार हूँ। मैं तो केवल यह चाहता हूँ कि यदि मेरे कृतित्व के आधार पर नहीं तो धर्म, जाति और प्रान्तीयता वगैरह के ही आधार पर मुझे कोई बड़ा आदमी साहित्य अकादेमी का एवार्ड दिलवा दे, पद्मविभूषण की उपाधि और दो-चार मानद डॉक्टरेट प्राप्त करा दे, राज्यसभा का सदस्य बनवा दे और ज्ञानपीठ पुरस्कार दिलवाने में मदद कर दे तो मैं राज्याश्रय क्या, इस राज्य को ही छोड़ कर सीधा स्विट्जरलैण्ड चला जाऊँगा जहाँ के बैंकों में मेरा लाखों रुपया होगा। सिर्फ़ अवसर मिलने की बात है वरना मैं आपको यकीन दिलाता हूँ कि मैं अपना जाल इस तरह समेटूँगा जैसा कि शायद डॉक्टर धर्मपाल तेजा व नटवरलाल भी न कर सकें। अज्ञेय के शब्दों में—"कवि जो होंगे, हों, जो कुछ करते हैं, करें, प्रयोजन मेरा बस इतना है।"

पद्माकर प्राकृतिक सौन्दर्य के महान् चितेरे थे। सौन्दर्य से उन्हें अनन्त प्रेम था। उनकी वाणी सिद्ध हो चुकी थी। मैंने कालिदास के 'कुमार सम्भव' में वसन्त के प्रकट होने का विवरण पढ़ा है, और बार-बार पढ़ा है, सुमित्रानन्दन पन्त की कविता ने मुझे पागलपन की सीमा तक प्रभावित किया है, ग्रामगीतों ने मुझे जितनी पीड़ा पहुँचायी है उसे मैं शब्दों में नहीं बाँध सकता मगर फिर भी पद्माकर के कवित्त हैं जिनका कि जवाब नहीं। केलिन में, कूलन में, कछारन में, कुंजन में : बनन में बागन में बगरो वसन्त है। या—तालन पै ताल पै तमालन पै मालन पै : वृन्दावन बीथिन बिहार बंसी वट पै। या—घन की घमण्ड घटा घेरि के घनेरी आवे, गरज गयी थी फेरि गरजन लागी री। एक कवित्त में उन्होंने उस लाडिली की भी चर्चा की है जिसकी लट पर चाँदनी खेलती थी (लाड़ली की लट पै) उस जैसी लाडली यदि इस सरकिट हाउस में—जहाँ मैं दौरे पर आकर ठहरा हूँ—मिल जाए तो काव्य-चर्चा में सच्चा आनन्द आ जाए। अस्त दिशाएँ मस्त समीरण; ऊपर अम्बर, नीचे हम तुम। कुछ करो इस चाँदनी में, सब क्षमा है। क्या हो गया है मुझे? पद्माकर की चर्चा करते-करते बच्चन की वाणी में उलझ गया! मैं आप से पूछता हूँ कि संसार में ऐसे कितने कवि होंगे जो अपने चन्द कवित्तों की ही वजह से हमेशा-हमेशा के लिए

अमर हो गये? और वह भी हिन्दी में जहाँ कि सुमित्रानन्दन पन्त को भी महाकवि कहलाने के लिए 'लोकायतन' जैसा महाकाव्य लिखना ही पड़ा। उनसे तो महादेवी जी ही समझदार रहीं जिन्होंने अपनी काव्य प्रतिभा (जो बहुत ज़्यादा नहीं थी) समाप्त होते ही काव्य की सृष्टि बन्द कर दी और गद्य लिखना शुरू कर दिया जिसने हिन्दी को एक नया गौरव दिया।

जैसे कभी-कभी मैं अपनी पुस्तक के फ्लैप पर खुद ही लिख लेता हूँ कि "रवीन्द्रनाथ त्यागी की गणना देश के प्रमुख व्यंग्यकारों में की जाती है" ठीक वैसे ही पद्माकर भी अपनी प्रशंसा खुद करने से संकोच नहीं करते थे। अपना संक्षिप्त परिचय देते हुए वे कहते हैं :

भट्ट तिलंगाने को बुन्देलखण्डवासी, नृप
सुजंस प्रकासी पद्माकर सुनामा हौं,
जोरत कवित्त छन्द छप्पय अनेक भाँति
संस्कृत, प्राकृत पढ़ो, जु गुन ग्रामा हौं,
हय, रथ, पालकी, गयन्द, गृह, ग्राम चारु
आखर लगाय लेत लाखन की सामा हौं,
मेरे जान, मेरे तुम, कान्ह हो जगत सिंह
तेरो जान, तेरो यह, विप्र मैं सुदामा हौं

(कहानीकार, वाराणसी)

सम्पादकों की याद में

मेरी सबसे प्रथम रचना—जो एक कविता थी—एक छोटे से कस्बे से निकलने वाली एक साधारण मासिक पत्रिका में छपी थी। छपने का प्रमुख कारण यह था कि मेरे एक निकट सम्बन्धी उस प्रेस में कम्पोज़ीटर थे। सम्पादक (जो साथ-ही-साथ उस महान् पत्रिका के प्रकाशक व मुद्रक भी थे) उनकी बड़ी इज़्ज़त करते थे। बात यह थी कि मेरे वह रिश्तेदार काफ़ी शरारती क़िस्म के प्राणी थे और यदि सम्पादक उनकी बात नहीं मानते थे तो वे कम्पोजिंग में ऐसी ऊँचे दर्जे की ग़लतियाँ करते थे जिनका कि जवाब नहीं। एक बार उन्होंने ज़ुबान के स्थान पर 'जोबन' छापा था और दूसरी बार 'सूत्र' के स्थान पर 'मूत्र' प्रकाशित किया था हालाँकि यह घटना मोरारजी देसाई के प्रधानमन्त्री बनने से बहुत पहले की थी। इतना मौलिक और प्रतिभाशाली कम्पोज़ीटर मैंने जीवन में दूसरा नहीं देखा।

मेरी दूसरी रचना दुष्यन्त कुमार 'परदेसी' ने एक सस्ती-सी पत्रिका में छापी जिसके वे सम्पादक थे। थोड़े दिनों बाद उन्होंने 'परदेसी' उपनाम और उस पत्रिका का सम्पादन—इन दोनों को छोड़ दिया। मेरी कविता के प्रभाव से उस विशिष्ट पत्रिका का दूसरा अंक कभी नहीं निकला। मेरी रचनाओं के छपने से इस देश के कितने रिसाले बन्द हुए हैं, इसका मुझे खुद पता नहीं। कभी हिसाब लगाऊँगा। काफ़ी लम्बी सूची बनेगी। इस पत्रिका को छोड़ने के बाद दुष्यन्त प्रयाग चला गया और फिर मध्यप्रदेश का नागरिक हो गया। ठीक वही मध्यप्रदेश जहाँ उसने 'साये में धूप' पालकर दिखा दी।

मेरी तीसरी रचना श्री महावीर अधिकारी ने एक रिश्तेदार की सिफ़ारिश पर 'साप्ताहिक हिन्दुस्तान' में छपवायी। इत्तफ़ाक से यह रचना भी कविता ही थी। महावीर अधिकारी पर मेरा कुछ अधिकार इस कारण भी निकला था क्योंकि वे भी त्यागी जाति के ही ब्राह्मण थे। जब मैंने अपना प्रथम कविता संग्रह उन्हें भेजा तो उन्होंने कुछ ऐसी मार्मिक चिट्ठी लिखी जैसी कि लार्ड चेस्टरफील्ड अपने पुत्र को लिखा करते थे और जिन चिट्ठियों के प्रताप से उनका वह कुलदीपक, होस्टल की नौकरानी के साथ भाग गया था। मैं किसी नौकरानी या उसकी मालकिन के साथ तो नहीं भागा पर मैंने अधिकारी जी से फिर कोई सम्पर्क नहीं रखा। उन्होंने कई बार 'नवभारत टाइम्स' के वार्षिकांक के

लिए कुछ भेजने को कहा, मगर मैंने उनका अनुरोध कभी नहीं माना।

प्रयाग जाने के बाद मैंने वहाँ की पत्र-पत्रिकाओं में काफ़ी कुछ लिखा। एक नितान्त प्रसिद्ध पत्रिका में कुछ कविताएँ छपीं पर उनका कोई पारिश्रमिक नहीं मिला। उस पत्रिका का नाम 'सरस्वती' था और उसके सम्पादक बड़े 'मस्त' जीव थे। उन्हें अपनी निजी पत्नी के उपन्यास बड़े पसन्द थे और इसी कारण पन्त या निराला की कविता छपे या न छपे, उनकी पत्नी का उपन्यास 'सरस्वती' में ख़ूब छपता था। 'भारत' के साहित्य सम्पादक बालाजीराव जोशी थे जो मुझे आलोचना के लिए ढेर सारी किताबें दिया करते थे। मेरी हास्य रचनाएँ भी शायद सबसे पहले उन्हीं के पत्र में छपीं। थोड़ा-बहुत पारिश्रमिक भी मिला। उन दिनों प्रयाग से कुछ और पत्र भी निकलते थे। एक पत्र के सम्पादक बड़े होनहार थे। एक बार उन्होंने मेरी रचना अपने नाम से छापी और कई बार मेरी रचनाओं का पारिश्रमिक भी अपनी जेब में ही रख लिया। मैं एक बेसहारा अज्ञात व्यक्ति था; क्या करता? प्रयाग की चर्चा ख़त्म करने से पहले मैं इतना ज़रूर कहूँगा कि शैलेश मटियानी जैसा समर्पित सम्पादक और निष्ठावान साहित्यकार मैंने दूसरा नहीं देखा। एक और नगर में एक सम्पादक-कम- प्रकाशक-कम-पत्रकार थे जो कभी-कभी कोई पत्रिका निकाल लेते थे, वार्षिक चन्दा वसूल करते थे और उसके बाद पत्रिका का दूसरा अंक कभी नहीं छापते थे। कहते हैं कि वर्षों से वे एक दूसरे सज्जन की माता को पत्नी की तरह रखते आ रहे थे। सच्चा साहित्यकार अपने-पराये में भेद नहीं करता। एक बार एक कवयित्री भी देखने को मिलीं जो एक पराये व्यक्ति को पति की भाँति रखती थीं।

दिल्ली आया तो और कई नस्ल के सम्पादक देखने को मिले। उन दिनों 'साप्ताहिक हिन्दुस्तान' के सम्पादक एक बड़े विचित्र व्यक्ति थे। वे बड़े होनहार सम्पादक थे। सारी रचनाएँ बिना पढ़े स्वीकृत की जाती थीं और उन्हें अलग-अलग ढेरों में रखा जाता था। कविता का ढेर अलग, कहानियों का अलग और चुटकुलों का अलग। जब कोई उप-सम्पादक कुछ माँगता था, ढेर में से कुछ निकालते थे और उसे पकड़ा देते थे। छपने पर यदि सूचना मिली कि रचना लम्बी पड़ रही है, तो उसे वहीं से काट दिया जाता था। तसवीर छापने के बहुत शौक़ीन थे और एक बार सरोजिनी नायडू के चित्र के नीचे मौलाना अबुलकलाम आज़ाद का नाम छापा था। वैसे बड़े संवेदनशील व्यक्ति थे, ग़रीब लेखकों की रचनाएँ सबसे पहले छापते थे और उदारता के साथ पारिश्रमिक देते थे। याददाश्त कुछ कमज़ोर थी, और काफ़ी दिनों तक वे मुझे राम अवतार त्यागी ही समझते रहे। वे कहा करते थे कि सच्ची कविता वह नहीं जो हृदय से निकलती है, सच्ची कविता वह है जो कण्ठ से निकलती है। 'गलाकार' जो होता है वह 'कलाकार' से बड़ा होता है। 'शह और मात' में राजेन्द्र यादव ने राम अवतार त्यागी की दो पंक्तियाँ उद्धृत की हैं जिससे उनकी सच्ची सुरुचि का पता लगता है। बाकी मैं आप पर छोड़ता हूँ।

दिल्ली में एक सम्पादक और मिले जो सुन्दर युवतियों पर विशेष ध्यान देते थे और वे जो कुछ भी लाती थीं, उसे स्वीकार कर लेते थे और दोबारा आने को कहते थे। मैंने उन्हें कई बार समझाया कि अमुक कुमारी या भूतपूर्व कुमारी की फलाँ रचना फ्रेंच भाषा में सौ वर्ष पहले छप चुकी है तो वे मेरी अध्ययनशीलता की दाद देते थे और कहते थे कि भाई, मौलिक तो संसार में कुछ है ही नहीं। पुरुष और प्रकृति भी एक-दूसरे की छाया हैं। साथ-साथ वे यह भी कहते थे कि भाई, स्त्रीजाति को इस देश में बहुत दबाया गया है, मैं तो उनको साहित्य और समाज में प्रतिष्ठित करने के लिए प्रतिबद्ध हूँ। मुझे यह जानकर बड़ा दुःख हुआ कि उनके इस स्त्री-प्रेम ने उन्हें कुछ गुण्डों से पिटवा दिया। इन तथाकथित गुण्डों में उस स्त्री के पिता और पति भी शामिल थे।

एक सम्पादक मिले जो अख़बारी काग़ज़ को ब्लैक में बेचते थे। एक सम्पादक मिले जो मुझसे सदा यह पूछते थे कि मैं उनका क्या काम कर सकता हूँ? एक सम्पादक ने शराब की बोतल माँगी और खुलेआम माँगी। एक सम्पादक थे जिन्होंने मेरे ख़िलाफ़ झूठे चुटकुले छापे। 'पंजाब केसरी' ने मेरी एक रचना बिना पारिश्रमिक दिये मुखपृष्ठ पर छापी जो 'रविवार' से उन्होंने साभार ली थी। एक सम्पादक ऐसे भी मिले जिन्होंने, मैंने जो कुछ भी लिखा, बिना पढ़े छापा और तुरन्त छापा। एक सम्पादक मिले जिन्होंने मेरे साथ एक युवती को देखा और आँख मारकर पूछा कि यार...। जब मैंने बताया कि वे मेरी सगी पत्नी हैं तो उन्होंने पैण्ट सँभालकर बाँधी और अन्तर्धान होने की कोशिश की।

राजेन्द्र यादव ने प्रेमचन्द के बराबर बनने की खुशी में 'हंस' छापना शुरू किया। मेरी भी इच्छा हुई कि वहाँ छपूँ। कुछ रचनाएँ इकट्ठी कीं और कई बार दिल्ली गया। यादवजी ने रचनाएँ पढ़ीं और एक रचना स्वीकृत की। यह 'अटल' वचन भी दिया कि वह फलाँ अंक में छपेगी। बहरहाल, रचना फिर भी नहीं छापी और उन्होंने खुद को अपमानित किया। ग़लती मेरी थी, यदि मैं उतनी आत्मीयता और उत्सुकता न दिखाता तो वे रचना ज़रूर छापते। और मैं बिना पारिश्रमिक के रचना दे रहा था जब कि अभी-अभी भारत सरकार के एक संयुक्त सचिव ने (जिन्होंने 'सरिता' में काफ़ी लिखा है) बताया कि 'हंस' ने उनकी मात्र रचना ही नहीं छापी, वरन् उन्हें चार सौ रुपये का चेक भी दिया।

कुछ दिलचस्प सम्पादक ऐसे भी मिले जिन्होंने पारिश्रमिक न देने की कसम खा रखी थी। दिल्ली से 'ठिठोली' के होली विशेषांक निकले जिनमें मैं बराबर छपा मगर वादा कर लेने पर भी उन्होंने कभी एक पैसा नहीं दिया। इसी प्रकार पटना से 'चित्रेतना' नाम की पत्रिका निकली जिसकी सुन्दर सम्पादिका ने मुझे कई पत्र लिखे और पारिश्रमिक का स्पष्ट वादा किया। मैंने एक श्रेष्ठ व्यंग्य रचना भेजी और कोई आधा दर्जन मौलिक व अप्रकाशित पत्र भी लिखे, मगर पारिश्रमिक जो था वह कभी नहीं आया। वाराणसी में मेरे एक मित्र एक पत्रिका निकालते हैं जो पन्द्रह या बीस

हज़ार छपती है। आजीवन सदस्य सैकड़ों हैं और विज्ञापन भी काफ़ी छपते हैं। मेरे इन मित्र सम्पादक ने कभी मेरा पैसा नहीं मारा। जब-जब भी रचना छपी, तभी-तभी पूरे बीस रुपये का मनीऑर्डर आया। मनीऑर्डर का कमीशन भी इन्हीं बीस रुपयों में से काटा जाता रहा। पैसे की दृष्टि से कोई भी अख़बार उदारता से लेखक का सच्चा हक कभी नहीं देता। आप 'धर्मयुग' को ही ले लीजिए। एक पूरे पृष्ठ का लगभग दो सौ रुपया मिलता है जब कि एक पृष्ठ के विज्ञापन का वे दस हज़ार लेते हैं। विज्ञापन के लिए इतना रुपया इस कारण दिया जाता है कि धर्मयुग लाखों में बिकता है जिसका कारण मात्र यह है कि उसमें हम लोगों की रचनाएँ छपती हैं और जिनके बदले हमें दो सौ रुपया प्रति पेज के हिसाब से चेक दिया जाता है। 'धर्मवीर' द्वारा चलाये गये अख़बार में यदि शोषण हो तो क्या आप वाकई इसे 'धर्म' का 'युग' कह सकते हैं? यही बात मैंने काफ़ी विस्तार से एक बार मनोहर श्याम जोशी से कही थी जिसमें मैंने बताया था कि काग़ज़, कलम, रोशनाई, लिफ़ाफ़ा और बाकी चीज़ें इतनी महँगी हो गयी हैं कि हमारा पारिश्रमिक तो अब बढ़ना ही चाहिए। जोशी जी ने मुझसे अपनी पूरी सहमति प्रकट की और अगली बार जो चेक आया वह उनके पिछले चेक से पाँच रुपये ज़्यादा का था।

दिल्ली के ही एक और सम्पादक हैं जो मात्र स्थापित लेखकों की ही रचनाएँ छापते हैं। कारण यह है कि ऐसे लेखकों की रचनाओं को स्वीकार करने से पहले पढ़ना नहीं पड़ता। एक दूसरे महाशय हैं जो मात्र नये कलाकारों की ही रचना छापते हैं क्योंकि उन्हें पारिश्रमिक नहीं देना पड़ता। अज्ञेयजी का मैं कभी भी दरबारी नहीं रहा मगर फिर भी उन्होंने मुझे 'नवभारत टाइम्स' से लेकर 'नया प्रतीक' तक में छापा और मात्र पत्र और पुष्प ही नहीं दिये, वरन् फल भी दिये।

और बहुत कुछ याद आ रहा है मगर वह सब फिर कभी। हाँ, इतना ज़रूर बता दूँ कि कभी मैं भी एक लोकल अख़बार का उप-सम्पादक था। सिन्दबाद जहाज़ी का वह क़िस्सा सुनना हो तो मेरा 'तराई का फ़ार्म' नाम का संस्मरण पढ़ें और मेरा जीवन लम्बा होने की प्रार्थना करें ताकि मैं फिर सम्पादक बन सकूँ और विदेश जा सकूँ। जब फटीचर क़िस्म के और तीसरी श्रेणी के लेखक और पत्रकार किसी और के खर्चे पर विदेश-यात्रा पर निकल सकते हैं तो फिर मैं ही ऐसा क्यों न करूँ? विदेश जाऊँगा, विलायती मदिरा पिऊँगा, हसीन लड़कियों से बातें करूँगा और फिर स्वदेश लौटकर विदेशों के सचित्र संस्मरण लिखूँगा। वैसे यदि मैं कभी सम्पादक बन गया तो स्थिति यह होगी कि देश की सरकार मुझे वैसे भी विदेश में ही रखना ज़्यादा पसन्द करेगी।

अन्त में मैं यह कहना चाहूँगा कि ऐसा नहीं है कि हिन्दी में श्रेष्ठ सम्पादक हैं ही नहीं। डॉ. धर्मवीर भारती, कमलेश्वर, अमृतराय, कन्हैयालाल नन्दन और बालकृष्णराव यदि मुझे प्रोत्साहन नहीं देते तो मैं कभी भी इतना प्रसिद्ध लेखक नहीं बन सकता था।

(सण्डे साप्ताहिक मेल, नयी दिल्ली)

कबीर : एक गहन अध्ययन

सन्त कबीर सुल्तान सिकन्दर लोदी के समकालीन थे। उनकी मृत्यु के बारे में कई मत हैं। एक मत के अनुसार, वे एक सौ छब्बीस वर्ष की आयु में स्वाभाविक मृत्यु मरे थे और दूसरे मत के अनुसार, छियानवे वर्ष की आयु में वे सुल्तान की आज्ञा के अनुसार हाथी से कुचलवा दिये गये थे। मृत्यु के बाद उनके शव पर हिन्दू और मुसलमान–दोनों ने अपना हक निकाला। आज भी मगहर में उनकी मज़ार और समाधि–दोनों विद्यमान हैं। कबीर बेपढ़ा होने के कारण ऐसी सरल वाणी में कविता रचते थे कि मेरे जैसा मन्द बुद्धि व्यक्ति भी उसे समझ सके। यूँ उन्होंने ऐसी उलटबाँसियाँ भी लिखी हैं जिनका प्रामाणिक अर्थ सम्भवतः डॉ. रामकुमार वर्मा व हज़ारीप्रसाद द्विवेदी भी आपको पूरी तरह न समझा सकें।

कबीर ने अपनी कविता में अनेक फुटकर वस्तुओं की चर्चा की है जैसे साबुन, मूली और घुड़दौड़ का मैदान। साबुन के बारे में वे कहते हैं : सच्चा साबुन लेहि न मूरख है सन्तन के पासा/दाग़ पुराना छूटत नाहीं, धोवत बारहमासा। बिन साबुन तेरा मैल कटे ना हर भज हलुवा होले/तनकर केड़ी मनकर साबुन दिल का दागल धो ले। मूली के बारे में वे कहते हैं : वे नर ऐसे जात है ज्यों मूली का खेत। चर्खे के सन्दर्भ में तो वे महात्मा गाँधी के कायल थे : चरखा चलता नहीं रे, मेरा चरखा हुआ पुराना। चरखा नहीं निगोड़ा चलता। रेसकोर्स और घोड़ों के बारे में तो उन्होंने अपना प्रेम कई स्थानों पर प्रकट किया है। एक जगह वे कहते है कि–खिंचा जैसा ताज़ा घोड़ा जी; और दूसरे स्थान में वे कहते हैं कि–कहत कबीर सुनो भाई साधो, यहाँ घोड़ मैदान। इस सबके बावजूद उनका अधिकतर काव्य चार मुद्दों पर टिका है। वे ज़्यादा सोने वालों से हमेशा परेशान रहते थे, उन्हें चोरों और ठगों से बड़ा आतंक रहता था, सिर मुँड़ाने के वे बुरी तरह ख़िलाफ़ थे और चौथी बात यह कि उन्हें अद्भुत रस से विशेष लगाव था। अब मैं इन्हीं चार चीज़ों की चर्चा करूँगा। सबसे प्रथम निद्रालाभ की ही बात करता हूँ। कवि कहता है :

(एक)

चलना है दूर क्यों सोवै रे
चेत अचेत नर सोच बावरे

बहुत नींद मत सोवै रे,
सो गठरी तेरी बीच में छिन गयी
मूँड पकड़ क्यों रोवै रे?

(दो)

क्या सोवत सुमरन की बिरियाँ :
गुरु उपदेश सन्देश कहत हैं
भजन करो चढ़ गगन अटरियाँ

(तीन)

सोता साधु जगाइए, करे नाम का जाप
यह तीनों सोवत भले, साकत, सिंह ओ साँप

(चार)

कबिरा खालिक जागिया, और न जागे कोय
जाके विषय का विष भरा, दास बन्दगी होय

(पाँच)

पाँच पहर धन्धे गया, तीन पहर गया सोय
एक पहर बिन राम बिन, मुक्ति कैसे होय?

सिकन्दर लोदी का शासन प्रबन्ध कमज़ोर था। चोर, चाकू और ठग खुलेआम घूमते थे। कवि कहता है :

(एक)

माया महा ठगिनि हम जानी
निरगुन फाँस लिये कर डोले
बोले मधुरी बानी

(दो)

तेरी गठरी में लागा चोर
बटोहिया क्या सोवै
पाँच पचीस तीन हैं चुरवा
यह सब लुटैं, तू क्या सोवै?

(तीन)

मारग में लूटत पाँच जनी
पाँच पच्चीसों ने घेरा डाला
साधु जन चढ़ गये नसैनी;
शंकर लुट गये तेजोधारी
परजा रैयत कौन बिचारी
तिरगुण झुक रही तीन अनी

(चार)

सतगुरु आवे हमारे गेह रे
सब कोई कहत तुम्हारी नारी
मोको अति सन्देह रे

(पाँच)

मन तोल्यो तो क्या बनियाँ
काहे की पूँजी, काहे का सौदा
काहे की लेके दुकनियाँ
काहे की डाँड़ी, काहे का पलरा
काहे की मार डँडनियाँ

(छह)

अब से ख़बरदार, रहो भाई,
सतगुरु दीना माल ख़ज़ाना
राखो जुगत लगायी,
वस्तु पान गाफिल मत रहना
निसदिन करत कमायी,
घर के भीतर चोर लगतु हैं
बैठे घात लगायी

(सात)

अब तो पड़ी मैं चोरन के नगर, सत्संग बिना जिया तरसे
इस सत्संग में लाभ बहुत हैं, तुरत मिलावे गुरु से

(आठ)

औषध खाऊँ न बूटी लाऊँ ना कोई वैद्य बुलाऊँ
पूर्ण वैद्य एक अविनाशी वाही को नबज दिखाऊँ
ज्ञान कुठारा कसकर बाँधूँ तुरत कमान चढ़ाऊँ
पाँच चोर घुसे घर भीतर, तिनको मार गिराऊँ

(नौ)

कायागढ़ के वासी जाग हौ
जागत शहर में चोर न घुसे
नहीं लूटे भण्डार हौ

(दस)

माया तो ठगिनी बनी, ठगत फिरै सब देश
जा ठग ने ठगिनी ठगी, सो ठग का आदेश

(ग्यारह)

ननदी तेरे महल में घुस आये हैं चोर
जल्दी दिया जगाय ले, करत फिरत भड़फोर
करत फिरत भड़फोर, हमारी ले गये बिन्दिया
कर गये पखवा फोर, पिया की लै गये पगिया

(बारह)

भगवा कपड़े पहन के आये चोर अनन्त
जाके संग दस बीस हैं, उसको कहत महन्त

अब मैं उन अंशों को प्रस्तुत करूँगा जो साधु होने और सिर मुँडाने से प्रत्यक्ष सम्बन्ध रखते हैं। ऐसे अंश अनन्त हैं पर मुझे पाठकों के धैर्य और लेख की लम्बाई पर भी ध्यान रखना है। कुछ मार्मिक अंश इस प्रकार हैं :

(एक)

मूँड मुँडाये हरि मिलें, सब कोई लेउ मुँडाय
बार-बार के मूँड़ते भेड़ न बैकुण्ठ जाय

(दो)

साधु भया तो क्या भया
माला पहिरी चार,
बाहर भेस बनाइया,
भीतरी भरी भँगार
माथा तिलक लगाइ के
भक्ति न आयी हाथ,
दाढ़ी मूँछ मुँडाय के
घोटम घोट हुआ माथ,
मन को क्यों न मूँड़िये
जामे भरिया खोट,
केसन कहा बिगारिया
मूँडो लोटम लोट

(तीन)

मन न रँगाये रँगाये जोगी कपरा :
आसन मार मन्दिर में बैठे
नाम छाँड़ि पूजन लागे पथरा,
कनवा फड़ाय जोगी जटवा बढ़ौले
दाढ़ी बढ़ाय जोगी हो गैलैं बकरा,
जंगल जाय जोगी धुनिया रमौलैं

काम जराय जोगी हो गैलैं हिजरा,
मथवा मुँडाय जोगी कपरा रँगौलैं
गीता बाँच के होइ गैलैं लबरा

अब मैं उन कविताओं को प्रस्तुत करता हूँ जो मुझ मूढ़मति की मति के अनुसार अद्‌भुत रस' की सृष्टि करती हैं। ऐसी कविताएँ बाँस पर उल्टा लेट कर लिखी जाती थीं और इसी कारण शायद इन्हें 'उलटबाँसियाँ' भी कहते हैं। ऐसे पद अनन्त हैं मगर समय के अभाव के कारण मैं कुछ को ही आपकी खिदमत में पेश करता हूँ :

(एक)

गैया बन में झपट के लिया सिंह को खाय
हाथी को तन पंख में माछी लिया दबाय
माछी लिया दबाय, ऊँट को लील गयी बकरी
जल के भीतर पकर लील गयी ग्राह को मछरी

(दो)

वन में बकरी झपट के भिडहा लीन्हा खाय
बकरी ने तब खेत में काछी लिया चबाय
काछी लिया चबाय, बढ़ई की छोली लकड़ी
तड़पा बन में बाघ बाघ को दाबै मकड़ी
कहत कबीर सुनो ऐ साधो, सिंह को खा गयी गइया
लादै बहु सामान चलै गाड़ी बिन पहिया

(तीन)

एक चींटी के मांस से लाखों गीध अघायँ
खायो कूकर सियारबहु काग चील्ह मँडरायँ
काग चील्ह मँडरायँ, बिलन में मूतो चींटी
नदिया नारे बहे पानिन के डूबी भीटी
कहते दास कबीर पार हो गये बेधर्मी
डूबे सब मँझदार सिर मुँडे साधू धर्मी

(चार)

एक अचम्भो हम सुनो कुवा में लागी आग
पानी था सो जर गया, मछरी खेलहिं फाग
मछरी खेलहि फाग, दुही बन्दर ने गैया
पी लीना सब दूध खाली कर देई मलइया
है वो चतुर सुजान करै जो इसकी पारख
कहत कबीरदास घी गया बिकन बनारस

(पाँच)

बाबाजी को देखकर परी बिलइया फूट
ब्रह्मा, विष्णु, महेश को क्षण में लीन्हा लूट
क्षण में लीन्हा लूट, इन्द्र के गले में लटकी
नारद मुनि की मूँछ पकड़कर दीन्हीं पटकी
कहते दास कबीर पकर श्रृंगी ऋषि पटको
दुरबासा पारासर पटक दिया गोरख को

(छह)

भैंस दामिनी, आशिक चूहा
मेंढक ताल लगावै,
चोल्हा पहिर गदहिया नाचै
ऊँट विसुन पद गावै
आग डारि चढ़ै कछुआ तोड़े
गिलहारे चुन-चुन लावै,
कहत कबीर सुनो भाई साधो
बगुला भोग लगावै।

(रंग, बम्बई)

आज मैं रिटायर हो गया...

आज मैं सेवानिवृत्त हो गया। चौंतीस वर्ष की कड़ी क़ैद पूरी हो गयी। यह मेरा दुर्भाग्य है कि मुझे कभी जेल नहीं हुई। मगर जेल से छूटने के बाद इंसान जैसा महसूस करता होगा, उसकी कल्पना मैं आज कर सकता हूँ। वैसे अपराध का मुझे ज्ञान न हो, ऐसी बात नहीं है। मेरे परिवार में एक नौजवान बड़ा यशस्वी डाकू हुआ जिसे अन्त में चलकर एक कत्ल के अभियोग में फाँसी हुई। वैसे चोरी मैं भी करता हूँ मगर मात्र साहित्य में। वैदिकी हिंसा हिंसा न भवति। और ऐसी चोरी तो कालिदास और तुलसीदास ने भी की है। दोनों कवियों ने खुद ही लिखा है कि मणौ वज्रसमुत्कीर्णे सूत्रस्यैवास्ति मे गतिः (रघुवंश) और 'नाना पुराण निगमागम सम्मत' (रामचरितमानस)। अपने परिवार की परम्परा देखते हुए मैं निश्चित रूप से कह सकता हूँ कि यदि डाकू नहीं तो जेबकतरा तो मैं भी बन सकता था। और जेल जाने में क्या लज्जा? इधर तो स्थिति इतनी सुखद हो गयी है कि मेजर जनरल और एयर वायस मार्शल तक बामशक्कत क़ैद पर भेजे जा रहे हैं। लोकमान्य तिलक, महात्मा गाँधी और पण्डित नेहरू तक जेल गये थे। मुझे यदि जेल हो जाती तो मैं भी आस्कर वाइल्ड, ओ. हेनरी और फ्लाबर्ट के समकक्ष हो जाता। मगर मेरी तो किस्मत ही खोटी है। सारे जीवन में केन्द्रीय सरकार का एक बड़ा अधिकारी और एक लोकप्रिय लेखक ही बन सका, और कुछ नहीं। यद् धात्रा निजभालपट्टलिखितं तन्मार्जने को क्षमः?

चलो, चाकरी से छुट्टी मिली। न फ़ाइलें, न ट्रंककाल और न मीटिंग। अपने से हीन लोगों को अब 'सर' न कहना पड़ेगा। चाहे जब सोओ और चाहे जब उठो। शरारती कर्मचारियों से वास्ता ख़त्म। मूर्ख, कामचोर और अशिष्ट मातहतों को सलाम। अधम चाकरी, भीख निदान। सेवाधर्मो परमगहनो योगिनामप्यगम्यः (भर्तृहरि)।

नौकरी न रहने के कुछ दुःख भी होंगे। नानक दुखिया सब संसार। अब वह सजा हुआ कक्ष, वातानुकूलित वातावरण मेज़ पर लगे तीन टेलीफ़ोन और वायुयान से दौरों पर जाने की सुविधा अब स्मृति की ही वस्तुएँ हो गयीं। चपरासी, शोफर, स्टाफ़ कार

और जनरलों के साथ लंच खाना सब ख़त्म। अब तो रेल के निचले दर्ज़े में सबसे ऊपर वाली बर्थ पर सोना, अपना सामान खुद उठाना और रिक्शे पर चलना—यही बाक़ी रह गया। न वे डाकबँगले रहे, न वे सरकिट हाउस। अट्ठावनवाँ वर्ष पूरा होते ही कलियुग आ गया।

मुझे सौभाग्य प्राप्त है कि जीवन भर मैंने किसी महिला अधिकारी के मातहत काम नहीं किया। हाँ, युवतियों के साथ काम अवश्य किया। सचिवालय में मेरी व्यक्तिगत सहायक एक परम रूपवती युवती थी और सौभाग्य से उसके पति भी उसके साथ नहीं रहते थे। मगर मेरी कायरता के कारण, वह संयोग भी मेरे किसी काम नहीं आया। कायरता का दूसरा नाम चरित्र है। इसी कारण मेरे कई साथियों ने लाखों रुपयों की रिश्वत ली, मगर मैं ईमानदार ही रहा। इस बात का जितना दुःख मुझे है, उसकी आप कल्पना तक नहीं कर सकते। मैंने कमर तोड़कर काम किया मगर बड़ी तरक्कियाँ उन्हें मिलीं, जो दफ़्तर में वुडहाउस पढ़ते थे पर जिनके पिता गवर्नर थे या जो मन्त्री जी के चरण छूते थे। मैंने न जाने कितने मन्त्रियों के साथ काम किया पर कभी यह ध्यान ही नहीं दिया कि उनके चरण किधर की तरफ़ थे। एक मन्त्री जी ने अवश्य एक दफ़ा अनुकम्पा की थी और एक फ़ाइल के आधा घण्टा लेट पहुँचने के कारण मुझे एक सप्ताह तक के लिए सेवा से मुअत्तिल कर दिया था। बस।

मैंने भारत सरकार को बहुत पास से देखा। इण्डियन सिविल सर्विस के सदस्य सचिवों के साथ काम किया, बड़े-बड़े मन्त्री देखे, हवाई जहाज़ से यात्राएँ कीं और राजभवनों में दावतें खायीं। कभी मैं भी बड़ी अकड़ता से रहता था, लोगों से अशिष्टता के साथ पेश आता था और फ़ाइलों पर ऐसे कड़े रिमार्क लिखता था कि पढ़ने वाला रो पड़े। समय के साथ-साथ नम्रता और तमीज आती गयी। बहरहाल, अब वे सारे मज़े ख़त्म हो गये। कुछ संस्मरण लिखने के अतिरिक्त और कुछ शेष नहीं रहा।

रिटायरमेण्ट के दिन कई जलसे हुए, कई पार्टियाँ हुईं। गले में फूलमालाएँ पड़ीं, यूनियन के नेताओं ने गाली देने के स्थान पर प्रशस्ति-पत्र पढ़े और अनेक व्यक्तियों ने, जो वैसे मेरे जानी दुश्मन थे, मेरे लम्बे जीवन के लिए ईश्वर से प्रार्थना की। कुछ उपहार भी मिले ताकि मैं उन लोगों को याद रख सकूँ। बढ़िया चाय मिली, कुछ लोग गले मिले, कुछ ने हाथ मिलाया और कुछ ने मेरे चरण भी छुए। मुझे ऐसा लगा कि वे लोग मुझसे श्रद्धा नहीं कर रहे थे, वे तो मात्र मेरी शवयात्रा की पूजा कर रहे थे।

सब धन्धों के बाद जब मैं सरकारी गाड़ी में आख़िरी बार बैठा तो ऐसा लगा कि सतयुग फिर आ गया। अब सारा समय मेरा और साहित्य का। अब जमकर लिखूँगा और रोज़ लिखूँगा। थोड़ी देर बाद बर्नाड शॉ की उक्ति याद आयी कि अन्तहीन छुट्टी का दूसरा नाम नरक है। बाद में चलकर जब स्टाफ़ कार के ड्राइवर

ने मेरी गाड़ी का दरवाज़ा नहीं खोला और न मुझे सलाम ही ठोंका (जो कि वह सदा करता था) तो मुझे सहसा यह पता लगा कि अब मेरी स्थिति ठीक वही हो गयी है जो जादुई चिराग खोने के बाद अलादीन की हुई थी। मैं उदास हो गया और शायर का यह कलाम मुझे अनायास ही याद आ गया :

हम क्या कहें एहबाब जो कारे नुमायाँ कर गये
बी.ए. किया, नौकर हुए, पेंशन मिली, फिर मर गये

(धर्मयुग, बम्बई)

मेरी रचना-प्रक्रिया

'कहानीकार' के सम्पादक व मेरे मित्र कमल गुप्त कई वर्षों से अपनी रचना-प्रक्रिया लिखने के बारे में मुझ पर काफ़ी दबाव डाल रहे हैं। कई बार सोचा कि मेरी रचना-प्रक्रिया बड़ी सरल है। काग़ज़ और कलम लिया और रचना लिख डाली। मगर इधर इस विषय पर कुछ चिन्तन-अनुचिन्तन किया तो महसूस किया कि बात इतनी सरल नहीं है। यह रचना मैं इसी कारण लिखने बैठा हूँ।

श्रीलाल शुक्ल ने कहीं लिखा है कि लेखन-कार्य एकदम नरक है। पहले तो रचना लिखो, उसकी नकल बनाओ और फिर उसे सम्पादक के पास भेजो। कुछ शरीफ़ सम्पादक हैं जो प्राप्ति की सूचना तुरन्त भेजते हैं मगर ज़्यादातर सम्पादक-प्रवर ऐसे हैं जो कई चिट्ठियाँ लिखने के बाद ही लिखते हैं कि मेरी तुच्छ रचना उनके महान् दफ़्तर में पहुँच गयी है। इसके बाद यह पूछो कि रचना स्वीकृत है या नहीं। अगर उसका उत्तर कभी आ गया तो अगला ख़त यह जानने के लिए लिखो कि रचना किस तारीख के अंक में छपेगी। अब मैं इतने ज़्यादा अख़बारों के लिए लिखता हूँ कि उन सबका तो नियमित ग्राहक मैं बन नहीं सकता। चिट्ठी का उत्तर आ गया तो अपना अंक खरीद लिया। कुछ सम्पादक ऐसे हैं जो कभी जवाब ही नहीं देते। जवाबी कार्ड भेजना भी असर नहीं करता। इसके बाद आप पारिश्रमिक की प्रतीक्षा कीजिए और उसके लिए पत्र लिखिए। कलकत्ता के 'परिवर्तन' के प्रवेशांक के लिए सम्पादक ने बड़ी वात्सल्य भरी चिट्ठी लिखी। मैं गद्‌गद हो गया और रचना भेज दी जो छप भी गयी। यह शायद मेरी ही रचना का प्रताप था कि उस अख़बार का दूसरा अंक कभी नहीं निकला और मेरे उस प्रकाशित लेख के पैसे आज तक नहीं आये। एक सम्पादक है जो मेरी श्रेष्ठ रचना के बदले मुझे बीस रुपये भेजते हैं। आदमी सिद्धान्तवादी है, मनीऑर्डर का कमीशन भी उन्हीं बीस रुपयों में से काट लेते हैं। एक सम्पादक ने सोलह पृष्ठ की रचना के केवल सौ रुपये भेजे। मैंने एतराज़ किया तो उन्होंने मुझे छापना ही बन्द कर दिया। और उस महान् सम्पादक को तो पता नहीं कि किन शब्दों में श्रद्धांजलि अर्पित करूँ जिन्होंने मेरी रचना को अपने नाम से छापा था और शानदार ढंग से चित्रों के साथ छापा था। जब पच्चीस-तीस रचनाएँ छप

जाती हैं तो उनकी पुस्तक तैयार करता हूँ। एक बड़े प्रकाशक हैं जिन्होंने पुस्तकों के अगले संस्करण भी छाप लिये मगर मुझे पैसा नहीं दिया। यही काम दिल्ली के एक छोटे प्रकाशक ने भी मेरे साथ किया। किताब है कि निश्चित समय से काफ़ी दिनों बाद छपती है। शशिप्रभा शास्त्री ने पिछली भेंट में मुझे बताया था कि एक प्रकाशक उनसे एक उपन्यास की पाण्डुलिपि ले गया और आज तक न उसने वह उपन्यास छापा और न उसकी पाण्डुलिपि ही वापस की। हिन्दी साहित्य एक महान् उपन्यास से इस प्रकार वंचित रह गया। और प्रूफ़ की ग़लतियों का तो कहना ही क्या। मेरी एक पुस्तक में 'मन्त्रालय' के स्थान पर 'मूत्रालय' छपा है और 'स्तर' के स्थान पर 'स्तन' छपा है। यह भी नहीं लिखा कि स्तन बायाँ है कि दायाँ। कभी-कभी कुछ प्रतिभावान् सम्पादक रचना में ऐसी काट-छाँट करते हैं कि उससे तो यदि वे उस रचना को नहीं छापते तो कहीं ज़्यादा अच्छा रहता। इन सारी परेशानियों में इतना समय लग जाता है जितना कि विशुद्ध रचना-कार्य में कभी नहीं लगता।

मैं कविता और हास्य-व्यंग्य—इन दो विधाओं में लिखता हूँ। कविताएँ पीड़ापूण र्ा होती हैं जब कि व्यंग्ध रचनाएँ पाठकों को मनोरंजन और दृष्टि प्रदान करती हैं। कुछ लोग हैं जो कि मेरी कविताओं को पढ़कर हँसते हैं और हास्य-व्यंग्य को पढ़कर रोते हैं। कविताएँ मैं तब लिखता हूँ जब कि मैं प्रफुल्लचित्त होता हूँ और हास्य-व्यंग्य मैं तब लिखता हूँ जब कि मैं उदास होता हूँ। क्योंकि उदास मैं ज़्यादा रहता हूँ, मेरे व्यंग्य-संग्रह सोलह छप चुके हैं, सतरहवाँ एक या दो महीनों में आने वाला है और अगले दो संग्रहों पर मैं जुटा हूँ जब कि काव्य ग्रन्थ मात्र छह ही छपे हैं। वैसे कविताएँ मैं बराबर लिख रहा हूँ और अगली कविता-पुस्तक भी एक या दो वर्ष बाद छपेगी ही। क्योंकि मैं किसी गुट में नहीं हूँ और न मुझे उतनी तिकड़म ही आती है, यह निश्चित-सा ही है कि मुझे अकादेमी-अवार्ड कभी नहीं मिलेगा।

कविता लिखने में ज़्यादा वक़्त नहीं लगता। भाव आया या किसी गहरे अनुभव ने छुआ और कविता तैयार। यह दीगर बात है कि मैं बाद में उसे बीस बार लिखता हूँ और तभी डायरी में नोट करता हूँ जब कि वह पूरी तरह जानदार और कलात्मक बन जाए। जहाँ तक व्यंग्य का प्रश्न है, स्थिति यह है कि मैं पहले टॉपिक चुनता हूँ, फिर उसकी रूपरेखा बनाता हूँ, उस विषय पर सम्बद्ध सामग्री इकट्ठा करता हूँ और फिर लिखने बैठता हूँ। अख़बारों में से कतरनें रखता हूँ, बढ़िया किताबों में से वे पोर्शन नोट करता हूँ, जिनकी चोरी आसानी से की जा सकती है और कोई फड़कता हुआ शेर कहीं मिल जाता है तो उसे तुरन्त डायरी के कठघरे में बन्द कर लेता हूँ ताकि वह किसी रचना के अन्त में दिया जा सके। मेरा व्यक्तिगत पुस्तकालय खासा बड़ा है और मेरी हार्दिक इच्छा है कि मैं उसे दुगुना कर सकूँ। दिमाग़ से ही काम करता हूँ क्योंकि दिल जो था वह तो एक हसीना ने एक बार ऐसा लिया कि फिर कभी वापिस ही नहीं किया।

सामग्री इकट्ठा करने के बाद लिखने में कोई विशेष बाधा नहीं पड़ती। छोटी-मोटी परेशानियों की चिन्ता करना बेकार है जैसे कि ठीक लिखते समय ही इस बात का पता लगता है कि कलम में स्याही नहीं है या काग़ज़ ऐसा है कि उस पर स्याही फैलती है। एक पैराग्राफ़ लिखता हूँ कि तभी टेलीफ़ोन बज उठता है। इसके बाद एक पैराग्राफ़ और लिखता हूँ कि कोई घण्टी बजा देता है और मैं देखता हूँ कि मेरे एक दूर के रिश्तेदार या महल्ले के पड़ोसी, उधार ली गयी किताब वापिस करने आये हैं। वे विस्तार में बताते हैं कि किताब उन्हें कैसी लगी। उनके महाप्रयाण के बाद फिर लिखने बैठता हूँ तो धोबी, कालीन बेचने वाला, सब्ज़ीवाला, चौकीदार, फलवाला, इन्श्योरेंस एजेण्ट और कपड़े प्रेस करने वाली लड़की–सब एक के बाद एक प्रकट होते जाते हैं और रचना जो है वह वहीं रहती है जहाँ कि वह दो घण्टे पहले थी। और यदि विधवाश्रम का चन्दा लेने मिस चन्द्रा आ गयीं, तब तो कहना ही क्या। खुदाया, कैसी-कैसी सूरतें तूने बनायी हैं, कि हर सूरत कलेजे से लगा लेने के क़ाबिल है। मैं 'अकबर' इलाहाबादी का कलाम याद करता हूँ और मन-ही-मन आहें भरता हूँ। केशव केसन अस करी...

आठ-दस दिन बाद रचना पूरी हो जाती है। फिर उसे निष्पक्ष दृष्टि से पढ़ता हूँ सुधारता हूँ, दुबारा लिखता हूँ और फिर उसे फ़ाइल में लगाता हूँ। कोई-कोई रचना तो मैंने आठ बार लिखी है। सरकारी नौकर होने के नाते यह भी देखता हूँ कि 'कण्डक्ट रूल्स' और 'आफीशल सीक्रेट्स एक्ट' का उल्लंघन तो कहीं नहीं हो गया। कुछ ऐसा तो नहीं लिख दिया कि अश्क जी मुकद्दमे की धमकी दें या सामने वाली कोठी में रहने वाले सज्जन यह न समझें कि मैंने रचना में उनकी पत्नी का खाका तो नहीं खींचा।

इधर मेरे लेखन का स्तर ऊँचा होता जा रहा है। कारण यह है कि अब मैं पार्कर पेन से लिखता हूँ जो कि एक मित्र ने अमेरिका से लाकर दिया है। शरत्चन्द्र का सर्वश्रेष्ठ उपन्यास वही है जो उन्होंने सोने के कलम से लिखा था। बाक़ी सब लेखन 'चरित्रहीन' है।

(कहानीकार, वाराणसी)

कलियुग आ ही गया

आज अपनी पत्नी के साथ बाज़ार जाना था मगर मैं गया नहीं क्योंकि वर्षा हो रही है। सोचा कि आज लॉन पर घास को पानी दे दूँ मगर फिर सोचा कि वह करना बेकार है क्योंकि आज तो वैसे ही वर्षा हो रही है। फिर सोचा कि आज मोटर की ही सफाई कर डालूँ मगर अचानक याद आया कि मौसम-विशेषज्ञों की भविष्यवाणी के अनुसार वर्षा कई दिन चलेगी। जब और कोई काम करने को नहीं बचा तो सोचा कि एक निबन्ध ही लिख डालूँ। मौसम का साहित्य पर कितना प्रभाव पड़ता है, यह आप जान ही चुके होंगे। साहित्य जो है वह मौसम का दर्पण है। वे दिन बीत गये जब कि साहित्य समाज का दर्पण हुआ करता था।

हमारा देश एक धर्मप्रधान देश है। कुछ लोग कहा करते हैं कि भारतवर्ष एक कृषि-प्रधान देश है मगर वे ग़लत हैं। धर्म पहले है और कृषि बाद में। कितने दुःख की बात है कि इस धर्म-प्रधान देश में साधु-संन्यासियों का अब अनादर किया जाने लगा है। भगवान रजनीश (जो बाद में चलकर 'ओशो' अर्थात् बुद्ध हो गये थे) के मरने पर, बजाय इसके कि राष्ट्रीय शोक मनाया जाता, लोगों ने इनके बारे में सिर्फ़ वे ही समाचार छापे जो उनकी महानता को कम करते थे। सम्पादकों ने सिर्फ़ यही लिखा कि उन्हें अमेरिका में गिरफ़्तार किया गया था और उन्हें हथकड़ियाँ तक पहनायी गयी थीं। अमेरिका की अदालतों में करोड़ों रुपयों का जुर्माना अदा करने के बाद जब उन्होंने और कहीं जाना चाहा तो लगभग दो सौ देशों ने उन्हें शरण देने को मना कर दिया, जिसका परिणाम यह रहा कि उन्हें विवश होकर, स्वयं उनके शब्दों में, फिर इस 'गन्दे और पिछड़े' देश भारत में ही आना पड़ा। इसी प्रकार धीरेन्द्र ब्रह्मचारी जी, जो कभी तत्कालीन प्रधानमन्त्री के काफ़ी निकट थे, भी परेशानी में पड़ गये। उनके योग-संस्थान के कर्मचारियों ने इस बात को लेकर प्रदर्शन किया कि उन्होंने संस्थान की तीस लाख रुपये की क़ीमत का सामान लापता कर दिया और वे बेचारे अपने आश्रम के एक कमरे में सिर झुका कर बैठे रहे और इन नारों को सुनते रहे। कालाय तस्मै नमः।

इधर अख़बार वाले कह रहे हैं कि श्री खाशोगी के ऊपर चलाये गये मुकद्दमों

से हमारे आध्यात्मिक गुरु श्री चन्द्रास्वामी की प्रतिष्ठा पर भी आँच आएगी। श्री खाशोगी हथियारों के सौदागर हैं और अब उनके पास कुल साढ़े पाँच करोड़ डालर की सम्पत्ति ही शेष बची है जब कि एक ज़माना था कि वे अपने दिन का खर्चा मात्र ढाई लाख डालर से चलाते थे। उन्होंने कई विदेशी शासकों की अपार धनराशि को अमेरिका के बैंकों तक पहुँचाया और उनके बेशक़ीमती कला-संग्रहों को चोरी-छिपे करोड़ों में बिकवाया। उन्होंने अमेरिका के विभिन्न बैंकों के साथ मात्र तीस करोड़ डालरों की धोखाधड़ी की। वे सिद्धान्तों के व्यक्ति थे—उन्होंने कभी भी किसी सौदे में दस करोड़ डालर से कम कमीशन नहीं लिया। अदालत ने फ़िलहाल सिर्फ़ एक करोड़ डालर की नकद जमानत पर उनको छोड़ा है मगर लोगों का ख़याल है कि जब मुकद्दमे की सुनवाई शुरू होगी तो पता नहीं उन्हें कितनी सजा मिलेगी और न जाने कितने बड़े-बड़े लोगों की कलई खुलेगी। कहा जाता है कि तान्त्रिक चन्द्रास्वामी भी कभी-कभी उनका आतिथ्य ग्रहण करते थे।

श्री चन्द्रास्वामी के एक आत्मीय को गिरफ़्तार कर लिया गया है और अदालत ने उन्हें जमानत पर छोड़ने को भी मना कर दिया है। इस धर्म प्रधान देश में साधु और संन्यासी लोगों के साथ ऐसा व्यवहार किया जाएगा, यह देखकर कम-से-कम मुझे तो यही लगता है कि कलियुग सचमुच आ ही गया। वक़्त भी कैसे बदलता है! शायर ने ठीक ही कहा है कि "जिनके महलों में हज़ारों झाड़ और फ़ानूस थे, झाड़ उनकी क़ब्र पर है और निशाँ कुछ भी नहीं।"

अस्पतालों की हालत यह है कि जहाँ कभी हसीन नर्सें सिर्फ़ दिल चुराया करती थीं, वहीं अब गुर्दे चुराये जाते हैं जो लाखों में बिकते हैं। संसद की यह स्थिति है कि वित्तमन्त्री के बजट भाषण के दौरान भी जनता के कई प्रतिनिधि गहरी नींद सोते रहे। जहाँ अमेरिका जैसे नास्तिक देश में एक अदालत ने यह फ़ैसला दिया कि स्त्रियों के लिए उतने ही सार्वजनिक टॉयलेट बनवाये जाएँ जितने कि पुरुषों के लिए हैं, वहाँ हमारे इस आस्तिक देश में बड़े-बड़े दिग्गज नेता सम्पादकों को टेलीफ़ोन पर गन्दी गालियाँ दे रहे हैं कि उनका और उनके निकट के लोगों का पर्दाफ़ाश क्यों किया जा रहा है? और यह सब उस सरकार के सामने हो रहा है जो प्रेस और शेष संचार-माध्यमों की स्वतन्त्रता का वादा करके सत्ता में आयी थी।

मैं बहुत दुविधा में हूँ। समझ में नहीं आता कि इस स्थिति को देखकर रोया जाए या हँसा जाए। बहरहाल, मैं इन सब बड़े लोगों की सेवा में एक शेर ज़रूर पेश करना चाहता हूँ जो कि इस प्रकार है:

दारा रहा न रहा सिकन्दर-सा बादशाह
तख़्ते-ज़मीं पै सैकड़ों आये, चले गये

(जनसत्ता, नयी दिल्ली)

मेरा गद्य-शृंगार

हास्य-व्यंग्य लिखते हुए मुझे कोई पच्चीस वर्ष हो गये। अब तक लगभग चार सौ व्यंग्य रचनाएँ मैंने लिख लीं। पिछले कुछ वर्षों से पेशेवर आलोचकों ने भी मेरी पुस्तकों को पढ़ना शुरू किया और उन पर समीक्षा व आलोचना भी लिखीं। पहले जहाँ उपेन्द्रनाथ अश्क, अमृतराय, प्रकाशचन्द्र गुप्त, बालकृष्ण राव, राधाकृष्ण, और इन्द्रनाथ मदान जैसे साहित्यकार ही मेरी प्रशंसा करते थे, अब स्थिति यह आ गयी कि साहित्य के डॉक्टर भी मेरा निदान करने लगे। डॉक्टर रणवीर रांग्रा ने लिखा कि मेरा हास्य निश्छल है। डॉक्टर धनंजय वर्मा ने कहा कि मैंने निबन्ध, हास्य और व्यंग्य—इन तीनों चीज़ों को मिलाकर अपनी एक अलग शैली निकाली। डॉक्टर प्रेम जनमेजय ने कहा कि मेरा गहन व विस्तृत अध्ययन मुझे इस बात पर मजबूर करने लगा कि मैं विभिन्न ग्रन्थों में से उद्धरण के बाद उद्धरण देता चलूँ। डॉक्टर कमल किशोर गोयनका ने कहा कि मेरी भाषा में जादू है। डॉक्टर मालती ने बताया कि मेरी शब्द योजना और शिल्प संस्कृत के क्लासिक्स की याद दिलाते हैं। अन्त में चलकर डॉक्टर बालेन्दु शेखर तिवारी ने कहा कि मैं रूपवती युवतियों के पीछे बुरी तरह पड़ता हूँ और शायद इसी आदत के कारण अपने को दुहराने भी लगा हूँ। मैं ऊपर लिखे सारे आरोप स्वीकार करता हूँ और अपने बचाव के सन्दर्भ में इन सभी मुद्दों पर अलग से चर्चा करूँगा। आज तो मैं मात्र इस एक आक्षेप पर ही चर्चा करूँगा कि मुझे रूपवती युवतियों से अतिरिक्त प्रेम क्यों है? वैसे भी वसन्त की ऋतु है, रात गहरा रही है और मुझे नींद नहीं आ रही है। ऐसे वातावरण में अगर रूपवती युवतियों की चर्चा न करूँगा तो क्या कुमारी शूर्पणखा को याद करूँगा? सबसे प्रथम मैं यह निवेदन करूँगा कि यदि रूपवती स्त्रियाँ न होतीं तो हमारा इतिहास कुछ और ही होता। सारे संसार में यही स्थिति है कि रूपवती युवतियों का भूगोल ही विभिन्न देशों का इतिहास निश्चित करता है। यदि रूपवती युवतियाँ (उदाहरण के लिए उर्वशी, तिलोत्तमा, मेनका, शकुन्तला, नूरजहाँ, मलयवती, आम्रपाली, पद्मावती, क्लियोपेट्रा, संयोगिता, ट्राय की 'हिलेन' और दमयन्ती) न होतीं तो न इतने युद्ध ही हुए होते और न साहित्य व शेष कलाओं का इतना विकास ही हुआ होता। सारा

'ताज़ीराते-हिन्द' जो है वह 'ज़र, जोरू और ज़मीन' इन तीन पदार्थों पर ही टिका है। कैकेयी यदि सुन्दर नहीं होती तो राजा दशरथ उसकी ज़िद को शायद पूरा नहीं करते और यदि सीता सुन्दर न होतीं तो रावण उन्हें कतई तंग नहीं करता। भागवत में राधा और कृष्ण का थीम यदि न उठाया गया होता तो हमारी सारी चित्रकला, संगीत और साहित्य कुछ और ही क़िस्म का होता। जयदेव, विद्यापति, चण्डीदास, गोविन्ददास और सूरदास व शेष सारे रीतिकालीन कवि कविता लिखने के बजाय किसी सेठजी की दुकान पर बहीखाता लिखते। संसार का सारा साहित्य मात्र तीन चीज़ों पर टँगा है: एक प्रेम, दूसरा युद्ध व तीसरा अपराध। ज़रा और गौर से देखें तो पता लगेगा कि युद्ध और अपराध भी प्रायः प्रेम के कारण ही किये गये। और जहाँ तक प्रेम का प्रश्न है वह तो रूपवती स्त्री से ही हो सकता है न कि कुमारी सुरसा या कुमारी हिडिम्बा से। ऊपर बतायी स्थिति में मैं यदि रूपवती युवतियों के प्रति अपनी रुचि प्रकट करता हूँ तो क्या अपराध करता हूँ? वुडहाउस जैसे विशुद्ध हास्यकार ने भी अपने प्रत्येक उपन्यास में रोमांस ज़रूर रखा है ताकि पुस्तक की बिक्री पर कोई आँच न आये। जयदेव ने तो पुस्तक के प्रारम्भ में ही खुलासा कर दिया है कि भगवान की भक्ति के साथ-साथ जिसे काम-क्रीडा में भी दिलचस्पी हो, वही उसका 'गीत-गोविन्द' पढ़े।

एक और बड़े आलोचक हैं (जो साहित्य अकादेमी का एवार्ड दिलाने में कभी मेरी मदद करेंगे) जो कहते हैं कि मेरी रसिकता कहीं-कहीं अश्लीलता की सीमा छूने लगती है। मैं यह नहीं समझता था कि इतना नामवर होने के बाद भी वे इतने अल्पज्ञानी होंगे। इसी कारण मैंने उनका नाम यहाँ नहीं दिया। मेरी सलाह है कि वे एकान्त में बैठकर 'मेघदूत' पढ़ें। कालिदास का यक्ष मेघ को रास्ता समझाता हुआ कहता है कि "फलाँ स्थान पर तुझे एक नदी मिलेगी। वह एकदम नंगी होगी क्योंकि उसने अपने वस्त्र हरे-हरे खेतों के रूप में दोनों तटों पर निकालकर रख दिये होंगे। ओ मेरे प्यारे मेघ, तू वहीं ज़रूर रुकेगा क्योंकि नंगी युवती को कभी किसी ने छोड़ा है?" 'विवृतजघनां को विहातुं समर्थः?' सच्ची बात तो यह है कि अश्लील साहित्य तो आपने पढ़ा ही नहीं। यदि मात्र हरिमोहन झा (जो खट्टर काका के नाम से मैथिली के अमर लेखक हैं) को पढ़ो तो पता लगेगा कि हमारे पवित्र ग्रन्थ क्या हैं और अश्लीलता जो होती है वह क्या होती है। पन्त जी जैसे शाकाहारी कवि ने भी अपनी प्रेयसी का वर्णन करते हुए कहा है, अम्बियों से उभरे थे उरोज और वासना के कवि बच्चन तो हमेशा से कहते आये हैं कि—दुनिया अकसर मेरे कानों में कहती है, इस कमज़ोरी को मूढ़ छिपाया जाता है। फ्लावर्ट, और डी.एच. लारेन्स पर अश्लीलता के जुर्म में मुकद्दमे चलाये गये जिसके कारण उनकी पुस्तकें करोड़ों में बिकीं। कुछ वैसी ही स्थिति जेम्स जायस के साथ रही जिनकी 'यूलीसिज' नाम की पुस्तक पर अमेरिका में प्रतिबन्ध लगा दिया गया था। अंग्रेज़ी के सारे बड़े लेखकों ने राष्ट्रपति

को एक विरोध पत्र भेजा और राष्ट्रपति रूज़वेल्ट को वह प्रतिबन्ध हटाना पड़ा।

एक कहावत है कि आदमी वृद्ध तब होता है जबकि वह वैसा महसूस करने लगता है और स्त्री तब वृद्धा होती है जबकि वह वैसी दिखाई पड़ने लगती है। मैं आपको यकीन दिलाता हूँ कि मैं कभी वृद्ध नहीं होऊँगा। जब भी मरूँगा तो युवा ही मरूँगा। मैं जब तक जीवित हूँ तब तक रूपवती युवतियों के प्रति इतना ही आसक्त रहूँगा। राजा ययाति ने तो अपना यौवन समाप्त होने पर अपने पुत्रों के यौवन माँगे थे मगर ख़ैर मैं इतना स्वार्थी तो कभी नहीं हो पाऊँगा। मैं तो मिर्ज़ा ग़ालिब के शब्दों में यही प्रार्थना करता हूँ कि हे परमपिता परमात्मा 'दे और उन्हें दिल, जो न दे मुझको जुबाँ और'। विदा लेने से पहले मैं मात्र दो बातें और निवेदन करूँगा। बात क्रम संख्या एक तो यह है कि स्त्री शब्द का अभिप्राय मात्र सुन्दर युवती से ही होता है। बदसूरत स्त्री को तो माता कहते हैं। बात क्रम संख्या दो यह है कि यदि कभी रूपवती युवतियों की कोई टोली मिल जाए तो नायिका-भेद करने से बड़ी और कोई मूर्खता नहीं होगी। नायिका पर ध्यान देना तो समझ में आता है पर नायिका-भेद पर चिन्तन-अनुचिन्तन करना समय को बरबाद करना है : जैसा कि हम सभी ज़िम्मेदार नागरिक जानते हैं, देश के पास काम बहुत है और वक़्त कम। 'काम' का शास्त्रीय अर्थ आप जानते ही होंगे। यदि कोई भ्रम या शंका हो तो यमुना के किनारे हज़ारों गोपियों के साथ प्रेम करनेवाले भगवान कृष्ण की लिखी 'गीता' नाम की पुस्तक पढ़ें। बड़ी प्यारी पुस्तक है। मेरे साथ कॉलेज में गीता नाम की एक लड़की कभी पढ़ती थी। वह भी बड़ी प्यारी थी।

अन्त में मैं अपनी सेवा में महाकवि अकबर के सत्तर वर्ष की आयु में लिखे दो शेर अर्ज़ करता हूँ और विदा लेता हूँ। शेर इस प्रकार हैं :

(एक)

इलाही कैसी-कैसी सूरतें तूने बनायी हैं
कि हर सूरत कलेजे से लगा लेने के क़ाबिल है

(दो)

मुमकिन नहीं ऐ 'मिस' तेरा नोटिस न लिया जाए
गाल ऐसे परीज़ाद हों और 'किस' न लिया जाए

(बहरहाल, चण्डीगढ़)

कुछ सरकारी संस्मरण

सन् उन्नीस सौ चौवन में मैंने इलाहाबाद युनिवर्सिटी से अर्थशास्त्र में एम.ए. की परीक्षा पास की और उसमें सर्वोच्च स्थान प्राप्त किया। इस सफलता का कारण यह नहीं था कि मैं कोई विशेष प्रतिभावान या मेधावी छात्र था; इस सफलता का कारण मात्र यह था कि मैंने काफ़ी खोजबीन और प्रतीक्षा के बाद ऐसे विषय में प्रवेश लिया था जिसमें मेरे अतिरिक्त और कोई प्रथम श्रेणी में बी.ए. पास छात्र नहीं था। एम.ए. के दो वर्षों में मैंने पढ़ाई की और कोई विशेष ध्यान नहीं दिया। मैं 'युनिवर्सिटी स्टुडेण्ड्स फेडरेशन' का सभापति रहा, 'परिमल' की गोष्ठियाँ अटैण्ड करता रहा और बाकी समय में मैंने युनिवर्सिटी स्टुडेण्ट्स यूनियन के उपसभापति बनने के लिए चुनाव लड़ा। वैसे मेरी हार्दिक इच्छा एक बैरिस्टर और राजनीतिक नेता बनने की थी पर भयंकर आर्थिक और पारिवारिक स्थितियों के कारण मैं वैसा नहीं कर सका। आचार्य नरेन्द्रदेव ने एक बार हम लोगों को बताया था कि देश की राजनीतिक दुर्दशा का एक प्रमुख कारण यह है कि सारे प्रतिभावान् छात्र सरकारी सेवाओं में चले जाते हैं और राजनीति का जो क्षेत्र है वह दूसरे या तीसरे दर्जे के लोगों के लिए खुला रह जाता है। बहरहाल, मैं केन्द्रीय सिविल सर्विसेज की अखिल भारतीय प्रतियोगिता में बैठा और 'इण्डियन डिफेन्स एकाउण्ट्स सर्विस' के लिए चुन लिया गया। मैं इसे अपना सौभाग्य ही मानता हूँ कि मैं डिफेन्स एकाउण्ट्स के लिए चुना गया क्योंकि जो शालीनता, शिष्टता और अनुशासनप्रियता रक्षासेवाओं में है, वह देश में और कहीं नहीं है। भ्रष्टाचार वगैरह भी रक्षा सेवाओं में सिविल क्षेत्र की अपेक्षा बेहद कम है और अतिथि-सत्कार, स्नेह और कार्यतत्परता में तो कोई भी विभाग रक्षा-सेवाओं का मुक़ाबला नहीं कर सकता। रक्षा-सेवाओं के साथ चौंतीस वर्ष बिताने के बाद अब मैं सेवानिवृत्त हो गया हूँ और इस स्थिति में आ गया हूँ कि कुछ दिलचम्प अधिकारियों और घटनाओं के बारे में लिख सकूँ। अब मैं वही करता हूँ।

बारह दिसम्बर सन् उन्नीस सौ पचपन को मैंने पूर्वी कमान के 'असिस्टेण्ट कण्ट्रोलर ऑफ़ डिफेन्स एकाउण्ट्स' के पद का कार्यभार सँभाल कर अपना सरकारी जीवन शुरू किया। हमारे कण्ट्रोलर थे श्री हरिवंशलाल वढेरा। वे रियासत जीन्द

के दीवान के पुत्र थे और उनकी शिक्षा ऑक्सफोर्ड में हुई थी। इतना भव्य, इतना सुन्दर, इतना शालीन और इतना कम काम करने वाला अधिकारी मैंने अपने सारे जीवन में फिर कभी नहीं देखा। उनका रौबदाब लाजवाब था। सेना में उनकी बेहद इज़्ज़त थी। वे बेहद मितभाषी और बाकी लोगों से दूरी रखने वाले इंसान थे मगर हर एक मातहत यह जानता था कि मुसीबत के वक़्त वे ही मदद करेंगे। मुझे याद है कि एक दिन बाहर से एक अधिकारी आया और मुझसे मिला। किसी मुकद्दमे में अदालत ने सरकार के ख़िलाफ़ डिग्री कर दी थी और समय पर भुगतान न होने पर एक 'मिलिट्री ऐस्टेट ऑफ़िस' को 'अटैच' करने का हुकुम जारी कर दिया था। मेरे सुपरिण्टेण्डेण्ट ने बताया कि कोर्ट की डिक्रियों का पेमेण्ट भारत सरकार की 'सार्वजनिक निधि' से न होकर 'आकस्मिक निधि' से होता है और उस निधि को केवल केन्द्रीय सरकार ही नियन्त्रित करती है। हर अवसर पर मामला ऊपर भेजा जाता है, सैंक्शन ली जाती है और उसके बाद ही भुगतान किया जाता है। मैंने सारी बात सुनी मगर अदालत की डिग्री को ध्यान में रखते हुए–जिसके कारण सरकार का एक दफ़्तर अटैच होने जा रहा था–भुगतान कर दिया। दूर-दराज से आया वह अधिकारी बेहद कृतज्ञ हुआ और चेक लेकर चला गया। कोई पन्द्रह दिन बाद दिल्ली के हैडक्वार्टर ऑफ़िस से कण्ट्रोलर के नाम एक अर्ध-सरकारी पत्र आया, जिसमें मामले की पूरी रिपोर्ट व भुगतान करनेवाले अधिकारी का स्पष्टीकरण माँगा गया था। मुझे वढेरा साहब ने तलब किया और सारी बात सुनी। उन्होंने मुझसे कुछ नहीं कहा। अर्ध-सरकारी पत्र का उत्तर दिया और खेद प्रकट करते हुए मेरी कार्रवाई की सराहना की। उन्होंने सुझाव दिया कि ऐसी स्थिति से बचने का एक ही रास्ता है और वह यह है कि 'आकस्मिक निधि' का कुछ भाग प्रत्येक कमाण्ड के सेनापति और कण्ट्रोलर को वर्ष के एडवान्स में ही एलाट कर दिया जाए ताकि वक़्त-ज़रूरत बिना मामला ऊपर भेजे ही भुगतान किया जा सके। मुझे बताते हुए हर्ष होता है कि काफ़ी विचार-विमर्श के बाद केन्द्रीय सरकार ने उनकी सलाह मान ली और भारतीय सेनाओं के सारे कार्यालयों की एक बड़ी परेशानी दूर हो गयी।

हमारे ज्वायण्ट कण्ट्रोलर थे श्री आर.एस. गुप्ता। बेहद डाँट-फटकार और अभद्र व्यवहार करनेवाले व्यक्ति जो अँग्रेज़ी को अमेरिकन स्टाइल से बोलते थे। उनके भाई पुलिस में डी.आई.जी. थे और इस बात का भी उन्हें बड़ा अभिमान रहता था। वैसे भी वे सिविल सर्जन के सुपुत्र थे और बेहद ठाट से रहते थे। सब लोग उनसे बेहद खौफ़ खाते थे और भीतर-ही-भीतर उनसे नफ़रत करते थे। उनके विपरीत उनकी पत्नी बड़ी स्नेही और दयावान् थीं। बहरहाल, एक दिन उनके नाम एक ब्रिगेडियर का डी.ओ. आया जिसका उत्तर अगले दिन जाना था। केस मेरे पास आया और मैं कानून की पोथियाँ और फ़ाइलें पढ़ने में मशगूल हो गया। पता नहीं कैसे मेरे सिगरेट की कोई चिनगारी नीचे गिर गयी और स्थिति यह रही कि जब तक मैंने वह

डी.ओ. पढ़ने के लिए उठाया, उसका 'माई डियर गुप्ता' और 'योर्स सिंसियरली' के मध्य का पूरा भाग जल कर खाक हो गया था। मैं वास्तव में घबरा उठा। हिम्मत करके गुप्ता जी के कक्ष में गया और सारी घटना उन्हें बतायी। डी.ओ. की उस क्षत-विक्षत स्थिति को देखकर, पता नहीं क्यों, गुप्ता जी को गुस्से के स्थान पर हँसी आ गयी। उन्होंने मुझे कतई नहीं डाँटा और भविष्य में सावधान रहने के लिए कहा। डी.ओ. की दूसरी प्रति भेजने के लिए उन्होंने ब्रिगेडियर को फ़ोन किया। मैं उनकी उदारता को देखकर दंग रह गया। उस दिन के बाद मैंने काम-काज करते हुए कभी सिगरेट नहीं सुलगायी।

लाला फूलचन्द एक नितान्त खूँखार माने जानेवाले कण्ट्रोलर थे। वे बेहद अमीर होने के बाद भी निहायत फटीचर गाड़ी रखते थे और उनकी आँखें हमेशा अधखुली ही रहती थीं। सारी उम्र वे यह तय नहीं कर पाये थे कि आँखों को खोला जाए या कि बन्द रखा जाए। उनसे बात करने की हिम्मत किसी की नहीं होती थी। वे और उनकी पत्नी अलग-अलग अख़बार खरीदते थे हालाँकि दोनों वही अख़बार खरीदते थे जो दूसरा खरीदता था। एक बार मैंने उनसे कहा कि "सर, आपकी गाड़ी बड़ी खटारा हो गयी है, इसे बेच दीजिए।" उन्होंने मेरी ओर आश्चर्य से देखा और पूछा कि "यंग मैन, बात तो तुम ठीक कहते हो मगर इसे खरीदेगा कौन?" मैंने कहा कि शायद कोई सरकस वाला खरीद लेगा। मेरी बात सुनकर वे बेहद हँसे। बाद में लोगों ने मुझे बताया कि उन्होंने लाला फूलचन्द को उस दिन हँसते हुए जीवन में पहली बार देखा था। उनकी याददाश्त भी बड़ी तेज़ थी। एक दिन उन्होंने डाक में एक लेखाधिकारी की छुट्टी का आवेदन-पत्र देखा जिसमें उसने अपने पिता की मृत्यु के कारण पन्द्रह दिन की छुट्टी माँगी थी। लाला फूलचन्द ने डाक में ही टिप्पणी लिखी कि "कृपा करके पिछला रिकार्ड देखा जाए। मेरे ख़याल से इनके पिता की मृत्यु चार वर्ष पूर्व भी हुई थी।" सारा दफ़्तर कहकहों से गूँज उठा। रिकार्ड देखा गया, कण्ट्रोलर की याददाश्त ठीक निकली। उस अधिकारी से स्पष्टीकरण माँगा गया।

बाद में चलकर मेरा सम्पर्क श्री नायर से हुआ जो कैम्ब्रिज के स्नातक थे। वे उन दिनों कण्ट्रोलर जनरल थे। बिना कोई परिश्रम किये भयंकर से भयंकर परिस्थिति सें निकलना उनको बख़ूबी आता था। एक बार वे एक बेहद महत्त्वपूर्ण मीटिंग में जाने वाले थे जिसमें तीनों सेनाध्यक्ष, रक्षासचिव व रक्षा-सेवाओं के वित्तीय सलाहकार भाग लेने वाले थे। हम लोगों ने उन्हें बहुत 'ब्रीफ' किया, लिखित नोट्स दिये मगर वे निर्विकार और निर्लिप्त रूप से सारी बातें सुनते रहे। काग़ज़ उन्होंने कोई नहीं देखा। बहरहाल, वे मीटिंग में गये और उसी प्रसन्न मुद्रा में वापिस लौटे। हम लोगों ने डरते-डरते पूछा कि "सर, मीटिंग कैसी रही? आपको कोई परेशानी तो नहीं हुई?" वे मुसकुराकर बोले कि "मुझे कोई परेशानी नहीं हुई क्योंकि मैंने वह 'शार्ट-कट' अपनाया जिसे तुम लोग नहीं जानते थे। मैं हर प्रस्ताव पर अपनी सहमति देता

गया, क्योंकि यदि कहीं भी मैं विरोध करता तो मुझसे प्रश्न किये जाते, जिनके उत्तर देने के लिए मेरे पास कोई तैयारी नहीं थी। सहमति देते ही बात वहीं की वहीं समाप्त हो गयी।" श्री बजरंगलाल जैन भी श्री नायर के भक्त-अनुचर थे। वे जब रक्षामन्त्रालय में सबसे महत्त्वपूर्ण संयुक्त सचिव थे तो भी स्थिति यही थी कि उनके कक्ष में जो मीटिंग होती थीं उनका विवरण भी कोई ऐसा उपसचिव लिखा करता था जो ग़रीब उस मीटिंग में उपस्थित तक नहीं था। काम की बात छोड़ दें तो स्थिति यह है कि श्री जैन जैसा भद्र, शिष्ट, स्नेही और सज्जन पुरुष मेरी सर्विस में कम ही पाया गया। चेचक के कारण उनका मुख काफ़ी भद्दा हो गया था मगर भीतर से वे काफ़ी कला-प्रेमी थे। जब वे प्रयाग में नियुक्त थे तो पन्त जी और महादेवी ज़ी से मिलते रहते थे। उनके ज्वायण्ट कण्ट्रोलर श्री बच्छराजानी मुझसे पूछा करते थे कि यदि यह व्यक्ति वास्तव में कलाप्रेमी है तो अपने इतने भद्दे चेहरे को कैसे बर्दाश्त करता है, यह आत्महत्या क्यों नहीं कर लेता?

श्री एस.के. सुन्दरम एक 'परफेक्शनिस्ट' अधिकारी थे। उनका लिखा ड्राफ्ट बेहतर करना मुश्किल था। मगर वे हर फ़ाइल पर इतना परिश्रम करते थे कि कभी-कभी फ़ाइलें छः-छः महीने बाद वापिस आती थीं और कुछ फ़ाइलें तो खो भी जाती थीं। व्यक्तिगत जीवन में इतना मज़ाक़पसन्द, सात्त्विक व स्नेही सीनियर अपनी सर्विस में मुझे और कोई नहीं मिला। इसी प्रकार प्रबोधचन्द्र भट्टाचार्य कोई सत्तर सिगरेट रोज़ पीते थे, नास्तिक थे, दरी पर बैठकर चपरासियों के साथ चाय पीते थे और क्रोधी इतने थे कि एक मीटिंग में उन्होंने पंजाब सरकार के एक सचिव को इतना डाँटा, इतना डाँटा कि उसे वहीं दिल का दौरा पड़ गया। मैं साउथ-ब्लाक की उस मीटिंग में मौजूद था। आये दिन उनकी झड़प मन्त्री जी तक से होती रहती थी और एक बार तो श्री कृष्णमाचारी उनसे इतना नाराज़ हो गये थे कि उन्हें चौबीस घण्टों के भीतर सचिवालय छोड़ना पड़ा था। थोड़ी अवधि के बाद वे सचिवालय बुला लिये गये और उन्हें और भी ऊँचा पद दिया गया।

मेरी ही सर्विस के श्री कृष्णास्वामी भी काफ़ी विनोदी स्वभाव के व्यक्ति थे। रिटायरमेण्ट के कोई दो हफ़्ते पूर्व से वह हर कठिन फ़ाइल पर लिखते गये कि इस मुद्दे पर पच्चीस तारीख के बाद डिस्कशन किया जाए। वे उन दिनों केन्द्रीय सचिवालय में संयुक्त-सचिव थे। बहरहाल, पच्चीस तारीख के बाद जब बड़े-बड़े अधिकारी डिस्कशन के लिए समय माँगने लगे तो उन्हें उनके उत्तराधिकारी ने बताया कि श्री कृष्णास्वामी चौबीस तारीख को बाइज़्ज़त रिटायर हो चुके हैं और मद्रास चले गये हैं। अब उनके साथ किसी भी प्रकार का डिस्कशन असम्भव है। अधिकारियों ने अपना सिर पकड़ लिया।

कुछ अधिकारी ऐसे हैं जिनका नाम लेना ठीक नहीं होगा। एक अफ़सर बहुत अमीर घराने के थे पर फिर भी बेहद घूस लेते थे। एक बार तो उनके आने से पूर्व

ही दफ़्तर के मज़ाक़पसन्द बाबुओं ने उनके कक्ष के द्वार पर बाकायदा 'रेट-लिस्ट' चिपका दी थी—तबादले का इतना, और तरक्की का इतना। एक और सज्जन थे जो एक ओर सदा साधु-समागम करते थे, गीता पर विचार-विनिमय करते थे और दूसरी ओर थोड़ी-बहुत घूस भी बदस्तूर लेते थे। एक और मित्र अधिकारी थे जो सूद पर रुपया चलाते थे, टेलीफ़ोन डाइरेक्टरी और रेलवे टाइमटेबल के अतिरिक्त और कोई पुस्तक नहीं रखते थे, कपड़े इतनी एहतियात से पहिनते थे कि हफ़्ताभर बदलने न पड़ें और हर मामले में ऐसा निर्णय लेते थे कि सरकार की ज़्यादा-से-ज़्यादा बचत हो। एक बार एक प्रस्ताव आया जिसमें सेना मुख्यालय ने सैकड़ों जवान, कुछ और अधिकारी और एक ब्रिगेडियर माँगा था। इन्होंने ब्रिगेडियर के पद की स्वीकृति दे दी। (क्योंकि वह सिर्फ़ एक ही माँगा गया था) और बाकी स्टाफ़ को मना कर दिया। (क्योंकि उसकी संख्या ज़्यादा थी) उनकी समझ में यह कभी नहीं आया कि बिना ब्रिगेड के ब्रिगेडियर करेगा क्या?

जहाँ तक मेरी याददाश्त काम करती है, हमारी सर्विस में श्री जयशंकर जैसा प्रतिभासम्पन्न अधिकारी और शायद नहीं हुआ। वे रक्षा सेवाओं के वित्तीय सलाहकार थे और जनरल कौल की 'अनकही कहानी' के अनुसार अपनी एक जेब में रक्षामन्त्री श्री कृष्णा मेनन को रखते थे और दूसरी जेब में वित्तमन्त्री श्री मोरारजी देसाई को रखते थे। एक बार एक बड़ी मीटिंग में, जिसमें सेनाध्यक्ष तक शामिल थे, श्री मेनन ने रक्षासचिव को आड़े हाथों लेना शुरू कर दिया। कहने लगे कि श्रीमान्, आप केवल नाम के ही पुलारेड्डी हैं, सचाई यह है कि आप न 'पुल' कर सकते हैं और न ही आप 'रेड्डी' हैं। इसके बाद मीटिंग गम्भीरता से आगे चलनी शुरू हुई। इत्तफ़ाक की बात कि लगभग प्रत्येक प्रस्ताव को श्री जयशंकर अस्वीकृत करते गये। श्री कृष्णा मेनन को क्रोध आ गया और वे बोले कि "मिस्टर जयशंकर, यदि मुझे पता होता कि आप वित्तीय सलाहकार होंगे तो मैं रक्षामन्त्री का पद कभी स्वीकार नहीं करता।" श्री जयशंकर ने बड़ी नम्रता के साथ कहा कि "सर, यू हैड ए च्वायस, आई हैड नन।" सब लोग खिलखिलाकर हँस पड़े। उसी दिन से श्री कृष्णा मेनन और श्री जयशंकर एक-दूसरे के सच्चे मित्र हो गये।

अपने सरकारी जीवन के सात वर्ष मैंने केन्द्रीय सचिवालय में गुज़ारे। तीन वर्ष मैं वित्त मन्त्रालय में रक्षा-सेवाओं का सहायक वित्तीय सलाहकार रहा और चार वर्ष रक्षा मन्त्रालय में उपसचिव रहा। सच्ची बात यह है कि सचिवालय अभी भी ऐसी जगह है जहाँ काम किया जाता है। सचिवालय में प्रत्येक को अपनी स्पष्ट राय देने की पूरी आज़ादी थी। मन्त्रियों की टिप्पणियों तक पर खुली आलोचना लिखी जाती थी और मन्त्री लोग सचिवों की राय को पूरा महत्त्व देते थे। रक्षा मन्त्रालय में मेरे संयुक्त सचिव श्री सुब्रह्मण्यम थे। वे भारतीय प्रशासन सेवा के एक नितान्त कुशल अधिकारी थे और बड़े निडर और स्पष्टवक्ता थे। यूँ तो रक्षा मन्त्रालय के उच्च

अधिकारियों और सेनाओं के आला अफ़सरों के सम्बन्ध बेहद मधुर थे। (उदाहरण के लिए रक्षा सचिव श्री के.बी. लाल एयर चीफ़ मार्शल पी.सी. लाल को सिर्फ़ 'लाल' कहकर ही सम्बोधित करते थे और मेरी सर्विस के श्री एस.के. मुखर्जी जनरल मानिक शॉ को हमेशा 'सैम' कहकर ही सम्बोधित करते थे) मगर कभी-कभी कुछ दिलचस्प वाकये भी हो जाते थे। एक एयर मार्शल एक दिन श्री सुब्रह्मण्यम के कक्ष में आये और शिकायत करने लगे कि उन्होंने अपने एक डी.ओ. में उन्हें 'एयर मार्शल' न लिखकर 'एयर वाइस मार्शल' लिखा है जो बहुत ग़लत है। श्री सुब्रह्मण्यम ने तुरन्त क्षमा माँगी और हार्दिक खेद प्रकट किया। चाय का ऑर्डर भी दिया गया। मगर ये एयर मार्शल एक विचित्र व्यक्ति थे, सारी क्षमा और खेद के बावजूद वे ज़ोर-ज़ोर से कहते रहे कि ऐसी ग़लतियाँ रक्षा मन्त्रालय जान-बूझकर करता है और वे क्षमा को स्वीकार नहीं कर सकते। जब आधा घण्टा तक यही कार्यक्रम सम्पन्न होता रहा तब सुब्रह्मण्यम साहब ने कहा कि "यदि आप मेरी क्षमा से सन्तुष्ट नहीं होते तो 'गो टू हेल' और जो करना हो वह करो।" एयर मार्शल अतिरिक्त सचिव मुखर्जी साहब के पास गये और कहने लगे कि संयुक्त सचिव ने उन्हें 'गो टू हेल' कहा है। श्री मुखर्जी ने शान्तिपूर्वक उत्तर दिया कि श्री सुब्रह्मण्यम ने जब उन्हें नरक जाने को कहा था तो उनका अभिप्राय मेरे कक्ष में आने से नहीं था। एयर मार्शल चुप हो गये और चले गये। इन्हीं एयर मार्शल ने एक बार अतिरिक्त सचिव श्री कृष्णामूर्ति के कक्ष में चल रही एक मीटिंग में बिना बात अभद्र व्यवहार करने की कोशिश की मगर उसका कोई प्रभाव श्री कृष्णामूर्ति पर नहीं पड़ा। उस मीटिंग में जनरल सिन्हा (जिन्होंने बाद में सेनाध्यक्ष न बनाये जाने पर सेवा से निवृत्ति ली) ने एक लम्बी स्पीच दी थी जिसमें आई.ए.एस. तथा आई.पी.एस. के अधिकारियों और सेना के अधिकारियों को मिलनेवाली सुविधाओं की तुलना की गयी थी। वह स्पीच इतनी शानदार और जानकारी से भरी थी कि मैं उसे कभी नहीं भूल सकता। जनरल सिन्हा उन दिनों डिप्टी एडजुटेण्ट जनरल थे और अपने सन्तुलित विचारों के लिए विख्यात थे। फ़िलहाल वे नेपाल में हमारे राजदूत हैं। बहरहाल, श्री सुब्रह्मण्यम का एक दिन रक्षामन्त्री से ही कुछ ऐसा मनमुटाव हो गया कि उन्होंने नौकरी छोड़ दी। उस दिन वे इतने ख़ुश थे कि उन्होंने हम लोगों को ओबेराय होटल में दक्षिण ी भोजन की दावत दी।

बंगलादेश की लड़ाई में सेना के एक उच्च अधिकारी ने कुछ ग़लत काम किया जिसके कारण उनका कोर्ट मार्शल हुआ और सेनाध्यक्ष ने उनको बरखास्त करने की सिफ़ारिश की। रक्षामन्त्री बाबू जगजीवन राम ने बरखास्तगी के आदेश पर स्वीकृति दे दी पर यह लिख दिया कि "इन्हें पचास प्रतिशत पेंशन अवश्य दी जाए।" बरखास्त व्यक्ति को पेंशन देने के लिए वित्त मन्त्रालय की सहमति अनिवार्य होती है। वित्तीय सलाहकार थे श्री जी.के. अभयंकर जो इतने सख़्त थे कि लोग उन्हें 'अभयंकर' न

कहकर 'भयंकर' ही कहा करते थे। उन्होंने रक्षामन्त्री का प्रस्ताव नहीं माना। बाबू जी ने बहुत समझाया, बहुत कुछ कहा पर अभयंकर साहब पर्वत की भाँति अचल रहे। अन्त में चलकर बाबू जी क्षुब्ध हो गये और बोले कि "मिस्टर अभयंकर, यदि यही बात है तो मैं इस अधिकारी को बरखास्त ही नहीं करूँगा। तब आप क्या कर लेंगे?" अभयंकर साहब ने नम्रतापूर्वक कहा कि "सर, बरखास्त करना या न करना रक्षा मन्त्रालय का काम है। यदि आप इन्हें डिसमिस नहीं करते तो मैं तो पिक्चर में ही नहीं आता। मैं तो पिक्चर में तभी तक आता हूँ जब कि उन्हें बरखास्त भी करते हैं और आधी पेंशन भी देना चाहते हैं।" बाबू जी ने फ़ाइल वित्तमन्त्री श्री चव्हाण के पास भेजी जिन्होंने अभयंकर साहब का पक्ष लिया। उस अधिकारी को कोई पेंशन नहीं दी गयी।

सचिवालय में मैं अनेक आई.सी.एस. अधिकारियों के सम्पर्क में आया। केन्द्रीय सेवाओं में निर्वाचित होने से पूर्व मैं कुछ समय योजना आयोग में एक सहायक रह चुका था। उस नौकरी को पाने के लिए श्री त्रिलोकसिंह आई.सी.एस. ने मेरी मदद की थी जो मेरी पत्नी के मामा के मित्र थे। पण्डित जी के शब्दों में योजना आयोग का सारा भार श्री त्रिलोकसिंह के कन्धों पर ही ठहरता था। नियुक्ति के बाद मेरे अधिकारी सर ई.पी. मून थे और वे भी आई.सी.एस. थे। उनके बारे में मैं अलग से लिख चुका हूँ। जब मैं रक्षा मन्त्रालय में था तो श्री के.बी. लाल, श्री गोविन्दनारायण व श्री डी.आर. कोहली रक्षा सचिव रहे। ये तीनों भी आई.सी.एस. थे। श्री लाल से मैंने भेंट की और वे इतने स्नेह से मिले कि मैं कुछ कह नहीं सकता। श्री कोहली ने एक विपत्ति में मेरी महान् सहायता की। श्री एच.सी. सरीन के कमरे में भी मैंने कई बार मीटिंग अटैण्ड की। ये सारे लोग नितान्त व्यवहारकुशल, अपने विषय के मालिक और मौलिक सूझबूझ के निडर व्यक्ति थे। मगर मैंने ऐसे दो आई.सी.एस. अफ़सरों के साथ भी काम किया जिन्हें कि कम से कम फ़ाइल के काम में कोई दिलचस्पी नहीं थी। सारे आई.सी.एस. जीनियस रहे हों—ऐसा नहीं था। पण्डित पन्त ने तो एक बार एक भाषण में यहाँ तक कहा था कि 'इण्डियन सिविल सर्विस' न 'इण्डियन' थी, न 'सिविल' थी और न 'सर्विस' थी। अब मैं आई.सी.एस. अफ़सरों के बारे में दो लतीफे सुनाता हूँ।

पहला लतीफ़ा तो यह है कि श्री के.बी. लाल बिहार काडर के आई.सी.एस. थे। वे कभी वहाँ कलक्टर थे तो बाबू जगजीवन राम सेल्सटैक्स इंस्पेक्टरी पाने के लिए उनके सामने पेश हुए और रिजेक्ट कर दिये गये। फिर एक दिन ऐसा आया कि बाबू जी देश के रक्षामन्त्री बने और लाल साहब उनके रक्षा सचिव बने। बाबू जी ने एक दिन लाल साहब को अपना पुराना इतिहास सुनाया तो लाल साहब ने तुरन्त उत्तर दिया कि "सर, मैं तो वहाँ आपका चेहरा देखते ही भाँप गया था कि आपको महान् व्यक्ति बनना है, सेल्सटैक्स इंस्पेक्टर बनाकर मैं आपका और देश

का नुक़सान कैसे कर सकता था?" इसके बाद दोनों लोग हँस पड़े।

दूसरी घटना यह है कि एक बार हमने वित्तमन्त्री श्री मोरारजी देसाई को मेरठ के ह्वीलर क्लब में लंच दिया। लंच के बाद श्री देसाई ने टोपी उतारी और हँसी-मज़ाक़ की मुद्रा में आ गये। पता नहीं कैसे, आई.सी.एस. अफ़सरों की चर्चा चल पड़ी और इस सन्दर्भ में श्री देसाई ने दो वृत्तान्त हम लोगों को सुनाये। एक अँग्रेज़ आई.सी.एस. था। उसे पाँच बजे किसी पार्टी में जाना था। वह पौने पाँच बजे तैयार हो गया मगर उसकी मेम साहब शृंगार ही करती रहीं। पति महोदय घड़ी देखते रहे और जब ठीक पाँच बज गये तो उन्होंने चिल्लाकर चपरासी से कहा—कल्लू राम, मेम साहब को उठाकर मोटर में रख दो। कल्लू राम ने आज्ञा का पालन किया और साहब और मेम साहब ठीक समय पर पार्टी में चले गये। इस घटना को सुनकर हम लोगों को बड़ी हँसी आयी। दूसरा वृत्तान्त थोड़ा दर्दनाक था। जब श्री देसाई कॉलेज में पढ़ते थे तो उनका एक सहपाठी बड़ा मेधावी पर बेहद ग़रीब था। श्री देसाई ने अपने पिता से कहकर उसकी लगातार आर्थिक सहायता की। इत्तफ़ाक की बात कि आगे चलकर वह सहपाठी आई.सी.एस. हो गया जबकि श्री देसाई मात्र पी.सी.एस. में ही चुने गये। इत्तफ़ाक से दोनों लोगों की नियुक्ति एक ही ज़िले में हो गयी। सहपाठी कलक्टर था और श्री देसाई डिप्टी कलक्टर थे। दोनों लोग लगभग तीन वर्ष उसी ज़िले में रहे मगर उस आई.सी.एस. सहपाठी ने श्री देसाई को एक बार भी याद नहीं किया। श्री देसाई ने इसे प्रशासकीय अनुशासन समझा और बुरा नहीं माना। स्वतन्त्रता आन्दोलन में भाग लेने पर श्री देसाई ने सरकारी नौकरी छोड़ दी और सौभाग्य से एक दिन ऐसा भी आया कि वे बम्बई सरकार में मन्त्री बने। उनके मन्त्री बनने पर वही आई.सी.एस. अधिकारी एक दिन आये और देसाई साहब से बड़े ख़ुशामदी ढंग से मिले। उस दिन देसाई जी को महसूस हुआ कि उनका वह सहपाठी कितना पतित और अवसरवादी आदमी था। उन्होंने उसे वह लताड़ा कि उनसे मिलने वह दुबारा नहीं आया।

मैंने ऊपर अपनी सर्विस के श्री प्रबोध चन्द्र भट्टाचार्य की चर्चा की है। एक बार उन्होंने एक बड़ा मज़ेदार क़िस्सा सुनाया था जो मुझे अभी तक याद है। एक आई. सी.एस. अधिकारी प्रधानमन्त्री के कुटुम्बी थे। जब वे विदेश-मन्त्रालय में सेक्रेटरी, जनरल के पद पर नियुक्त हुए तो उन्होंने अपनी कोठी में काफ़ी सुधारों का प्रस्ताव रखा जिसका ख़र्चा क़रीब कई लाख रुपया आता था। श्री भट्टाचार्य—जो उन दिनों विदेश मन्त्रालय के वित्तीय सलाहकार थे, उस प्रस्ताव को स्वीकृति नहीं दे सके क्योंकि नाम भले ही सेक्रेटरी-जनरल था, वे आई.सी.एस. अधिकारी हर मामले में सेक्रेटरी की ही हैसियत रखते थे। एक दिन सहसा उन्हें फ़ोन मिला कि वे सुबह नाश्ते पर सेक्रेटरी-जनरल के घर पर पधारें और प्रधानमन्त्री से भी भेंट करें जो नाश्ते पर उसी प्रकार निमन्त्रित थे। भट्टाचार्य उलझन में पड़ गये। उन्होंने वित्तमन्त्री को

स्थिति बतायी और अगले दिन नाश्ते पर डरते-डरते पहुँच गये। प्रधानमन्त्री पण्डित नेहरू ने काफ़ी हँसी-मज़ाक़ के बीच नाश्ता किया और फिर पूछा कि कोठी में क्या मरम्मत या क्या परिवर्तन होने हैं जिसके लिए उन्हें तंग किया गया है? सारी योजना सुनने के बाद प्रधानमन्त्री ने स्वयं सारे प्रस्ताव अस्वीकार कर दिये और कोई दस हज़ार रुपयों के खर्च की अनुमति देने के लिए भट्टाचार्य से प्रार्थना की। श्री भट्टाचार्य प्रधानमन्त्री की निष्पक्षता देखकर गद्‌गद हो गये।

जितने भी आई.सी.एस. अधिकारी मैंने अपने जीवन में देखे, उनमें मुझे श्री चिन्तामणि देशमुख सबसे ज़्यादा प्रतिभावान लगे। मैं उच्च अधिकारियों के लिए हैदराबाद के 'एडमिनिस्ट्रेटिव स्टाफ़ कॉलेज ऑफ़ इण्डिया' में आयोजित तीन महीने के एक कोर्स में गया था। वहाँ कोई-न-कोई बड़ी हस्ती रोज़ ही आती रहती थी। एक दिन श्री देशमुख भी पधारे। वे काफ़ी छोटे क़द के व्यक्ति थे मगर उनके प्रत्येक हावभाव से प्रतिभा और सामर्थ्य का पता लगता था। हममें से एक शरारती अधिकारी ने उनसे यूँ ही पूछ लिया कि वे कोई मनोरंजक अनुभव सुनाएँ। श्री देशमुख ने बताया कि जब वे रिज़र्व बैंक के गवर्नर थे तो एक दिन मानसून के कारण काफ़ी लोग देर से दफ़्तर पहुँचे। रजिस्टर देखने पर पता चला कि उस दिन लगभग डेढ़ सौ कर्मचारियों की पत्नियों को प्रसव हुआ था। पूछताछ करने पर पता चला कि सबसे ऊपर नाम नोट करने वाले व्यक्ति ने देर से आने का कारण यह लिखा था कि उसकी पत्नी ने एक बच्चे को जन्म दिया है और इस कारण वह समय पर नहीं आ सका। बाद में आने वाले सज्जनों ने उसके नीचे 'डिटो' कर दिया था और यह हर्गिज़ नहीं पढ़ा था कि वे क्या 'डिटो' कर रहे हैं। इस संस्मरण को सुनकर सारे लोग खिलखिलाकर हँस पड़े।

आई.सी.एस. के बारे में मैं मात्र यही कहूँगा कि समाज के और वर्गों की भाँति उनमें भी 'गुड, बैड और इनडिफरेण्ट' होते थे। हाँ, इसमें कोई सन्देह नहीं कि सक्षम अधिकारियों की संख्या ज़्यादा होती थी। जगदीशचन्द्र माथुर व बालकृष्ण राव—दोनों लोग आई.सी.एस. होने के साथ-साथ साहित्यकार भी थे और मुझसे स्नेह करते थे।

ब्यूरोक्रेसी के बाद कुछ चर्चा राजनीतिक नेताओं की भी करूँगा। प्रजातन्त्र में ब्यूरोक्रेसी प्रशासन को स्थिरता प्रदान करती है और राजनीतिक नेता उसे गतिशीलता देते हैं। दोनों का सन्तुलन देश की प्रगति के लिए अनिवार्य है। अपने सरकारी जीवन में मैं अनेक राजनीतिज्ञों के सम्पर्क में आया और कुछ के साथ तो घनिष्ठता के सम्बन्ध भी कायम हुए। हर एक का काम करने का ढंग अलग था। जब मैं वित्त मन्त्रालय में रक्षा सेवाओं का सहायक वित्तीय सलाहकार था तो हमारे मन्त्री श्री मोरारजी देसाई थे। वे वरीयता को महत्त्व देते थे। प्रमोशन के समय वे प्रायः वरीयता पर ही जाते थे क्योंकि अधिकारियों पर लिखी 'वार्षिक गोपनीय रिपोर्ट' कभी भी निष्पक्ष नहीं होती। देसाई साहब से हर फ़ाइल चौबीस घण्टे के भीतर वापिस आ

जाती थी। वित्त मन्त्रालय जैसे विशाल मन्त्रालय में ऐसा होना आश्चर्य की बात है। मगर देसाई साहब सचिवों को चुन-चुन कर रखते थे और उसके बाद सिवा दस्तख़त करने के कुछ नहीं करते थे। मैंने किसी फ़ाइल पर उनका लिखा कोई रिमार्क कभी नहीं देखा। इसके बरख़िलाफ़ जब टी.टी. कृष्णमाचारी वित्तमन्त्री हुए तो वे प्रत्येक फ़ाइल पर अपनी सुन्दर हस्तलिपि में ज़रूर कुछ लिखते थे जो कभी-कभी काफ़ी तीखा पर विनोदपूर्ण होता था। श्री यशवन्त राव चव्हाण कभी-कभी शायद बिना पढ़े ही दस्तख़त कर देते थे। एक बार एक फ़ाइल, जो डी.एम.आई. (डाइरेक्टर मिलिट्री इण्टेलिजेन्स) को जानी थी, ग़लती से डी.एम. (डिफेन्स मिनिस्टर) के पास पहुँच गयी। चव्हाण साहब ने दस्तख़त किये और फ़ाइल वापिस कर दी हालाँकि उस फ़ाइल का उनसे कोई सम्बन्ध नहीं था। चव्हाण साहब ब्यूरोक्रेसी से बड़ा स्नेह करते थे और सेना के अधिकारियों का बेहद सम्मान करते थे। बाबू जगजीवन राम ब्यूरोक्रेसी का खेल पूरी तरह समझते थे पर उनमें यह क्षमता थी कि वक़्त पड़ने पर अपनी मौलिक सूझबूझ के बल पर वे ब्यूरोक्रेसी से ऊपर उठ सकते थे। अपनी अनेक कमियों के बावजूद वे एक नितान्त कुशल प्रशासक थे। उनकी सफलता का एक प्रमुख कारण यह भी था कि वे ब्यूरोक्रेसी के प्रति स्नेह, सहानुभूति और शिष्टता रखते थे। सरदार स्वर्णसिंह एकदम वकील थे—तार्किक, निष्पक्ष और परिश्रमी। वे विदेश मन्त्री के रूप में बेहद सफल रहे क्योंकि विदेश मन्त्रालय के एक बहुत ऊँचे अधिकारी ने मुझे एक बार बताया था कि "ही कैन टाक फ़ार हावर्स विदाउट सेयिंग ऐनीथिंग।" जनरल शाहनवाज़ के साथ मेरा निकट सम्पर्क रहा, वे नितान्त उदार, स्नेही और ईमानदार व्यक्ति थे, हालाँकि मौलिकता का उनमें अभाव था। श्री वेंकटरमन् (वर्तमान राष्ट्रपति) से भेंट करने का अवसर दो बार प्राप्त हुआ। बेहद सरल, शान्तचित्त और शिष्ट व्यक्ति। हँसी-मज़ाक़ के बराबर शौक़ीन। महावीर त्यागी कुछ अहंकारी व्यक्ति थे। जिन दिनों वे रक्षा मन्त्रालय में राज्यमन्त्री थे तो उन्होंने एक फ़ाइल पर लिखा था कि "दी चीफ़ ऑफ़ दी आर्मी स्टाफ़ शुड नो दैट ही इज नाट अबव दी कैनन्स ऑफ़ फाइनेन्शियल प्रोप्रायिटी। इफ़ ही इज़ नाट नो, ही शुड बी टोल्ड सो।" सेनाध्यक्ष ने फ़ाइल प्रधानमन्त्री को दिखायी जो औपचारिक तौर पर रक्षामन्त्री भी थे। त्यागी जी को काफ़ी सुनना पड़ा। सचिवालय में मेरा सबसे बड़ा साबका चौधरी बंसीलाल से पड़ा, जिन्होंने मुझे एक फ़ाइल के आधा घण्टा लेट पहुँचने के कारण नौकरी से मुअत्तिल ही कर दिया। रक्षा सचिव श्री डी.आर. कोहली (जो बाद में दिल्ली के उपराज्यपाल भी रहे) ने तुरन्त हस्तक्षेप किया और मैं इसे चौधरी बंसीलाल की विशाल हृदयता ही कहूँगा कि जिस जल्दबाजी से उन्होंने मुझे मुअत्तिल किया था, उतनी ही शीघ्रता से उन्होंने स्थिति समझने पर अपने ग़लत आदेश वापिस भी ले लिये। इतना बड़प्पन सब में नहीं होता।

लोकसभा हर हफ़्ते जाना पड़ता था। प्रश्न काल में मन्त्री जी की मदद के लिए वहाँ रहना अनिवार्य होता था। मगर यह देखकर दुःख होता था कि रक्षा मन्त्रालय के सालाना बजट की बहस के दिन भी हाउस लगभग खाली ही रहता था। सिर्फ़ वोट के समय सरकारी सदस्य आते थे और मिनटों के अन्दर करोड़ों रुपये खर्च करने की अनुमति मिल जाती थी। एक बार विपक्ष के एक सम्मानित सदस्य ने रक्षा मन्त्रालय पर चार्ज लगाया कि "रक्षामन्त्री जो कुछ नहीं जानते, उसे 'गोपनीय' कहकर टाल जाते हैं जब कि असली स्थिति यह है कि 'जनरल हण्डरसन ब्रुक्स की रिपोर्ट' (जो गोपनीय बता कर संसद में नहीं पेश की गयी थी) तक कलकत्ता के पेवमेण्ट्स पर खुले आम बिक रही है।" बहस का जवाब देने से पूर्व रक्षामन्त्री ने ऑफीशल बॉक्स में बैठे रक्षासचिव के पास जाकर पूछा कि इस रिपोर्ट के बारे में क्या जवाब दूँ। रक्षासचिव ने कहा कि आप इस मुद्दे की चर्चा ही न करें। मन्त्री जी ने वैसा ही किया।

संसद की जो पब्लिक एकाउण्ट्स कमेटी होती है वह वाकई एक परिश्रमी संस्था होती है। बीच में चेयरमैन और ऑडीटर जनरल बैठते हैं, उनके दोनों तरफ़ कमेटी के सदस्य इस प्रकार बैठते हैं कि एक सर्किल की तीन साइड बन जाती हैं और सामने सरकार के प्रतिनिधि बैठते हैं जो प्रश्नों का उत्तर देते हैं। एक बार पी.ए.सी. के चेयरमैन श्री मुरारका थे और सदस्यों में श्री चन्द्रशेखर व श्री अटलबिहारी वाजपेयी साहब भी शामिल थे। वाजपेयी साहब एक दिन लंच के बाद देर से लौटे और वे सवाल पूछने लगे जो उनकी अनुपस्थिति में पूछे जा चुके थे। चेयरमैन ने उन्हें देर से आने के लिए खुलेआम डाँट दिया। कभी-कभी पी.ए.सी. में वे गुल खिलते हैं कि पूछिए नहीं। वहाँ मैंने रक्षा-सेवाओं के बड़े-बड़े अफ़सरों और शक्तिशाली सचिवों को ऐसी परेशानी में पड़ते देखा कि कुछ कहा नहीं जा सकता।

कुछ पार्टियों की भी याद आ रही है और सोचता हूँ कि उनकी चर्चा भी कर ही दूँ। एक बार रक्षामन्त्री के घर पर चाय पार्टी थी जिसमें मन्त्रालय व सेनाओं के बड़े-बड़े अधिकारी बुलाये गये थे। इन्तज़ाम इतना माक़ूल था कि सिर्फ़ दो आराम कुर्सियाँ थीं जिन पर रक्षामन्त्री और रक्षासचिव बैठे रहे और बाक़ी लोग खड़े रहे और नाश्ता करते रहे। मुझे बड़ा बुरा लगा। श्री स्वर्णसिंह ने जब रक्षा मन्त्रालय से विदा ली तो उनका विदाई समारोह हैदराबाद हाउस में सम्पन्न किया गया। डिप्टी सेक्रेटरी और उससे ऊपर पद रखने वाले रक्षा मन्त्रालय के सारे अधिकारी और मेजर जनरल और उससे ऊपर का रैंक रखने वाले तीनों सेनाओं के अधिकारी उपस्थित थे। प्रधानमन्त्री श्रीमती गाँधी भी थीं और सेनाओं के वित्तीय सलाहकार तो विशेष रूप से निमन्त्रित थे। बड़ी भव्य पार्टी थी। सरदार स्वर्णसिंह ने घोषणा की कि अब वे कोई सरकारी पद कभी नहीं ग्रहण करेंगे क्योंकि अब वे थकने लगे हैं। कुल मिलाकर उनका भाषण बड़ा विनोदी, प्रभावशाली और शानदार था।

तीसरी पार्टी वह थी जो हम लोगों ने अपने वित्तमन्त्री श्री कृष्णमाचारी को तब दी थी जब प्रधानमन्त्री श्री शास्त्री ने उन्हें कैबिनेट से निकालने की भयंकर ग़लती की थी। श्री कृष्णमाचारी बड़े व्यथित थे। उन्होंने अपने भाषण में ज़्यादा समय आयकर विभाग को दिया और उन्हें सलाह दी कि "छोटे आदमी को तंग मत करो। हिम्मत है, तो बड़ी मछली पकड़ो।"

प्रोमोशन होने पर मैं देहरादून में वायुसेना का 'कण्ट्रोलर-डिफेन्स-एकाउण्ट्स' नियुक्त किया गया। श्री वेंकटरामन नाम के एक व्यक्ति कण्ट्रोलर-जनरल हुए तो उन्होंने अवधि से पूर्व ही मेरा तबादला नागपुर को कर दिया। क्योंकि वे बेहद जिद्दी अधिकारी थे और मैं कुछ खास कारणों की वजह से नागपुर जा नहीं सकता था, मेरे पास मन्त्री जी से मिलने के अतिरिक्त और कोई चारा नहीं था। मैं मन्त्री जी से मिला और मेरा तबादला नागपुर के बजाय जम्मू को कर दिया गया। वहाँ मैं साढ़े चार वर्ष तक उत्तरी कमान का सी.डी.ए. रहा। वेंकटरामन ने मेरे मन्त्री जी के पास जाने की बात का इतना बुरा माना कि वह लगातार मुझे 'गुड' या 'एवरेज' रिपोर्ट देते रहे और बाहर से उतने ही मधुर और मित्र बने रहे। मेरे जूनियर अधिकारियों को 'वेरीगुड' या 'आउटस्टैण्डिग' रिपोर्ट दी गयी। वित्तीय सलाहकार उन रिपोर्टों को ठीक कर सकते थे पर वहाँ इल्लत यह थी कि वे खुद तो बेहद सज्जन थे पर उनकी पत्नी की और मेरी पत्नी की पुरानी दुश्मनी थी। उनकी पत्नी ने कभी मेरी पत्नी पर 'लेडीज क्लब' से आठ रुपये साठ पैसे ग़बन करने का आरोप भी लगाया था। बहरहाल, नतीजा यह रहा कि मैं नीचे रह गया और मेरे कोई इक्कीस जूनियर अधिकारी मेरे ऊपर हो गये। मैं सर्विस में सबसे सीनियर होते हुए भी कण्ट्रोलर-जनरल नहीं बनाया गया और सारी कार्यतत्परता, ईमानदारी, दयानतदारी वग़ैरा के बावजूद कण्ट्रोलर के पद से ही रिटायर किया गया जब कि मेरे कई साथी बिना किसी विशिष्ट प्रतिभा के मात्र खुशामद, छल, कपट, प्रपंच, जोड़-तोड़, जाति, धर्म और प्रान्तीयता के सहारे भारत सरकार के सचिव तक बन गये। विधिरहो बलवान् इति मे मतिः। बड़ी-से-बड़ी सरकारी नौकरी में—चाहे वह सेना की हो या चाहे नागरिक विभाग की—एक-दूसरे का गला कितनी सफ़ाई से काटा जाता है, इसे कितने लोग जानते हैं? मगर मैं दावे के साथ कहता हूँ कि आज से पैंतीस वर्ष पूर्व यह स्थिति नहीं थी। सारा मन्त्रालय जानता था कि श्री वढेरा दिल के मरीज़ हैं पर फिर भी उन्हें कण्ट्रोलर-जनरल बनाया गया। इसी प्रकार भारतरत्न और केन्द्रीय सरकार के गृहमन्त्री पं. गोविन्द वल्लभ पन्त के दामाद ललित कुमार जोशी मेरी ही सर्विस में थे और मुझसे एक वर्ष सीनियर थे। वे दिल्ली या मेरठ रहना चाहते थे। गृह मन्त्रालय के उच्च अधिकारियों ने कण्ट्रोलर-जनरल के पास यह प्रस्ताव पहुँचाया मगर श्री ए. सुब्रह्मण्यम ने उनकी नियुक्ति पूना में ही की। गृहमन्त्री ने कण्ट्रोलर-जनरल की कोई शिकायत वित्तमन्त्री से कभी नहीं की। मामला वहीं ख़त्म हो गया।

बहरहाल, अब मैं रिटायर हो गया। अब लोग मेरे बारे में बातें करेंगे और अपने संस्मरण एक-दूसरे को निःसंकोच होकर सुनाएँगे। श्री वढेरा के अनुसार मैं स्टाफ़ के प्रति 'कठोर' था, श्री कटोच की राय में मैं उनके प्रति 'अतिरिक्त दयावान' था और श्री बहादुर मुराव के अनुसार, मैं एक 'सन्तुलित' प्रशासक था। फ़िलहाल तो स्थिति यह है कि रात यह प्रबन्ध समाप्त किया। आज सुबह एक भूतपूर्व रूपवती महिला साथी को सुनाया तो वे आनन्द से आत्मविभोर हो उठीं और प्रशंसा की फुलझड़ियाँ छोड़ने लगीं। मैं उन्हें देखता रहा और शायर का कलाम याद करता रहा :

इस क़दर प्यार से देखो न हमारी जानिब
दिल अगर और मचल जाय, तो मुश्किल होगी

(सण्डे साप्ताहिक मेल, नयी दिल्ली)

❑

गणतन्त्र दिवस की शोभायात्रा
(1991)

अपना उत्सव

उत्सवों की परम्परा हमारे देश में सदा से रही है। संस्कृत के काव्यों से इस बात का पूरा पता लगता है कि 'सारे जहाँ से अच्छे' हमारे इस हिन्दुस्तान में 'वसन्तोत्सव' नाम का उत्सव कभी बड़ी धूमधाम के साथ मनाया जाता था। इस अवसर पर रूपवती युवतियाँ काफ़ी दिलचस्प काम किया करती थीं। 'कर्पूरमंजरी' के लेखक राजशेखर द्वारा दी गयी सूचना के अनुसार, "सुन्दर स्त्रियाँ वसन्त लाने के लिए 'कुरबक' नाम के वृक्ष का आलिंगन करती थीं, 'तिलक' नाम के वृक्ष की दिशा में कटाक्ष फेंकती थीं और अन्त में चलकर शोक मिटाने के लिए वे 'अशोक' नाम के वृक्ष पर पदाघात करती थीं। उनकी ये क्रियाएँ सम्पन्न करने से इन वृक्षों पर फूल खिल जाते थे और वसन्त आ जाता था।" अभी भी काफ़ी युवतियाँ ऐसी हैं जो गाहे-बगाहे 'गुल' खिलाती रहती हैं और उनके इन 'गुलों' के कारण इंग्लैण्ड में कम-से-कम दो बार सरकार बदल चुकी है। वसन्त को इतना सम्मान दिया जाता था कि कवि शूद्रक ने तो अपनी नायिका का नाम 'वसन्तसेना' ही रख छोड़ा था। विदूषक को भी कभी-कभी 'वसन्त' नाम से पुकारा जाता था। 'वसन्तोत्सव' की भाँति कभी-कभी मदनोत्सव भी मनाया जाता था जिसका अर्थ आप समझ ही गये होंगे। कभी-कभी बात को ज़्यादा खुलासा कर देने से उसका आनन्द चला जाता है। संसार में ऐसे कई समाचार-पत्र हैं जो उन ख़बरों से, जो कि वे छापते हैं, मात्र लाखों रुपये ही कमाते हैं जबकि उन ख़बरों के द्वारा–जिन्हें वे नहीं छापते–वे करोड़ो रुपयों की राशि इकट्ठी करते हैं। "मौन भी अभिव्यंजना है" कहने वाले अज्ञेय एकदम सच हैं। सत्य है कवि की वाणी। मेरे विचार में आप भी मौन रहें और इस रचना का आनन्द लें।

वाममार्गी लोग भी कसकर उत्सवप्रेमी होते थे। वे एक स्थान पर एकत्रित होते थे और मन भरकर मदिरापान करते थे। यह सब करने के बाद वे "त्वं भैरवी अहं भैरवः, ह्यावयोरास्ति संगमः" का मन्त्र पढ़ते थे और किसी भी स्त्री के साथ मौज करते थे। कन्या तक को नहीं छोड़ा जाता था। जो लोग ज़्यादा जानने के इच्छुक हों वे महर्षि दयानन्द द्वारा रचित 'सत्यार्थ प्रकाश' पढ़ें। कुछ अमीर लोगों के यहाँ ऐसा

ही उत्सव अभी भी मनाया जाता है मगर वहाँ जो कार्यक्रम होता है वह मित्रों की पत्नियों तक ही सीमित रहता है। मुग़लकाल में 'वसन्तोत्सव' के स्थान पर 'फूलवालों की सैर' नाम का मेला लगाया जाता था। समय के साथ-साथ ये प्रथाएँ समाप्त हो गयीं। हाँ, एक आदिवासी जाति अभी भी ऐसी है जहाँ 'विवाहोत्सव' के अवसर पर वर और वधू एक-दूसरे पर कीचड़ उछालते हैं। बात भी ठीक है; जो काम सारी उम्र करना है, उसका अभ्यास विवाह के अवसर से ही क्यों न प्रारम्भ किया जाए? बहरहाल जब हमारी राजधानी में 'अपना उत्सव' आयोजित किया गया तो मेरे जैसे परम्परावादी व्यक्ति का प्रसन्न होना स्वाभाविक ही था।

पता नहीं क्यों, 'अपना उत्सव' देखकर मुझे बड़ी ख़ुशी हुई। चारों दिशाओं में भ्रष्टाचार फैला है, कई राज्यों में कानून और व्यवस्था इतनी गिर चुकी है कि और ज़्यादा वह गिर ही नहीं सकती, महँगाई की कुमारी सुरसा अपना सुन्दर जबड़ा दिन-प्रतिदिन चौड़ा करती जा रही है और जनसंख्या है कि बढ़ती ही जा रही है, बढ़ती ही जा रही है। इन तमाम कारणों से योजना भवन में बैठे सयाने परेशान हैं, अख़बार परेशान हैं और सरकार परेशान है। जब सब तरफ़ दर्द-ही-दर्द है तो मन बदलने के लिए कुछ तो करना ही पड़ेगा—चाहे वह 'अपना उत्सव' ही क्यों न हो। माताएँ हैं कि अपने बच्चों को बेच रही हैं, पिता हैं कि रुपयों के बदले अपनी आँख बेच रहे हैं, सास हैं जो दहेज के लालच में (अपने निजी पुत्र की निःशुल्क सहायता से) पुत्रवधू को जला रही हैं और वैज्ञानिक हैं जो कि आत्महत्या कर रहे हैं। महानगरों में लाखों आदमी फुटपाथ पर सोते हैं और फुटपाथ पर ही जीवन से लेकर मृत्यु तक सारे काम सम्पन्न करते हैं। एक तरफ़ यह सब कुछ है और दूसरी तरफ़ 'अपना उत्सव' है जो कि पूरे ठाठ से मनाया जा रहा है। यह सब आनन्द और गौरव की बात है। यह देखकर कितनी ख़ुशी होती है कि आर्यों के इस पुरातन देश में हम लोग शरीर से ऊपर उठकर आत्मा को प्रसन्न करने में लगे हैं। इतने दुख के बीच सुख के दर्शन करना कोई छोटी बात है? ग़रीब लोग हैं कि तमाम दुखों के बावजूद स्टण्ट फ़िल्में देखते हैं जिनमें एक हसीन लड़की एक तन्दुरुस्त नवयुवक के साथ काश्मीर घूमती है, हर पाँच मिनिट बाद अपनी साड़ी बदलती है, गर्दन तक गला फाड़-फाड़कर गाती है और बाकी वे सारे काम भी करती है जो उससे अपेक्षित हैं। ग़रीब स्त्री और पुरुष इन हसीन लड़कियों और लड़कों के साथ अपने को आत्मसात् कर लेते हैं और ख़ुशी-ख़ुशी घर लौटते हैं। हमें इसी परिप्रेक्ष्य में 'अपना उत्सव' देखना चाहिए, वैसे नहीं। और लोककलाओं को यदि प्रशासन नहीं सँभालेगा तो क्या आप सँभालेंगे? अमीर लोग कुत्तों की नुमाइश देखते हैं और ग़रीब लोग जो हैं वे 'अपना उत्सव' देखते हैं। अरे, अगर रोटी नहीं है तो केक क्यों नहीं खाते?

आइए, मैं मज़ाक़ छोड़ता हूँ और आपको 'अपना उत्सव' के भीतर ले जाता हूँ। ये जितने लोग सूट में हैं, ये दर्शक हैं और जितने लोग नंगे हैं या धोती में या लहँगों

में हैं, वे कलाकार हैं। कुल मिलाकर सात हज़ार कलाकार आये हैं और इसीलिए घटनास्थल के ऊपर लिखा है—देश का दिल्ली में प्रवेश। इस प्रवेश के लिए देश ने मात्र दस करोड़ रुपये खर्च किये हैं, ज़्यादा नहीं। देश की संस्कृति और एकता के सामने दस करोड़ क्या चीज़ है? (अर्थात् कुछ भी नहीं), इस राशि में से लगभग आधी राशि अधिकारियों और ठेकेदारों की जेब में चली गयी। मगर उससे क्या? हमारे अफ़सर और ठेकेदार क्या भारतीय नहीं हैं? भारतीय क्या वे दो हज़ार कलाकार ही हैं जिन्हें ओढ़ने के लिए कम्बल नहीं मिले? भारतीय क्या वे पाँच हज़ार कलाकार ही हैं जिन्हें ऐसा खाना दिया गया जिसे खाकर वे बीमार हो गये? भारतीय क्या वे कलाकार ही हैं जिन्होंने चार सौ बाथरूमों का इस कारण प्रयोग नहीं किया क्योंकि वहाँ 'वेस्टर्न स्टाइल' के कमोड लगे थे? (क्षेपकः जो कलाकार अजीर्ण के शिकार हुए वे ऐसे थे जिन्हें अरसे बाद भरपेट खाने को मिला था) पश्चिमी ढंग के कमोड छोड़कर वे बाहर गये और 'भारतमाता ग्रामवासिनी' को पवित्र कर आये। यदि वे इस क्रिया को खेतों में सम्पन्न करते तो वहाँ बढ़िया फसलें होतीं मगर चूँकि उन्होंने यह काम दिल्ली में किया, इस कारण वहाँ सिर्फ़ चालीस मंज़िलों वाली इमारतें ही उगेंगी, और कुछ नहीं। कितने दुख की बात है कि यह सारी वारदात मेरे प्रिय कवि चिरकीन ने नहीं देखी। यदि वे होते तो शानदार क़लाम पढ़ते। मुझे विश्वास दिलाया जा रहा है कि ऐसा उत्सव प्रत्येक वर्ष मनाया जाएगा। सोचता हूँ कि अगले 'अपने उत्सव' में मैं भी अपना एक नृत्य पेश करूँ। मैं एक टूटा हुआ घड़ा या चौड़े मुख वाली एक हाँड़ी लूँगा और उसमें अपना सिर और चेहरा छिपा लूँगा। इस घड़े या हँड़िया को छोड़कर मैं शेष शरीर पर कुछ नहीं पहनूँगा। मेरे इस नाच को देखकर सारे ठेकेदार, व्यापारी, दूकानदार, अख़बारनवीस, अफ़सर और नेता लोग दंग रह जाएँगे क्योंकि वे मानते हैं कि इतिहास की ज़िल्द पर सिर्फ़ वे ही नंगा नाच पेश कर सकते हैं, कोई दूसरा नहीं। मेरे सिर और चेहरे को ढका हुआ देखकर अदालतें ख़ुश होंगी क्योंकि कानून के सामने वे न्याय को कभी नहीं देखतीं। कानून तो हमेशा से 'अन्धे की लाठी' कहलाता आया। न्यायपालिका के बारे में मैं आपके सामने दो बड़े गवाहों को कठघरे में खड़ा करता हूँ और रचना को समाप्त करता हूँः

"जो लोग यह कहते हैं कि अदालतों में सच्ची बातों की छानबीन के बाद निर्णय दिये जाने चाहिए, वे बड़े ख़तरनाक हैं और नागरिक तथा सैनिक, दोनों ही प्रकार के न्याय के शत्रु हैं। हमारे न्यायाधीश कानून के ज्ञाता हैं और इस कारण वे अपने निर्णय को सच्चाई पर आधारित करने का प्रयत्न नहीं करते, क्योंकि सच्चाई सन्दिग्ध रहती है। वे अपना निर्णय परम्पराओं के और कानून की धाराओं के अनुसार देते हैं जो कि निश्चित हैं। बिना पुलिसमैन के न्यायाधीश पंगु हैं। क्या न्याय ने कभी विजेताओं और विद्रोहियों का विरोध किया है? जब भी कभी किसी अन्यायपूर्ण शक्ति का उदय होता है, वह न्याय को अपने

शासन में लाकर न्यायपूर्ण बन जाता है। सच यह है कि हमारे न्यायाधीश सदा उचित दण्ड ही देते हैं और यदि वे अपनी आज्ञाओं को पूरी तरह बदल भी देते हैं तो भी वे न्यायपूर्ण ही रहती हैं। इससे ज़्यादा आपको क्या चाहिए?"

—अनातोले फ्रांस

"कानून जो है वह मात्र एक गधा है। जो समझदार इंसान होते हैं वे उसकी सवारी करते हैं और जो बेवकूफ़ होते हैं, वे उसकी दुलत्तियाँ खाते हैं।"

—सिसरो

स्वयंवर

चुनाव पास आ रहे हैं। हाईकमान बड़े असमंजस में पड़ी है। चुनाव का टिकट देना है। टिकट एक है, प्रत्याशी अनेक हैं। प्रश्न यही उठता है कि टिकट दें तो किसे दें। लड़की एक है, शादी के लिए इच्छुक लोग अनेक से भी ज़्यादा हैं। ठीक वही स्थिति जो स्वयंवर के समय राजकुमारी के सामने आया करती थी।

गयादीन बड़े होनहार व्यक्ति हैं; बड़े प्रेमी पुरुष हैं। जब किरायेदार थे तो मकान मालिक की इकलौती और सगी पत्नी को भगाया था, अब मकान मालिक हैं तो वही काम किरायेदारों की पत्नियों के साथ करते हैं। स्थिति इतनी नाज़ुक हो गयी है कि जो भी व्यक्ति अपनी पत्नी से छुटकारा पाना चाहता है, वह इनका किरायेदार हो जाता है। भगवान साक्षी है कि अभी तक तो किसी श्रद्धालु को निराशा हुई नहीं। जहाँ पत्नी नहीं होती, वहाँ किरायेदार की पुत्रवधू या कन्या को ही भगाकर ले जाते हैं। बहरहाल खाली नहीं बैठते। वैसे धार्मिक क़िस्म के व्यक्ति हैं; जिस किसी स्त्री को भी 'पलायनवाद' की शिक्षा देते हैं, उसे तीर्थयात्रा पर ही ले जाते हैं। इनके जीवन का उद्देश्य मात्र यही है कि अपने इस क्षणभंगुर जीवन में देश के जो अनन्त तीर्थस्थान हैं, उन सभी को पवित्र कर लें। आगे भगवान की इच्छा। मनुष्य तो कर्म ही कर सकता है, फल तो भगवान की इच्छानुसार ही मिलना है, वैसे नहीं। जो लोग मेरी बात नहीं समझते वे गीता को पढ़ें। जो गीता के रहस्य को नहीं समझते वे लोकमान्य तिलक का लिखा 'गीता रहस्य' पढ़ें।

डॉ. अमोलक राम एक सार्वजनिक सम्पत्ति हैं। अज्ञेय जी की भाँति वे भी अपने-पराये में भेद नहीं करते। जब पार्टी के कोषाध्यक्ष थे तो एक लाख का ग़बन किया था। जब म्युनिसिपैलिटी के चेयरमैन थे तो कोई पचास लाख रुपया इधर-उधर किया। बाढ़ आयी, सूखा पड़ा, रेल उल्टी हुई—मगर इन सब स्थितियों में भी लक्ष्मी जो थी, वह इन्हीं के घर में आयी। घर क्या है आश्रम है; पाँच मंज़िल शानदार संगमर्मर का आश्रम। जब पार्टी ने भ्रष्टाचार का आरोप लगाया तो अनशन पर बैठ गये। एक दफ़ा बैठ गये तो फिर उठना क्या। हज़रते दाग़ जहाँ बैठ गये, बैठ गये।

बाबू रामानुजप्रसाद नारायण सिंह बड़े प्रतिभावान और दूरदर्शी व्यक्ति हैं। स्वयं

कांग्रेस में हैं, पत्नी जनसंघ के साथ है, पुत्र जो है वह लोकदल में है और पुत्री जो है वह साम्यवादिनी है। किसी भी पार्टी की सरकार बने, इनकी तो चाँदी-ही-चाँदी है। और हाँ, राजनीति के साथ-साथ इन्हें पत्रकारिता का भी सच्चा शौक़ है। ख़ुदा गवाह है कि जो ख़बरें छापते हैं उनसे इन्हें हज़ारों का फ़ायदा होता है और जो ख़बरें ये नहीं छापते हैं उनसे इन्होंने लाखों रुपये कमाये हैं। अगर धन्धा मद्धिम हो जाता है तो सरकारी कोटे के काग़ज़ को काले बाज़ार में बेच देते हैं। काग़ज़ को तो काला होना ही है; वह चाहे अपने प्रेस में हो या किसी दूसरे के प्रेस में हो, इससे इन्हें क्या फ़र्क़ पड़ता है? गाड़ी है कि चल रही है। चलती का नाम गाड़ी।

चौधरी सेवकराम कर्मठ पुरुष हैं। हर दूसरे-तीसरे वर्ष कोई डकैती या क़त्ल वगैरह करवाते रहते हैं। कई बार दरोग़ा जी को भी पिटवा दिया। कई कप्तान-पुलिस इनकी वजह से तबादले पर चले गये, मगर मुख्यमन्त्री जी जब भी आते हैं, इनके यहाँ भोजन पर अवश्य आते हैं। बेपढ़े हैं मगर 'ताज़ीराते हिन्द' ज़ुबानी याद है। अगर थानेदार रिश्वत नहीं स्वीकार करता तो जज साहब को फँसाते हैं। ख़ुदा और सरकारी वकील गवाह हैं: इन्हें या इनके गुर्गों को आज तक कोई सज़ा नहीं हुई। किसी भी नेता के भाषण में भगदड़ मचवानी हो, किसी भी नेता के मुँह पर टमाटर, अण्डे या जूते फिंकवाने हों, इनसे ज़्यादा विश्वस्त और कोई व्यक्ति नहीं मिलेगा। देश सेवा से जो समय बचता है, उसमें सत्यनारायण की कथा करते हैं और रामायण का अखण्ड पाठ भी बिठाते हैं। ऐसा होनहार आदमी पार्टी को और कहाँ मिलेगा?

पण्डित नित्यानन्द जी बड़े धार्मिक पुरुष हैं। धर्म के बिना वे कुछ भी नहीं—धर्मेण हीना पशुभिः समाना। धर्म के नाम पर जितने दंगे इन्होंने करवाये हैं, कम-से-कम इस क्षेत्र में तो कोई दूसरा नहीं करा पाया। दंगे होते हैं, लोग मरते हैं, कर्फ़्यू लगता है और बाद में जाँच कमीशन बैठता है। जब तक एक जाँच कमीशन अपनी रिपोर्ट सरकार को देता है, तब तक दूसरा दंगा करवा दिया जाता है। नगर के सारे लोग इनसे आतंकित रहते हैं मगर ये हैं कि बनारस भी जाते हैं और अजमेर शरीफ़ की यात्रा भी करते हैं। खादी पहनते हैं और प्रार्थना नियमित रूप से करते हैं। दल-बदल करने के क्षेत्र में भी जो प्रतिमान इन्होंने स्थापित किये, उन्हें मेरे इलाक़े में और कोई नहीं तोड़ सका। जैसे ये इधर-से-उधर हुए, लाखों रुपये उधर-से-इधर हो गये।

ठाकुर खत्रीप्रसाद 'निर्भय' कवि भी हैं और देशसेवक भी। इनकी सर्वप्रमुख विशेषता यह है कि ये न जाने कितनी बार जेल गये हैं। एक बार कत्ल के सिलसिले में गये तो कई साल बाद छूटे। फिर एक डकैती की वारदात हो गयी। उससे छुट्टी मिली तो अपने एक प्रतिद्वन्द्वी का अपहरण करवा दिया। इनके जेल-जीवन के कारण हाईकमान इनका विशेष आदर करती है। यदि इन्हें टिकट नहीं दिया गया तो क्या होगा—यह कोई नहीं जानता। ब्रह्मा न जानाति कुतो मनुष्यः।

लाला तुलाराम वैश्य होते हुए भी क्षत्रियों के गुण रखते हैं—ठीक वही स्थिति

जो दिल्ली के शहंशाह हेमू के साथ थी। बड़े परोपकारी पुरुष हैं। एक महल्लेदार की ख़ूबसूरत बीवी थी जिसके पास सिवा सन्तान के सब कुछ था। इनके अथक परिश्रम के फलस्वरूप आज उसका नौ बच्चों का भरापूरा परिवार है। दसवाँ बच्चा निर्माणाधीन है। स्त्री के पति की मरम्मत जारी है। एक ग़रीब आदमी को ज़मींदार साहब सीन पर से हटाना चाहते थे, इन्होंने उसे पृथ्वी से ही हटवा दिया। झूठी गवाही में सिद्ध पुरुष। इनकी सच्चाई और चश्मदीद गवाही के कारण न जाने कितने ईमानदार जेल चले गये और न जाने कितने गुनहगार बरी हो गये। एक भले घर की विधवा थी—उसका उद्धार भी इन्होंने ही किया। हसीन विधवाओं से इन्हें बड़ा लगाव है। स्त्री जाति के उद्धार के लिए अक्सर भाषण देते रहते हैं और व्यक्तिगत रूप से जो भी सम्भव है, वह सब कुछ करते हैं। परोपकाराय सतां विभूतयः।

ठाकुर छतरसिंह एक गाँधीवादी पुरुष हैं; जब भी चलते हैं, महात्मा गाँधी मार्ग पर ही चलते हैं। गाँधी जी आधा नंगा रहते थे, ये पूरे नंगे रहते हैं। गाँधी जी के बन्दरों की भाँति न कुछ देखते हैं, न कुछ सुनते हैं और न कुछ बोलते हैं। इनके सामने हरिजन जलाये गये मगर इन्होंने कुछ नहीं देखा। इनके लड़कों ने सेठ घुन्नामल को खुलेआम गन्दी-गन्दी गालियाँ दीं, इन्होंने कुछ नहीं सुना। विधवाश्रम में लाखों रुपये का गोलमाल हुआ, मगर ये उसके सम्बन्ध में उसके सभापति होते हुए भी कुछ नहीं बोले। एक चुप सौ को हरावे। देखने-भालने में भी बन्दर ज़्यादा लगते हैं, इंसान कम। विनोबा जी के बड़े भक्त हैं। भूदान आन्दोलन में हज़ारों एकड़ ज़मीन इकट्ठी की जिसमें अब नाशपाती के बाग़ात लगे हैं। आम बाहर बेच दिये जाते हैं क्योंकि फल की इच्छा इन्होंने कभी नहीं की। ये तो बस कर्म ही करते रहे। ऐसा कर्मयोगी पुरुष आज इस संसार में कहाँ देखने को मिलता है?

बाबू दयाराम कुटीर उद्योगों के प्रेमी हैं। ऐसा शायद ही कोई छोटा धन्धा हो जो इन्होंने न चलाया हो। पहले देसी शराब बनाते थे, फिर नकली रेल टिकट छापने लगे और बाद में जाली नोट बनाने लगे। सूदखोरी का पुराना धन्धा अभी भी चलता है। न जाने कितने ग़रीब लोगों की मदद करने के कारण इन्हें विवश होकर उनका घर, ज़मीन और ज़ेवर बेदख़ल करना पड़ा। सूदखोरी के क्षेत्र में इनका एक ही सिद्धान्त रहा और वह यह था कि कर्ज़ उसे दो जो वापस न कर सके। सार्वजनिक कामों में बड़ी रुचि रखते हैं। नारीनिकेतन, पाठशाला और धर्मशाला—इन सबका प्रबन्ध इन्होंने खुद ही किया। वेश्याओं से तो इतना प्रेम है कि कहना ही क्या। जो कोई भी नारी इनके नारीनिकेतन या विधवाश्रम में गयी, ख़ुदा गवाह है कि वह वेश्या बनकर ही निकली।

अन्त में चलकर एक उम्मीदवार और बचती हैं और वह है रूपवती रानी कँवर दिलभरी। जब ये जागीरदार थीं तो न जाने कितने पुरुषों का दिल भरा, मगर इनका अपना दिल कभी नहीं भरा। सरधने की रानी बेग़म समरू के अगर सात 'घूँघट'

थे तो इनके सात सौ तो रहे ही होंगे। अब अधेड़ हो गयी हैं और प्रेम के स्थान पर कविता में मन लगाने लगी हैं। ठीक वही महादेवी वर्मा जैसा प्रेमकाव्य। अन्तर इतना है कि महादेवी के प्रेम में विरह है जब कि इनके प्रेम में मिलन है। यदि ये कभी मन्त्री हो गयीं तो इन्हें भी ज्ञानपीठ एवार्ड मिलेगा।

अब आप ही बताइए कि हाईकमान टिकट दे तो किसे दे? और हाँ, स्वयंवर के बारे में जो लोग ज़्यादा वक़्त बर्बाद करना चाहते हों वे कालिदास का लिखा इन्दुमती स्वयंवर (रघुवंश) और श्रीहर्ष द्वारा रचित दमयन्ती स्वयंवर (नैषध काव्य) पढ़ें। बिना अपना ज्ञान बघारे ख़ाकसार जो है वह सीन पर से कैसे हट सकता है?

भूमिका-प्रसंग

जैसा कि हम जानते हैं, भूमिका उस मुद्रित सामग्री को कहते हैं जो कि प्रायः किसी भी पोथी के प्रारम्भ में दी हुई होती है। भूमिका के स्थान पर कुछ लोग और नामों का प्रयोग भी करते हैं। कहीं-कहीं 'दोबाचा' अर्थात्, दो शब्द, कहकर भूमिका शुरू की जाती है जो पच्चीस पेज तक चलती जाती है। कुछ लोग इसे 'अपनी बात' कहकर पुकारते हैं और बाद में एक के बाद एक उद्धरण देते चले जाते हैं जो कि उनके अपने नहीं होते। पन्त जी अपने काव्यग्रन्थों की भूमिका को 'विज्ञापन' शीर्षक से दिया करते थे। 'पल्लव' व 'आधुनिक कवि' में पन्त जी की भूमिका काफ़ी लम्बी है जबकि 'कला और बूढ़ा चाँद' की भूमिका मात्र एक वाक्य की ही है। पन्त जी की भूमिकाओं से उनकी सहज विनोदप्रियता का पूरा पता लगता है। 'पल्लव' की भूमिका में वे कहते हैं, "अधिकांश भक्त कवियों का समग्र जीवन मथुरा से गोकुल जाने में ही व्यतीत हो गया। बीच में उन्हीं की संकीर्णता की यमुना पड़ गयी; कुछ किनारे पर रहे, कुछ उसी में बह गये। बड़े परिश्रम से कोई पार भी गये तो ब्रज से द्वारका तक पहुँच सके। संसार की सारी परिधि यहीं समाप्त हो गयी।" 'गुंजन' की भूमिका में उन्होंने कहा कि 'सा' से मेरी वाणी का स्वर जो 'रे' हो गया, वह उन्नति का क्रम संगीत प्रेमी पाठकों को खटकेगा नहीं, ऐसी मेरी आशा है। 'ग्राम्या' की भूमिका में पन्त जी ने कहा कि 'ग्राम्या में' ग्राम्य दोषों का होना अत्यन्त स्वाभाविक है, सहृदय पाठक उनसे विचलित न हों। इधर अज्ञेय जी ने अपने एक निबन्ध संग्रह में पहले निबन्ध का शीर्षक दिया है—'यह भूमिका ही तो है।' ऐसा लगता है कि यदि पुस्तक में भूमिका न होती तो लेखक को डर था कि वह आलोचकों की फ़ौजदारी का शिकार हो जाता। कुछ भूमिकाएँ ऐसी भी हैं जो भिन्न अर्थ रखती हैं। रामदास गौड़ की लिखी 'रामचरितमानस की भूमिका' व पण्डित पद्मसिंह शर्मा द्वारा रचित 'बिहारी सतसई की भूमिका' इसी प्रकार की भूमिकाएँ हैं। शर्मा जी की 'बिहारी सतसई की भूमिका' इतनी बड़ी है कि उसके सामने 'बिहारी सतसई' उसका बच्चा लगती है। पण्डित पद्मसिंह शर्मा फ़ारसी और संस्कृत के पण्डित थे, अकबर इलाहाबादी और पण्डित मदनमोहन मालवीय के मित्र थे और अव्वल नम्बर

के खुशमिज़ाज आदमी थे। हिन्दी आलोचना को क़व्वाली का मज़ा उन्होंने ही प्रदान किया। मैं शर्मा जी का बड़ा आदर करता हूँ। वे मेरे ही जनपद के थे और मेरी ही जाति के थे। सब कुछ पढ़-लिखकर भी मैं जाति के स्तर से ऊपर नहीं उठ सका। मुझे कहते हुए अपार हर्ष होता है कि संयुक्त प्रान्त (उत्तर प्रदेश नहीं) की कमिश्नरी रुहेलखण्ड (कमिश्नरी बरेली नहीं) में स्थित बिजनौर ज़िले ने हिन्दी को तीन त्यागी साहित्यकार दिये। पहले थे—पण्डित पद्मसिंह शर्मा, दूसरे थे—दुष्यन्त कुमार और तीसरे हैं—रवीन्द्रनाथ त्यागी। इन तीन महान् विभूतियों के अतिरिक्त मेरे इस ज़िले ने कृपाल सिंह त्यागी को भी जन्म दिया जो सुलताना डाकू के बाद दूसरा 'शेरे-बिजनौर' था और जिसे सुलताना डाकू की ही भाँति बरेली की जेल में फाँसी दी गयी। जिम कार्बेट ने 'सुलताना चरित' लिखा है; मैं भी कभी 'कृपालसिंह-चन्द्रिका' लिखूँगा। कुछ ऐसी पुस्तकें और भी छपीं जिनकी भूमिका बहुत दिनों बाद किसी दूसरी विभूति ने लिखी। इनमें 'चन्द्रकान्ता' का नाम अनायास ही ज़ुबान पर आता है। यह पुस्तक देवकीनन्दन खत्री ने लिखी थी और इसकी भूमिका आजकल राजेन्द्र यादव लिख रहे हैं। ठीक ही कहा है—खाली से बेगार भली। कुछ लेखकों की ऐसी पुस्तकें भी हैं जिनको एक से ज़्यादा भूमिका की ज़रूरत पड़ी। विद्यानिवास मिश्र की 'तुम चन्दन हम पानी' ऐसी ही कलाकृति है जिसमें तीन भूमिकाएँ हैं। आचार्य क्षेमचन्द्र 'सुमन' ने 'नारी तेरे रूप अनेक' नाम का कविता संग्रह सम्पादित किया तो ऊपर लिखा कि भूमिका हज़ारी प्रसाद द्विवेदी की लिखी हुई है जब कि वह श्रेष्ठ भूमिका खुद उन्हीं की लिखी हुई थी। दोनों आचार्यों को हार्दिक दुख रहा।

मैं कभी भूमिका नहीं लिखता। बात बोलेगी बात ही। अगर किताब अच्छी है तो बिना भूमिका के भी चलेगी। हाँ जब मैंने 'उर्दू-हिन्दी हास्य व्यंग्य' नाम का अमर ग्रन्थ सम्पादित किया तो उसकी भूमिका ज़रूर लिखी। मुझे डर था कि यदि उस पोथी की भूमिका कोई और लिखेगा तो शायद मेरी चर्चा नहीं करेगा। इधर एक भूमिका और लिखी है। एक नवोदित कवि मेरे पास आये और अपने प्रथम (और सम्भवतः अन्तिम) कविता संग्रह की भूमिका लिखने को कहने लगे। मैंने बड़ा मना किया, बड़ा मना किया पर वे नहीं माने। उनकी सुन्दर पत्नी ने भोजन कराया, उनके बच्चों ने मेरा सूट भिगोया और उनके कुत्ते ने मुझे देखकर काफ़ी दुम हिलायी मगर मैं अपने सिद्धान्त से नहीं फिसला। अन्त में चलकर स्थिति यह हो गयी कि मुझे साफ़-साफ़ एहसास हो गया कि या तो उनकी अमर काव्यकृति की भूमिका लिखूँ या फिर शहर ही छोड़ दूँ। शहर मुझे पसन्द था। पसन्द मुझे उनकी बीवी भी थी। सिर्फ़ किताब पसन्द नहीं थी। बहरहाल भूमिका लिखनी पड़ी और लिखी तो फिर ऐसी लिखी कि उम्र भर सँभालकर रखूँगा। संसार की वही शायद ऐसी एकमात्र भूमिका है जो किसी भी भाषा की, किसी भी विधा की, किसी भी साहित्यकार की, किसी भी पुस्तक में चस्पा हो सकती है। उस कालजयी भूमिका को लिखकर बड़ा सुख

मिला। मैंने महसूस किया कि भूमिका एक कोर्टशिप है जब कि किताब जो है वह शादी है। कोर्टशिप हमेशा शादी से ज़्यादा मनोरम होती है। ठीक है न?

ऊपर चर्चित भूमिका लिखने के बाद मैंने महसूस किया कि साहित्य के क्षेत्र में कोई छोटा या बड़ा नहीं होता। शिव का मन्दिर चाहे विशाल हो चाहे छोटा—उसका महत्त्व बराबर है। अब मैं 'आँगन के पार द्वार' के प्रणेता महाकवि अज्ञेय और 'झील के उस पार' के रचयिता गुलशन नन्दा में कोई फ़र्क़ नहीं समझता। 'चारु चन्द्र लेख' लिखने वाले हज़ारी प्रसाद द्विवेदी व बीरेन्द्र बीर (उर्फ़ 'कटोरा भरा ख़ून') के लेखक देवकीनन्दन खत्री दोनों साहित्यकार की हैसियत से बराबर हैं। निराला की 'सान्ध्य काकली' और किशन चन्दर पहलवान की 'गुलबदन उर्फ़ मुहब्बत का फूल'—दोनों का उद्देश्य एक ही है। मैं भी शेक्सपियर की भाँति अमर हूँ क्योंकि मैं भी एक साहित्यकार हूँ। पता नहीं शरद जोशी अमरता के एहसास से रात को क्यों भयावनी बना लेते हैं, मैं तो दिन में भी अमरता का एहसास करता हूँ और वह भी बिना किसी डर के। सारे साहित्यकार समान हैं। काव्य की सृष्टि करने के कारण सभी प्रजापति हैं। सभी ब्रह्मा हैं। यहाँ मैं यह बता दूँ कि 'रसात्मकं वाक्यम् काव्यम्' वाली पंक्ति हम सबने सुनी है मगर हम यह नहीं जानते कि रस क्या है? कैसे पैदा होता है? शास्त्रकारों ने इस प्रश्न का उत्तर देते हुए कहा है कि रस की उत्पत्ति तीन प्रकार के भावों से होती है। ये तीन भाव हैं विभाव, अनुभाव व व्यभिचारी भाव। अब बताइए कि कर्नल रंजीत के जासूसी उपन्यासों और बर्नार्ड शा के नाटकों में से कौन श्रेष्ठ है? और हाँ बर्नार्ड शा ने एक नाटक की भूमिका लिखी है जिसका शीर्षक है—'शेक्सपियर से श्रेष्ठतर'? बर्नार्ड शा की वह भूमिका विलियम शेक्सपियर खुद पढ़ लेते तो ड्रामे लिखना बन्द कर देते।

संसार की श्रेष्ठतम भूमिकाएँ पढ़ी जाएँ तो उन पर अलग से एक भूमिका लिखी जा सकती है। बीसवीं शती के महानतम हास्यकार पी. जी. वुडहाउस शायद ही कभी भमिका लिखते थे मगर जब लिखते थे तो वह मूल पुस्तक से भी ज़्यादा हँसाती थी। 'समर लाइटनिंग' की भूमिका ऐसी ही भूमिका है। मेरी सलाह है कि यदि आप अंग्रेज़ी जानते हों तो उसे ज़रूर पढ़ें और अंग्रेज़ी न जानते हों तो उसे हर्गिज़ नहीं पढ़ें। जो लोग अंग्रेज़ी न जानते हों, उनके मनोविनोद के लिए मैं तीन हिन्दी और उर्दू के लेखकों की भूमिकाओं के कुछ दिलचस्प टुकड़े पेश करता हूँ। यह भूमिका-खण्ड जिन पुस्तकों से लिये गये हैं, उनके नाम क्रमशः 'एक श्रावणी दोपहरी की धूप', 'रास्ता इधर से है', और 'पतरस के मज़ामीन' हैं। ये अंश इस प्रकार हैं:

"मैं रात को लिखता हूँ। जिस रात लिखना होता है, बहुत हल्का भोजन लेता हूँ। बिस्तर पर लेट कर, पेट के नीचे तकिया दबा कर लिखता हूँ। जब लिखता हूँ तो रात बहुत देर तक लिखता हूँ। फिर दिन चढ़े तक सोता रहता हूँ। नौ, दस बजे तक। ऐसी हालत में मोहल्लेवाले कहते हैं—'पियक्कड़ है। अरे ज़रूर, रात में पी ली

होगी। देखो, इतना दिन चढ़ गया, अब तक सो रहा है।' और जिस रात मैं सचमुच पी लेता हूँ, लिखना-पढ़ना नहीं होता है। चुपचाप सो जाता हूँ। सुबह तड़के ही उठकर टहलने निकल जाता हूँ। मन मेरा उदास रहता है। मोहल्लेवाले ख़ुश होकर कहते हैं, "देखो, देखो, आदमी सुधर रहा है। लगता है पीना छोड़ दिया है। देखा, कैसे सुबह-सुबह टहलने निकला है..."

—फणीश्वरनाथ 'रेणु'

"जिस तरह कहानी न लिख पाने पर मैंने भूमिका लिखी, उसी तरह और कुछ न लिख पाने पर मैंने ये कहानियाँ लिखीं। कई बार ऐसा होता है कि मैं कविता लिखने बैठता हूँ पर लिख पाता हूँ कहानी। और कविता मैं इसलिए लिख रहा था क्योंकि मैं कोई नाटक नहीं लिख पा रहा था।"

—रघुवीर सहाय

"अगर किसी ने यह किताब आपको मुफ़्त भेजी है तो उसने मुझ पर अहसान किया है। अगर आपने चुरायी है तो मैं आपके जोक की दाद देता हूँ। अगर यह आपने अपने पैसों से खरीदी है तो मुझे आपसे हमदर्दी है। अब बेहतर यही है कि आप इस किताब को अच्छा समझकर अपनी हिमाकत को हक्-व-जानिब साबित करें।

"जो साहब इस किताब का किसी गैर-मुल्क़ी ज़ुबान में तर्जुमा करना चाहें, वे पहले उस मुल्क़ के लोगों से ज़रूरी इजाज़त हासिल कर लें..."

—पतरस बुख़ारी

एक सच्ची बात

इतिहास में हमें ऐसी अनेक दास्तान पढ़ने को मिलती हैं जो सच्ची होते हुए भी अविश्वसनीय लगती हैं। लखनऊ के नवाबी दिनों में एक बार ऐसा हुआ कि एक नाई वज़ीर बन गया। आदमी होनहार था; वह सुबह को नवाब साहब की हजामत बनाता था और बाकी सारे दिन वज़ारत करता था। इसी प्रकार मिर्ज़ा ग़ालिब जब शाम को नशे में चुभते हुए शेर कहते थे तो अपने इजारबन्द में गाँठ लगा लिया करते थे। एक शेर की याद ताज़ा करने के लिए एक गाँठ लगायी जाती थी। सुबह के वक़्त वे गाँठें गिनते थे और उतने ही शेर अपनी डायरी में लिख लिया करते थे। बहुत कम लोग ऐसे हैं, जो कि यह जानते हैं कि 'आनन्दमठ' और 'कपाल कुण्डला' जैसे उदात्त उपन्यासों के लेखक बंकिमचन्द्र चटर्जी ने कभी 'गर्दभ स्तोत्र' भी लिखा था। इसी प्रकार जब जेम्स प्रथम इंग्लैण्ड का बादशाह बना तो उसके पास एडिनबरा से लन्दन आने तक के लिए पैसे नहीं थे। जब दरबार के अमीरों ने वह खर्चा उठाया और जेम्स प्रथम को लन्दन पहुँचाया तो स्थिति यह रही कि बादशाह के पास पहनने के लिए कोई शाही पोशाक नहीं थी। हेनरी अष्टम के बाद जेम्स प्रथम ही पहला पुंल्लिग बादशाह था। बीच में पचासों वर्षों तक रानी मेरी व महारानी एलिज़ाबेथ (प्रथम) ने इंग्लैण्ड पर शासन किया था। ऐसी स्थिति में पुरुषों के पहनने के लिए शाही पोशाक का मिलना असम्भव था। बहरहाल जब तक नयी शाही पोशाक तैयार हुई, तब तक जेम्स प्रथम का राज्याभिषेक रुका रहा। जेम्स प्रथम लेखक भी था और इसी कारण वह नितान्त कंजूसी के साथ रहता था। शास्त्रकारों ने कहा है कि 'वैयाकरणों' के लिए तो अक्षर की बचत भी पुत्रजन्म के सुख के बराबर होती है। इस उक्ति के अनुसार मितव्ययी जेम्स प्रथम न जाने कितने पुत्रों के जन्मों का सुख और हर्ष पाया था।

इतिहास हमेशा अपने को दुहराता रहता है। इसी कारण काफ़ी विचित्र बातें अभी भी होती रहती हैं। एक केन्द्रीय मन्त्री की मृत्यु के बाद 22 सितम्बर को 'परिवर्तन' नामक पत्र में छपा कि मन्त्री जी जो थे वह मात्र तीन सौ करोड़ रुपये की सम्पत्ति छोड़कर गये थे। ग़रीब होने का भय कभी-कभी आदमी को भ्रष्ट कर देता

है। ऐसा व्यक्ति सारे समय यही सोचता रहता है कि कहीं 'बिन टका टकटकायते' वाली स्थिति फिर से न आ जाए। बदनामी का जो विष है, उसकी परवाह भी ऐसे लोग नहीं करते। बात भी ठीक है। आख़िरकार विष भी तो एक रत्न ही है; वह भी तो बहरहाल समुद्रमन्थन के कारण ही बाहर आया था। कहा जाता है कि सर वाल्टर स्काट (मुझ पर कन्या प्रेमी होने का आक्षेप लगाने वाले समीक्षकों के लिए बता दूँ कि स्काट जो थे वे लड़की नहीं थे) बचपन में मुर्दा घोषित कर दिये गये थे। उन्हें जब दफ़नाया जा रहा था, तभी क़ब्र खोदने वाले ने चिल्लाकर कहा कि बच्चा ज़िन्दा है। स्काट को बाहर निकाला गया और वह बच्चा बाद में इतना बड़ा उपन्यासकार बना। क़ब्र खोदने की प्रक्रिया में उसकी एक टाँग में कुदाली लग गयी थी और इस कारण वह हमेशा के लिए लँगड़ा हो गया था। मैं तो जब कभी किसी लँगड़े को देखता हूँ, तभी स्काट को याद कर लेता हूँ। स्काट कई सौ वर्ष जीवित रहे और बाद में दक्षिणी ध्रुव की खोज भी उन्होंने ही की। मेरी बात पर विश्वास करना आपका धर्म है, चाहे वह बात कितनी ही अनर्गल क्यों न हो। ब्रह्मवाक्यं जनार्दनः। ठीक इसी प्रकार एक बहुत बड़े अस्पताल में दो ज़िन्दा आदमियों को डॉक्टर ने मृत घोषित कर दिया। उन्हें दफ़नाने के लए जब जा रहे थे तो उनके सगे सम्बन्धियों ने शोर मचाया और तब उन मुर्दों की जान बची। अक्टूबर 29, 1986 के टाइम्स आफ़ इण्डिया के अनुसार एक मरणासन्न व्यक्ति राजधानी के श्रेष्ठतम अस्पताल के बाहर पड़ा रहा मगर किसी ने उसकी तरफ़ ध्यान नहीं दिया। अन्त में चलकर वह मर गया। उसकी लाश को भी नहीं उठाया गया। जब डॉक्टर जवान होंगे और नर्सें हसीन होंगी, तो ऐसे हादसे तो होते ही रहेंगे।

इधर एक और महान् आत्मा प्रकाश में आयी है। एक दर्ज़ी था जिसने हनुमान जी की मूर्ति पर से लँगोट हटाकर उसे 'जीन्स' (एक विशेष प्रकार की पतलून) पहना दी। जब भक्तों ने शोर मचाया तो उस उस्ताद ने माफ़ी माँगी, वह पोशाक हटायी और मूर्ति पर फिर से लँगोट बाँधा। इस बीच हनुमान जी को जो ठण्ड लगी होगी या जो लज्जा आयी होगी, उसकी कल्पना आप कर सकते हैं। हनुमान जी कोई हिन्दी के लेखक थोड़े ही हैं जो नंगे और भूखे रहकर भी प्रसन्न रहें।

आज जो अख़बार में पढ़ा, वह बड़ा उदात्त समाचार था। हमारे देश में इस वक़्त जो हिजड़े हैं वे क़रीब ग्यारह लाख हैं। परिवार नियोजन ने इन लोगों पर बुरा असर डाला है। जब बच्चे ही कम होंगे तो हिजड़े भी कम ही होंगे। जन्म के साथ-साथ शादियाँ भी कम होंगी, जिससे हिजड़ों की आय पर और भी फ़र्क़ पड़ेगा। कहा जाता है कि इस विपत्ति को दूर करने के लिए प्रतिवर्ष सैकड़ों बच्चों को हिजड़ा बनाया जाता है। श्री खैरातीलाल भोला (जो हिजड़ा कल्याण सभा के सभापति हैं) ने इस सन्दर्भ में प्रधानमन्त्री को बताया है कि हिजड़ों के जो गुरु हैं, वे ही इस अन्याय के लिए ज़िम्मेदार हैं। उन्होंने यह भी बताया है कि प्रतिवर्ष चालीस हज़ार बच्चों

को हिजड़ा बनाने की कोशिश की जाती है। जिस डॉक्टर की मदद ली जाती है उसे डेढ़ या दो हज़ार रुपयों की फीस या इनाम दिया जाता है। अकेली राजधानी में ही हिजड़ों के पैंतालीस स्थान है, जिनमें से प्रत्येक का एक अलग गुरु है। उत्तर प्रदेश में हिजड़ों की तादाद सबसे ज़्यादा है। श्री भोला ने प्रधानमन्त्री से प्रार्थना की है कि वे गुरु लोगों को गिरफ़्तार करें और उनकी सम्पत्ति को छीनें ताकि वह देश की सेवा में लगायी जा सके। उन्होंने यह भी प्रस्ताव किया है कि हिजड़ों को भी वोट देने का, राशनकार्ड पाने का, मकान बनाने का और शिक्षा प्राप्त करने का अधिकार मिलना चाहिए।

मेरे विचार में 'हिजड़ा कल्याण सभा' के सभापति की सारी माँगें जायज़ हैं। सरकार को यह नहीं भूलना चाहिए कि मुस्लिम काल में (विशेषकर मुग़लकाल में) खवासों को (यानी कि हिजड़ों को) काफ़ी बड़े-बड़े पद दिये जाते थे। वे महलों की और रनवासों की रक्षा करते थे और यह काम वे बड़े निष्काम भाव से करते थे। हिन्दू शासनकाल में भी 'कंचुकि प्रथा' प्रचलित थी। पुरानी संस्कृति की रक्षा करना हमारा नैतिक कर्तव्य है। वैसे भी स्थिति यह है कि देश के हर व्यवसाय में समाज के हर वर्ग में और शासन के प्रत्येक क्षेत्र में हिजड़े हाज़िर हैं। सम्पादकों तक में हिजड़े हैं और देश के नेताओं तक में हिजड़े हैं। आप चाहें तो मैं इनके नाम भी आपको बता सकता हूँ मगर वैसा मैं करूँगा नहीं। कारण यह है कि जिस सम्पादक, साहित्यकार या नेता को मैं हिजड़ा नहीं बताऊँगा, वह बुरा मान जाएगा। यह बात एकदम सच्ची है। एकदम सच्ची...

नपुंसक लिंग यदि व्याकरण में न हो तो साहित्य की स्थिति क्या होगी—इस बात को लेकर एक निबन्ध अलग से लिखूँगा।

शरत्चन्द्र-विनोद

बँगला के कथाकार शरत्चन्द्र चटर्जी की गिनती विश्व के महान् कथाशिल्पियों में की जाती है। प्रेम और करुणा के जैसे मार्मिक चित्र उन्होंने खींचे वैसे चित्र और कहीं नहीं मिलते। यह एक विचित्र संयोग है कि दुःख का इतना बड़ा चित्रकार अपने व्यक्तिगत जीवन में बेहद विनोदप्रिय और ख़ुशमिज़ाज था। उनकी विनोदप्रियता के कुछ क़िस्से आज मैं आपको सुनाता हूँ।

यूँ तो ऐसा शायद ही कोई नशा था जो शरत् बाबू ने अपने जीवन में न किया हो पर अफ़ीम के प्रति उनका अतिरिक्त मोह था। एक बार जब वे एक बड़ी-सी गोली अपने मुँह में डाल रहे थे तो उनके साथी हेमेन्द्र बाबू ने पूछा, "यह आप क्या कर रहे हैं?" शरत् बाबू ने कहा, "यह अफ़ीम है जो मैं खाता हूँ। यदि तुम भी सुन्दर लिखना चाहते हो तो मेरी तरह अफ़ीम खाओ।" अपने एक पत्र में उन्होंने लिखा था, "मैंने अफ़ीम खानी छोड़ दी थी जिसके कारण मुझे बहुत दुःख मिला। अब मैं कभी भी अफ़ीम छोड़ने का नाम तक न लूँगा। क्या चीज़ है यह अफ़ीम भी! कितना अच्छा हो यदि आप लोग भी इसे खाना शुरू कर दें। मैं तो समझता हूँ कि प्रत्येक शरीफ़ आदमी को अफ़ीम का सेवन करना चाहिए।" इसी प्रकार जब स्वतन्त्रता-आन्दोलन के कारण बड़े-बड़े लोग गिरफ़्तार होने लगे तो 'पथ के दावेदार' जैसे उपन्यास के लेखक शरत् चन्द्र ने अपने मित्रों से पूछा, "जेल में अफ़ीम खायी जा सकती है या नहीं?" जब उनके मित्रों ने नकारात्मक उत्तर दिया तो उन्होंने बड़ी गम्भीरता से कहा, "जान पड़ता है कि जेलखाना जो है वह शायद भद्र पुरुषों के रहने के लिए बना ही नहीं है।" अफ़ीम के सन्दर्भ में सबसे बड़ी मज़ाक़ उस दिन हुई जिस दिन वे एक पत्रिका के कार्यालय में गये और वहाँ उन्होंने नाना प्रलोभन देकर लगभग सारे कर्मचारियों को थोड़ी-बहुत अफ़ीम खिला दी और फिर पत्रिका के सम्पादक को सूचित किया, "आपके सारे कर्मचारी लेखक बनने के मोह में अफ़ीम खाकर नशे में टूल रहे हैं। उनके लिए तुरन्त मिठाई का प्रबन्ध करो वर्ना उन सबके हाथों में हथकड़ी पड़ जाएगी।"

तारकेश्वर के महन्त सतीश गिरि के विरुद्ध महावीर दल के स्वामी सच्चिदानन्द

और स्वामी शिवानन्द ने सत्याग्रह आन्दोलन किया था। ये दोनों स्वामी सुधारवादी थे पर महन्त जी की शक्ति भी कम नहीं थी। दोनों स्वामी देशबन्धु चितरंजन दास की शरण में आये मगर इसी बीच किसी बात को लेकर दोनों स्वामियों में कुछ झगड़ा हो गया। देशबन्धु ने अपने जीवन में बड़े-बड़े समझौते कराये थे मगर इन दोनों स्वामियों के बीच वे समझौता नहीं करा सके। एक दिन ऐसा हुआ कि जब दोनों स्वामी चीख-चिल्लाकर आपस में बातें कर रहे थे और देशबन्धु वहाँ दुखी और हताश खड़े थे कि तभी शरत् बाबू वहाँ आ गये। देशबन्धु ने शरत् से कहा, "शरत् बाबू, आज तो निश्चय ही प्राण गये"। शरत् बाबू ने कहा, "वे तो जाएँगे ही। मोशाय, यदि दो स्त्रियों को लेकर घर-गृहस्थी चलाने में मनुष्य के प्राण संकट में पड़ जाते हैं तो आप दो 'स्वामियों' को लेकर घर-गृहस्थी कैसे चला सकते हैं? आपके प्राण नहीं जाएँगे, तो किसके जाएँगे?"। शरत् बाबू की बात सुनकर सारे उपस्थित व्यक्ति (जिनमें वे दो स्वामी व देशबन्धु जी भी शामिल थे) अट्टहास कर उठे।

अपने अन्तरंग मित्र दिलीपकुमार राय के साधु बाना धारण करने से शरत् बाबू को बड़ी व्यथा पहुँची थी। उन्होंने दिलीप बाबू को एक पत्र में लिखा कि "तुम्हारे नाम तो वारण्ट नहीं था, तुम क्यों साधु बनने चले? इस पत्र के प्राप्त होते ही यहाँ चले आओ। मैं अनुभवी व्यक्ति हूँ, मेरी बात सुनो। तुम्हारी उम्र में मैं चार बार संन्यासी बन चुका था। जहाँ तुम हो वहाँ शायद मच्छर कम हैं नहीं तो उनका दंश सहना 'हिन्दुस्तानियों' के अलावा और किसी के बूते में नहीं है। भैया, यह बंगाली पेशा नहीं है, बात सुनो और चले आओ। हम दोनों उत्तर और दक्षिण भारत घूमने चलेंगे। यदि तुम साथ नहीं हुए तो खातिरदारी नहीं मिलेगी। और हाँ, सुना है कि बाटीन (अरविन्द जी के छोटे भाई) किसी भी पेड़ का पत्ता तुम्हारी नाक पर रगड़ कर किसी भी फूल की सुगन्ध पैदा कर सकता है। यह विधा उसने कर्त्ता (श्री अरविन्द घोष) से हथिया ली है। आते समय इस विधा को ज़रूर सीखते आना। वह एकाएक नहीं मानेगा मगर तुम हिम्मत न छोड़ना। कुछ दिनों तक उसकी किताब 'अण्डमन की वंशी' की ख़ूब तारीफ़ करना और उस किताब को साथ लेकर घूमना और 'कई दिनों से यह पुस्तक नहीं पढ़ पाया' कहकर अफ़सोस ज़ाहिर करना। बहुत सम्भव है कि इतने से तुम वह विभूति हथिया लोगे। उत्तर भारत घूमते समय यह विद्या बहुत काम आएगी। और मैंने यह भी सुना है कि अनिल वरण धूल को चीनी बना सकता है। इस विद्या को तो अवश्य ही सीखकर आना। अनिल वरण सीधा-सादा आदमी है, तुम उसे भूतों और चुड़ैलों की कहानियाँ ख़ूब सुनाना और शपथ खाकर कहना कि तुमने चुड़ैल अपनी आँखों से देखी है। अगर तुम ये दो विद्याएँ सीख लो तो वहाँ आश्रम में रहने की क्या ज़रूरत है? और हाँ, यदि अनिल वाकई धूल से चीनी बना सकता है तो वह आश्रम में क्यों पड़ा है? कलकत्ता आकर चीनी की दुकान क्यों नहीं खोल लेता?"

शरत्चन्द्र अपने गाँव वाले मकान से बड़ा प्रेम करते थे; कलकत्ता जाने से वे बचते थे। उन्होंने अपने मित्र वारीन्द्र कुमार घोष को एक पत्र में लिखा, 'देश छोड़कर मैं कभी नगर में आ बसूँगा तो यह सब तुम्हारे विवाह जैसा ही होगा। (वारीन्द्र बाबू ने तिरपन वर्ष की अवस्था में एक ऐसी विधवा से शादी की थी जो कई बच्चों की माँ थी) मैं शहर में बसने के लिए एकदम तैयार नहीं हो सकूँगा। शहर में जो रोज़ दाढ़ी बनानी पड़ती है, वह बड़ी यन्त्रणा का व्यापार है। वैसा करना मैं तो सोच भी नहीं सकता।'

शरत् बाबू जैसे अपनी आलोचना सुनकर कभी-कभी उद्विग्न हो जाते थे वैसे ही अपनी प्रशंसा सुनना भी उन्हें पसन्द नहीं था। एक दिन एक नवयुवक उनसे मिलने आया और घोषणा करने लगा कि वे विश्व के सर्वश्रेष्ठ कथाकार हैं। शरत् बाबू हुक्का गुड़गुड़ाते रहे और किसी तरह उस युवक को बर्दाश्त करते रहे। अन्त में उस युवक ने कहा, "मैंने न जाने कितने विदेशी उपन्यास पढ़े हैं पर आपकी रचनाओं में जो दर्द है वह और कहीं नहीं मिला। उनकी रचनाएँ पढ़कर आँखें भीगतीं तक नहीं जब कि आपकी रचनाएँ पढ़कर तो पता नहीं मैं कितना रोया हूँ।" शरत् बाबू ने एकदम कहा कि "ना ना, इतना रोना ठीक नहीं। इससे आँखें ख़राब हो जाती हैं। तुम कभी-कभी हास्य कथाएँ पढ़ा करो।" युवक के जाने के बाद शरत्चन्द्र ने कहा कि "अपनी प्रशंसा सुनते-सुनते तम्बाकू ख़राब हो गया।"

एक बार शरत् बाबू एक पुस्तकालय की स्थापना के अवसर पर एक सभा के अध्यक्ष बनाये गये। एक सम्भ्रान्त व्यक्ति ने अपने भाषण में कहा, "हम लोगों ने बड़े उत्साह से इस पुस्तकालय की स्थापना की और ध्यान दिया है लेकिन मैं सोचता हूँ कि ऐसा करने से क्या लाभ? क्या पढ़ने लायक अच्छी पुस्तकें निकल रही हैं? क्या कोई श्रेष्ठ लिख रहा है? साहित्य में आज न नीति ही है और न रुचि ही। सब कुछ गन्दगी से भरा है और इस गन्दगी के लिए विशेषतौर पर ज़िम्मेदार हैं—हमारे अध्यक्ष।" शरत् बाबू अध्यक्ष पद पर बैठे हुए सब कुछ निर्विकार भाव से सुनते रहे। जब उनके भाषण देने का वक़्त आया तो उन्होंने केवल इतना ही कहा, "देखिए, यदि आज अच्छी किताबें नहीं निकल रही हैं तो पुस्तकालयों को बन्द कर दीजिए और एक संकीर्तन दल बनाइए। वैसा करने से समाज में गन्दगी नहीं फैलेगी और जब आप कीर्तन दल बनाकर मोहल्ले-मोहल्ले कीर्तन करेंगे तो वह निश्चय रूप से एक 'सत्कर्म' ही होगा।" उनकी इस वाणी को सुनकर जो तनाव उत्पन्न हो गया था वह हँसी में बदल गया।

इसी प्रकार एक मैजिस्ट्रेट थे—श्री यतीन्द्रमोहन सिंह। उन्होंने एक पुस्तक लिखी थी जिसका नाम था—'साहित्य की स्वास्थ्य रक्षा।' इस पोथी में शरत्चन्द्र पर तीव्र आक्रमण किया गया था। एक दिन इन मैजिस्ट्रेट महोदय की शरत् बाबू से भेंट हो गयी। अनीतिमूलक साहित्य की जब चर्चा चली तो शरत् ने उनसे पूछा, "आप एक

सच्चरित्र व्यक्ति हैं; मेरा विश्वास है कि आप वेश्या के यहाँ तो कभी गये ही नहीं होंगे। ठीक कहा रहा हूँ न?" इस प्रश्न को सुनकर मैजिस्ट्रेट महोदय घबरा गये और 'हाँ' या 'ना' में उत्तर नहीं दे पाये। शरत् बाबू ने कहा, "जब आपको अनुभव ही नहीं है तो आपसे क्या बात करें?" मैजिस्ट्रेट के ऊपर घड़ों पानी पड़ गया। उनकी उस पुस्तक को थोड़े दिनों बाद ही लोग भूल गये। शरत् बाबू के एक भाई संन्यासी हो गये थे। वे एक बार शरत् बाबू के यहाँ आये और बीमार पड़ गये जिसके कारण उनकी मृत्यु हो गयी। शरत् बाबू ने सारे संस्कार वग़ैरा पूरे किये; भाई की स्मृति में उनकी समाधि भी घर के पास बहने वाली नदी के तट पर बनवा दी। उनकी मृत्यु का समाचार सुनकर बेलूरमठ के एक संन्यासी आये और बोले, "देखो, वे संन्यासी थे; उनकी समाधि बेलूरमठ में ही बननी थी। आपने उनका शव हमें क्यों नहीं सौंपा?" शरत् बाबू ने बहुत समझाया पर सब व्यर्थ गया। निराश होकर अपने भयंकर दुःख में उन्होंने विनोदवृत्ति का आश्रय लिया। वे उन संन्यासी से बोले, "जो कुछ हो गया, उसे जाने दीजिए। हाँ अलबत्ता मेरे पास एक और स्वामी जी निवास करते हैं, उन्हें ले जाइए।" यह कहने के पश्चात् शरत् ने 'स्वामी जी'-'स्वामी जी' कहकर हाँक लगायी और उस हाँक को सुनकर एक मोटा-ताज़ा बकरा भागता-भागता वहाँ आ गया। शरत् बाबू ने बेलूरमठ के संन्यासी से कहा, "इसे यदि आप गेरुए वस्त्र पहना दें तो यह आपके दल में मिल जाएगा।"

नितान्त सरल होने पर भी शरत् बाबू का व्यंग्य कभी-कभी काफ़ी गम्भीर हो जाता था। दिल्ली कांग्रेस अधिवेशन के समय पर जब वे दिल्ली आये तो अपने मित्रों के साथ कुतुबमीनार देखने गये। मीनार के पास एक बड़ी गहरी बावड़ी थी। एक पण्डा आया और कहने लगा कि यदि उसे एक रुपया दिया जाए तो वह तीसरी मंज़िल से उस बावड़ी में कूद सकता है। सुभाष बाबू ने उसे एक रुपया दे दिया और उस नौजवान पण्डे ने अपना करतब कर दिखाया। बड़ा लोमहर्षक दृश्य था। कुएँ का छोटा घेरा, बेहद मद्धिम रोशनी और फिर इतनी ऊपर से कूदना। नीचे उतरकर वही पण्डापुत्र कहने लगा, "एक रुपया और दे दीजिए; मैं दुबारा कूदकर अपना कमाल दिखाऊँगा।" सर्वश्री दिलीप कुमार राय, किरणशंकर राय व सुभाषचन्द्र बोस—सभी ने कहा, "शरत् बाबू, यह बड़े ख़तरे का काम है; दुबारा न देखिए।" मगर शरत् बाबू ने रुपया दिया और कहा, "कौन जाने इधर-उधर कुछ हो ही जाये। कम-से-कम एक दुस्साहसी पण्डा तो कम होगा।"

मगर जहाँ उनका विनोद गम्भीर होता था वहीं कभी-कभी शरत् बाबू एक बच्चे के समान नटखटी स्वभाव भी रखते थे। 'रसचक्र' की बैठक में उन्होंने बड़ी गम्भीरता के साथ सबको सूचना दी, "कुछ सुना है आप लोगों ने? गुरुदेव व रामानन्द चटर्जी की बोलचाल बन्द हो गयी है। रामानन्द यूरोप गये थे न। दाढ़ी के कारण लोगों ने उन्हें रवीन्द्रनाथ समझ लिया। सारी स्थिति का पता लगाने पर गुरुदेव ने रामानन्द

से कहा कि वे अपनी दाढ़ी कटवा लें। रामानन्द चटर्जी नहीं माने। फिर कविगुरु ने निवेदन किया कि यदि आप दाढ़ी कटा नहीं सकते, तो कम-से-कम इसे मेहँदी से रंग ही लिया कीजिए। इस प्रस्ताव को सुनकर चटर्जी ने कहा कि मैं क्यों रँगवाऊँ दाढ़ी? क्या मैं मुसलमान हूँ? बस, इसी बात पर दोनों की बोलचाल बन्द है और आगे क्या होगा, यह ईश्वर ही जानता है।" इस झूठे लतीफ़े का क्या प्रभाव पड़ा होगा, इसकी कल्पना आप कर सकते हैं।

इतने विनोदी और प्रत्युत्पन्नमति होते हुए भी कभी-कभी ऐसे अवसर भी आते थे जिसमें शरत् बाबू भी मज़ाक़ का शिकार बन जाते थे। एक संस्था थी 'विचित्रा' जिसकी गोष्ठियाँ गुरुदेव के पैतृक भवन (जो जोड़ासाँको - कलकत्ता में था) में भी हुआ करती थीं। काफ़ी बड़े-बड़े साहित्यकार व कलाप्रेमी वहाँ आया करते थे। कभी-कभी शरत् बाबू भी वहाँ जाते थे। इस संस्था को लेकर एक भयंकर प्रवाद चल गया था कि हर गोष्ठी में किसी-न-किसी के जूते ज़रूर चोरी हो जाते हैं। शरत् ने नया-नया क़ीमती जूता खरीदा था और इसी कारण गोष्ठी के कक्ष में घुसने से पहले उन्होंने अपने जूते उतार लिये और उन्हें अख़बार के काग़ज़ में लपेट लिया। कमरे में प्रवेश करते ही रवीन्द्रनाथ ठाकुर ने प्रश्न किया, "शरत्, तुम्हारे हाथ में यह पैकेट कैसा है?"

"जी, ऐसे ही एक चीज़ है।"

'क्या चीज़ है? कोई पुस्तक है?"

"जी हाँ।"

"कौन-सी पुस्तक है? पादुका पुराण तो नहीं है न?"

गुरुदेव की मज़ाक़ सुनकर शरत्चन्द्र तो अवाक् रह गये मगर सारी जो सभा थी, वह अट्टहास में डूब गयी।

मैंने जो दृष्टान्त ऊपर दिये हैं वे सब विष्णु प्रभाकर द्वारा लिखित प्रख्यात ग्रन्थ 'आवारा मसीहा' से लिये हैं। वैसे मैं चाहता यही था कि उनका नाम न दूँ पर फिर सोचा कि जागरूक पाठक चोरी ज़रूर पकड़ लेंगे और ऐसी स्थिति में उचित यही है कि मैं उनका नाम दे ही दूँ। नाम देने से एक फ़ायदा और भी है। यदि किसी शरत् प्रेमी को कहीं कुछ आपत्तिजनक लगे तो वे दावा जो करें, वह विष्णु प्रभाकर जी के ख़िलाफ़ करें, मेरे ख़िलाफ़ नहीं। हाँ, प्रसंग यदि अच्छे लगें तो उसकी प्रशंसा मुझसे करें या उस पत्रिका के सम्पादक से करें जो कि इस रचना को छाप रहे हैं। त्रिलोचन ने अपनी एक कविता में लिखा है कि भक्ति और तप के कारण तुलसीदास जो थे वे राम से भी ऊपर निकल गये थे। यही बात शरत्चन्द्र के सन्दर्भ में विष्णु प्रभाकर जी के बारे में भी कही जा सकती है। इसमें सन्देह नहीं।

बहुत दिनों पहले मैंने 'मिश्रबन्धु-विनोद' नाम की एक नितान्त रोचक पुस्तक पढ़ी थी। उसी ग्रन्थ की स्मृति में मैंने इन प्रसंगों का नाम 'शरत्चन्द्र-विनोद' रखा है। आशा है, आपको पसन्द आयेगा।

चार्ली चैपलिन का हैट और हिन्दी लेखक

आज अख़बार में पढ़ा कि चार्ली चैपलिन का हैट व उसकी छड़ी बयासी हज़ार पाँच सौ पाउण्ड में किसी ने खरीदी। इस समाचार का पढ़ना था कि मैं सोच में पड़ गया। मैं तो यदि खुद को भी बेचना चाहूँ तो भी कोई साढ़े पच्चीस रुपये से ज़्यादा की बोली न लगाएगा। ऐसी दयनीय स्थिति में उदास होना स्वाभाविक ठहरा।

सच्चा कलाकार—विशेष रूप से साहित्यकार—सदा से ग़रीब होता आया। चाणक्य ने लिखा है कि विद्वान् लोग धनी नहीं होते। अंग्रेज़ी के प्रख्यात लेखक गोल्डस्मिथ काफ़ी ग़रीब थे और इसी कारण वे एक ऐसे दूसरी मंज़िल के कमरे में रहते थे जिसकी सीढ़ियाँ टूटी हुई थीं और जहाँ से काफ़ी आलोचक फिसल चुके थे। गोल्डस्मिथ ने इसी कारण अपने इस घर का नाम 'ब्रेक-नैक-स्टेप्स' रखा था जिसे सुनकर डॉक्टर जॉनसन ख़ूब हँसा करते थे। जॉनसन की अपनी आर्थिक स्थिति भी इतनी सुखदायक थी कि उनकी दोनों बाँहें प्रायः कोट से बाहर निकली रहती थीं। चार्ल्स लैम्ब भी काफ़ी ग़रीब था और चार्ल्स डिकिन्स तक की हालत इतनी खस्ता थी कि जीवन के अन्तिम वर्ष उसने लोगों को स्टेज पर खड़े होकर अपने उपन्यास पढ़कर सुनाने में बिताये थे।

हिन्दी के साहित्यकार भी ग़रीबी के मामले में किसी से पीछे नहीं रहे। प्रेमचन्द एक नितान्त साधारण जीवन जीते थे। निराला तो धनाभाव के कारण अपनी पुत्री का भी इलाज़ नहीं करा सके और वह मर गयी। उसके मरने के बाद वे जीवनभर के लिए विक्षिप्त हो गये। मुक्तिबोध, रांगेय राघव और लक्ष्मीकान्त वर्मा जैसे अपने बड़े साहित्यकार विपन्न ही रहे। बँगला के शरत् बाबू भी ज़्यादातर ग़रीबी में ही रहे। और भाषाओं में भी यही स्थिति रही—प्रकाशक मोटा होता गया और लेखक पतला।

साहित्यकारों में वे कलाकार अलबत्ता मज़े में रहे जो दरबारी रहे, जनप्रिय लेखक रहे और या जो फिर कविसम्मेलनों के राजकुमार रहे। एक लोकप्रिय कवि की आय आज भी एक लाख रुपया सालाना से ज़्यादा होगी। बड़ा मितव्ययी कवि है: इसने अपना सारा काव्य अँगना, कँगना, चुनरी, पनघट और मरघट जैसे दस-बीस शब्दों के सहारे ही रच दिया। बाकी शब्दों का कभी प्रयोग ही नहीं किया। 'मेहँदी

और महावर' तथा 'मितवा' और 'बिरवा' के सहारे न जाने कितने कवि रुपया बटोरते रहे। और हास्यकवियों का तो कहना ही क्या, किसी का नाम 'कुल्हड़' है तो किसी का 'हुल्लड़'। कल एक हास्यकवि मुझसे मिलने आये थे, उनका उपनाम था 'पायजामा'। पिछली बार जो कविसम्मेलन नगर में सम्पन्न हुआ था तो उसके हीरो का नाम 'लंगोट' था। ओर हाँ, उस कविसम्मेलन में जो कवयित्री जी आयी थीं वे भी काफ़ी जमी थीं। उनका कंठ भी सुन्दर था और मुख भी। 'गला' जो होता है वह 'कला' से बड़ा होता है। कला फेल हो सकती है पर गला नहीं। और शरीर की सुन्दरता और हावभाव जो होते हैं उन्हें तो रामचन्द्र शुक्ल व नामवर सिंह भी खलास नहीं कर सकते। जिस कवयित्री की मैं चर्चा कर रहा हूँ वे वास्तव में इतनी खुली हुई थीं कि वाक़ई कोठी में ही कोठे का मज़ा आ गया।

हृदयेश की एक कहानी है जिसमें कलेक्टर का नाम-ठिकाना तो सब जानते हैं पर एक समर्थ सितारवादक को कोई नहीं जानता। इस कहानी को पढ़कर मुझे एक और कहानी की याद आयी थी। एक राजधानी में एक कवि रहता था। तमाम प्रसिद्धि के बावजूद वह ग़रीब था और शहर की किसी तंग गली के टूटे-फूटे तल्ले में रहता था। देश की सत्ता ने जब यह तय किया कि उसके सम्मान में विजय चौक में एक ऐसी प्रतिमा खड़ी की जाए जो कि लाखों रुपयों की हो तो उस कलाकार ने देश के राजा को सूचना दी कि वह जीवित है और मूर्ति पर आने वाले खर्चे का शतांश भी यदि उसे दे दिया जाये तो मूर्ति के स्थान पर वह स्वयं खड़ा होने को तैयार है। इसके बाद क्या हुआ, मैं नहीं जानता।

इस सन्दर्भ में हिन्दी के चार लेखकों की याद आ रही है। मन हलका करने के लिए उनकी चर्चा करूँगा। एक जाने-माने उपन्यासकार को लड़की की शादी के लिए रुपयों की ज़रूरत थी। उन्होंने बड़ी दौड़-धूप की, राज्य के शिक्षामन्त्री से भी मिले। बहरहाल किसी प्रकार एक पुस्तक पाठ्यक्रम में शामिल हो गयी। मगर ये उपन्यासकार वहीं रहे जहाँ थे। किसी नटवरलाल ने रातोंरात उस पुस्तक का जाली संस्करण छाप लिया। असली पोथी की क़ीमत दस रुपये थी, जाली संस्करण वाली की पाँच रुपये। मेरे आदर्शवादी लेखक मित्र माथा पकड़कर बैठ गये। एक और प्रख्यात लेखक थे जो कविसम्मेलन का सभापति बनने की क़ीमत वसूल किया करते थे। पति बनने पर यदि दहेज़ मिलता है तो सभापति बनने पर वैसा प्रबन्ध क्यों नहीं होगा? तीसरे सज्जन एक कमिश्नर थे और कविता भी लिखते थे। उन्होंने अपने महाकाव्य की एक प्रति ख़ाकसार को भी दी थी। बड़ी सन्तुलित कविता थी। पुस्तक का एक सर्ग यदि एक कपोल पर था तो दूसरा सर्ग दूसरे कपोल पर था। यही स्थिति ओठ व अधर के साथ थी। आगे चलकर ठीक इसी प्रकार एक सर्ग एक वक्ष को दिया गया था तो दूसरा सर्ग दूसरे वक्ष को। वक्षों का वर्णन पढ़ने के बाद मैंने बाकी देह को नहीं पढ़ा। चौथे सज्जन एक मैजिस्ट्रेट थे और मोटे-मोटे उपन्यास लिखते थे। एक

बड़ा प्रकाशक उन्हें छापता था और मैजिस्ट्रेट साहब वकीलों, मुख़्तारों, तहसीलदारों और पटवारियों के द्वारा उन्हें गाँव-गाँव बिकवाते थे। एक किताब की समीक्षा के लिए वे मेरे पीछे पड़ गये। मुझे यह बताने में कोई संकोच नहीं है कि एक शानदार डिनर के बदले, मैंने उनके उपन्यास की तुलना 'वार एण्ड पीस', 'दी पिक्चर आफ़ डोरियन ग्रे' और 'गोदान' से की। जीवन में आगे चलकर मुझे पता लगा कि काफ़ी बड़े-बड़े आलोचक ठीक वही करते हैं जो कभी मैंने किया था। और हाँ, मैं उस राष्ट्रकवि की चर्चा करना तो भूल ही गया ज़िन्होंने एक विश्वविद्यालय का कुलपति होने पर एक दूसरे राष्ट्रकवि की सारी पुस्तकें पाठ्यक्रम में से निकलवा दी थीं।

सत्ता और साहित्य का बड़ा नज़दीकी रिश्ता है। जनता सरकार में मन्त्री बनते ही एक सज्जन रातोंरात कवि हो गये थे और दूसरे उपन्यासकार। जनता सरकार के टूटने के बाद उन दोनों की कोई और रचना प्रकाश में नहीं आयी।

अपने साहित्यिक जीवन की आर्थिक पृष्ठभूमि की चर्चा करना भी शायद असंगत नहीं होगा। अब तक मेरी बत्तीस पुस्तकें छप चुकी हैं और दो छपने जा रही हैं या जा चुकी हैं। पत्र-पत्रिकाओं में भी बराबर छपता हूँ। इस सबके बावजूद मेरी औसत साहित्यिक आय लगभग पाँच हज़ार वार्षिक से ज़्यादा कभी नहीं रही। अब आप ही बताइए कि यदि मैं विशुद्ध साहित्यिक रहता तो परिवार को कैसे पालता? देहरादून में जो कोठी है, मेरी जो अपनी गाड़ी है और मेरा जो सम्भ्रान्त रहन-सहन है वह बिना नौकरी के कैसे सम्भव होता? यदि मैं एक बड़ा सरकारी अफ़सर न होता तो मैं भी पदुमलाल पुन्नालाल बख़्शी की भाँति नंगे पैर रहता, बीड़ी पीता और नाश्ते में खैनी खाता। नागार्जुन की भाँति बगैर टिकट चलता और शमशेर बहादुर सिंह की भाँति हजामत का खर्चा बचाता। मेरे मरने के बाद वही स्थिति होती जिसका ज़िक्र उर्दू के एक महान् कवि ने पहले ही कर दिया था:

चन्द तस्वीरें बुताँ, चन्द हसीनों के ख़तूत
बाद मरने के मेरे घर से यह सामाँ निकला।

आज़ादी के चालीस वर्ष बाद

रंगीन बुलबुलों वाला 'सारे जहाँ से अच्छा' हमारा यह हिन्दुस्तान नाम का देश आज से लगभग चालीस वर्ष पहले आज़ाद हुआ था। मौलाना अबुल कलाम तो उससे भी पहले 'आज़ाद' हो चुके थे। आज़ाद होना शायद एक संक्रामक रोग है। पहले हमारा देश आज़ाद हुआ, इसके बाद काश्मीर का कुछ हिस्सा आज़ाद हुआ और उसके बाद दमन, ड्यू और गोवा आज़ाद हुए। इसके बाद उर्दू के कवि जगन्नाथ जो थे वे भी 'आज़ाद' हो गये। पंजाब, गुरखालैण्ड और पूर्वांचल के कुछ हरे-भरे प्रदेश भी आज़ादी की माँग कर रहे हैं और इस गृह-युद्ध में क्या होगा—यह एक सोचने-विचारने की बात है। बहरहाल हमें तो अपना कर्तव्य करना है। फल जो है वह तो भगवान के हाथ में है। इस 'निष्काम' कर्म करने के सिद्धान्त को विवाहित जीवन के अतिरिक्त सब क्षेत्रों में अपनाया गया। बीवियाँ आज़ाद हो गयीं, विद्यार्थी लोग आज़ाद हो गये और पुलिस का तो कहना ही क्या—अगर पहले आज़ाद होती थी तो अब और भी ज़्यादा आज़ाद हो गयी। आज़ादी के यज्ञ को सफल बनाने के लिए हमने मोहनदास कर्मचन्द गाँधी व इन्दिरा गाँधी की बलि भी दी। पुरानी परम्पराओं को भला एकदम कोई छोड़ सकता है? कभी नहीं।

आज़ादी प्राप्त होने पर हमने काफ़ी विचार-विमर्श और चिन्तन-अनुचिन्तन करने के बाद अपनी विदेश-नीति ऐसी निश्चित की जिससे ज़्यादा देश हमसे नाराज़ रहें। यह नीति काफ़ी सफल रही। देश के अभिन्न अंग काश्मीर को भी, विदेश मन्त्रालय के नीचे ही रखा गया, गृहमन्त्रालय के नीचे नहीं। चीन से युद्ध हुआ जिसमें हमारी नैतिक जीत हुई और अपने दूसरे पड़ोसी देश पाकिस्तान से हमारी कई बार कसकर लड़ाई हुई और उनमें भी हम ही बुरी तरह जीते। इधर स्वर्ण द्वीप लंका से हमारे सम्बन्ध इतने मधुर होते जा रहे हैं कि कुछ कहा नहीं जा सकता। वहाँ के आतंकवादी धीरे-धीरे हमारे देश में प्रवेश कर रहे हैं जो कि एक सन्तोष का विषय है। यदि सारे आतंकवादी यहीं आ जाएँ तो उनसे बात करने के लिए हमें विदेश नहीं जाना पड़ेगा। नादिरशाह और शहंशाह मुहम्मदशाह (रँगीले) की बातचीत दिल्ली में ही सम्पन्न होगी। विदेश नीति में हम सदा तटस्थ रहे—धारा के बीच कभी नहीं उतरे।

जब कोई विपत्ति पड़ी तो पूँजीवादी देशों ने यह सोचा कि हमारी मदद साम्यवादी देश करेंगे और साम्यवादी सामन्तों ने यह विचारा कि भारत की सहायता करने के लिए पूँजीवादी देशों को भी अवसर दिया जाना चाहिए। इस सन्तुलित नीति का सीधा परिणाम यह रहा कि अपनी सेना पर हमारा व्यय बढ़ते-बढ़ते पन्द्रह हज़ार करोड़ रुपये प्रतिवर्ष तक पहुँच गया। इस राशि में वे चार लाख रुपये भी शामिल हैं जो मेरे पड़ोसी एक जनरल की कोठी की 'दुरुस्ती' में लगे हैं। मैंने जिस राशि की ऊपर चर्चा की है वह तो मात्र शान्ति के समय के ख़र्च के बारे में की है, युद्ध होने पर कितना और ख़र्चा आएगा उसे शायद सरकार भी नहीं जानती। जनरलों की संख्या बढ़ती गयी और सेना का सम्मान बढ़ाने के लिए सेनाध्यक्षों तक को मुफ़्त राशन देने की व्यवस्था की गयी। कपड़ा और मकान तो पहिले ही लगभग मुफ़्त मिलते थे। हमने सदा दोनों पक्षों को सम्मान दिया। चीन ने तिब्बत हड़प लिया तो हम चुप रहे और जब दलाई लामा भागकर भारत आये तो उन्हें भी हमने आश्रय दिया। अतिथि सत्कार की पुरातन परम्परा हमने कभी नहीं तोड़ी। आर्यों से लेकर हूणों तक, तुर्कों से लेकर ईस्ट इण्डिया कम्पनी के अंग्रेज़ों तक—जो भी आया उसे हमने सब कुछ दिया। ज़्यादा जानना चाहते हों तो भगवतीचरण वर्मा की 'मुग़लों ने सल्तनत बख़्श दी' नाम की हास्य कथा आप ज़रूर पढ़ें। जयचन्द ने मुहम्मद गोरी को निमंत्रित किया तो राणा साँगा ने वही भद्रता शहंशाह बाबर के साथ दिखायी। हमने जो कुछ भी किया यह परमार्थ के लिए किया, स्वार्थ के लिए कभी नहीं। सर्वे भवन्तु सुखिनः सर्वे सन्तु निरामयाः। हमारी इस शानदार विदेश नीति के कारण ही हमारे आधे मन्त्री और उच्च अधिकारी प्रायः विदेशों में ही रहते हैं। कुछ का तो पैसा भी विदेशों में ही है। आख़िर 'वसुधैव कुटुम्बकम्' वाला सिद्धान्त भी तो याद रखना पड़ेगा। 'वसुधा' शब्द से हमारा अभिप्राय प्रयाग के उस ऐतिहासिक बँगले से कतई नहीं है जहाँ कभी सुमित्रानन्दन पन्त व बच्चन साथ-साथ रहते थे।

यदि विदेश नीति ऐसी बनायी गयी कि ज़्यादा से ज़्यादा देश हमसे नाराज़ रहें तो घरेलू नीति इसके ठीक विपरीत ऐसी बनायी गयी कि उससे हमारे नये राजा लोग (मन्त्री गण व उच्च अधिकारी वर्ग) ज़्यादा से ज़्यादा ख़ुश रहें। भ्रष्टाचार, जनसंख्या, ग़रीबी, महँगाई, कानून और व्यवस्था, शिक्षा और धर्म तथा कला और साहित्य—इन सभी बातों पर उसी निश्चित दृष्टिकोण से विचार किया गया। प्रजातन्त्र आने पर भी राजतन्त्र हमने नहीं छोड़ा। उत्तराधिकार की प्रथा भी बरकरार रही और दिल्ली में पहले यदि 'हैदराबाद हाउस' और 'पटियाला हाउस' वग़ैरा शाही भवन होते थे तो उनके स्थान पर अब 'हरियाणा हाउस' और 'बिहार हाउस' इत्यादि का निर्माण किया गया। अब मैं घरेलू नीति की ही चर्चा करूँगा। मौटे तौर पर यह नीति ऐसी रही कि आज़ादी का मज़ा सब तक पहुँचे—चाहे वह समाजसेवक हो या पेशेवर कातिल, चाहे वह मन्त्री हो या वेश्यागामी संन्यासी। आज़ादी का हक तो सबके

लिए बराबर ही होना था।

यह नितान्त सन्तोष का विषय है कि हमारी सरकार ने भ्रष्टाचार के 'कुटीर उद्योग' को एक बड़े उद्योग का रूप देने में हर प्रकार की सहायता की। अगर पहले मात्र थानेदार, बिक्रीकर अधिकारी, सब रजिस्ट्रार, ओवरसियर और चकबन्दी अधिकारी ही भ्रष्ट होते थे तो अब मन्त्री, उच्च अधिकारी और सेना के अफ़सर भी भ्रष्ट होने लगे। एक वरिष्ठ और कुशल-प्रशासक मन्त्री जी ने मृत्यु के बाद मात्र कोई तीन सौ करोड़ रुपयों की सम्पत्ति छोड़ी, एक मेजर जनरल और एयर वाइस मार्शल को 'आफ़ीशल सीक्रेट्स एक्ट' के अन्दर दस-दस साल की सख़्त क़ैद दी गयी और एक कमिश्नर को खुलेआम गिरफ़्तार किया गया। चुनावों में 'गोपियों' को प्रसन्न करने के लिए 'कृष्णधन' का उपयोग किया गया और चुनाव के बाद विधायक लोग सट्टाबाज़ार में लाखों की क़ीमत पर बिकने लगे। बात भी ठीक है, जो विधायक लाखों नागरिकों द्वारा निर्वाचित किया जाता है, वह क्या कुछ हज़ार रुपयों में बिकेगा? नहीं, हर्गिज़ नहीं। प्रजातन्त्र में प्रजा की भावना को कभी चोट नहीं पहुँचायी जा सकती। कम-से-कम प्रत्येक वोट डालने वाले के नाम पर एक रुपया तो लेना ही पड़ेगा। कितना बुरा हुआ कि हमारे नये प्रधानमन्त्री ने इस प्रथा को बन्द कर दिया और 'आयाराम गयाराम' की परम्परा को ख़त्म करने की कोशिश की। देश की जागरूक जनता उनकी इस बहादुरी को कभी माफ नहीं कर सकती। बहरहाल अभी भी प्रत्येक मन्त्री या अफ़सर की क़ीमत निश्चित है और ज़्यादा सौदेबाज़ी नहीं करनी पड़ती। वह दिन दूर नहीं है जब कि रेल के टिकट नीलाम हुआ करेंगे। जो ज़्यादा बोली लगाएगा, वही रेल में बैठ सकेगा।

कानून और व्यवस्था पर विशेष ध्यान दिया गया। कानून को ऊपर रखा गया और व्यवस्था को नीचे। यदि शेरशाह सूरी के शासनकाल में एक अकेली युवती अपने सिर पर अशर्फ़ियों की टोकरी रखकर पेशावर से कलकत्ते तक सकुशल जा सकती थी तो अब ऐसी व्यवस्था की गयी कि अपनी दौलत लुटवाने के लिए आपको कहीं नहीं जाना पड़ता। आप अपने फ्लैट में ही रहिए, 'होम डिलीवरी सर्विस' करने वाले डाकू आपके घर स्वयं आएँगे और आपके सामने ही आपकी सारी दौलत (और समय मिला तो आपकी पत्नी की इज्ज़त) आपके देखते-देखते ले जाएँगे। आप पुलिस-स्टेशन जाएँगे तो पहले तो कोई रिपोर्ट ही नहीं लिखी जाएगी और यदि रिपोर्ट लिखी भी गयी तो आपको ही अपराधी समझा जाएगा और आप पर अपनी पत्नी के साथ बलात्कार करने का अभियोग भी लगाया जाएगा। कोई अपराधी यदि पकड़ा भी गया तो या तो सेशन-कोर्ट या हाईकोर्ट उसे ज़रूर ही बाइज़्ज़त बरी कर देगा। अदालत सत्य को कभी नहीं देखती क्योंकि वह अनिश्चित रहता है, वह कानून की धाराओं को देखती है जो कि निश्चित हैं। पुलिस के बारे में यदि आप ज़्यादा जानना चाहते हों तो न्यायमूर्ति आनन्दनारायण मुल्ला का ऐतिहासिक फ़ैसला पढ़ लें। सारी शंकाएँ आपके अध्ययन-कक्ष

में ही दूर हो जाएँगी। सास हैं कि बहुओं को जला रही हैं, लड़कियाँ हैं कि जीवन का 'थ्रिल' पाने के लिए 'काल-गर्ल' बन रही हैं और पिता और पुत्र हैं कि समय बचाने के लिए एक ही हसीना से साथ-साथ इश्क़ कर रहे हैं। एक प्रदेश में कई वर्ष से एक राक्षस बैठा है, जो रोज़ बीस या तीस आदमियों की बलि माँगता है। उस राक्षस के प्राण एक ऐसे तोते में हैं जो कि विदेशों में टँगा है। एक प्रदेश में लोग अन्धे किये जा रहे हैं, एक प्रदेश में बिना किसी अदालती हुक्म के अनेक लोग वर्षों से जेल में पड़े हैं और राजधानी है कि कभी 'दूरभाषी' कन्याएँ हड़ताल पर हैं तो कभी स्वस्थ डॉक्टर और कभी जवान नर्सें धरना दिये पड़ी हैं। जेल में जाना बेहद ज़रूरी है, धारा चाहे तीन सौ दो ही क्यों न हो। मेरे एक परिचित हैं जो कि एक कन्या को भगाने के आरोप में सन् बयालीस में जेल गये थे। इन दिनों वे स्वतन्त्रता सेनानी की पेंशन पाते हैं और ठाठ से रहते हैं। जजों की तनख्वाह इतनी कम है कि उनका जो मुंशी है, वह उनसे ज़्यादा कमा लेता है। परिणाम ज़ाहिर है, सैकड़ों बेंच खाली पड़ी हैं और लाखों मुक़दमे सुनवाई के लिए पड़े हैं। इससे ज़्यादा आप क्या चाहते हैं? सरकार है कि कभी कानून के बाहर नहीं जाती। हाँ, ज़रूरत पड़ने पर विधान ज़रूर बदल दिया जाता है जो कि एक स्वस्थ प्रथा है। सच्चा कानून वही है जो वक़्त के साथ बदले।

संजय गाँधी की मृत्यु के बावजूद जनसंख्या पर सरकार ने सब कुछ किया मगर इस सबके होते हुए भी आबादी है कि बढ़ती ही चली जा रही है। पति लोग जितना परिश्रम अपनी (या दूसरों की) पत्नियों पर कर रहे हैं, उतना परिश्रम यदि वे ज़मीन जोतने पर करते तो देश कहीं का कहीं पहुँच जाता। सरकार बेचारी जो कर सकती है वह कर रही है। दंगे हो रहे हैं, रेलें लड़ रही हैं, पुल टूट रहे हैं, भुखमरी है, वैज्ञानिक आत्महत्या कर रहे हैं, पर आबादी है कि फिर भी बढ़ती जा रही है। जहाँ तक मेरी निगाह जाती है, वह दिन दूर नहीं है जबकि एक भारतीय दूसरे भारतीय को खाएगा।

महँगाई के बारे में हम लोगों को ग़लतफ़हमी है। दाम तो सारी दुनिया में बढ़ रहे हैं। और कुछ सयानों का तो यहाँ तक कहना है कि मूल्यों का बढ़ना आर्थिक प्रगति का सूचक है। ग़रीब लोग और ग़रीब हो जा रहे हैं और अमीर लोग और ज़्यादा अमीर हो रहे हैं। धीरे-धीरे ग़रीब लोग ख़त्म हो जाएँगे और उनके साथ देश की ग़रीबी भी ख़त्म हो जाएगी। यही हम सब चाहते थे। एक ज़माना था कि सोने की दर दस रुपया तोला थी और गेहूँ दो रुपया प्रति मन के हिसाब से बिकता था। मगर इतना सस्ता होने पर भी लोग न सोना पहन सकते थे और न गेहूँ खा सकते थे। इधर स्थिति यह है कि क़ीमती से क़ीमती खाना खाने के लिए भी पाँच सितारा वाले होटलों में जगह नहीं मिलती। क्या यह सब ठीक नहीं है? और हाँ, इस सन्दर्भ में उन देशप्रेमी व्यापारियों को न भूलिए जो काली मिर्चों में पपीते के बीज और पिसी हुई मिर्चों में ईंट की सुर्खी मिला रहे हैं। यदि वे ऐसा नहीं करते तो

पता नहीं क़ीमतें कहाँ की कहाँ पहुँच जातीं। और यह भी न भूलिए कि ज़रूरत की जो आम वस्तुएँ हैं, उनकी क़ीमतें हर्गिज़ नहीं बढ़ीं। बीड़ी, पोस्टकार्ड, तीसरे दर्जे का टिकट, ठर्रा, कुली और जवान लड़कियाँ अभी भी बेहद सस्ती हैं। क्या इसके लिए हमें भगवान को धन्यवाद नहीं देना चाहिए? हरिजन जो जलाये जा रहे हैं वह क्या भगवान की इच्छा के विपरीत जलाये जा रहे हैं? यदि हरिजनों की क़ीमत लकड़ियों से ज़्यादा होती तो उन्हें कौन जलाता?

धर्म के क्षेत्र में तो आशातीत उन्नति हुई। चारमीनार सिगरेट के बाद जो वस्तु सबसे ज़्यादा निर्यात की गयी वह हमारा अध्यात्म ही तो था। हमारा देश जो है वह सब धर्मों को बराबर स्थान देता है और इसी कारण उन्हें कभी भी एक दूसरे से लड़वाया जा सकता है। अब तो दक्षिणी भारत तक में साम्प्रदायिक दंगे होने लगे। इस धर्मनिरपेक्ष देश में चुनाव जो होते हैं वे अलबत्ता अभी भी धर्म और जाति के आधार पर ही लड़े जाते हैं। बात भी ठीक है, देश की तरक्की के लिए हम अपना धर्म या जाति थोड़े ही छोड़ सकते हैं। इधर कुछ नये धर्म भी प्रकाश में आये। भगवान रजनीश ने 'सम्भोग से समाधि तक' की प्रक्रिया क्या देश और क्या विदेश, सब जगह पहुँचायी। महेश योगी ने मन्त्र और तन्त्र के प्रभाव से लोगों को उड़ना सिखाया जिसका नतीजा यह रहा कि क्या अभियुक्त और क्या गवाह—दोनों तोते पुलिस के हाथों से उड़ने लगे। देश रहे या न रहे, धर्म का रहना ज़रूरी है। धर्मेण हीनाः पशुभिर्समाना। धर्म की ही भाँति शिक्षा व भाषा के क्षेत्र में भी बहुतोमुखी नीति निश्चित की गयी। बड़े-बड़े विश्वविद्यालय काँजी हाउस की छटा दे रहे हैं। कभी द्रोणाचार्य ने एकलव्य का अँगूठा कटवाया था और आज एकलव्य जो है वह द्रोणाचार्य की गर्दन काटता है। कलम हो या न हो, परीक्षा भवन में रामपुरी चाकू ज़रूर ले जाया जाता है। चाकू दिखाया और सारा ज्ञान आपके पास। सर्वधर्मात् परित्यज्य मामेकं शरणं व्रज। और हिन्दी तो दिल्ली क्या फरीदाबाद और गाज़ियाबाद से भी आगे निकल गयी। हज़ारों कर्मचारी और अधिकारी हिन्दी विभाग की सेवा में हैं, मोटी-मोटी पगार पाते हैं, सांसदों के साथ शानदार दौरा करते हैं और गम्भीर चिन्तन करने के लिए विदेश जाते हैं, ताकि जो कुछ किया जाए वह निष्पक्ष रूप से किया जा सके। तटस्थ नीति सबसे बड़ी होती है। रहा किनारे बैठ। किनारों पर न बैठना चाहो तो शिक्षा संस्थानों की गंगा में बह लो। कहीं प्रशिक्षण नहीं हो पाता, तो कहीं परीक्षा।

कला और साहित्य पर भी विशेष ध्यान दिया गया। हिन्दी पहले दरबारी भाषा थी या नहीं, फ़िलहाल यह वैसी ज़रूर है। साहित्यिक गोष्ठियों में भी राजनीतिक नेता आमन्त्रित किये जाते हैं, विदेशी साहित्य से चोरी की जाती है और मन्त्रियों के चरण छूने और उनके जूतों पर पॉलिश करने का प्रत्येक कवि या लेखक को पूरा-पूरा अवसर दिया जाता है। और हास्य-व्यंग्य का तो कहना ही क्याः काफ़ी बड़े-बड़े और तथाकथित गम्भीर लेखक ऐसा साहित्य रच रहे हैं कि जिसे पढ़कर हँसी ही

हँसी आती है। प्रकाशक भी शिष्ट व दयालु हो गया है। पहले वह लेखक की पेट पर लात मारता था जबकि अब वह लेखक की गरदन मरोड़ता है। वास्तुकला के विकास का तो कहना ही क्या—पहले सीमेण्ट में रेता मिलाया जाता था, परन्तु अब सिर्फ़ रेत के बल पर ही शानदार भवन बनते हैं। ठेकेदार को 'पद्मश्री' मिलता है तो इंजीनियर को 'पद्मभूषण'। सब परेशानियों के बावजूद सरकार ने 'एशियाड' व 'अपना उत्सव' जैसे सांस्कृतिक कार्यक्रम प्रस्तुत किये जिनमें दर्शक तीन पीस के सूट में था ओर नर्तक नंगा था। फ़िल्मों के जाने-पहचाने कलाकारों को संसद में प्रवेश दिया गया। आशा है अब वहाँ भी 'स्टण्ट' कार्यक्रम पेश होगा। नेता लोग भी जनता के मनोरंजन के लिए दौरे करते हैं। कन्या से लेकर किताब तक का उद्घाटन करते हैं और पेट पूरी तरह भरा होने पर भी घण्टों-घण्टों भाषण देते हैं। और प्रेस की आज़ादी का तो कहना ही क्या—जो जी में आये वह छापो। एक अंक में छापो, दूसरे अंक में क्षमा माँग लो। हाँ, अलबत्ता यदि किसी 'महामहिम' का पत्र छापोगे तो ठीक नहीं होगा। फिर न कहना कि ख़बर नहीं दी।

कुल मिलाकर स्थिति यह रही कि देश की (या राष्ट्र की) सर्वतोमुखी उन्नति और प्रगति हुई। सारे प्रशासक हर जगह 'महात्मा गाँधी मार्ग' पर ही चले। बापू के तीन बन्दरों की भाँति देश की करोड़ों निरीह जनता ने न कुछ देखा, न कुछ सुना और न कुछ कहा। पब्लिक है कि आज सुनती है और कल भूल जाती है। चार्ल्स द्वितीय को कभी यह पता पूरी तरह नहीं चला था कि उसकी अवैध सन्तान कितनी थीं। मगर यह न सोचिए कि आप ही संसार में ऐसे हैं। भुलक्कड़ी के क्षेत्र में भी जापान सबसे आगे निकल गया। एक वर्ष के दौरान जापान की रेलों में सवा पाँच लाख छाते ऐसे बरामद हुए जिन्हें लोग साथ ले जाना भूल गये थे। छोड़ी हुई चीज़ों में चार लाख रुपयों का हीरा तथा एक सौ पैंतालीस सोने के बने नकली दाँत भी शामिल थे।

मैं तो अपने इस पर्वती, समुद्री और मैदानी देश को देखता हूँ तो ठीक उसी प्रकार फिसल जाता हूँ जिस प्रकार दुष्यन्त का विदूषक शकुन्तला की देह के ऊँचे-नीचे भागों को देखकर कभी फिसला था। हाँ, अलबत्ता लेख समाप्त करने से पहले मैं देश के कर्णधारों से—वे चाहे 'लाल बहादुर' हो या 'हरा बहादुर'—वह ज़रूर कहूँगा जो कि महान् कवि रवीन्द्रनाथ ठाकुर ने कहा था। कवि कहता है, 'यह रह गया, ऐसा कहकर तुमने किसे बचा लिया? तुम्हारा हुक्म तामील ही कब हुआ? अरे भाई, यह तेरी खींचातानी नहीं चलेगी, जो रहने को है, बस वहीं रहेगा। तुम जो चाहो वह कर सकते हो, ज़बर्दस्ती करते रहो, मारते रहो परन्तु जिनके शरीर में सारी व्यथा जगेगी तो वे जितना कुछ सह सकेंगे, बस उतना ही चलेगा। तुम्हारे पास बहुत रुपये पैसे हैं, टीमटाम है, हाथी घोड़े हैं—मगर तुम यह नहीं सोचना कि जो तुम चाहोगे, वही होगा। दुनिया को तुम नहीं बचा सकोगे। एक दिन तुम आँख खोलकर देखोगे कि जो कभी न होना था, एक दिन वह भी हो गया।'

एक दिलचस्प काव्य-चर्चा

सन् सोलह सौ दो में सम्राट् अकबर की आज्ञा से 'दास्ताने मसीह' नामक ग्रन्थ लिखा गया। फ़ारसी के इस ग्रन्थ के लेखक थे—जैरम एक्सवियर नाम के एक यूरोपियन। इसी प्रकार एक दूसरे यूरोपियन ने फ़ारसी में हक़नुमा नाम का ग्रन्थ लिखा जिसे सम्राट् जहाँगीर को भेंट किया गया। अठारहवीं शताब्दी में कर्नल जॉन वैली फ़ारसी के बड़े विद्वान् समझे जाते थे। सन जॉन शोर (बाद में लार्ड माउथ) ने उर्दू में अनेक कविताएँ लिखीं जिनमें से "दीन इस्लाम घटे, दीन मसीहा बढ़ जाए" अपने समय की एक लोकप्रिय कविता थी। फ़ारसी के अतिरिक्त वे अरबी में भी दख़ल रखते थे। मेजर जनरल स्मिथ ने उर्दू में काफ़ी ग़ज़लें कहीं। एडबर्ड हेनरी पामर उर्दू में बराबर कविता लिखते थे जो 'अवध अख़बार' में छपती भी थी। डॉक्टर हुई हुई उर्दू के सफल कवि थे। अरबी और फ़ारसी के साथ-साथ संस्कृत का भी पूरा ज्ञान रखने वाले रॉबर्ट पैगरड्यू हर्स्ट 'इण्डियन सिविल सर्विस' के अधिकरी थे। ईस्ट इण्डिया कम्पनी के शासनकाल में ऐसी अनेक अंग्रेज़ स्त्रियाँ थीं जो उर्दू में काव्य रचना करती थीं। काफ़ी यूरोपियन कवि ऐसे थे जो बाक़ी उर्दू कवियों की भाँति अपना तख़ल्लुस भी रखते थे और कुछ कवियों ने तो उर्दू के साथ-साथ हिन्दी में भी काव्य-सृष्टि की। आपके मनोविनोद के लिए कुछ उदाहरण नीचे देता हूँ:

बे बुलाये न गया जन्नत में
वाह क्या आनबान है मेरी;
शेर कहता हूँ सादा ऐ 'विलियम'
बेतक़ल्लुफ़ ज़ुबान है मेरी

—विलियम

रौशनी ले लिया कर उस रुख़ से
छोड़ सूरज का तू सहारा चाँद,
उनकी सूरत से मिलता-जुलता है
तभी तो लगता है हमें भी प्यारा चाँद

—रॉबर्ट गार्डनर 'असबक'

छुड़ाया पीछा तुमने दर्द से मुसीबत से

क़ज़ा ममनून हूँ तेरा, कि तू आयी दवा बनकर

—सालोमन गार्डनर 'शौक़'

पीरी में लुत्फ़ देता है ज़िक्रे शबाब यूँ
जिस तरह सुबह बात कहे कोई ख़्वाब की

—बरथो लो गार्डनर 'सब्र'

रह शौक़ से जहाँ में मगर यह ख़याल रख
इस घर में तुझसे पहले भी कोई ज़रूर था!

—बरथो लो गार्डनर 'सब्र'

अश्कों से बहा जाता है अपना दिले [illegible]गम
बरसात में गिरता है घर, कोई ख़बर ले,
ईमान भी हाज़िर है दिलोजान भी हाज़िर
वह बादशाहे हुस्न अगर मेरी नज़र ले,
होने को इस शहर में हैं माशूक हज़ारों
बेचारा 'हुई' एक है, किस किस की ख़बर ले

—डॉक्टर हुई हुई

कर याद उनकी सैर इस दिलचस्प मंज़िल की
गमों से ख़ूब ही आबाद है बस्ती मेरे दिल की

—एलेक्ज़ेण्डर हैदरअली 'आज़ाद'

वो अपने अक्स से आईने में आँखें लड़ाते हैं
इलाही ख़ैर करना चोटें दोनों हैं मुक़ाबिल की

—एलेक्ज़ेण्डर हैदरअली 'आज़ाद'

आवत है सो जात है, यही जगत् की रीत
'फ़ना' शाह इस देस में करो न कासे प्रीत

—जौसफ बंसली 'फ़ना'

ऊपर दिये काव्यांशों में मुझे डॉक्टर हुई हुई का कलाम बड़ी पीड़ा पहुँचाता है। काश मैं उनका समकालीन होता। उस हालत में शहर के सारे माशूकों की ज़िम्मेदारी अकेले बेचारे डॉक्टर हुई के ऊपर ही न रहती। कुछ हाथ हम दोस्त भी बँटाते। इन कवियों ने अमीर खुसरों की पद्धति पर पहेलियाँ भी लिखी हैं जिनमें एक बहुत लाजवाब है:

एक नारी वह फूली फाली
बड़ा सा मुँह, रंग की काली
खाली पेट वो पड़ी रहै
पेट भरै तो मर्द पर चढ़ै

—मशक

इस रचना को मैं यही बन्द करता हूँ क्योंकि छः बज गये हैं और पब्लिक लाइब्रेरी

बन्द होने जा रही है। मगर जाने से पहले मैं कवि रहीम के 'खेट कौतुकम्' की चर्चा ज़रूर करूँगा। जैसे शहंशाह अकबर ने 'दीन इलाही' धर्म चलाने की कोशिश की थी, ठीक वैसी ही कोशिश रहीम ने संस्कृत और फ़ारसी मिलाने की की थी। एक छन्द आपकी सेवा में प्रस्तुत करता हूँ:

एकस्मिनदिन सावसान समये, मैं था गया बाग में
काचित्तत्र कुरंग बाल नयना, गुल तोड़ती थी खड़ी
तां दृष्ट्वा नवयौवनां शशिमुखीं, मैं मोह में जा पड़ा
नो जीवामि त्वया विना शृणु प्रिये, तू यार कैसे मिले

मेरे प्रिय निबन्धकार श्री विद्यानिवास मिश्र (जिन्हें उनके आत्मीय स्नेह के आवेश में प्रायः विद्याविनाश मिश्र भी कह जाते हैं) ने अपने संस्मरण (शरद से शुभ्रशान्त पन्त जी) में लिखा है कि यह अद्भुत है कि आधुनिक हिन्दी को सशक्त काव्यधारा में ढालने में जिस कवि का सबसे अधिक योगदान है, वह (यानी कि सुमित्रानन्दन पन्त) ब्रजभाषा से लगभग एकदम अपरिचित, उर्दू से एकदम अपरिचित और खड़ीबोली के बोलीपन से भी एकदम अपरिचित था। मैं मिश्र जी की यह बात सत्य नहीं स्वीकार करता। पन्त जी ब्रजभाषा मात्र जानते ही नहीं थे वरन् उनका उस पर पूरा अधिकार था। यदि ऐसा न होता तो पन्त जी निराला जी को लेकर ऐसा सुन्दर पद कैसे लिखते? पद इस प्रकार है:

क्षमहु बन्धु अपराध
रुसन की बहु बान तुम्हें पै हमें मनावन साध
व्याध भयो तव रोष, मौन चिर, लागत शर सौं ज्ञात
मो उर को कुरंग तुम समुझत, पै यह कोमल गात,
दुर्बल मेरो मानव-मन, जगजीवन अगम, अगाध
कौन स्नेह से पार लगैहैं, मो लागी साँच असाध,
क्षुद्र हृदय को नारो मेरो, अहंकार भयो बाँध
कैसे मिलि हैं प्रेमसिन्धु में, बहि बहि मुक्त अबाध,
तुम्हैं मनावन बन्धु पठायी मृदु ब्रजबाला आज
चतुर बतावत सब जग या को समझत दूती-काज,
पाती पाई तुम्हारी दैहों या को आदर दान
देखों, या जुग की राधा को मिटा पाइहै मान

उपर्युक्त पद पन्त जी ने सन् इकतीस में अल्मोड़ा से लिखा था। इस पत्र का उत्तर निराला जी ने अगले ही दिन दे दिया था मगर चूँकि उनका वह उत्तर बँगला में था, मैं उसे यहाँ नहीं दे रहा। हिन्दी के कितने पाठक ऐसे हैं जो महाकवि निराला की मातृभाषा बँगला को जानते हैं?

यह रचना मैंने सम्राट् अकबर से प्रारम्भ की थी और यह उचित ही होगा कि

इसकी समाप्ति भी मैं उन्हीं के साथ करूँ। यूँ तो अकबर नाम के एक लोकप्रिय शायर बाद में इलाहाबाद में भी पैदा हुए (और मेरी भाँति उनकी हास्य व्यंग्यात्मक रचनाओं ने उनकी गम्भीर रचनाओं को अँधेरे में रखा) पर यहाँ मैं उनकी बात नहीं कर रहा। यहाँ मैं हुमायूँ के बरखुरदार शहंशाह जलालुद्दीन अकबर का ज़िक्र कर रहा हूँ जो बेपढ़ा होने पर भी हिन्दी में कविता किया करते थे। कुछ उदाहरण बहुत पुरानी 'माधुरी' की एक जिल्द से मिले हैं जो इस प्रकार हैः

(एक)

साहि अकब्बर एक समै चले
कान्ह विनोद विलोकन बालहिंः
आहट ते अबला निरख्यो चकि
चौंकि चली करि आतुर चालहिं
त्यों बलि बेनी सुधारी धरी
सुभई छवियों ललना अरु लालहिं
चम्पक चारु कमान चढ़ावत
काम क्यों हाथ लिये अहि-बालहिं

(दो)

कामिनी के कटि किंकनि काम
किंधौ गनि प्रीतम कौ गुन गावै,
बिन्दु प्रसेद को छूटो ललाट ते
यों लट में लटको लगि आवै,
साहि मनोज मनौ चित मैं
छवि चन्द लिये चकडोर खिलावै,
केलि करै निशिदिन प्रिय अंग संग
अकबर क्यों न इतो सुख पावैं

(तीन)

जाको जस है जगत् में, जगत् सराहै ताहि
ताको जीवन सफल है, कहत अकब्बर साहि।

अतिथि देवो भव

'अतिथि' शब्द का अर्थ हम सभी जानते हैं और इसी कारण उसकी परिभाषा देना आवश्यक नहीं है। जिस प्रकार 'जामाता' नाम का ग्रह सदा 'कन्या' राशि में ही स्थित रहता है, उसी प्रकार 'अतिथि' नाम का ग्रह भी सदा किसी दूसरे के घर में ही स्थित रहता है। अतिथि के विरुद्ध मैंने कभी कुछ नहीं कहा क्योंकि हमारे धर्मशास्त्रों में उसे देवता स्वीकार किया गया। मनुस्मृति के अनुसार (यह पुस्तक शायद मनु के मरने के बाद उनकी स्मृति में लिखी गयी थी) अतिथि सत्कार का महत्त्व समझाते हुए अथर्ववेद में कहा गया है कि जिस परिवार के लोग अतिथि को खिलाने से पहले स्वयं भोजन कर लेते हैं, वे अपने घर की कीर्ति और यश को स्वयं ही खा जाते हैं। इस सारे सन्दर्भ को ध्यान में रखते हुए यह उचित ही होगा कि मैं उन लोगों की चर्चा करूँ जो प्रायः मेरे यहाँ आते रहते हैं। मैं वैसा ही करता हूँ; हे वत्स, तू ध्यान करके सुन।

सबसे पहले मैं महामहोपाध्याय पण्डित श्री सवितुर प्रसाद जी की चर्चा करूँगा। ये सज्जन कभी किसी सेठ के मुनीम थे जहाँ कि इन्होंने कई लाख रुपये की राशि को अन्तर्धान कर दिया था। जेल में इन्होंने 'गीता रहस्य' पढ़ा और बाहर निकलने के बाद ये संन्यासी हो गये। जब भी मेरी झोंपड़ी पर कृपा करते हैं तो सारे मुहल्ले में किसी आश्रम जैसा वातावरण बन जाता है। ब्रह्म मुहूर्त में खुद ही नहीं उठते बल्कि घर और मुहल्ले के सारे प्राणियों को भी उठाते हैं। एक अच्छे खासे जुलूस के साथ पाँच मील का प्रातः भ्रमण करते हैं और बाद में आकर योगासन में जुट जाते हैं। घर के नौकरों तक को योगासन करना पड़ता है। इसके बाद स्नान होता है और बाद में यज्ञ किया जाता है। इसके बाद एक छोटा-सा प्रवचन देते हैं। फिर फलाहार करते हैं और दूध पीते हैं। सारे दिन में लगभग पाँच किलो दूध और मात्र पाँच किलो फलों की आवश्यकता पड़ती है। यदि कोई नास्तिक कोई टीका-टिप्पणी करते हैं तो उन्हें बताया जाता है कि पाँच किलो दूध में दो किलो तो पानी ही होता है और जहाँ तक शेष तीन किलो का प्रश्न है तो उसे तो कोई भी पी सकता है। हम उनकी वाणी श्रवण करते हैं और ईश्वर से प्रार्थना करते हैं कि हमारा घर तो काफ़ी

पवित्र हो गया, अब ये स्वतः निर्मित महामहोपाध्याय किसी और घर को पवित्र करें तो कितना अच्छा हो। केवल अपने ही घर को पवित्र करना तो समाजवाद और वेदों के सिद्धान्त के भी ख़िलाफ़ है। वेदों में तो सबके लिए मंगल कामना की गयी है: सर्वे भवन्तु सुखिनः, सर्वे सन्तु निरामयाः। बहरहाल जब तक ये राजर्षि हमारे घर को छोड़ने का निश्चय करते हैं तब तक हम बिना किसी विशेष प्रयास के, स्वतः ही 'शवासन' में आ जाते हैं। आर्ष संस्कृति के नाम पर और क्या चाहिए? और हाँ, विदा के समय किसी अनाथालय या विधवाश्रम के लिए चन्दा माँगना ये कभी नहीं भूलते। रसीद-बुक साथ रखते हैं। यह क्रम कोई बीस वर्ष से जारी है हालाँकि अभी तक किसी तरह का कोई आश्रम इन्होंने कहीं नहीं बनवाया।

भूपेन्द्र कुमार मेरे ऐसे दूसरे मित्र हैं जो वर्ष में एक बार तो आते ही रहते हैं। पुराने जागीरदार वंश से हैं और वही परम्परा अभी तक निभाते हैं। जब भी आते हैं तो टैक्सी के भाड़े से लेकर वापिसी के किराये तक का सारा व्यय मुझे उठाना पड़ता है। ये आते हैं तो घर में फल आते हैं, होटल से खाना आता है, विदेशी मदिरापान होता है, स्वदेशी रेशमी चादरें खरीदी जाती हैं और चलते वक़्त कोई किताब भी देनी पड़ती है। जितने दिनों रहते हैं उतने दिनों राष्ट्रपति व प्रधानमन्त्री को पत्र लिखते हैं। इनकी मात्र एक राजकीय यात्रा पर ही मेरा बजट खलास हो जाता है। इधर तो स्थिति यह आ गयी है कि ये सारा वर्ष मेहमानदारी में ही गुज़ारते हैं। मेरे यहाँ से निकले तो सुन्दरलाल गुप्त के यहाँ चले गये और वहाँ से निकले तो जितेन्द्र कुमार जैन के यहाँ पहुँच गये और वहाँ से महाप्रयाण किया तो किसी दूसरे मित्र के यहाँ प्रकट हो गये। इस घोर कलियुग में इतना स्नेह कहाँ देखने को मिलता है?

'हैरत' रतनगढ़ी मेरे रिश्तेदार कम और मित्र ज़्यादा हैं। दुनिया का कोई ऐसा गुण नहीं जो इनमें न हो। हाँ अलबत्ता इतनी शराफ़त और भद्रता वहीं तक चलती है जहाँ तक आप इनका कलाम सुनते रहें और इनसे कहते रहें कि वल्लाह आपने तो मीर और ग़ालिब तक को पीछे छोड़ दिया। ये आपकी दाद को बिना किसी संकोच के ग्रहण करते हैं, स्वीकार करते हैं और बड़ी दबी ज़ुबान में कहते हैं कि बाकी लोगों का भी यही ख़याल है जो कि आपका है। इसके बाद आपको शानदार सिगरेट पिलाएँगे, बालकनी में सिनेमा दिखाएँगे और अपने उस दीवान की एक प्रति देने का वादा करेंगे जो पिछले पन्द्रह वर्षों से 'मुद्रणाधीन' है। किताब छपने में इतनी देरी होने का एकमात्र कारण यह है कि इनका कलाम कम्पोज़ करते-करते कोई आधा दर्जन प्रेस कर्मचारी या तो पागल हो गये या फिर वहाँ पहुँच गये जहाँ से कोई वापस नहीं लौटता। जो प्रभाव उर्दू कविता का होता है, वह हिन्दी कविता का कहाँ होता है? सारी हिन्दी में बच्चन को छोड़कर और कोई ऐसा कवि नहीं पैदा हुआ जिसकी वाणी सुनकर लोगों ने आत्महत्या की हो। यकीन न हो तो आप उनकी आत्मकथा पढ़ लें।

मेरे दो मित्र ऐसे हैं जो एक-दूसरे के एकदम विपरीत हैं और जो संयोगवश प्रायः साथ-साथ ही आते हैं। एक हैं अनूपेन्द्रनाथ चतुर्वेदी और दूसरे हैं वीरेन्द्र शर्मा। चतुर्वेदी जी गाँधीवादी हैं और शर्मा जी साम्यवादी। चतुर्वेदी जी जहाँ जाते हैं, अपने चर्खे के साथ जाते हैं और रोज़ शाम को सामूहिक प्रार्थना करने की चेष्टा करते हैं, जब कि शर्मा जी कुत्तों के शौक़ीन हैं और जहाँ जाते हैं वहाँ उनके साथ ही जाते हैं। उन्हें ग़रीबों से बड़ी हमदर्दी है और इसी कारण वे हमेशा थ्री-पीस सूट में रहते हैं, पाइप पीते हैं और पता नहीं कैसे प्रत्येक वर्ष रूस या चीन की यात्रा पर जाते रहते हैं। दोनों सज्जन नाश्ते की ही टेबल पर झगड़ा मचाने लगते हैं। इस वाद-विवाद में कुत्ता भी सहयोग देता है और इस सहयोग से सारा वातावरण किसी शास्त्रीय संगीत की सभा में बदल जाता है। गाँधी जी की आज्ञा के अनुसार यदि चतुर्वेदी जी शर्मा जी पर एक प्लेट फेंकते हैं तो शर्मा जी उनको दूसरी प्लेट देते हैं ताकि वह भी फेंकी जा सके। क्राकरी मेरी टूटती है और शरीर इन दोनों का। एक बार मेरे नौकर का शरीर भी टूटा था जबकि उसने इन दोनों के बीच शान्ति स्थापित करने की कोशिश की थी और जब शर्मा जी के कुत्ते ने उसे गुटनिरपेक्ष रहने की शिक्षा दी थी।

मेरे सारे मेहमानों में जो सर्वश्रेष्ठ हैं वे हैं डॉक्टर नवीनचन्द्र त्यागी। डॉक्टर होने के दो कारण हैं। पहला कारण तो यह है कि इनके पितामह डॉक्टर थे और बढ़िया डॉक्टर थे। दूसरा कारण यह है कि नवीन बाबू ने खुद भी कभी होम्योपैथी की प्रैक्टिस शुरू की थी मगर जब इन्होंने देखा कि इनके इलाज से कोई मरीज़ मरता ही नहीं तो इन्होंने वह शौक़ छोड़ दिया और जीवन को विज्ञान की प्रगति के लिए समर्पित कर दिया। इन्होंने कोई दस वर्ष इस बात को साबित करने की कोशिश की कि हवाई जहाज़ जो है वह बिना पेट्रोल के मात्र पानी से भी उड़ सकता है। शर्त बस एक है और वह यह कि पानी एकदम शुद्ध हो। एकदम विशुद्ध जल इन्हें कहीं नहीं मिला और गंगा की चादर भी मैली ही सी निकली। मात्र इस छोटी-सी बात के कारण इनका महान् प्रोजेक्ट बीच में ही रह गया। इन दिनों ये खेती करवाते हैं और गाहे-बगाहे मेरी मेहमाननवाज़ी का मौक़ा भी ख़ाकसार को दे जाते हैं। सिवा चींटे के ये संसार की किसी चीज़ से नहीं डरते। हाँ अलबत्ता कहीं कोई अभागा चींटा इनके शरीर या कपड़ों पर चढ़ गया तो ये इतना घबराते हैं और इतना चिल्लाते हैं कि भीड़ इकट्ठी हो जाती है ' चींटे को लाठी या बल्लम से मारा जाता है और स्वयं पानी में 'डिटोल' डालकर नहाया जाता है। नहाने के ये वैसे भी काफ़ी शौक़ीन हैं। नहाना क्या, भोजन के बाद हाथ धोने में ही एक घण्टा लगाते हैं। वे उन दिनों की यादगार हैं जबकि दिन लम्बे होते थे और रातें गहरी। वही पन्त जी वाली बात—ऐसे सोने के साँझ प्रात, ऐसे चाँदी के दिवस रात; ले जाती बहा कहाँ गंगा, जीवन के युगक्षण किसे ज्ञात!

चींटी या उसके पुंल्लिंग से डरने के अतिरिक्त नवीन बाबू का मात्र एक ही शौक़ और है और वह है खाना। साठ साल की आयु में भी वे पैंतालीस रसगुल्ले भरे पेट पर खा सकते हैं। शर्त बस एक ही है और वह यह कि रसगुल्ले सफ़ेद हों। रसगुल्ले यदि लाल या काले हुए तो ये मात्र चालीस ही ग्रहण करेंगे और उसके बाद पेठे की मिठाई पर ध्यान देंगे। एक बार आये तो खाना नहीं खाया क्योंकि हुज़ूर के दुश्मनों को हल्की-सी हरारत थी। हम सबने बहुत ज़िद की मगर उन्होंने खाना नहीं खाया, मात्र एक पूरी डबलरोटी, एक बड़ी टिक्की मक्खन और चार गिलास दूध ही लिया। खाना खाने के बाद बस एक ही काम बचता है और वह है उसका पचाना। ये ठीक वही करते हैं। खाना खाकर सोएँगे तो तभी उठेंगे जबकि फिर से भूख लगी होगी। सोते-सोते शरीर में से भाँति-भाँति की ध्वनियाँ इस प्रकार निकलती रहेंगी जैसे कि किसी महामहिम की शान में तोपें दाग़ कर सलामी दी जा रही हो।

जैसा कि आपने देखा होगा, मेरे सारे मित्र सज्जन हैं। सबकी दोस्ती सच्ची है। वर्ना जनाब मैंने ऐसे-ऐसे मेहमानों को देखा है कि पूछिए नहीं। मेरे एक मित्र के यहाँ एक अतिथि आये जो उनकी नौकरानी को ही भगाकर ले गये। मित्र की पत्नी को कई महीने तक बिना नौकरानी के ही रहना पड़ा। एक और प्रतिभावान् व्यक्ति थे जो अपने मेज़बान की नौकरानी क्या, उनकी खुद की सगी बीवी को ही लेकर अन्तर्धान हो गये। मैं कभी-कभी सोचता हूँ कि शायद कभी कोई ऐसा नरपुंगव भी आये जो मेरी बत्तीस वर्ष पुरानी पत्नी से मुझे मुक्ति दिला सके। आख़िर उसी पुराने मॉडल को आप कब तक प्यार करते रहेंगे? हर एक चीज़ की एक सीमा होती है न? बहरहाल ऐसा परोपकारी पुरुष अभी तक तो प्रकट नहीं हुआ। हाँ, अलबत्ता एक सज्जन ऐसे ज़रूर आये थे जो मेरी पत्नी को तो क्या ले जाते, खुद अपनी पत्नी को ही मेरे यहाँ छोड़ गये। जब काफ़ी दिनों तक वे हज़रत नहीं आये तो उनकी पत्नी को पार्सल बनाकर मालगाड़ी से भेजना पड़ा। सवारीगाड़ी में घुसना उनके लिए कठिन था।

एक मेहमान का ज़िक्र और करूँगा बस। मेरे पिता जी के मित्र चौधरी गेंदा सिंह जब आ जाते हैं तो वाकई मज़ा आ जाता है। वे हद्दर्जे के भुलक्कड़ हैं। इस दिशा में इतना प्रतिभावान् व्यक्ति मैंने और कोई नहीं देखा। एक बार आये तो तमाशा खड़ा कर दिया। हुआ यह कि वे नहाने के लिए बाथरूम में गये, दरवाज़ा बन्द किया और आराम से काफ़ी देर तक नहाये। नहाने के बाद जब दरवाज़ा नहीं खुला तो लगे चीखने-चिल्लाने। किवाड़ों को इतना थपथपाया कि एक दरवाज़े का तो शीशा ही टूट गया। सारा घर बाथरूम के बाहर इकट्ठा हो गया मगर वे अपनी ही कहे जा रहे थे, हमारी सुनते ही नहीं थे। बहरहाल उन्हें बताया गया कि बाथरूम उन्होंने ही अन्दर से बन्द किया है और वे ही उसकी सिटकनी हटा सकते हैं। उन्होंने दरवाज़ा खोला और बाहर आये। इसी तरह पिछली बार आये तो अपने

सोने के कपड़े भूल आये। मैंने अपना कुर्ता पाजामा उन्हें दे दिया हालाँकि वे मुझसे ज़्यादा मोटे थे। इसके बाद वे थोड़ी देर बाद आये और कहने लगे कि तुमसे कुछ ज़रूरी बात कहनी थी मगर इतफ़ाक से वह याद ही नहीं आ रही। इस हादसे के बाद वे दो दिन और उन्हीं कपड़ों में ठहरे और घूमे। एक दिन अदालत भी गये जहाँ वकील से कुछ सलाह लेनी थी। तीसरे दिन जब उन्होंने मेरे कपड़े वापस किये तो बतलाया कि वह ज़रूरी बात जो वे भूल गये थे और जिसे याद करने की कोशिश वे पिछले दो दिनों से लगातार कर रहे थे, अब उन्हें याद आ गयी थी और वह बात यह थी कि मैंने जो पाजामा उन्हें दिया था और जिसे वे दो दिनों से पहन रहे थे उसमें इज़ारबन्द नहीं था।

ऊपर बताये दोस्तों को याद करने के बाद सोचता हूँ कि मैं भी अटैची और बिस्तरबन्द उठाकर किसी के यहाँ मेहमानदारी करने क्यों न निकल पड़ूँ? इस सन्दर्भ में आपका क्या ख़याल है?

मेरे अपराध

"रवीन्द्रनाथ त्यागी बेहद नफीस हास्यकार हैं; खासतौर से पढ़े-लिखे लोगों को हँसाने के लिए। उनकी भाषा बहुत बढ़िया है और रीतिकालीन नायिकाओं वग़ैरा को लेकर उन्होंने जो कुछ लिखा है, वह बेजोड़ है। मगर उनका साहित्य साहित्य के लिए है, उसमें व्यंग्य वग़ैरा खोजने की कोशिश करना बेकार है।"

—धर्मयुग

"रवीन्द्रनाथ त्यागी का साहित्य सुविधा-भोगी संस्कृति का अंग है।"

—व्यंग्य-शती

"आज से पन्द्रह वर्ष पूर्व जब मैं व्यंग्य के क्षेत्र में आया तो देखा कि लोगों की ज़बान पर सिर्फ़ तीन नाम थे—हरिशंकर परसाई, शरद जोशी और रवीन्द्रनाथ त्यागी। लोग श्रीलाल शुक्ल तक का नाम नहीं लेते थे। मगर रवीन्द्रनाथ त्यागी को व्यंग्यकार कहना शायद ठीक नहीं होगा, उनका साहित्य पढ़ने में आनन्द बहुत आता रहा"

—सारिका

प्रत्येक साहित्यकार को अपने जीवन में अपने ख़िलाफ़ सुनना पड़ता है। आलोचक न हो तो शायद लेखक बहक जाए। चाणक्य के शब्दों में, "जीवन्तु मे शत्रुगणाः सदैव येषां प्रसादात् सुविचक्षणोऽहम्, यदा यदा मां प्रमदा लभन्ते, तदा तदा मां प्रतिबोधयन्ति"। परन्तु यदि किसी सच्चे साहित्यकार पर झूठे अभियोग लगाये जाएँ तो उसका दुखी होना उतना ही स्वाभाविक है जितना कि किसी ऐसी कुमारी कन्या का दुखी होना जो ज़रा-सी लापरवाही के कारण गर्भवती हो गयी हो। वह सही है कि रचना की सृष्टि मूलतः 'स्वान्तः सुखाय' ही की जाती है मगर यह भी सच है कि प्रत्येक साहित्यकार प्रशंसा चाहता है—यशः प्रार्थी कवि। यदि ऐसा नहीं होता तो संसार में साहित्य की जो विपुल राशि पायी जाती है, वह नहीं पायी जाती। गोस्वामी तुलसीदास ने 'विनयपत्रिका' के लिखने के बाद भी 'राम लला नहछू' लिखा और उसे भी सँभालकर रखा। ऊपर जो उद्धरण दिये गये हैं, उन्होंने मेरी इस अजर और अमर आत्मा को (नैनं छिन्दन्ति शस्त्राणि, नैनं दहति पावकः वाले सत्य के बावजूद) दुःख पहुँचाया है। और यदि मैंने अपने हर्ष और उल्लास को अपने पाठकों के बीच

बाँटा है, तो मैं अपना दुःख ही अपने तक क्यों रखूँ?

'धर्मयुग' वाला जो उद्धरण ऊपर की दिशा में दिया गया है वह एक ऐसे महान् लेखक के लेख में से है जो वर्षों के निरन्तर परिश्रम के बावजूद अभी तक एक व्यंग्य संग्रह भी नहीं निकाल पाये। आस्तिक होने के कारण मैं तो यह विश्वास करता हूँ कि वे बेचारे 'हास्य' और 'व्यंग्य' के बीच जो मौलिक अन्तर है उसे भी नहीं जानते। पिछले पच्चीस वर्षों में लिखी मेरी कोई चार सौ हास्य-व्यंग्य रचनाओं में से कम से कम तीन सौ रचनाएँ ज़रूर ऐसी हैं जो समाज, साहित्य, धर्म और प्रशासन में फैली हुई विसंगतियों, कुण्ठाओं और भ्रष्टाचारों का पर्दाफ़ाश करती हैं। हाँ, यह ज़रूर सच है कि सरकारी कर्मचारी होने के कारण मैं राजनीति को उतना नहीं पकड़ पाया जितना कि एक व्यंग्यकार होने के नाते मुझसे अपेक्षित था मगर इसकी काफ़ी ज़िम्मेदारी उन 'टोपी शुक्ला' लोगों पर जाती है जो सरकारी कर्मचारी को 'हुकुम का गुलाम' ही समझते हैं; और कुछ नहीं। एक आज का यह आज़ाद हिन्दुस्तान है जहाँ श्रीलाल शुक्ल के 'राग दरबारी' जैसे नितान्त 'शाकाहारी' उपन्यास को भी सेंसर से पास होना पड़ा और एक वह गुलाम हिन्दुस्तान था—जहाँ अंग्रेज़ी सरकार के नीचे काम करने वाले मैजिस्ट्रेट बंकिम बाबू 'आनन्द मठ' और 'कपालकुण्डला' जैसे विस्फोटक उपन्यास लिखते थे। बहरहाल अब यदि कोई वैष्णवजन मेरी उन तीन सौ व्यंग्य रचनाओं को नकारकर मात्र उन सौ रचनाओं को ही मेरे कृतित्व का अंग मानते हैं जो कि हास्यप्रधान हैं, तो आप ही बताइए कि मैं क्या कर सकता हूँ? "दे और उन्हें दिल, जो न दे मुझको जुबाँ और।" जो लोग पूरी ग़ज़ल सुनना चाहते हैं वे सोहराब मोदी की बनायी 'मिर्ज़ा ग़ालिब' पिक्चर देखें। क़लाम ग़ालिब का है और आवाज़ सुरैया और तलत महमूद की है। मैं तो इन सज्जन विशेष से यही पूछ सकता हूँ कि बन्धु, चलो ठीक है, मैं तो मात्र एक नफ़ीस हास्यकार ही रहा मगर मेरे पूज्य पितामह, आपने अब तक क्या किया? क्या आप यह समझते हैं कि मात्र गालियाँ देने से ही आप कबीर बन जाएँगे? और चार सौ हास्य-व्यंग्य रचनाओं के साथ-साथ मैंने लगभग उतनी ही जो उत्कृष्ट कविताएँ लिखी हैं उनकी तो मैं चर्चा ही नहीं करूँगा। मैं आपसे फिर पूछता हूँ कि आपने जान-बूझकर मेरी आत्मा को पीड़ा क्यों पहुँचायी?

मेरे विरुद्ध दूसरा अभियोग यह है कि मेरा लेखन सुविधा-भोगी संस्कृति का अंग है। क्योंकि आप मुझे विवश कर रहे हैं तो मैं भी काफ़ी कमीनगी के साथ यह सत्य स्वीकार करता हूँ कि मैं केन्द्रीय सरकार का एक वरिष्ठ अधिकारी हूँ, लगभग नौ हज़ार रुपया प्रति माह की पगार पाता हूँ, मोटर रखता हूँ, लम्बी-चौड़ी कोठी में रहता हूँ, वायुयान से यात्रा करता हूँ (जबकि राबर्ट लुइ स्टीवेंसन ने एक गधी पर ही बैठकर कभी सारे यूरोप की यात्रा की थी) हज़ारों कर्मचारी और सैकड़ों अधिकारी मेरे नीचे काम करते हैं, एक शानदार नगर में मेरा बँगला है और चौथे

वेतन आयोग की कृपा से निवृत्ति के समय मुझे लाखों रुपये प्राप्त होने की आशा है जिनके प्राप्त होने पर सबसे पहले मैं अपनी मोटर का भोंपू ठीक करवाऊँगा। मगर इस सबका अर्थ यह कैसे हो गया कि मैं सार्थक व्यंग्य नहीं लिख सकता? मैं स्वीकार करता हूँ कि मैं उन चन्द भाग्यशाली व्यक्तियों में से हूँ जिन पर सरस्वती और लक्ष्मी दोनों की कृपा है (मेरी पत्नी का नाम शारदा है जिसका अर्थ सरस्वती है और मेरी साली का नाम लक्ष्मी है जो हमेशा मुझे सगी बहन से ज़्यादा स्नेह देती है) पर उसमें मेरा क्या अपराध है? सच्ची बात तो यह है कि प्रशासन के दुराचारों का जितना ज्ञान मुझे है वह किसी छोटे कर्मचारी को तो कभी हो ही नहीं सकता। सरकार को जितना मैं जानता हूँ, उतना श्रीलाल शुक्ल को छोड़कर और कोई व्यंग्य लेखक नहीं जानता। भ्रष्टाचार का जितना अनुभव मुझे है उतना उन सज्जन को कभी नहीं हो सकता जिन्होंने मुझे सुविधा-भोगी कहकर पुकारा है। यह मेरा दुर्भाग्य है कि कायर होने के कारण मैं लाखों रुपयों की वह हेराफेरी नहीं कर पाया जो कि मेरे कुछ साथियों ने की और अपनी इस कायरता का जितना शोक मुझे है वह मैं ही जानता हूँ। यह एकदम सच है कि कम से कम मेरे केस में ईमानदार होने का कारण मात्र मेरी कायरता है न कि चरित्र की कोई दृढ़ता। बहरहाल, सुविधाभोगी होना यदि इतना बड़ा पाप है तो मैं पूछता हूँ कि टाल्सटाय, बर्नार्ड शा और रवीन्द्रनाथ ठाकुर इतने अमीर होते हुए भी ग़रीबों का इतना दुख कैसे देख पाये? यौनपरिवर्तन के बिना ही शरत् बाबू ने 'ब्राह्मण की बेटी' की पीड़ा कैसे समझी? दौलत में खेलने वाले पण्डित जवाहरलाल नेहरू ग़रीबों के लिए कैसे रोते थे? बिना ग़रीब हुए मुंशी प्रेमचन्द ने ग़रीबों को लेकर हज़ारों पृष्ठ इतनी सच्चाई के साथ कैसे लिख डाले? (रघुपति सहाय 'फ़िराक़' के अनुसार प्रेमचन्द ग़रीब नहीं थे, वे ग़रीबी के ख़िलाफ़ लड़ते थे) बलराज साहनी फ़िल्मी दुनिया में सफल होकर पाँच-पाँच मोटरें रखते थे पर फिर भी 'दो बीघा ज़मीन' में एक निरीह व्यक्ति का जो अभिनय उन्होंने किया, क्या वह अभिनय कोई ग़रीब अदाकार कर सकता था? अकबर इलाहाबादी एक जज थे और आदमी तो आदमी, एक कीड़े के मसले जाने पर भी उन्होंने एक मार्मिक ग़ज़ल लिखी थी। और अमीरी और पदगौरव वग़ैरा की असलियत क्या है, यह भी मैं जानता हूँ। यदि आप भी यह असलियत जानना चाहते हों तो भर्तृहरि का 'वैराग्यशतक' पढ़ें।

इस सन्दर्भ में यह कहने के लिए भी मैं विवश किया जा रहा हूँ कि जितना सुविधा-भोगी मैं रहा हूँ, वह मैं ही जानता हूँ। आपके सामने रोकर मैं आपकी सहानुभूति जीतना नहीं चाहता, मैं तो मात्र यह चाहता हूँ कि सारी स्थितियाँ समझे बिना आप ग़लत फतवे देना बन्द कर दें। मेरी आत्मकथा एक उपन्यास के रूप में छप चुकी है और फ़िलहाल 'अपूर्णकथा' नाम से हिन्द पाकेट बुक्स द्वारा जेबी संस्करण में भी उपलब्ध है। उसे पढ़ें और फिर बताएँ कि जितना अभाव मैंने झेला

है, वह कितने लेखकों ने झेला है? मुफलिसी और भुखमरी का जो बचपन मैंने बिताया है, वह कितने प्रगतिशील लेखकों ने बिताया है? आप ऊपर बतायी पोथी पढ़ें और फिर सोचें (पुस्तक का स्टाक सीमित है: अपनी प्रति तुरन्त खरीदें ताकि बाद में निराश न होना पड़े। पाँच प्रतियाँ एक साथ खरीदने पर एक पेंसिल मुफ़्त। फिर न कहना कि वक़्त पर ख़बर नहीं दी)।

'सारिका' का जो उद्धरण ऊपर दिया गया है वह एक ऐसे व्यक्ति का है जो हीनभावना से ग्रस्त नहीं है वरन् वह वास्तव में ही हीन है। अपनी जगह वह सच है उसने खुद जो लिखा है (जिसमें हास्य-व्यंग्य भी शामिल है) वह वास्तव में ऐसा है कि पढ़कर रोना ही आता है। उनकी परिभाषा के अनुसार वुडहाउस, सिसील, गार्डन, मार्क ट्वेन वग़ैरा सब लेखक घटिया हैं क्योंकि उनकी रचनाएँ पाठक को आनन्द प्रदान करती हैं जो कि जीवन का प्रथम उद्देश्य है। ऐसे असफल और ईर्ष्यालु शम्बूक की हत्या करने से क्या लाभ?

जो कुछ मैंने ऊपर कहा है वह अक्षरशः सत्य है। इसके बावजूद यदि आप समझते हैं कि मैंने साहित्यिक स्तर को बगैर छोड़े और आनन्द देते हुए असर करता हुआ व्यंग्य लिखकर ग़लती की है (और मात्र इन्हीं कारणों से मैं व्यंग्यकार न होकर मात्र हास्यकार ही हूँ) तो मुझे आपसे कुछ नहीं कहना। हाँ अलबत्ता मैं वह ज़रूर कहूँगा जो कि महाकवि 'दाग़' ने अपने बारे में कहा था:

मैं गुनहगार हूँ, ग़र इश्क़ करना है गुनाह
मैं ख़तावार हूँ, ग़र इसको ख़ता कहते हैं,
पहले तो 'दाग़' की तारीफ़ हुआ करती थी
अब ख़ुदा जाने क्यों वे उसको बुरा कहते हैं

हरिशंकर परसाई : एक आफ़िस नोट

1. समझ में नहीं आ रहा कि बात कैसे लिखूँ। यदि परसाई जी की निन्दा करता हूँ तो आप लोग बुरा मानेंगे और यदि तारीफ़ करता हूँ तो वह मुझे अच्छा नहीं लगेगा। बहरहाल।

2. मैं परसाई जी का बहुत पुराना प्रशंसक हूँ। जब वे 'कल्पना' व 'नयी कहानियाँ' में अपना कालम लिखा करते थे तो मैं अगले अंक की प्रतीक्षा आँखें फाड़-फाड़कर किया करता था और सोचा करता था कि क्या, 'कल्पना' में (जिसमें वे 'और अन्त में' लिखा करते थे) ऐसा नहीं हो सकता कि केवल अन्त ही अन्त हो, प्रारम्भ और मध्य हो ही नहीं। वे 'धूमकेतु' की भाँति चमके और सब पर छा गये। ऐसा होना स्वाभाविक ही था। तुझे हम शायरों में क्यों न 'अकबर' मुन्तखित समझें, बयाँ ऐसा कि दिल माने, जुबाँ ऐसी कि सब समझें। ग़ालिब तक ने परसाई जी की चर्चा की है, हम लोग तो चीज़ ही क्या हैं?

3. परसाई जी ने कहानी, उपन्यास और निबन्ध—सब कुछ लिखा है। अपने उपन्यास को छोड़कर (जिसमें उन्होंने पात्रों के नाम करेलामुखी बगैरा रखे हैं) वे कहीं भी अगम्भीर नहीं हुए। उनके व्यंग्य ग्रन्थों की संख्या लगभग पच्चीस होगी क्योंकि बाईस पुस्तकों के नाम तो मुझे भी मालूम हैं। उनकी कुछ श्रेष्ठतम रचनाओं के नाम हैं: 'वैष्णव की फिसलन', 'आयी बरखा बहार', 'एक तृप्त आदमी', 'लघुशंका न करने की प्रतिष्ठा', 'भोलानाथ का जीव', 'हम बिहार से चुनाव लड़ रहे हैं', 'इंस्पेक्टर मातादीन चाँद पर' और इसी प्रकार की कोई सौ और रचनाएँ। अपने साहित्यिक कृतित्व के आधार पर उन्हें, 'पद्मश्री' से अलंकृत किया गया। 'विकलांग श्रद्धा का दौर' पर उन्हें अकादेमी एवार्ड मिला। जिस किताब पर वह एवार्ड वापस लिया जाएगा, वह उन्हें अभी लिखनी है। काफ़ी मेहनत करनी पड़ेगी। प्राप्त करने की अपेक्षा त्याग करना सदा से कठिन होता आया। त्याग के बारे में त्यागी जी नहीं जानेंगे तो और कौन जानेगा?

4. परसाई जी एक उच्चकोटि के साहित्यकार हैं—इसे साबित करने के लिए मैं अब कुछ गवाह पेश करूँगा। गवाह तो सैकड़ों हैं पर मैं पेश दो-तीन ही करूँगा। श्रीलाल शुक्ल को 'अज्ञेय' के निकट बताने के सन्दर्भ में रघुवीर सहाय ने कहा,

"जो कुछ तोड़ने लायक है, परसाई जी उसको तोड़ ही डालने के क़ायल हैं।" अपने को पूरा एक पृष्ठ देते हुए इन्द्रनाथ मदान ने अपनी एक पुस्तक में परसाई जी को चार और लेखकों के साथ रखा और कहा कि "इन लेखकों ने सामाजिक और राजनीतिक विसंगतियों और विकृतियों पर सीधी तिरछी चोट की है और इनके व्यंग्य का स्वरूप मँजा हुआ है।" धनंजय वर्मा का कहना है, "वार करते हुए परसाई जी किसी को नहीं बख़्शते चाहे वह उनका मित्र या प्रशंसक ही क्यों न हो। व्यंग्यकार किसी का आदमी नहीं होता, वह सिर्फ़ आदमी होता है। व्यंग्य का मकसद सुधार करना होता है, आपके दृष्टिकोण को स्वस्थ दिशा की ओर मोड़ना होता है और इस लिहाज़ से परसाई का व्यंग्य बेमिसाल है। परसाई पूरे धर्म और विश्वास के साथ आप पर चौतरफ़ा वार करते हैं। उनकी हँसी के पीछे गहरी मानवीय संवेदना होती है। परसाई के व्यंग्य की यही आत्मा है।"

5. गवाहों के बाद अब मैं खुद मुलज़िम को आपके सामने पेश करता हूँ हालाँकि गवाही के क़ानून के मुताबिक यह शायद एकदम ठीक नहीं है। परसाई जी सबसे पहले चेखव के मुँह से कहलवाते हैं, "सुखी आदमी दुःख का साहित्य लिखता है और दुखी आदमी हास्य और व्यंग्य लिखता है।" वे प्रत्यक्ष रूप से व्यंग्यकार की (और अप्रत्यक्ष रूप से अपनी) तुलना कबीर से करते हैं। (इधर नागार्जुन भी कबीर होने का दावा करने लगे हैं) वे कहते हैं, "व्यंग्य एक विधा नहीं है मगर एक 'स्पिरिट' है।" जब लोग उन्हें राजनीतिक पक्षधर या प्रतिबद्ध लेखक कहते हैं तो परसाई जी जवाब देते हैं कि यह तो एक प्रशंसा है। राजनीति ही तो आजकल मनुष्य की नियति तय करती है। जो लेखक कहते हैं कि वे राजनीति के शिकार नहीं हैं, वे गन्दी से गन्दी राजनीति के शिकार हैं। ज़्यादा उदाहरण नहीं दूँगा। अनन्तपारं किल शब्दशास्त्रम्...

6. परसाई जी को वर्षों से ध्यानपूर्वक पढ़ने के बाद मैं स्वयं जिन निष्कर्षों पर पहुँचा हूँ वे इस प्रकार हैं (मैं सिर्फ़ सच बोलूँगा, ईश्वर मेरी सहायता करे)।

(क) एक व्यंग्यकार को जिस दुःख, अभाव और पीड़ा की पृष्ठभूमि आवश्यक है वह परसाई जी के पास ज़रूरत से ज़्यादा है। इस दिशा में उनकी तुलना मैं ब्रुकर. टी. वाशिंगटन से करता हूँ।

(ख) हिन्दी में परसाई जी ही वे व्यक्ति हैं जिन्होंने व्यंग्य को प्रतिष्ठा दिलायी। इनसे पहले भी व्यंग्य लिखा जाता था पर उनके बाद तो यह एक संक्रामक रोग हो गया। यहाँ मुझे एडमस्मिथ की याद आती है। देयर दर इकोनॉमिक डिसकशंस बिफोर एडमस्मिथ, बट फ्राम एडमस्मिथ वी डिस्कस इकोनॉमिक्स।

—अलेग्ज़ेण्डर ग्रेट

(ग) उन्होंने सामयिक समस्याओं को लेकर ही लिखा, मगर हमें यह नहीं भूलना चाहिए कि सामयिकता ही शाश्वतता का सच्चा नाम है। जैसा कि प्रेमचन्द ने प्रसाद जी से कहा था—जो व्यक्ति वर्तमान को नहीं देखता वह भविष्य को क्या देखेगा?

(घ) उनका सारा लेखन समस्यामूलक है; हास्य तो मात्र माध्यम है। वे एक सच्चे सुधारक और समाजसेवक हैं और मैं उनकी तुलना वाल्तेयर से करने को तैयार हूँ (बशर्ते कि फ्रांस के लोगों को कोई आपत्ति न हो) उनकी हर रचना को पढ़कर पाठक अपने को एक बेहतर इंसान बनाने की सोचता है। एक व्यंग्यकार को और क्या चाहिए?

(ङ) आज़ादी के बाद हिन्दी गद्य में मात्र दो ही शैलीकार पैदा हुए। एक थे 'रेणु' जिन्होंने भाषा को पार्श्वसंगीत दिया और दूसरे हैं परसाई जी जिन्होंने हथौड़े की चोट की तरह निहायत साफ़गोई, ईमानदारी और बेतकल्लुफ़ी से काम लिया। उन्होंने हिन्दी की स्त्रैणता और नामर्दी को दूर किया और इस सन्दर्भ में मैं उनकी तुलना बालज़क से कर सकता हूँ (बशर्ते कि उन्हें कोई आपत्ति न हो)।

(च) उनके पास कच्चा माल अनन्त है पर शिल्प सीमित है। अश्क जी के शब्दों में यदि परसाई की दृष्टि और श्रीलाल शुक्ल का शिल्प एक-दूसरे से मिल जाएँ तो हिन्दी व्यंग्य आसमान छू सकता है। आसमान छूने के बाद क्या होगा यह आप अश्क जी से पूछिए जिन्होंने किराने की दुकान फिर खोल ली है। बहरहाल आसमान भी शायद सात हैं। सितारों से आगे जहाँ और भी हैं...

(छ) उनमें कमाल की विविधता है। राजनीति हो चाहे समाज, साहित्य हो चाहे संस्कृति, जहाँ भी भ्रष्टाचार है, वहाँ परसाई जी मौजूद हैं। कभी-कभी तो लगता है जैसे भ्रष्टाचार और परसाई जी एक ही वस्तु के दो पहलू हैं। इस सन्दर्भ में मुझे जार्ज बर्नार्ड शा की याद सताने लगी।

(ज) वे मूलतः एक सज्जन और सात्त्विक क़िस्म के व्यक्ति हैं। बुरा आदमी उनके जैसा लेखन कर ही नहीं सकता। इस सन्दर्भ में मुझे गोल्डस्मिथ का नाम याद आता है हालाँकि वैसे वह बदसूरत आदमी था और देखने में भी बेवकूफ़ ही लगता था।

(झ) डॉ. सेमुएल जॉनसन की भाँति परसाई जी भी पीड़ित साहित्यकारों की मदद करते हैं (चाहे वह मुक्तिबोध हों या केशव पाठक) अपने समकालीनों को जो शाबाशी वे देते हैं वह किसी को अज्ञेय, महादेवी या नामवर सिंह से मिल सकती है? उन्होंने कई बार मुझे लिखा है कि काश, वे मेरी जैसी भाषा लिख सकते! परसाई जी की बात पर विश्वास करना प्रत्येक पाठक का प्रथम धर्म है। ब्रह्मवाक्यम् जनार्दनः।

(ञ) कबीर की भाँति वे भी निर्भीक हैं। कुछ असन्तुष्ट लोगों ने एक बार उनके शरीर पर ध्यान दिया था। कबीर के साथ तो ऐसा प्रायः रोज़ ही होता था। कबीर के प्राण एक बार एक भूमिहार ब्राह्मण ने बचाये थे। बिहार व पूर्वी उत्तर प्रदेश में त्यागी लोग भूमिहार कहलाते हैं (जो दूसरों की भूमि का हरण कर ले वह भूमिहार)

(ट) उनकी भाषा साहित्यकार की भाषा नहीं बल्कि पत्रकार की भाषा है। पर इससे क्या फ़र्क़ पड़ता है? तुम वहन कर सको जन मन में मेरे विचार, वाणी मेरी चाहिए तुम्हें क्या अलंकार?

—पन्त

(ठ) वे भावुकता विरोधी हैं पर इस विरोध के करने में वे स्वयं कितने भावुक हो जाते हैं, इसका उन्हें पता नहीं। विस्तार के लिए वह पढ़िए जो सुकरात ने प्लेटो के बारे में कहा था।

(ड) जो कुछ टूटने लायक है या तोड़ने लायक है, उसे तोड़ना ही चाहिए—यह परसाई जी का प्रमुख नारा है और इस सन्दर्भ में मुझे पण्डित कालूराम शास्त्री की याद आती है जिन्होंने, 'आर्य समाज की शव परीक्षा' व 'आर्यसमाज की अन्त्येष्टि' नाम के दो बेहद दिलचस्प ग्रन्थ लिखे (कालूराम शास्त्री यदि धर्म के चक्कर में न पड़ते तो प्रथम श्रेणी के हास्यकार माने जाते)।

7. जिन महान् पुरुषों के नाम मैंने परसाई जी के सन्दर्भ में लिखे हैं, भगवान उनकी आत्मा को शान्ति दे। (वक़्त कम था नहीं तो मैं स्तालिन, नेपोलियन और रॉबिनहुड की भी चर्चा करता)।

8. अब मैं वे स्वर्ण-वाक्य उद्धृत करता हूँ जो मैंने कभी (ग़लती से) परसाई जी के बारे में स्वयं लिखे थेः

"परसाई जी की रचनाएँ राजनीति, साहित्य, भ्रष्टाचार, आज़ादी के बाद का ढोंग, आज के जीवन का अन्तर्विरोध, पाखण्ड और विसंगतियों को हमारे सामने इस तरह खोलती हैं जैसे कोई सर्जन चाकू से शरीर काट-काटकर गले अंग आपके सामने प्रस्तुत करता है। उनका व्यंग्य मात्र हँसाता नहीं है वरन् तिलमिलाता है और सोचने को बरबस बाध्य कर देता है। कबीर जैसी अवधूत और निःस्संग शैली उनकी एक विशिष्ट उपलब्धि है और उसी के द्वारा उनका जीवन चिन्तन मुखर हुआ है। उनके जैसा मानवीय संवेदना में डूबा हुआ कलाकार रोज़-रोज़ पैदा नहीं होता।

".....आज़ादी के पहले का हिन्दुस्तान जानने के लिए जैसे सिर्फ़ प्रेमचन्द पढ़ना ही काफ़ी है, उसी तरह आज़ादी के बाद के भारत की पूरी दस्तावेज़ परसाई जी की रचनाओं में सुरक्षित है। चश्मा लगाकर, 'रामचन्द्रिका' पढ़ाने वाले पेशेवर हिन्दी के ठेकेदारों के बावजूद, परसाई जी का स्थान हिन्दी साहित्य में हमेशा-हमेशा के लिए सुरक्षित है।"

9. इन दिनों परसाई जी 'गंगा' में अपनी आत्मकथा प्रवाहित कर रहे हैं और मैं 'रहा किनारे बैठ' की स्थिति में उसे पढ़ता जाता हूँ। बच्चन की तीन पंक्तियाँ याद आती हैं; कोई पार नदी के गाता। सदा उसे मैं सुनता जाता, सदा उसे यह गाता जाता...। आप में से कुछ क्षुद्रबुद्धि लोग कहेंगे कि भला कहीं ऑफ़िस नोट में भी कविता उद्धृत की जाती है? बन्दा परवर, यदि हाईकोर्ट के जज़ अपने फ़ैसले में शेर और शायरी लिख सकते हैं तो मैं ऑफ़िस नोट में गीत क्यों नहीं उद्धृत कर सकता?

कुछ चपरासियों की याद में

आज मैं चपरासियों की चर्चा करूँगा। अपने बत्तीस वर्ष की सरकारी नौकरी में चपरासी से ज़्यादा दिलचस्प चीज़ मैंने और कोई नहीं देखी। 'चपरासी' शब्द 'चपरास' से निकला है। एक ज़माना था कि चपरासी लोग चपरास बाँधा करते थे जो सारी वर्दी पहनने के बाद कमर और पेट पर पेटी की तरह बाँधा जाता था। पगड़ी बाँधे और चपरास लगाये चपरासी अब केवल मन्त्रियों या सचिवों के पास ही दिखाई देते हैं। उनकी फ़र्शीसलाम भी एक देखने की चीज़ होती थी। आम चपरासी तो अब टैरिलीन की बुशर्ट और पैण्ट या सफारी पहनते हैं जो आमतौर पर अफ़सर की बुशर्ट और पैण्ट से ज़्यादा साफ़ और क़ीमती होती है और फर्शी-सलाम क्या, किसी भी क़िस्म की सलाम अब देखने को नहीं मिलती। आज मैं कुछ उन चपरासियों की चर्चा करूँगा जिन्होंने मेरे साथ काम किया या जिन्हें मैं वैसे ही अच्छी तरह जानता रहा।

ललिता प्रसाद मेरा सबसे पहला चपरासी था। पहले वह मेनन साहब (जो एक सीनियर अफ़सर थे) के साथ काम करता था पर वहाँ उसकी निभी नहीं। मेनन साहिब इतने पहुँचे हुए अफ़सर थे कि वे अपना छाता भी खुद नहीं पकड़ते थे। चपरासी छाता पकड़कर पीछे-पीछे चलता था और ऐसा माहौल पैदा करता था जिसे 'दृश्यात्मक काव्य' कहना ही अधिक उपयुक्त होगा। मेनन साहब रोज़ शाम को मदिरा का सेवन करते थे और कभी-कभी सुबह को भी पी लेते थे। एक ऐसे ही दिन हल्की-सी वर्षा जो आयी, उनका चश्मा छाते में उलझ गया। स्थिति यह रही कि पहले चश्मा गिरा और फिर मेनन साहब खुद भी गिरे। ललिता प्रसाद ने छाता छोड़ा और मेनन साहब को बटोरा। मेनन साहब जो थे वे इतनी तबीयत के साथ फ़र्श पर लेटे थे कि लगता था जैसे कि वह उनका कोई बहुत पुराना शौक़ था जो अर्से बाद आज पूरा हुआ था। बहरहाल ललिता प्रसाद को उनके पास से हटा कर मेरे साथ लगाया गया। बड़ा गऊ आदमी था। बारिश में फिसलने का शौक़ अलबत्ता उसे भी था और ज़ोरों के साथ था। उसके सारे दाँत इसी तरह टूटे। जब पिछली बार मैं उससे मिला तो मैंने देखा कि वह एकदम 'बेदान्ती' हो चुका था और इस स्थिति से काफ़ी सन्तुष्ट भी था क्योंकि अब फिसलन की प्रक्रिया में दाँत टूटने का ख़तरा नहीं था। फ़िसलने और बीड़ी पीने के अतिरिक्त उसका और कोई

शौक़ शायद नहीं था। जब तक मैं सहायक नियन्त्रक के रूप में मेरठ रहा तब तक ललिता प्रसाद मेरे साथ ही रहा।

जब मैं उपनियन्त्रक होकर पटना गया तो गयाप्रसाद तिवारी मेरा चपरासी लगाया गया। तिवारी बड़ा स्नेही, विनयी और भावुक व्यक्ति था। वह चलते-चलते फ़ाइलों का बण्डल धरती माता के वक्ष पर ज़रूर गिराया करता था और बण्डल फिर से बाँधते समय एक केस की फ़ाइल दूसरे केस की फ़ाइल में लगा देता था। इस दिशा में उसकी दक्षता अभूतपूर्व थी। जब मैं उसे डाँटता था तो वह निःसंकोच होकर रोना प्रारम्भ कर देता था। उसे देखकर मुझे सदा भवभूति की 'एको रसः करुणमेव' वाली पंक्ति याद आ जाती थी। जब मैं पटना छोड़कर प्रयाग जाने लगा तो वह स्टेशन पर इतना रोया, इतना रोया कि जो लोग मुझे छोड़ने आये थे, वे मुझे छोड़कर उसे धीरज बँधाने लगे। ऐसा लगता था कि अगर उसका रोना नहीं रोका गया तो उसे 'डिहाईड्रेशन' हो जाएगा और वह दम तोड़ देगा। मगर उसने दम नहीं तोड़ा, मात्र एक ऐसे अधिकारी का चश्मा तोड़ा जो उसे चुप कराने की कोशिश कर रहे थे। चश्मा तोड़ने के बाद तिवारी एकदम चुप हो गया और उन अधिकारी को सान्त्वना देने लगा जिनका कि चश्मा टूटा था। वह इतना संवेदनशील और भावुक व्यक्ति था कि यदि वह चपरासगिरी में न फँसता तो ज़रूर हिन्दी का कवि बनता और 'चम्पू काव्य' लिखता। जो लोग 'चम्पू काव्य' का अर्थ न जानते हों वे विद्यानिवास मिश्र से पत्र व्यवहार करें।

प्रयाग में कई चपरासियों ने मेरी सेवा की, पर याद मुझे पाण्डे जी की ही है। बड़ा वैष्णव और वर्णव्यवस्था में विश्वास रखने वाला व्यक्ति था। उसे ग़लती से एक ऐसे अधिकारी के साथ लगा दिया गया जो पिछड़ी जाति के थे। पाण्डे ठहरा दिन में तीन बार गंगा नहाने वाला आस्तिक; उसने छुट्टी ली और गाँव की राह पकड़ी। इसके बाद ही वह मेरा चपरासी बना और हम दोनों की ख़ूब निभी। वह बाहर बैठा रहता और हनुमान चालीसा पढ़ता रहता। एक दिन मैंने उसे वर्णव्यवस्था के खोखलेपन पर ज़ोरदार लेक्चर दिया जिसका परिणाम यह रहा कि वह मेरे ब्राह्मण होने पर ही सन्देह करने लगा। सारी स्थिति देखकर मुझे हँसी भी आयी और रोना भी आया। वह ज़िला जौनपुर का निवासी था और एक बार वह इतनी मोटी कद्दावर मूली लाया था जो कि लगभग उसके अपने साइज़ की ही थी। शाही नगर जौनपुर (जो कभी पूर्व का 'शीराज़ा' कहलाता था) अभी भी इतनी बड़ी मूली और बैंगन उत्पन्न करता है कि स्वयं देखे बिना आप उनकी कल्पना भी नहीं कर सकते। शायद यही कारण था कि शेरशाह सूरी भी जौनपुर से इश्क़ करता था। उस महान् शासक का बचपन जौनपुर में ही गुज़रा था। जहाँ तक पाण्डे जी का प्रश्न है, स्थिति यही रही कि वे या तो हनुमान जी की प्रार्थना करते थे या फिर सोते थे। इतना धार्मिक और निद्रालोभी व्यक्ति जीवन में मैंने फिर नहीं देखा। उसे देखकर मैं यही सोचा करता था

कि धर्म से बड़ा कोई और नशा न है, और न होगा। धर्मेण हीनाः पशुभिः समाना।

प्रयाग से जब मैं दिल्ली गया तो मेहताब सिंह मेरा चपरासी था। निहायत रौबदाब वाला साहबी इंसान। मेरे दफ़्तर पहुँचने के एक घण्टा बाद आता था और मेरे जाने से एक घण्टा पहले चला जाता था। अगर कभी कुछ कहा तो दो दिन का आकस्मिक अवकाश। वह वर्दी कभी नहीं पहनता था हालाँकि वर्दी का खर्चा और उसकी धुलाई का भत्ता वह सदा लेता था। वर्दी के कपड़े को वह बाज़ार में बेचता था और खुद वह थ्री-पीस का सूट पहनता था और टायी लगाता था। मेरे ग़ैरहाज़िरी में वह प्रायः मेरी कुर्सी पर बैठता था और नगर के सारे सिनेमाघरों को फ़ोन करता था। आगन्तुकों पर वह ऐसा रौब झाड़ता था कि उनमें से काफ़ी तो मुझसे बिना मिले ही चले जाते थे।

जब मैं नियन्त्रक बनकर देहरादून गया तो मेरा चपरासी सिताबसिंह था और मेरी व्यक्तिगत-सहायक एक रूपवती लड़की थी। निहायत भद्र, शिष्ट और विश्वसनीय। सिताबसिंह ने बहुत कोशिश की कि हम दोनों को ब्लैकमेल करने का उसे कोई अवसर मिले मगर इस दिशा में वह असफल ही रहा। बाद में वह सेना में भर्ती हो गया। जब पिछली बार मिला था तो सूबेदार-मेजर था। प्रौढ़ होने पर भी उसका यह निश्चित मत था कि स्त्रियाँ जो हैं वे देश को बर्बाद ही करेंगी; चाहे वे प्रधानमन्त्री हों या स्टेनोग्राफ़र। स्त्रियों से उसे इतनी नफ़रत थी कि उसने कभी शादी ही नहीं की।

जब मेरा तबादला जम्मू को हुआ तो मुझे कई चपरासी मिले। उनमें से एक का नाम था शंकरदास। इतना उदास और रोगी व्यक्ति मैंने कभी नहीं देखा। वह दिनभर सोता था और घण्टी बजने पर भी मुश्किल से ही जागता था। ऐसी कोई छुट्टी नहीं थी जो उसने न ली हो और ऐसी कोई बीमारी नहीं थी जो उसे नहीं हुई हो। प्रसव के अतिरिक्त सारे रोग उसने झेले। कई बार बाप के मरने पर छुट्टी ली, और कई बार माँ के मरने पर भी वैसी ही उदारता से काम लिया। और हाँ, जहाँ तक उसकी निजी पत्नी का प्रश्न था वहाँ तो स्थिति यह थी कि वह बेचारी स्त्री तो रोज़ ही मरती थी। इन सारे हादसों के बाद भी वह इतना सोता था कि मुझे 'पिकविक पेपर्स' के उस पात्र की याद आ जाती थी जो सदा सोता रहता था।

एक चपरासी बाद में ऐसा मिला कि बाकी सारे अनुभव खलास हो गये। इनका शुभनाम था निगम। ये हज़रत पान खाते थे, ज़र्दा लेते थे, सिगरेट पीते थे, आने-जाने वालों से घूस लेते थे और उस मुद्रा से सन्ध्यासमय मदिरापान करते थे। बाद में चलकर वे एक ऐसे सज्जन के पास रहे जिनके यहाँ नौकर से लेकर पति तक के सारे काम वे खुद ही करते थे। जब पतिदेव ने कुछ एतराज़ किया तो उन्होंने 'डाइरेक्ट एक्शन' लिया और उनकी बीवी को भगाकर वृन्दावन ले गये। पत्नी के अपहरण के बाद उस अफ़सर ने काफ़ी चैन की साँस ली। वे अलबत्ता थे आशावादी इंसान। कहा करते थे कि मैं अपनी पत्नी को ख़ूब जानता हूँ, जैसे ही उसके पैसे खर्च हो

जाएँगे, वह फिर आ जाएगी। मुसाफिर जाएगा कहाँ? मेरे विचार में उस अधिकारी की वही पत्नी शायद पहले भी नौकरों के साथ भागती रही थी। उसकी इस पवित्र किया को लेकर उसके पति कतई चिन्तित नहीं थे।

अब मैं तीन बातें और बताऊँगा। पहली बात तो यह कि रचना उन्हीं चपरासियों को लेकर लिखी गयी जो 'एब्नार्मल' थे। जो सामान्य और आम क़िस्म के अच्छे, स्वामिभक्त, ईमानदार, स्नेही और कर्तव्यपरायण कर्मचारी मुझे मिले, उनके बारे में मैंने कुछ नहीं लिखा। सामान्य आदमी या औरत को लेकर साहित्य में कभी कुछ नहीं लिखा गया। संसार का लगभग सारा साहित्य 'एब्नार्मल' पात्रों को ही लेकर रचा गया। दूसरी बात यह है कि चपरासी का काम बड़ा कठिन है। सेवा धर्मो परमगहनः योगिनामप्यगम्यः। तीसरी और अन्तिम बात यह है कि कुछ लोगों के यहाँ चपरासियों का इतना शोषण किया जाता है कि उसकी आप कल्पना भी नहीं कर सकते। मुझे अच्छी तरह याद है कि एक पोस्टमास्टर जनरल और उनकी मेम साहब एक चपरासी को साइकिल पर इतना दौड़ाते थे कि उसे यक्ष्मा हो गयी थी। मगर मैं तो हास्य-व्यंग्य का लेखक हूँ; मुझे इन करुण कथाओं में दिलचस्पी क्यों होनी चाहिए? लोग समझते हैं कि हास्य लेखकों के पास मात्र ओठ होते हैं, हृदय नहीं। बस, अब मैं आपको एक चपरासी की गाथा और सुनाता हूँ और रचना समाप्त करता हूँ।

जिस चपरासी की मैं चर्चा करने जा रहा हूँ उसका नाम लालसिंह था और वह शायरी भी करता था और कव्वाली भी गाता था। जब भी कोई विशेष आयोजन होता था, तभी उसे कव्वाली गानी पड़ती थी। वह पुश्तैनी शायर था। उसके पिता और पितामह भी कवि थे। एक बार उसने मुझे एक शेर सुनाया जो मैं जीवन भर नहीं भूल सकता। यदि मैं यह शेर डॉ. नगेन्द्र जी को सुनाऊँ तो वे ज़रूर कहेंगे कि इसकी पहली पंक्ति निराला की याद दिलाती है और दूसरी पंक्ति पन्त जी की। पहली पंक्ति में वही 'राम की शक्ति पूजा' वाली कठिन कठोर वर्णमाला और दूसरी पंक्ति में वही 'भावी पत्नी के प्रति' वाली कोमलता और लालित्य। इस शेर का मूल पाठ तो शायद डॉ. माता प्रसाद गुप्त ही जानते होंगे पर फिर भी जो रूप प्राप्त है वह भी साहित्यिक दृष्टि से कमज़ोर नहीं है। शेर इस प्रकार है:

सुना है कि मेरठ में उल्लू के पट्ठे
रगे गुल से बुलबुल के पर बाँधते हैं

रोग

"अरी दिल्ली से पेशावर जाने वाली ओ सखि, तू लौगों का व्यापार कर ले और इज़ारबन्द का सौदा कर ले। ओ गोरी, आज कद्दू बड़ा मज़ेदार बना है और अब जीभ चटचटा कर उसे खाना है। मेरी मान, आज तू यहाँ से न जा।"

यह उस ग्रामगीत का अनुवाद है जो मेरे मित्र डॉक्टर मनोहर लाल के अनुसार गुलेरी जी की अमर कहानी 'उसने कहा था' में लेखक ने डाला था पर जो कुछ अज्ञात कारणों के कारण पाठ्यक्रम की पुस्तकों से निकाल दिया गया। इस विषय पर ज़्यादा चर्चा मैं फिर कभी करूँगा क्योंकि फ़िलहाल तो मैं बीमार चल रहा हूँ। उपेन्द्रनाथ 'अश्क' बड़े लेखक हैं और इसी कारण उन्हें बीमारियाँ भी बड़ी क़िस्म की ही होती हैं जब कि मैं एक साधारण लेखक हूँ और इसी कारण मात्र ज्वर का कष्ट भोग रहा हूँ।

मुझे बुख़ार आये कोई पन्द्रह दिन हो गये। ज्वर के साथ-साथ आँखें पीली हैं, मूत्र श्वेत है, शरीर पर नीले-नीले चकत्ते पड़े हैं और मुखारविन्द लाल है। इतनी बीमारी मुझे पहले कभी नहीं हुई। पत्नी ज़रूरत से ज़्यादा व्याकुल है क्योंकि वह शायद सती होना चाहती है। मैं भी सोचता हूँ कि चलो, लगे हाथों मर ही लूँ। कुछ शोकसभाएँ होंगी, कुछ अख़बारों में फ़ोटो छपेगा और साहित्य अकादेमी शायद मरणोपरान्त वाला पुरस्कार भी दे देगी।

ड्राइवर, आया व चपरासी वग़ैरा ने जो गण्डे-ताबीज़ बनवाये उनसे कोई असर नहीं पड़ा। गण्डा और ताबीज़ के बाद मेरी पत्नी ने एक प्राकृतिक चिकित्सक को बुलवाया। उन्होंने पहले तो भोजन पर हमला किया और सिवा साबूदाने के सब कुछ खाने को मना कर दिया। शरीर पर मिट्टी का लेप किया गया, माथे पर गीली मिट्टी की पट्टी रखी गयी और शवासन करने को कहा गया। शवासन का नाम सुनकर जब मैं घबराया तो वे बोले कि "निर्वाणं परमं सुखम्" अर्थात् मृत्यु जो है वह सबसे बड़ा सुख है। उनकी वाणी सुनकर मेरी वाणी बन्द हो गयी। जब काफ़ी मिट्टी ख़राब करने पर भी हमारी मिट्टी ख़राब ही रही तो एक होम्योपैथ को बुलाया गया।

मेरे जो ये होम्योपैथिक डॉक्टर हैं वे काफ़ी दिलचस्प और होनहार क़िस्म के

इंसान हैं। पहले कभी ये वकील थे और नतीजा यह था कि एक तरफ़ मुवक्किल का मुकद्दमा लड़ते थे और दूसरी ओर अदालत के बीवी व बच्चों की चिकित्सा करते थे। एक बार कुछ ऐसा संयोग हुआ कि एक ओर तो मुवक्किल जो था वह जेल गया और दूसरी ओर अदालत की जो धर्मपत्नी थीं, वे इनके इलाज में स्वर्ग सिधार गयीं। दोनों दिशाओं में इतनी शानदार सफलता देखकर ये घबरा उठे और भाग गये। प्रयाग जाकर दम लिया। वहाँ इन्होंने दाढ़ी बढ़ा ली, चिमटा खरीद लिया और 108 श्री सहजानन्द सरस्वती नाम रखकर एक संस्कृत पाठशाला खोल ली। उन्हीं दिनों इन्होंने तन्त्र विद्या सीखी, ज्योतिष पढ़ी, अनाथाश्रम खोला ओर बाद में एक-आध विधवाश्रम भी स्थापित किया। कुछ विधवाओं से इनके सम्बन्ध इतने निकट हो गये कि इन्हें संन्यासी का चोला बदलना पड़ा। किसी प्रकार मेरे कस्बे में आ गये और तब से ये यही हैं। काफ़ी अच्छे चिकित्सक हैं। इनका निदान बड़ा सच्चा होता है। यदि ये कहेंगे कि रोगी को सन्निपात हो गया है तो रोगी सन्निपात से ही मरेगा, यक्ष्मा से नहीं। इनका कहना है कि होम्योपैथी में जितनी भी कम शक्ति की दवा ली जाती है, वह उतना ही ज़्यादा प्रभाव दिखाती है। मेरा निवेदन है कि यदि यह सिद्धान्त ठीक है तो होम्योपैथी की दवा तब ही ज़्यादा-से-ज़्यादा असर करती है जब कि वह बिल्कुल नहीं ली जाती।

होम्योपैथ के बाद एक वैद्य आये। बोले कि पित्त का प्रकोप है। खाना इन्होंने भी बन्द ही रखा। वैसे ये कविराज हैं मगर लगते यमराज हैं। इन्हें स्त्रियों के रोगों का विशेषज्ञ माना जाता है। लगभग सभी सुन्दर युवतियों से यही पूछते हैं कि तुम गर्भवती हो या नहीं? यदि हो तो कैसे हो और नहीं हो तो होना चाहती हो कि नहीं? स्त्रियों के ठहरने का भी उचित प्रबन्ध है। निदान दिन में करते हैं और चिकित्सा रात को। माधवनिदान, चरक, सुश्रुत, वाग्भट और पता नहीं कौन-कौन-सी पुस्तक पढ़ते हैं और रोगी को सुनाते हैं। इनके यहाँ जितने भी रोगी आते हैं वे प्रायः वही होते हैं जिन्हें कोई गुप्त रोग होता है। चूँकि मुझे ऐसा कोई रोग नहीं था, इन्होंने मेरा इलाज अपने हाथ में नहीं लिया।

वैद्य जी के जाने के बाद सिविल सर्जन बुलाया गया। देखने में सिविल सर्जन नहीं तो उनका वाहन तो ज़रूर ही लगता था। अस्पताल की दवाइयाँ बाज़ार में बेचने के कारण कई बार सेवा से निलम्बित किया जा चुका था और एक बार तो एक रोगी युवती के साथ बलात्कार करने के कारण इनकी जान भी बचनी मुश्किल हो गयी थी। यदि एक स्थानीय नेता मदद नहीं करते तो इन्हें जेल होती। बहरहाल मेरा पूरा निरीक्षण किया, फीस ली और नुस्खा लिखा। मुझसे पूछने लगे कि क्या खाने की इच्छा है? हम थे कोई दस दिन के भूखे; हमने तो स्पष्ट कह दिया कि डॉक्टर साहब, आपको छोड़कर बाकी सारी चीज़ें खाने की इच्छा है। वे हँसे और चले गये। बुख़ार फिर भी नहीं उतरा।

इसके बाद एक विशेषज्ञ आये। वे अस्पताल में कोई तीन सौ मरीज़ों को रोज़ निबटाते थे मगर जानने वाले जानते थे कि यदि आराम होना है तो उनसे उनके घर पर ही मिलना चाहिए। मेरे घर आने की उन्होंने दुगुनी फीस ली। कुछ जाँच करवायी और फिर दवा लिखी। इनके इलाज से मेरी स्थिति सँभलने लगी और धीरे-धीरे मैं ठीक होने लगा। ये इतने शरीफ़ डॉक्टर निकले कि कोई चार बार तो बिना बुलाये ही घर पर चले आये जिसकी उन्होंने हर बार दुगुनी फ़ीस ली। इन्होंने भोजन, मिठाई, सिगरेट और फल इत्यादि सारे खाद्य पदार्थों के खाने की अनुमति दी।

मेरे दोस्त 'हैरत' रतनगढ़ी काफ़ी बाद में आये। वे एक शादी में आगरा गये हुए थे। हैरत साहब हकीम भी थे, छोटे-मोटे सर्जन भी थे, और साथ-साथ शायर भी थे। हजामत बनवाते-बनवाते जो इनकी पूरी ग़ज़ल सुन लेता था, उससे हजामत का पैसा नहीं लेते थे। नाई कहलाने से इन्हें सख़्त नफ़रत थी। वे हमेशा अपने-आप को 'बार्बर' कहते थे और वह भी कुछ इस अन्दाज़ में कहते थे कि सुनने वाले को 'बाबर' ही सुनने को मिलता था। बहरहाल वे आये और आते ही ताज़ी ग़ज़ल सुनाने लगे। चार ग़ज़लें और कोई पचास कते सुनाने के बाद उन्होंने मेरी सेहत के बारे में पूछा। इसके बाद चाय पी, 'इलाजुल गुर्बा' में से एक नुस्खा तज़वीज़ किया और चलते वक़्त एक बहुत पुराना और मशहूर शेर सुनाने लगे। इस कालजयी शेर का हिन्दी अनुवाद इस प्रकार है:

उनके आने से जो आती मुख पर शोभा
वे समझते हैं कि रोगी का स्वास्थ्य उत्तम है।

यक्ष-युधिष्ठिर संवाद : सच्चा संस्करण

बक्सर को कौन नहीं जानता? बक्सर की परम ऐतिहासिक लड़ाई सन् सत्रह सौ चौंसठ में बक्सर ही में तो लड़ी गयी थी। तेईस अक्तूबर का दिन था। एक तरफ़ शहंशाह शाह आलम, अवध के नवाब और मीर कासिम की परम विशाल सेनाएँ थीं और दूसरी ओर ईस्ट इण्डिया कम्पनी के सात हज़ार सिपाही थे जिसमें अंग्रेज़ों की संख्या केवल आठ सौ थी। कम्पनी की जीत हुई और प्लासी के युद्ध का बकाया काम पूरा हो गया। पुरातत्त्ववेत्ताओं का कहना है कि बक्सर भी अयोध्या, वाराणसी, हरिद्वार, मथुरा, पुरी और काँची की भाँति एक बहुत प्राचीन नगर है। इसकी चर्चा पुराणों तक में है और इसी कारण अभी भी बड़ी से बड़ी रेलगाड़ी भी बक्सर में अवश्य ठहरती है। पिछली बाढ़ में काफ़ी शिलालेख बाहर आये और उन्हीं के आधार पर मैं यह रचना लिख रहा हूँ। युधिष्ठिर और यक्ष का यह पारस्परिक संवाद उन्हीं शिलालेखों के आधार पर लिखा जा रहा है। पुरानी लिपि को पढ़ने के लिए मैं अपने मित्र श्री अरुण का आभारी हूँ। काम उनका है और नाम मेरा। सुधी पाठकों की सुविधा के लिए बताना चाहता हूँ कि प्रश्न यक्ष के हैं और उत्तर धर्मराज युधिष्ठिर के। संवाद इस प्रकार है:

प्रश्न: स्त्रियों को कौन पुरुष नहीं समझ सकता और कौन पुरुष उन्हें पुस्तक की भाँति पढ़ सकता है?

उत्तर: केवल दो प्रकार के पुरुष स्त्री को नहीं समझते। एक विवाहित और दूसरे अविवाहित। जो लोग स्त्रियों को पुस्तक की भाँति पढ़ सकते हैं, वे प्रायः ऐसे लोग होते हैं जो बिस्तर में पढ़ने की आदत रखते हैं।

प्रश्न: तुम यहाँ सुखी हो?

उत्तर: बेहद। यहाँ मुझे बेहतरीन रसोईघर की भी सुविधा है और मीठे सपनों वाले शयन कक्ष की भी। यह अलबत्ता दीगर बात है कि ये दोनों कमरे काफ़ी दूरी पर अलग-अलग इमारतों में स्थित हैं।

प्रश्न: स्वर्ग कहाँ है?

उत्तर: घर में एक टेलीफ़ोन होना ऐश्वर्य है। स्वर्ग उस मकान को कहते हैं जिसमें

टेलीफ़ोन नहीं होता।

प्रश्न: मनुष्य श्रेष्ठ है या पशु?

उत्तर: पशु श्रेष्ठ है। उसे उपदेश देने वाले धार्मिक नेता नहीं होते, उसके अन्तिम संस्कार में खर्चा नहीं होता और सबसे बड़ी बात यह है कि उनमें वसीयत को लेकर कभी मुक़दमेबाज़ी नहीं होती।

प्रश्न: स्त्रियाँ सत्य कब बोलती हैं?

उत्तर: जब उन्हें किसी झूठ को छिपाना होता है।

प्रश्न: गोल चीज़ श्रेष्ठ होती है या चौकोर?

उत्तर: गोल चीज़ श्रेष्ठ होती है। सोने की सिल्ली होने पर भी चाँदी का पहिया ही आपको आगे ले जाता है।

प्रश्न: सर्वश्रेष्ठ पक्षी कौन-सा है?

उत्तर: तोता। यदि वह अपने मालिक की बात दुहराता है तो वह मन्त्री बनता है और यदि वह सिर्फ़ मिट्ठू-मिट्ठू ही कहता है तो वह राज्यपाल का पद पाता है।

प्रश्न: ज्योतिष क्या है?

उत्तर: किसी के अन्तरंग कक्ष में दरवाज़े में बने छेद से झाँकना ही ज्योतिष है।

प्रश्न: भारत में विदेशी कैसे आये?

उत्तर: हिन्दुओं का अतिथि सत्कार सदा से प्रसिद्ध रहा।

प्रश्न: तुम शाकाहारी क्यों हो?

उत्तर: हमारी सरकार में भविष्य जो है वह मात्र गधे का ही है।

प्रश्न: आयकर किसे कहते हैं?

उत्तर: आयकर द्रौपदी की वह साड़ी है जिसे दुःशासन हर समय खींचता रहता है और जो फिर भी पूरी तरह नहीं खिंचती।

प्रश्न: क्या भारत की नारी के दो बिन्दु अभी भी उभरे हुए हैं?

उत्तर: अवश्य, यह दीगर बात है कि वे बिन्दु आजकल प्रायः रबर से बनते हैं।

प्रश्न: अविवाहित होने में क्या लाभ है?

उत्तर: उस स्थिति में हम सामूहिक खेती कर सकते हैं।

प्रश्न: किसी सोसाइटी युवती के हाथ में हाथ डालकर चलने को तुम क्या कहोगे?

उत्तर: पब्लिक सेक्टर में प्राइवेट सेक्टर का प्रवेश।

प्रश्न: अविवाहितों की संख्या क्यों बढ़ी जा रही है?

उत्तर: स्थान-स्थान पर डेरी खुल जाने के बाद अपनी गाय पालने में कोई बुद्धिमत्ता नहीं है।

प्रश्न: क्या कोई परायी युवती तुम्हारा पीछा करती है?

उत्तर: मेरी पत्नी ने मेरे गले में पट्टा डाल रखा है जिस पर लिखा है कि 'यह

आम रास्ता नहीं है'।

प्रश्न : क्या कोई ऐंग्लो-इण्डियन लड़की तुम्हें अच्छी लगती है?

उत्तर: मैं सैकेण्ड हैण्ड माल में दिलचस्पी नहीं रखता।

प्रश्न: सच्चा भारतीय कौन है?

उत्तर: सच्चा भारतीय मात्र वही है जिसमें मद्रासी की बुद्धि, बंगाली की कला, बिहारी की सहनशीलता, उत्तरप्रदेश की सरलता, पंजाबी का अक्खड़पन, राजस्थानी की वीरता, मराठी का साहस, गुजराती का परिश्रम और हरियाणवी की तुरत-बुद्धि हो।

प्रश्न: ऐसा कौन-सा कर है जो लोग अपनी इच्छा से ज़्यादा से ज़्यादा दें?

उत्तर: स्त्रियों के सौन्दर्य पर लगाया गया कर।

प्रश्न: विवाह क्या है?

उत्तर: दो व्यक्तियों द्वारा की गयी ग़लती जिसका परिणाम मात्र एक व्यक्ति को ही भुगतना पड़ता है।

प्रश्न: क्या तुम अपना साक्षात्कार प्रेस को दोगे?

उत्तर: अवश्य, शर्त बस इतनी है कि सारे प्रश्न मैं खुद ही पूछूँगा।

प्रश्न: स्त्री की इज़्ज़त को सबसे ज़्यादा ख़तरा किससे है?

उत्तर: किसी दूसरी स्त्री से।

प्रश्न: प्रेम क्या है?

उत्तर: अपना दिल जलाकर किसी युवती की देह को गर्म करना ही प्रेम कहलाता है।

प्रश्न: क्या तुमने किसी को कभी प्रेम-पत्र लिखा है?

उत्तर: जी नहीं, भगवान की कृपा से अब तक तो सारा काम ज़ुबानी ही चल रहा है और काफ़ी ठीक तरह चल रहा है।

प्रश्न: ऋण के बारे में तुम्हारा क्या विचार है?

उत्तर: ऋण लेना विज्ञान है, लेकर न देना कला है और ऋण देना दर्शन है।

प्रश्न: प्रयत्न से पहले ख्याति कहाँ मिलती है?

उत्तर: शब्दकोश में।

प्रश्न: स्त्रियों के आँसू देखकर तुम क्या करते हो?

उत्तर: मैं उन्हें अपने होंठों से पोंछता हूँ।

प्रश्न: प्रेम की सच्ची परिभाषा क्या है?

उत्तर: बालिग होने पर भी नाबालिग की भाँति हरकत करना ही प्रेम कहलाता है।

प्रश्न: क्या तुम मूर्तिपूजा में विश्वास करते हो?

उत्तर: अवश्य, बस शर्त यही है कि भगवान ने उसे सुन्दर गढ़कर भेजा हो।

प्रश्न: मैं एक यक्षिणी से प्रेम करता हूँ मगर वह मेरी कामना समझती ही नहीं। तुम्हारे विचार में मुझे क्या करना चाहिए?

उत्तर: आप आज्ञा दें तो आपके स्थान पर मैं कोशिश कर सकता हूँ।

प्रश्न: क्या स्त्रियों को 'अबला' कहना ठीक है?

उत्तर: जी नहीं, मैं तो उन्हें केवल 'बला' ही कहता हूँ।

प्रश्न: क्या तुमने कभी पाप किया है?

उत्तर: नहीं, मगर मैं उसके करने के लिए व्यग्रता से प्रतीक्षा करता रहता हूँ।

प्रश्न: माबदौलत तुमसे बहुत खुश हैं। मगर तुम्हारे भाइयों को प्राणदान तब दूँगा जब तुम मुझे कोई पक्का गाना सुनाओगे। क्या ख़याल है?

उत्तर: ख़याल ठीक है, मैं एक ठुमरी और एक ग़ज़ल पेश करता हूँ।

ग़ज़ल

न छेड़ो हमें दिल दुखाये हुए हैं
जुदाई के सदमे उठाये हुए हैं
शहीदों की लाशों पै बोला वह कातिल
ये सब ख़ून से क्यों नहाये हुए हैं
भला कत्ल के वक़्त तड़पूँ न क्योंकर
वह जाँघों में सीना दबाये हुए हैं
बुतों ने जलाया हमें मय की सूरत
खुदा से हम अब लौ लगाये हुए हैं।

ठुमरी

निरदई श्याम ने तोड़ दई पनघट पर हमारी गागरिया
कैसी करूँ, कित जाऊँ सखी, मोय भरन देत नहीं गागरिया
जब पानी भरन घर से निकली, एक काग बोल गया डागरिया
दाहिने से निकट कै बिलाव गयो, एक बायें से खींचत डागरिया
सबसे पहिले खोली रे आँगी, फिर छीनी मेरी प्यारी चुनरिया
मुझे नहीं रही अपनी कोई सुध जब पकड़ी उसने मोरी कमरिया
इसके बाद क्या हुआ मुझको, हमको नहीं कोई याद खबरिया
निर्दयी श्याम ने तोड़ दई पनघट पर सखि मोरी गागरिया

आज का अख़बार

आज जनवरी उन्नीस सौ अठ्ठासी की उनतीस तारीख़ है। आज के इण्डियन एक्सप्रेस (जिसका नाम अब 'इण्डियन-सुपर-एक्सप्रेस' कर देना चाहिए) में इतनी सनसनीखेज़ ख़बरें छपी हैं कि उनको लेकर निबन्ध क्या, एक पूरा उपन्यास लिखा जा सकता है। बहरहाल, उपन्यास लिखने का काम मैं श्रीलाल शुक्ल के लिए छोड़ता हूँ और प्रबन्ध लिखने की चेष्टा करता हूँ। निबन्ध और प्रबन्ध में क्या अन्तर है—यह जानने के लिए मैं आपको सलाह देता हूँ कि आप बल्लाल का 'भोज प्रबन्ध' व निराला की 'प्रबन्ध प्रतिमा' पढ़ें। मौक़ा मिले तो प्रिय भाई कमलेश्वर की कालजयी कृति 'दो सौ निबन्ध' भी पढ़ लें, जिसमें उन लोगों के हित के लिए सरल व सुबोध निबन्ध लिखे गये हैं जो इण्टरमीडिएट या नायब तहसीलदारी के परीक्षार्थी हैं। कमलेश्वर के सारे साहित्य में जितनी लोकप्रिय वह पुस्तक है, उतनी कोई और नहीं।

अख़बार की सबसे सुखदायक ख़बर यह है कि तमिलनाडु की विधानसभा में पुलिस ने घुसकर विधायकों पर लाठी चार्ज किया। स्वतन्त्र भारत के इतिहास में यह इस प्रकार की पहली घटना है। कुछ विधायक लोग जान बचाने के लिए अपनी कुर्सियों के नीचे छिप गये और सन्तोष की बात यह है कि जो कुछ भी हुआ वह तथाकथित सरकार के इशारे पर हुआ। प्रेयसि और धर्मपत्नी के बीच जो संघर्ष चल रहा था, वह अपनी चरमसीमा पर पहुँच गया। कुछ लोगों की लुंगियाँ भी खुल गयीं जो ठीक ही रहा। पुरुष जब तक नंगा नहीं होता तब तक स्त्री को कभी सन्तोष नहीं होता।

दूसरी ख़बर मेरठ की ही है। किसानों की लाखों आदमियों की भीड़ नगर में धरना दिये पड़ी है जिसका नेतृत्व चौधरी महेन्द्र सिंह टिकैत कर रहे हैं। भीड़ ने मेरे दफ़्तर के सामने पड़ाव डाला और फिर कमिश्नर के दफ़्तर का घेराव किया। इतनी बड़ी घटना अठारह सौ सत्तावन के बाद इस नगर के इतिहास में कभी नहीं हुई। सारे अख़बारों ने प्रथम पृष्ठ पर समाचार छापा, चित्र दिये और भयंकर चिन्ता प्रकट की। मगर प्रशंसा की बात यह है कि इतना होने पर भी दिल्ली के दूरदर्शन ने (जो मात्र चालीस मील दूर है) इसका ज़िक्र तक नहीं किया। ऐसे ही चापलूस अधिकारी

तो हैं जो प्रधानमन्त्री की छवि बिगाड़ते हैं और रेडियो व दूरदर्शन को बदनाम करते हैं। बहरहाल पैंतीस माँगें हैं और आगे क्या होगा—यह कहना कठिन है। भविष्य का पता सिर्फ़ 'प्रेस ट्रस्ट ऑफ़ इण्डिया' को होता है और किसी को नहीं। लोगों का कहना है, "ऐसा सूर्यास्त पहले कभी नहीं हुआ, ऐसी बयार फिर कभी नहीं चली।" जो लोग ज़्यादा काव्य-प्रेमी हों वे अज्ञेय का 'आँगन के पार द्वार' नामक काव्यग्रन्थ पढ़ें। उससे बहुतों का भला होगा।

तीसरी ख़बर यह है कि स्थानीय विश्वविद्यालय के छात्रों ने उपकुलपति का घेराव सम्पन्न किया। छात्रों का कहना था कि यदि शिक्षक लोग महीनों तक हड़ताल पर रहते हैं तो छात्रों की हाज़िरी या ग़ैरहाज़िरी का इस मुद्दे पर कोई प्रभाव नहीं पड़ना चाहिए कि वे परीक्षा में बैठें या नहीं। मैं छात्रों के साथ हूँ। यदि सीनियर व्याख्याता लोग महीने में दस दिन कॉलेज आते हैं, लड़कियों को प्रेमपत्र लिखना सिखाते हैं, कुंजियाँ लिखते हैं, और ट्यूशन करते हैं तो छात्रों के साथ ही ज्यादती क्यों बरती जाती है? सुनो, कैरा सुनो, क्या मेरी आवाज़ तुम तक पहुँचती है?

चौथी ख़बर यह है कि उन्नीस सौ चौरासी में जो दंगे मेरठ में हुए थे उनमें से आदरणीया न्यायपालिका ने अभी तक मात्र नौ अपराधियों को सज़ा दी है। बाकी चार सौ मुक़दमे वहीं पड़े हैं जहाँ कि वे थे। बाद में जो दंगे हुए और भविष्य में जो दंगे होंगे, उनके बारे में कोई नहीं जानता। हाँ, अलबत्ता मैं जानता हूँ कि क्या होगा—होगा वही जो राम रचि राखा, क्यों करि तर्क बढ़ावहि शाखा।

पाँचवीं महत्त्वपूर्ण ख़बर यह है कि महाराष्ट्र के भूतपूर्व प्रधानमन्त्री (मैं जानबूझकर मुख्यमन्त्री नहीं लिख रहा हूँ) श्री अन्तुले ने यह बताने से साफ़ मना कर दिया कि उन्होंने जो करोड़ों रुपये इकट्ठे किये थे (जिसके सन्दर्भ में तत्कालीन भारत के मुख्यमन्त्री के नाम का उपयोग भी खुलकर किया गया था) उनका हश्र क्या हुआ? उन्होंने यह वादा देने से भी मना कर दिया कि वे भविष्य में जनता के हित के लिए कोई उच्चपद नहीं स्वीकार करेंगे। पता नहीं श्री जेठमलानी जैसे बड़े विधिवेत्ता भी संचित की गयी लक्ष्मी का वर्तमान पता क्यों जानना चाहते हैं? क्या उन्हें पता नहीं कि लक्ष्मी एक सुन्दर चिरयुवती हैं और उनका वाहन उल्लू है? लक्ष्मी सदा से व्यभिचारिणी रहीं। बूढ़ा भगवान विष्णु उन्हें कभी कब्ज़े में नहीं रख सका—पुरुष पुरातन की वधू क्यों न चंचला होय?

छठी ख़बर यह है कि परम पूजनीय, प्रातः स्मरणीय श्री चन्द्रास्वामी तान्त्रिक को सरकार ने विदेश जाने से और रोक लिया। यह महान् आत्मा वर्ष में मात्र नौ महीने विदेश में रहती है। कितना बड़ा त्याग है! सरकार इतनी मूर्ख है कि भगवान रजनीश, महर्षि महेश योगी और तान्त्रिक चन्द्रास्वामी को उचित आदर नहीं देती। जितनी विदेशी मुद्रा इन लोगों ने देश के लिए अर्जित की है उतनी सरकार के किसी मन्त्रालय ने कभी इकट्ठी नहीं की। इन लोगों की तो गणतन्त्र दिवस पर झाँकी

निकलनी चाहिए और इन्हें 'भारतरत्न' व 'महावीर चक्र' एक साथ मिलने चाहिए। यदि धर्म नहीं रहा तो संसार का क्या होगा?

अन्तिम सुखदायक समाचार यह है कि इक्यानवें वर्ष के एक विदेशी ने सत्तर वर्ष की एक कन्या को भगा लिया और बाद में उससे ठाठ से शादी की। इस समाचार से मुझे बड़ा बल मिला। मैं तो अभी सत्तावन वर्ष ही का हूँ। पत्नी है तो क्या? यदि डॉक्टर जैन अपनी सुन्दर पत्नी की हत्या कर सकते हैं (ताकि वे अपनी नयी प्रेयसि से शादी कर सकें) तो मैं वैसा क्यों नहीं कर सकता? दो-चार साल जेल में रहूँगा और छुट्टी। जब से मैं अधेड़ होना शुरू हुआ हूँ तब से मैं उन्हीं युवतियों को आकर्षक पाता हूँ जो पैंतालीस वर्ष से ज़्यादा हैं। छुटती नहीं है काफिर मुँह से लगी हुई—इस विषय पर कहना तो बहुत कुछ चाहता था पर पत्नी से भय लगता है। वैसे उसने अपनी शिक्षा अंग्रेज़ी साहित्य में पायी है पर इल्लत यह है कि वह थोड़ा-बहुत हिन्दी भी लिख पढ़ लेती है। मैं चुप हो जाता हूँ। हाँ अलबत्ता कुछ शायरों का कलाम याद आ रहा है जो आपकी ख़िदमत में पेश करता हूँ!

ऐसी बेवा की जवानी, ऐसा मुफ़लिस का शबाब
ऐ गमेदिल क्या करूँ, ऐ बहशते दिल क्या करूँ?

—अज्ञात

इश्क़ का जौके नज़ारा मुफ़्त में बदनाम है
हुस्न ख़ुद बेताब है जलवे दिखाने के लिए

—मज़ाज़

इलाही कैसी कैसी सूरतें तूने बनायी हैं
कि हर सूरत कलेजे से लगा लेने के क़ाबिल है

—अकबर

कहने देती नहीं कुछ मुँह से मुहब्बत तेरी
लब पे रह जाती है आके शिकायत मेरी
याद सब कुछ है मुझे हिज्र के सदमे ज़ालिम
भूल जाता हूँ मगर देख के सूरत तेरी।

—अज्ञात

अल्लादिया

संसार के कृपण लोगों के बारे में मैंने काफ़ी पढ़ा है। मैं समझता था कि हैदराबाद के अन्तिम निज़ाम के बराबर कोई और कंजूस कभी नहीं हुआ। पर आज पता चला कि मैं ग़लती पर था। आज के अख़बार में टोकियो के 'शिंगेयुकी उजू' नाम के व्यक्ति के बारे में पढ़ा तो अपने दाँतों के नीचे अपनी ही उँगली दबानी पड़ी। ये सज्जन अविवाहित थे और इनकी मृत्यु मात्र इस कारण हुई कि पिछले चालीस वर्षों से ये शायद ही कुछ खाते थे। उनके पास सिर्फ़ एक सूट था, एक जोड़ी जूते थे और एक कमीज़ थी। वे न कभी क्लब गये न पिकनिक। उन्होंने न सिगरेट पी और न शराब। और तो और उन्होंने कभी थियेटर या सिनेमा तक नहीं देखा। वे फ़र्श पर सोते थे। कम खाना खाने या भूखे रहने के कारण मृत्यु को प्राप्त इस महान् व्यक्ति के पास मात्र तीस लाख डालर रुपया था जो बैंक में जमा निकला।

मुझे अपने परिचित एक जागीरदार की याद आ रही है। करोड़पति थे मगर पत्नी के 'पति' नहीं थे क्योंकि वह बहुत कम उम्र और सुन्दर थी। स्वभाव भी उसका चंचल था। ख़ाकसार पर वे काफ़ी कृपादृष्टि (या प्रणय दृष्टि?) रखती थीं। बहरहाल हालत यह थी कि जागीरदार साहब एक समय भोजन ग्रहण करते थे और वह भोजन भी बाज़ार के सबसे सस्ते ढाबे में से आता था। पहले आधा प्लेट दाल और दो चपातियाँ मँगायी जाती थीं और उसके बाद ज़रूरत के मुताबिक बाकी सामान मँगाया जाता था। अपना फटा हुआ जूता वे खुद ही सिल लेते थे और फटे व गन्दे कपड़ों के प्रेमी थे।

इन कृपण लोगों के ख़िलाफ़ मुझे अपने दोस्त अल्लादिया की याद आती है जिसके दादा-परदादा अच्छी हैसियत के आदमी थे। अल्लादिया ने सब उड़ा दिया। इसके बाद जिल्दसाज़ी की दूकान खोली और बाकी वक़्त में रिक्शा चलाने लगा। सूखकर काँटा हो गया मगर पान-तमाखू खाना, लाल कुर्ती के हरिया हलवाई का दूध पीना और सिनेमा देखना नहीं छोड़ा। जब मैं मेरठ तशरीफ़ लाया तो मैंने उसे एक 'मेस' में बैरा लगवा दिया, एक मुफ़्त क्वार्टर दिला दिया और जिल्दसाज़ी का एक छोटा-सा ठेका भी दिला दिया। आज वही अल्लादिया है कि पहचाना नहीं जाता।

चर्चिल की तरह मोटा हो गया है, बीड़ी के स्थान पर फिल्टर वाली सिगरेट पीता है और नियमपूर्वक पत्नी की दिन में दो बार मरम्मत करता है। और यह तो तब है जब कि उसे पूरा पता है कि जिस दिन भी मैं रिटायर हो जाऊँगा, उसी दिन अगला अफ़सर उसकी सारी सुविधा छीन लेगा। मगर वह है कि सिर्फ़ आज शाम तक की ही सोचता है, इससे आगे की नहीं। मेरा निश्चित मत है कि अपने किसी पिछले जन्म में यह चार्वाक् रहा होगा। यावज्जीवेत्, सुखं जीवेत्; ऋणं कृत्वा घृतं पिबेत्। चार्वाक् भी क्या ठाठ का आदमी रहा होगा! एक बाई इस बाजू, एक बाई उस बाजू।

अल्लादिया सोने का बहुत शौक़ीन है। स्थिति यह है कि जितने समय जागता है, उसे छोड़कर बाकी वक़्त में वह सोता ही रहता है। एक बार रिक्शा चलाते-चलाते ही सो गया। एक बार मुज़फ़्फ़रनगर गया तो नींद ऐसी आयी कि आँखें अम्बाला छावनी ही में खुलीं। ख़ैर, किसी तरह वापसी की गाड़ी ली मगर उसमें ऐसी नींद आयी कि आँखें तभी खुलीं जब कि मुज़फ़्फ़रनगर फिर पीछे छूट चुका था। मैं अल्लादिया को और उसकी नींद को देखता हूँ और शायर का कलाम याद करता हूँ:

न लुटता दिन को, रात को क्यों बेख़बर सोता
रहा खटका न चोरी का, दुआ देता हूँ रहजन को।

लोकगीतों में प्रणय

मैं सदा यह सोचा करता था कि गाँव के लोग भला प्रेम वग़ैरा करना क्या जानते होंगे? और जानते भी होंगे तो उसके लिए समय कहाँ मिलता होगा? मुंशी प्रेमचन्द ने अपने उपन्यासों और कहानियों में ग्रामीण जीवन का जो चित्र प्रस्तुत किया है उसमें प्रेम करने की गुंजाइश ही कहाँ है? मगर प्रेमचन्द ग़लत थे या फिर उन्होंने जानबूझकर इस देश के करोड़ों निवासियों को गुमराह किया। देहाती इलाकों में इश्क़ होता है और कसरत के साथ होता है। जिसे मेरी बात पर विश्वास न हो, वह जिज्ञासु इस देश के ग्रामगीतों को पढ़ ले। सारी शंका एक ही किश्त में मिट जाएगी।

इस सन्दर्भ में मैं सबसे पहले एक ऐसे ग्रामगीत को प्रस्तुत करता हूँ जो राष्ट्रीय एकता को ठोस प्रोत्साहन देता है। गीत इस प्रकार है:

बीती सारी रात, लगीं क्या कहीं अँखियाँ...
ऐसी बंगालिन को देख जिया ललचे
लम्बे-लम्बे केस कँटीली अँखियाँ।
ऐसी पंजाबिन को देख जिया ललचे
पहने सलवार, गठीली छतियाँ।
ऐसी मराठन को देख जिया ललचे
करै मीठी बात, लगावै छतियाँ।
ऐसी गुजरातिन को देख जिया ललचै
डोलै ठण्डी ब्याल, जगै सारी रतियाँ।
बीती सारी रात, लगीं क्या कहीं अखियाँ

गाँव की लाडिली भी अपने पति को परदेस नहीं भेजना चाहती। जब उसका पति वैसा करना चाहता है तो गाँव की नायिका उसे पूरे वर्ष के कार्यक्रम से भली-भाँति अवगत कराती है। वह कहती है:

बरसात में कोई घर से न निकलै
तो तुम ही अनोखे विदेस जवैया,
माँ तेरी बरजै, बहन तेरी बरजै
हम बरजै, मत जाओ सँवरिया,

आषाढ़ में राजा वरषा बहुत है
सावन में गड़े हैं हिंडोले सँवरिया,
भादों की पिया रैन अँधेरी
क्वार में विपर जिमावें सँवरिया,
कातिक पिया मेरे रची है दीवाली
तो मगसिर माँग भरावै सँवरिया,
फागुन में मिल होली खेलै
चैत में हार गुदावै सँवरिया,
बैसाख में पिया गर्मी पड़त है
जेठ में बरखै अँगार सँवरिया

यदि कोई वैशाखनन्दन अपनी सहचरी के वचन नहीं समझता था तो नायिका उससे परदेस से कुछ खास सामान लाने को कहती थी और बाकी ख़तरों की तरफ़ भी इशारा करती थीः

चले जाना राजा जी बजरिया
दिल्ली सहर की लागी बजरिया
लेते आना राजा जी चुँदरिया,
पहिन ओढ़ अँगना भई ठाड़ी
लागी लागी रे राजा तेरी नजरिया,
दिल्ली सहर के बैदा बुलाये
देखो-देखो तो तुम हमारी नबजिया,
फ़ीस नहीं लूँगा, कौड़ी नहीं लूँगा
लूँगा-लूँगा गोरी तेरी नजरिया,
सास मेरी ले जा, ननद मेरी ले जा
नहीं दूँगी रे तुझे अपनी कमरिया

एक 'सादा जीवन उच्च विचार' वाली नायिका है जो अपने पति से बेहद कम गुज़ारिशें करती है। इसके भोलेपन को देखकर आत्महत्या करने को तबीयत होती हैः

काले रंग की चुँदरिया रंगा दो पिया...
काली चुँदरिया जब खिलै, जब गोटा किनारी लगा दो पिया
गोटा किनारी जब खिलै, जब माथे का झूमर गढ़ा दो पिया
माथे का झूमर जब खिलै, जब सच्चे से मोती डला दो पिया
सच्चे से मोती जब खिलै, जब कानों को लटकन ला दो पिया
कानों के लटकन जब खिलै, जब सीने पै लाकिट सजा दो पिया
सीने पे लाकिट जब खिलै, जब हाथों में दस्ती पहिना दो पिया
हाथों में दस्ती जब खिलै जब सोने की तगड़ी जुड़ा दो पिया

परदेस से लौट आने पर पति पत्नी से तुरन्त थोड़े ही मिल सकता था! प्रेम का मार्ग तो सदा से जटिल है। इक आग का दरिया है और डूब के जाना है। गोरी कहती है:

बोले नहिं सारी रात, ए री सखी...
बारह बरस में चाकरी से आये
कोठे डाली खाट। बोले नहिं...
दौर जिठानी ने मिलने को भेजी
झट वहाँ आ गयी सास। बोले नहिं...
पैया लाग मैंने सास पठाई
आ गयी छोटी ननद मेरे पास। बोले नहिं...
गुड़िया दे मैंने ननद पठाई
झट रो गये मेरे लाल। बोले नहीं...
दुधवा पिला मैंने लालन सुलाये
टूट गयी बैरन खाट। बोले नहीं...

कोई-कोई युवती इतनी होनहार होती थी कि पति के प्रवास के दौरान कोई मित्र या प्रेमी पाल लेती थी। एक बार ऐसा हुआ कि एक कुलवन्ती का सगा पति ठीक उसी समय आ गया जबकि वह अपने प्रेमी को वात्स्यायन के सिद्धान्त समझा रही थी। गीत इस प्रकार है:

रानी जी खोलो किवाड़
राजा तो आये बड़ी दूर से जी,
बाँदी री तू मेरी धरम की बहन
बमना की भींत फदाइए जी;
बाँदी री अब तेरी काटूँगा नाड़
आँगन कीचड़ क्यों होई जी,
राजा जी रिमझिम बरसे था मेह
आँगन कीचड़ यों हुई जी,
बाँदी री अब काटूँगा तेरी नाड़
हुक्क़ा ताज़ा किन कर जी,
रानी जी के आये थे बीर
हुक्क़ा ताज़ा उन करा जी,
बाँदी री अब काँटूगा तेरी नाड़
सेजों सिलवट क्यों पड़ी जी,
राजा जी, रानी की दूखै थी आँख
उलट पलट करवट लयी जी

बेमेल शादियाँ सदा से होती आयीं। अब यदि किसी नवयुवती का पति बच्चा

हो तो वह क्या करे? वह उससे चोली खोलने को कहती है और बरखुरदार जो हैं वे दरवाज़ा खोलने लगते हैं। इसी प्रकार बूढ़ा पति होने पर भी स्थिति कभी-कभी काफ़ी दिलचस्प हो जाती है। ऐसी बेमेल शादियों में पति-पत्नी के बीच जो प्रेम होता है वह जैनेन्द्र कुमार के 'परख' उपन्यास के प्रेम की भाँति सदा पवित्र ही रहता है। वात्सल्य रस व शान्त रस भले ही उत्पन्न हो जाये मगर श्रृंगार रस को उत्पन्न होने की मजाल नहीं होती। वृद्ध पति के साथ बस भक्तिकाल ही चलता है, रीतिकाल नहीं। कुछ गीत प्रस्तुत हैं जो इन स्थितियों पर पूरा-पूरा प्रकाश डालते हैं। जहाँ पति नाबालिग होता है वहाँ स्थिति इस प्रकार होती है:

(एक)

छोटे से मेरे बालमा,
मुँदरी का नगीना री,
बाग़ों में जाऊँ वहाँ भी मेरे संग चलै
अरी फूलों पर मचल गया री;
तालों पै जाऊँ, वहाँ भी मेरे संग चलै
अरी घाटों पै बिखर गया री;
कुओं पै जाऊँ, वहाँ भी मेरे संग चलै
अरी गगरी पै मचल गया री;
महलों में जाऊँ, वहाँ भी मेरे संग चलै
अरी डगरी में मचल गया री;
सेजों पै जाऊँ, वहाँ भी मेरे संग चलै
अरी तकिये की झालर पै मचल गया री...

(दो)

छोटा-सा बलमा हमार
मेरे आँगन में गिट्टी खेलै;
मारूँगी बेलन की मार
तो वो रोता डोलै,
पनियाँ भरन जाऊँ
कहै गोदी ले ले,
सेजो पै जाऊँ
अम्माँ अम्माँ बोलै;
मारूँगी छतियों की मार
बैठा अँगिया खोलै...

जहाँ पति वृद्ध होता है वहाँ स्थिति इस प्रकार की होती है जैसी की नीचे वर्णित है। पति यदि बच्चा होता है तो श्रृंगार रस वात्सल्य रस में बदल जाता है। इसी

प्रकार पति यदि ज़्यादा बूढ़ा होता है तो श्रृंगार रस शान्त रस में तब्दील हो जाता है। दो लोकगीत हाज़िर हैं:

(एक)

आया आधी रात हरियाला बन्ना
जब बनड़ा बरौठी आया
थर-थर काँपे गात। मेरा...
जब बनड़ा मेरा जीमन बैठा
मुँह में ना है कोई दाँत। मेरा...
जब बनड़ा मेरा न्हाने बैठा
सिर के धौले बाल। मेरा...
जब बनड़ा कँगने पै बैठा
मुँह की टपके राल। मेरा...
जब बनड़ा सेजों पर आया
बनड़ी रौवै नौ-नौ धाय। मेरा...

(दो)

कैसे करूँ कुछ बस नहीं मेरा
बुड्ढे से पड़ गयी भँवरिया हो रामा;
बारह बरस की मेरी उमरिया
अस्सी बरस का बुढ़ला हो रामा;
सूही-सूही पगिया बुड्ढे ने बाँधी
नैनों में सार लिया सुरमा हो रामा;
सुफेद आपी सुफेद दाढ़ी
सुफेद हो गयी मुछड़िया हो रामा;
बुड्ढे की गर्दन डग-डग हौले
कहाँ से लाऊँ दवाइया हो रामा;
मुख में बीड़ा बुड्ढे ने चाबा
बुड्ढे को लग गयी नज़रिया हो रामा...

जिन रूपवती युवतियों को बच्चे या बाप की उम्र के पति मिले हैं, उनसे मैं मिलना चाहता हूँ। मैं चाहता हूँ कि उनके दुख उनके मुख से सुनूँ और जहाँ तक सम्भव हो, उन्हें दूर करने की कोशिश करूँ। ग्राम कवियों ने उनकी पीड़ा को वाणी दी है पर फिर भी उसमें वह ताज़गी कहाँ जो कि अपेक्षित है। इस सन्दर्भ में एक शेर याद आ रहा है जो आपकी खिदमत में अर्ज़ करता हूँ:

जबानी ग़ैर से सुनने का क्या अफ़सोस करते हो
मज़ा तब था जो सुनते मेरे मुँह से दास्ताँ मेरी।

भारतेन्दु हरिश्चन्द्र: एक इतिहास पुरुष

"पाकीज़ा ख़ालिस हिन्दी की बुनियाद भारतेन्दु की कलम ने ही डाली और उस ज़माने से डाली। अब तक गो हिन्दी नस्र ने बहुत कुछ तरक्की कर ली है मगर आज भी हरिश्चन्द्र की हिन्दी की नस्र की बलागत शोख़ी और पाकीज़गी क़ाबिलेदाद है। गो भाषा का चर्चा दिन ब दिन ज़्यादा हो रहा है मगर अभी बहुत अर्सा गुज़रेगा जब हमको हिन्दी अदब की मसनद पर हरिश्चन्द्र का कोई जानशीन नज़र आयेगा।"

—प्रेमचन्द

भारतेन्दु कर गये भारती की वीणा निर्माण
किया अमर स्पर्शी ने जिसका बहुविधि स्वर सन्धान।

—सुमित्रानन्दन पन्त

सन् सोलह सौ पचास ईसवी में जब सम्राट् शहजहाँ का बेटा शाहशुजा बंगाल का सूबेदार बनकर वहाँ गया तो भारतेन्दु के पूर्वज भी दिल्ली छोड़कर उनके साथ बंगाल चले गये। जैसे-जैसे बंगाल में मुसलमानी राजधानी बदलती रही, वैसे-वैसे ही ये लोग भी अपना निवास बदलते गये। मुर्शिदाबाद वगैरह में इन लोगों के राजमहलों जैसे मकानों के अवशेष अभी भी पाये जाते हैं। इसी वंश में आगे चलकर सेठ अमीचन्द का जन्म हुआ जिन्हें लार्ड क्लाइव ने ऐसा भयंकर धोखा दिया कि सेठ साहब की कुछ ही दिनों बाद मृत्यु हो गयी और लार्ड क्लाइव पर इंग्लैण्ड में मुक़दमा चलाया गया। दोनों व्यक्ति इतिहास में अमर हो गये। सेठ अमीचन्द ने सिराजुद्दौला के साथ गद्दारी की थी मगर इस सन्दर्भ में हमें यह भी नहीं भूलना चाहिए कि सिराजुद्दौला ने काफ़ी पहले जब कलकत्ता पर हमला किया था तो सेठ अमीचन्द की हवेली से सिर्फ़ चार लाख रुपयों की लूट की थी और उनके घर-बार को इतनी उम्दा आग लगायी थी कि उस घराने के अनेक सदस्यों की आत्मा उनके शरीर से मुक्त हो गयी थी। सेठ अमीचन्द की निर्वाण प्राप्ति के बाद उनके उत्तराधिकारी काशीवास करने काशी चले आये और उन्हीं के वंश में उस बच्चे ने जन्म लिया जो जन्म के समय तो ज़रूर छोटा था मगर जिसने बाद में चलकर भारतेन्दु हरिश्चन्द्र के नाम से वह बड़प्पन हासिल किया जो बड़ों-बड़ों को नहीं मिलता। लार्ड क्लाइव ने

सेठ अमीचन्द के साथ जालसाज़ी का और धोखाधड़ी का ठीक वही जुर्म किया था जिसके लिए वारेन हेस्टिंग्ज़ ने महाराज नन्दकुमार को अदालत भेजा था। ब्रिटिश कानून के अनुसार महाराज नन्दकुमार को फाँसी दी गयी थी और लार्ड क्लाइव को बाइज़्ज़त रिहा किया गया था। ग्लैडस्टन ने कहा था कि भारत में अंग्रेज़ी न्याय तब तक पूर्णतः निष्पक्ष रहता है जब तक कोई पार्टी अंग्रेज़ नहीं होती। भारतेन्दु का महन्त 'अन्धेर नगरी' में अपने शिष्य से ठीक ही कहता है, "वत्स, लालच से बचना और अंग्रेज़ी कानून से बचना। इन दो में से किसी एक के फन्दे में भी यदि तू फँसा तो भगवान सहस्रबाहु भी तेरी रक्षा नहीं कर सकते।" इसके आगे का क़िस्सा जानना हो तो 'अन्धेर नगरी' पढ़िए और बाकी दास्तान सुनहरे पर्दे पर देखिए। कभी प्रयाग के डॉ. सत्यव्रत सिन्हा इस अमर नाटक का मंचन किया करते थे मगर इत्तफ़ाक की बात, वे स्वयं ही इतिहास की भेंट चढ़ गये।

भारतेन्दु का जन्म दस दिसम्बर सन् अठारह सौ पचास को रात्रि में चार बजकर बत्तीस मिनट और तेईस सेकण्ड पर हुआ था। बाद में ठठेरी बाज़ार में स्थित एक स्कूल में वे डाले गये। सात वर्ष की आयु में उन्होंने अपनी पहली कविता लिखी और अपने निजी पिता के लिए एक दोहे का ऐसा मार्मिक अर्थ बतलाया जो उनके पिता तक नहीं जानते थे। जीवन में उन्होंने व्यापार किया, अख़बार निकाले, यात्राएँ कीं (जिनमें वे पश्चिमी उत्तरप्रदेश में स्थित बुलन्दशहर तथा कुचेसर की रियासत तक आये। मेरा ज़िला उन्होंने नहीं देखा, जिसका उन्हें सारी उम्र अफ़सोस रहा होगा), खड़ी बोली की सच्ची छवि देखने के लिए 'मौक़ा मुआयना' किया, ताश की नयी डिज़ाइन ईज़ाद की, नये-नये मेले शुरू किये, लोगों को कसकर हँसाया और बाद में इश्क़ भी किया। वे इतिहासकार, धर्मज्ञ, भक्त, पुरातत्त्ववेत्ता, पर्यटक, सम्पादक, पत्रकार, अभिनेता, लावनीबाज़, समाजसेवी, देशभक्त, कबूतरबाज़, शिक्षाविद्, अध्यापक, अनुवादक, बहुभाषाविद्, फ़ोटोग्राफ़र, चित्रकार, अक्खड़, कुशल पाकशास्त्री और पता नहीं क्या-क्या थे। उपर्युक्त क्रियाकलापों से जो थोड़ा-बहुत समय बचा, इसमें उन्होंने साहित्य पर भी एक या दो अदद दृष्टिपात किया और ज़्यादा नहीं, मात्र सौ से ऊपर छोटी-बड़ी पुस्तकें लिखीं, संकलित कीं और अनूदित कीं। उनका ईश्वरचन्द्र विद्यासागर, बालकृष्ण भट्ट, राजा लक्ष्मणसिंह, केशवचन्द्र सेन, प्रेमघन, प्रताप नारायण मिश्र और बंकिम बाबू से घनिष्ठ परिचय रहा। उनकी मृत्यु छः जनवरी सन् अठारह सौ पचासी ईसवी को रात्रि के नौ बजकर चौदह मिनट और साठ सेकण्ड पर सम्पन्न हुई। कुल मिलाकर उन्होंने चौंतीस वर्ष, तीन माह, सत्ताईस दिन की महान आयु पायी। उनकी पहली पंक्ति थी—पछतांति गुजरिया घर में खरी—और अन्तिम पंक्ति थी—डंका कूच का बज रहा, मुसाफिर जाग मेरे भाई!

भारतेन्दु के जीवन में उनका धन के प्रति जो दृष्टिकोण रहा, वह काफ़ी चर्चित है। उनको तीन परिवारों की असीम सम्पत्ति विरासत में मिली थी जिसे उन्होंने हाथ

खोलकर तबीयत के साथ ख़र्च किया। मोमबत्ती को दो तरफ़ से नहीं, वरन चार तरफ़ से जलाया। अख़बार निकाले, किताबें छापीं और मुफ़्त बाँटीं। किताबें ख़रीदते भी वे बहुत थे और कभी-कभी उन दोस्तों को किताबें वापस करने के लिए विज्ञापन भी निकाला करते थे जो क़ीमती किताबें पढ़ने को ले जाते थे और वापस करना भूल जाते थे (किताबों के साथ मेरा भी यही दृष्टिकोण है: बाई, बैग, बौरो और स्टील) ऐश की, दान किया, ग़रीबों की आख़िरी दम तक मदद की और ज़्यादा सर्दी पड़ी तो नोटों के बण्डल जलाकर देह को गर्म भी किया। जब परमस्नेही काशी नरेश ने कहा कि 'बबुआ, हाथ देखकर ख़र्च किया करो' तो उन्होंने तपाक् से उत्तर दिया कि 'हुज़ूर, यह दौलत मेरे पुरखों को खा गयी, इसे मैं खाऊँगा'। सब कुछ किया मगर मरते समय अपने ऊपर एक पैसे का भी ऋण नहीं छोड़ा। ऋण की अदायगी में भी वे अद्‌भुत थे। एक बार एक सज्जन ने देखा कि बाबू साहब के पास काफ़ी डाक ऐसी पड़ी है जो डाक टिकटों के न होने के कारण बाहर नहीं भेजी जा रही। उन्होंने दो रुपये के टिकट ख़रीदे और डाक डिस्पैच करवा दी। इस घटना के बाद वे जब कभी भी बाबू हरिश्चन्द्र से मिले, बाबू साहब ने हमेशा उन्हें दो रुपये दिये। कुल मिलाकर स्थिति यह रही कि दो रुपयों के बदले वे शायद दो हज़ार वापस कर गये। वे चन्द्रमा थे मगर उनमें कलंक नहीं था। उनके भारतेन्दु बनने पर जब एक ईर्ष्यालु ने कहा कि अच्छा है, भारतेन्दु बने हैं तो कलंकों की चर्चा भी हो जाए तो तुरन्त एक-दूसरे धुरन्धर ने कहा कि "मान्यवर, द्वितीया के चन्द्रमा में कलंक नहीं होता। आप पहले खगोल शास्त्र पढ़िए बाकी बात बाद में कीजिए।"

भारतेन्दु में देश-प्रेम कूट-कूटकर भरा था। समाज सुधार की भावना उन्हें ज़रूरत से ज़्यादा व्याकुल रखती थी। वे धर्मपरायण व्यक्ति थे, मगर धर्म के नाम पर बैर करने वालों से उनका सदा बैर रहा; फूट बैर को दूरि करि बाँधि कमर मज़बूत, भारत माता के बनो भ्राता पूत सपूत। वे सदा यही चाहते थे कि देश की समस्याओं पर कुछ ऐसा लिखा जाये जो सरल भाषा में हो ताकि गँवार और स्त्री लोग भी उसे भली-भाँति समझ सकें और जो कजली, ठुमरी, खेमरा, कहरवा, चैती, होली, साँझी, लावनी, बिरहा, चैती और ग़ज़ल इत्यादि की शक्ल में हो ताकि काम की जो बात हो वह लाखों-करोड़ों लोगों तक अनायास पहुँच सके। उन्होंने स्वयं भी इस भाँति का माल लिखा। कम्पनी के दिनों में रेज़ीडेण्ट लोग प्रायः राजा या नवाब के विरुद्ध ग़लत प्रचार किया करते थे। उन्होंने ड्यूक आफ़ एडिनबरा (जिसका ब्रिटेन की वर्तमान रानी के पति से किसी प्रकार का कोई सम्बन्ध नहीं था) के स्वागत की गोष्ठी भी आयोजित की और विदेशी शासन के ख़िलाफ़ जमकर लिखा भी (अंग्रेज़ी राज सुख साज सबै अति भारी, पै धन विदेश चलि जात यहै अति ख्वारी) (भीतर भीतर सब रस चूसै, हँसि-हँसि के तन मन धन भूलै: ज़ाहिर बातन में अति तेज़, क्यों सखि साजन, नहिं अंग्रेज़) निर्धन होने पर भी स्थिति यह रही कि जब खान

देश में अकाल पड़ा तो उन्होंने खप्पर लेकर काशी निवासियों से दुर्भिक्ष-पीड़ितों के लिए भिक्षा माँगी। भारतीय होने के साथ-साथ वे हिन्दू समाज के अग्रदूत थे। और हाँ, जहाँ तक आत्मसम्मान का प्रश्न है, उनका एक शेर ही उनके चरित्र को उजागर करने के लिए काफ़ी होगा—सिजदा से गर बहिश्त मिले दूर कीजिए, दोज़ख ही सही, सिर का झुकाना नहीं अच्छा। उनकी अन्तिम इच्छाएँ मात्र चार थीं: श्री ठाकुर जी को बग़ीचे में 'पधरा' कर धूमधाम से षड्ऋतु उत्सव करना, विलायत, फ्रांस और अमेरिका की यात्रा करना, अपने उद्योग से एक शुद्ध हिन्दी की यूनिवर्सिटी स्थापित करना और पश्चिमोत्तर देश में (यानी कि मेरे ज़िले के आसपास) शिल्पकला का एक कॉलेज बनाना। उन्होंने न जाने कितनी संस्थाओं की स्थापना की, उनकी मदद की और व्यक्तिगत रूप से न जाने कितनों की सहायता की। वे अपने जीवन में ही अमर हो गये थे और जानते थे कि 'प्यारे हरिचन्द की कहानी रह जाएगी।'

साहित्य और भाषा के क्षेत्र में उन्होंने जो कुछ किया वह अब इतिहास बन चुका है। (निज भाषा उन्नति को मूल, बिनु निज भाषा ज्ञान के मिटत न हिय की शूल) यूँ तो उन्होंने सभी कुछ लिखा पर श्रृंगार व हास्य के क्षेत्र में उनका जो योगदान है वह कदाचित् अतुलनीय है। इस सन्दर्भ में जो पाठक ज़्यादा व्यस्त हैं वे कम-से-कम मेरी तरह विद्यानिवास मिश्र का लिखा 'कृष्ण काव्य और भारतेन्दु' नामक निबन्ध ही पढ़ लें। बंकिम बाबू ने यदि 'गर्दभ-स्तोत्र' लिखा तो भारतेन्दु ने 'बकरी-विलाप' की रचना की। मनुष्यों पर ही नहीं, वरन् पशुओं तक पर उन्होंने ध्यान दिया। अब तो लगता है जैसे कि किशनचन्दर के बाद साहित्य में गधे का स्थान समाप्त हो गया है जो कि एक ग़लतफ़हमी है। आजकल तो हमारे साहित्य में काफ़ी बड़े-बड़े गधे घुस आये हैं और रेंक रहे हैं और रेंकने की क़ीमत वसूल कर रहे हैं। 'अन्धेर नगरी' व 'बकरी-विलाप' के अतिरिक्त उन्होंने ताज़ीराते-शौहर, मन्दिरा-स्तवराज, स्त्री सेवा पद्धति, कृष्णभोग, चन्द्रावलि, चुम्बति, उर्दू का स्यापा, मशालची-प्रसंग, सण्डभण्डयो संवाद, बन्दरसभा, भुतही इमली का कनकौआ, पाँचवाँ पैगम्बर, वैश्या-स्तवराज, अंग्रेज़-स्तोत्र व कंकड़ स्तोत्र जैसी दिलचस्प किताबें भी लिखीं और इन हलके-फुलके कागों के साथ-साथ कुरानशरीफ़ का अनुवाद भी किया। उन्होंने कुछ रचनाएँ पंजाबी, गुजराती, तेलुगु, बँगला, संस्कृत, उर्दू व अंग्रेज़ी भाषाओं में भी लिखीं। 'पाखण्ड विडम्बन' में उन्होंने क्षपणक और श्रमण—दोनों को मदिरा पीता दिखाया है। 'वैदिकी हिंसा हिंसा न भवति' में उनका एक पात्र स्वयम् चित्रगुप्त को घूस देता है और 'अन्धेर नगरी' में तो जाति का विक्रय तक दिखाया गया है और यह भी दिखाया गया है कि सच्चे अपराधी को फाँसी नहीं दी गयी थी, क्योंकि फन्दा जो था वह अपराधी के सिर के लिए काफ़ी बड़ा बैठता था। व्यक्तिगत रूप से मुझे उनका 'भारत दुर्दशा' नाटक ज़्यादा पसन्द है। भारत मूर्छित है, उसकी सहयोगिनी का नाम निर्लज्जता है जो 'भारत' को मृत्यु से बचाने के लिए

भीख माँगती है। 'आलस्य', 'मदिरा', 'रोग' और 'अन्धकार' वे पात्र हैं जिन्हें 'भारत' की हत्या करने के आदेश दिये जाते हैं। 'भारत' की साली का नाम आशा है जिसे अन्धकार की किरणें निगल जाती हैं। यह नाटक बड़ा प्रभावशाली व बड़ी सरलता के साथ मंचनीय है। ऐसे नाटक अब नहीं लिखे जाते।

भारतेन्दु हरिश्चन्द्र एक महान् साहित्यकार थे—इसे साबित करने के लिए इससे बड़ा सबूत और क्या दिया जा सकता है कि वे एक अदद प्रेमिका भी रखते थे। नाम था मल्लिका। साहित्यकार होने के साथ वह रूपवती भी थी। मैं भी इधर एक प्रेयसि रखने के बारे में सोचता हूँ जो मुझसे चालीस वर्ष छोटी हो। यदि ऐसी कोई कन्या मिल जाए तो लगे हाथों मैं भी दाढ़ी बढ़ा लूँ। (आशा है, जैनेन्द्र जी मेरी मदद करेंगे)।

भारतेन्दु हरिश्चन्द्र हास्य मात्र लिखते ही नहीं थे वरन् जीते भी थे। उनकी चुहलबाज़ियों के क़िस्से शायद अनगिनत हैं। कुछ ख़ास घटनाओं की चर्चा यहाँ करता हूँ ताकि उनके मस्तमौजी स्वभाव की झाँकी आप देख सकें। शतरंज और ताश के अतिरिक्त उन्हें कबूतरों का शौक़ तो था ही, मगर 'प्रैक्टिकल जोक्स' करने में भी वे किसी से पीछे नहीं थे। पहली अप्रैल को तो सार्वजनिक उपहास तक कर डालते थे। एक बार उन्होंने किसी प्रमुख व्यक्ति द्वारा यह विज्ञापित करा दिया कि आज रात एक मेम साब खड़ाऊँ पहनकर रामनगर से गंगा पार करेगी। हज़ारों लोगों की भीड़ गंगा के दोनों तटों पर एकत्रित हो गयी। बस, अब आने ही वाली है, आने ही वाली है—यह सोचकर उत्सुक भीड़ काफ़ी रात गये तक उस विलक्षण मेम की प्रतीक्षा करती रही, मगर बाद में जब लोगों को ध्यान आया कि ओफ्फोह, आज तो पहली अप्रैल है, तब सब लोग हँसते-लजाते अपने-अपने घरों को लौटे। इसी प्रकार उन्होंने एक बार प्रसारित करवा दिया कि एक बड़े ही महा संगीतकार आये हैं जो हरिश्चन्द्र स्कूल में अपने गायन द्वारा लोगों को आनन्दित करेंगे। नियत समय से पहले ही हज़ारों लोग इकट्ठे हो गये और गायक की प्रतीक्षा करने लगे। काफ़ी देर बाद जब पर्दा उठा तो लोगों ने देखा कि विविध रंगों से अपना मुँह रँगे हुए तानपूरे को उल्टी तरफ़ से पकड़े हुए और सिर पर गर्दभ-टोपी पहनकर हेंपो हेंपो करते हुए एक व्यक्ति प्रकट हुआ और नाचने लगा। लोग समझ गये कि बाबू हरिश्चन्द्र ने मज़ाक़ किया है और वे हँसते-बतियाते अपने-अपने घरों को लौट गये। एक बार तो दिल्लगी यहाँ तक बढ़ गयी कि सबको विज्ञापन द्वारा सूचित किया गया कि अमुक तिथि को अमुक समय एक यूरोपियन तपस्वी अपने प्रभाव से सूरज और चाँद को पृथ्वी पर उतारेंगे। काफ़ी लोग इकट्ठे हुए और बेवकूफ़ बने। अन्तिम घटना (जो मुझे बहुत प्रिय है) यह है कि जब वे बलिया में अपना भाषण देने गये तो कहने लगे कि 'शहंशाह अकबर इतना भाग्यशाली था कि जब वह पैदा हुआ तो उसके साथ-ही-साथ अबुल फ़ज़ल, बीरबल और टोडरमल भी पैदा हुए। आज बलिया के

कलक्टर राबर्टस साहब को देखता हूँ तो सोचता हूँ कि ये भी कितने भाग्यशाली हैं जो कि इनके साथ-साथ मुंशी चतुर्भुज सहाय, मुंशी बिहारीलाल इत्यादि यहाँ उपस्थित हैं...।'

छः जनवरी को उनकी पुण्यतिथि है। हिन्दी के उस सर्वप्रथम महान् व्यंग्यकार के प्रति हिन्दी का अन्तिम महान् व्यंग्यकार होने की हैसियत से मैं उन्हें अपनी श्रद्धांजलि अर्पित करता हूँ और उस कवित्त को यहाँ उद्धृत करता हूँ जिसमें उन्होंने स्वयं ही अपने चरित्र को अंकित किया:

सेवक गुनीजन के चाकर चतुर के हैं
कविन के महत चित हित गुनगानी के,
सीधन सौ सीधे, महाबाँकन हम बाँकन सों
हरिचन्द नगद दमाद अभिमानी के,
साहिबे की चाह, काहू की न कभी परवाह
नेही नेह के दिवाने सदा सूरत निवानी के,
सर्वस रसिक के, सुदास दास प्रेमिन के
सखा प्यारे कृष्ण के, गुलाम राधारानी के

एक शालीन युवती की दिनचर्या

श्रीमती मालती देवी के प्रति मेरा जो आकर्षण है उसके दो कारण हैं। पहला कारण तो यह है कि वे ज़रूरत से ज़्यादा रूपवती हैं और दूसरा कारण यह है कि उनके पति जो हैं वे अक्सर दौरे पर रहते हैं और पैंतीस वर्षीया उनकी यह पत्नी इतने बड़े बँगले में प्रायः अकेली ही पायी जाती हैं। इससे ज़्यादा मैं क्या कहूँ? आप लोग समझदार हैं और शेष स्थिति पर आप स्वयं चिन्तन-अनुचिन्तन कर सकते हैं। ठीक है न?

महादेवी वर्मा की भाँति मालती जी की दिनचर्या भी एकदम निश्चित है और ऐसे अवसर अत्यन्त कम होते हैं जिनमें उसका कोई व्यतिक्रमण होता हो। आज मैं उनकी दिनचर्या की ही चर्चा करूँगा : यह दूसरी बात है कि दिनचर्या के सन्दर्भ में रात्रिचर्या की कुछ बातें भी सामने आ जाएँ।

मालती जी प्रातःकाल को लगभग नौ बजे शय्या त्याग करती हैं। सबसे पहले वे नहाती हैं और फिर एक घण्टा पूजापाठ करती हैं। पूजापाठ का कमरा अलग है। वे राधेश्याम कथावाचक की लिखी रामायण का पाठ करती हैं और फिर ठाकुर जी को भोग लगाती हैं। इसके बाद वे खुद नाश्ता करती हैं जिसमें सब कुछ निरामिष होता है। फल, मेवा, काजू, दूध और गंगाजल। रविवार के दिन यज्ञ भी करती हैं जिससे उनका निवास जो है वह मच्छरों से मुक्त रहता है। खुद नाश्ता करने के बाद वे अपने अलसेशियन कुत्ते और उसकी देसी पत्नी को नाश्ता देती हैं। वे अपने पति के विरह को किसी भाँति बर्दाश्त कर सकती हैं पर अपने कुत्ते और उसकी पत्नी को एक दूसरे से अलग नहीं रहने देतीं। इसी कारण कुत्ते-कुतिया तो हर वर्ष बच्चा देते हैं पर वे स्वयं जो हैं, वे अभी तक निःसन्तान ही हैं। कहते हैं कि परिवार नियोजन का सबसे बड़ा नुस्खा यही है कि अपना निजी पति सदा दौरे पर ही रहे।

कोई ग्यारह बजे वे अख़बार उठाती हैं और बग़ीचे की सैर करती हैं। हाथ में कोई धर्म ग्रन्थ, तीन-चार अख़बार और मुँह में किमाम वाला पान। यही वह समय है कि वे एक ओर 'गीता रहस्य' पढ़ती हैं और दूसरी ओर सूद पर रुपया लेने वालों से हिसाब-किताब करती हैं। अपने कर्ज़दारों से वे लगभग उनचास प्रतिशत की दर पर सूद वसूल करती हैं। मगर वे इतनी भावुक हैं कि पाप की इस कमाई का एक

पैसा भी किसी मंगलकारी काम में नहीं लगाती हैं। लेन-देन किमाम का पान और वह 'गीता रहस्य' का प्रसंग लगभग एक बजे तक चलता है। इसके बाद वे कुछ विश्राम करती हैं और फिर लंच के लिए डाइनिंग टेबल पर आ जाती हैं। टमाटर का सूप, कुछ कुरमुरे टोस्ट और उबली हुई तरकारियाँ। और हाँ, लंच के बाद वे आइसक्रीम ज़रूर लेती हैं। इसके बिना उनका गुज़ारा नहीं होता। लंच के बाद वे कोई दो घण्टा सोती हैं, और चार बजे के लगभग उनका सन्ध्याकालीन कार्यक्रम प्रारम्भ होता है जो काफ़ी घण्टों तक चलता है। प्रत्येक सुन्दर व शालीन युवती की सन्ध्या बाक़ी समय की अपेक्षा कहीं ज़्यादा आकर्षक होती आयी।

चार बजे मालती जी महिला-क्लब के लिए तैयार होती हैं। बढ़िया साड़ी और क़ीमती गहने पहनती हैं। मुँह में किमाम का पान और बालों में ताज़े फूल। खुद मोटर चलाती हैं। क्लब में उन जैसी अमीर और शालीन महिलाओं की छोटी-सी भीड़ होती है। कॉफ़ी पी जाती है और वह भी चाँदी की क्राकरी में। न जाने किस-किस युवती के यौन जीवन को लेकर बहस चलती है, पर्दाफ़ाश किया जाता है और ख़ूब खुलकर हँसा जाता है। कुछ युवतियाँ सिगरेट भी पीती हैं। कोई दो घण्टे हँसी-ठट्ठे में गुज़र जाते हैं और फिर देश के ग़रीब लोगों पर ध्यान दिया जाता है। कोठी में आराम से बैठकर झुग्गी-झोंपड़ी कॉलोनी की समस्या पर ध्यान दिया जाता है और इसके बाद किसी ग़रीब व्यक्ति या ग़रीब लड़की की सहायता के लिए पाँच-पाँच रुपये का चन्दा दिया जाता है। पूँजीवाद की निन्दा की जाती है और मन्त्री जी से मिलने का कार्यक्रम तैयार किया जाता है। इसके बाद चौपड़ जमती है और तम्बोला और ब्रिज खेला जाता है। कोई नौ बजे वे क्लब से लौटती हैं और लौटने के बाद इत्र से सुगन्धित जल के भरे टब में नंगे होकर स्नान किया जाता है। रात के लिए कपड़े बदले जाते हैं और फिर तुलसी के पौधे के नीचे दीपक जलाया जाता है। धार्मिक तो रहना ही पड़ता है जिससे मन को शान्ति मिले।

भोजन से पहले आरती गायी जाती है जिसमें सारे नौकर व नैकरानियाँ भी भाग लेती हैं। इसके बाद विदेशी मदिरा का दौर चलता है। कोई साढ़े दस बजे डिनर होता है जिसमें मुर्ग़ा खाने को मिलता है। खाना खकर वे कोई अश्लील उपन्यास पढ़ती हैं या फिर वीडिओ पर 'ब्लू' फ़िल्म देखी जाती है। कोई बारह बजे वे पलँग पर लेटती हैं और राम नाम का जप करती हैं। इसके बाद वे खिड़की खोलती हैं और सो जाती हैं।

खिड़की खोलने के कई कारण हैं। वैसा करने से चाँदनी कमरे के भीतर आती है और फूलों की खुशबू भी आती है। आधी रात के बाद जो प्रेमी युवक आते हैं वे भी इसी खिड़की के माध्यम से आते हैं।

अब आप ही बताइए कि ऐसा सन्तुलित और सम्पूर्ण जीवन और कहाँ देखने को मिलता है?

बेताल कथा

(एक)

जिस समय बंकिम बाबू एक ज़िले के कलेक्टर थे तो उन्हें किसी यात्रा पर जाना पड़ा। उनकी पत्नी उनके साथ थीं। गाड़ी आने में देर थी और इस कारण दोनों प्राणी रेलवे स्टेशन पर पड़ी एक बेंच पर बैठ गये। बंकिम बाबू की पत्नी असाधारण रूपवती थीं। जब एक रेलवे कर्मचारी (जो अंग्रेज़ था) ने उन्हें देखा तो वह पागल-सा हो गया। वह घूर-घूर कर उन्हें देखने लगा और शेष सारी दुनिया को भूल गया।

बंकिम बाबू ने सब कुछ देखा मगर मामले को ताड़ने के बावजूद उन्होंने क्रोध नहीं किया। उन्होंने उस अंग्रेज़ स्टेशन मास्टर को अपने पास बुलाया और बड़ी स्वाभाविक मुस्कराहट के साथ कहा कि आप बहुत देर से घूम रहे हैं, शायद थक गये होंगे। कुछ देर बेंच पर बैठकर विश्राम कर लीजिए।

वह रेलवे का अफ़सर कुछ शरमा गया पर बंकिम बाबू के दुबारा कहने पर उसी बेंच पर बैठ गया जहाँ बंकिम बाबू की परम सुन्दरी पत्नी बैठी हुई थीं। बंकिम बाबू ने अपनी पत्नी से कहा कि साहब को कुछ फल वग़ैरा खिलाओ। उनकी पत्नी ने टोकरी में से फल वग़ैरा निकाले और उस अंग्रेज़ अफ़सर को पेश किये। पहले तो वह मना करता रहा पर बाद में बंकिम बाबू के कहने पर वह फल लेकर खाने लगा।

बंकिमचन्द्र ने बड़ी गम्भीरता से पूछा कि आपको वेतन कितना मिलता है? अंग्रेज़ ने जवाब दिया कि पाँच सौ रुपया। उसने यह भी बताया कि इस वेतन में उसका सारा परिवार पलता था जिसमें एक विधवा माँ, एक छोटा भाई और एक विधवा भावज भी शामिल थीं। अंग्रेज़ कर्मचारी ने कहा कि उसकी ईमानदारी के कारण घर का खर्च कुछ मुश्किल से ही चलता था।

उसकी सारी कथा सुनकर बंकिम बाबू हँसकर बोले, “यह मेरी पत्नी है और मुझे डेढ़ हज़ार रुपया वेतन मिलता है जो कि मैं मिलते ही पत्नी के हाथ पर रख देता हूँ।” वे बोले कि इतना होने पर भी उनकी पत्नी उनसे सीधे मुँह बात नहीं करती। यदि यह स्त्री आपके साथ जाना चाहे, तो आप निःसंकोच इसे ले जाइए।

बंकिम बाबू की बात सुनकर वह अंग्रेज़ लज्जा के मारे रोने लगा।

(दो)

एक बार मुंशी प्रेमचन्द अपनी पत्नी शिवरानी देवी के साथ बस्ती से इलाहाबाद जा रहे थे। सरयू नदी पार करनी थी जिसके लिए उन्हें स्टीमर पर चढ़ना पड़ा। स्टीमर पर दोनों पति-पत्नी बैठ गये मगर ठीक उसी समय एक बीस या पचीस वर्ष का युवक वहाँ आया और उस दिशा में बढ़ने लगा जिस दिशा में शिवरानी देवी जी बैठी हुई थीं। जैसे-जैसे वह आगे बढ़ता गया वैसे ही शिवरानी जी प्रेमचन्द जी के पैरों की तरफ़ खिसकती गयीं। अन्त में चलकर उन्होंने अपने पति का पैर दबाया और कहा कि क्या आप इस बदमाश को नहीं देख रहे?

प्रेमचन्द ने लड़के की गर्दन पकड़ी और स्टीमर के किनारे पर पहुँचकर कहा कि बोल, सरयू में झोंक दूँ या नहीं?

युवक बोला कि उसने कोई गुनाह नहीं किया था। वह तो सिर्फ़ खड़ा था।

प्रेमचन्द ने कहा कि खड़े होने की गुंजाइश क्या उसी जगह थी जहाँ वह खड़ा था? स्त्रियों के सिर पर खड़ा होते उसे लज्जा क्यों नहीं आयी? इसके बाद प्रेमचन्द ने कहा कि अगर ऐसी हरकत दुबारा की तो उसे नदी में फेंक दिया जाएगा।

उनके क्रोध से घबराकर शिवरानी जी उनके पास गयीं और हाथ पकड़कर उन्हें खींच कर लायीं।

(तीन)

ऊपर बताये दो दृष्टान्तों को पढ़कर मैं बेचैन हो जाता हूँ। मैं सोचता हूँ कि यदि ऐसी स्थिति मेरे सामने आ जाए तो क्या करना उचित होगा? मेरा ख़याल तो यही है कि यदि इस प्रकार की स्थिति मेरे सामने आ जाए तो मैं तो पत्नी को अकेला छोड़कर घर की दिशा में भागूँगा और यदि पत्नी एक सप्ताह की अवधि तक भी न आयी तो सत्यनारायण की कथा करवाऊँगा। बीवी को भगाने वाले ने अपना नाम और पता बताने की कृपा करी, तो कम-से-कम डेढ़ सौ रुपया प्रतिमाह उसे ज़रूर भेजा करूँगा। पुराने मॉडल की पत्नी से इतने सस्ते में मुक्ति मिल जाए तो इससे बड़ा सुख और क्या होगा?

इस बारे में आपका क्या ख़याल है? ऐसी स्थिति में आप क्या करेंगे? मेरा आपसे निवेदन है कि आप बेताल के इस प्रश्न पर सोचें, गम्भीरता से सोचें, पत्नी से भी सलाह लें और फिर मुझे सूचित करें। यदि आपकी पत्नी बंकिम बाबू की पत्नी की भाँति सुन्दर है और यदि आप भी बंकिम बाबू की भाँति उदारचित्त व्यक्ति हैं तो मैं आपको विश्वास दिलाता हूँ कि प्रश्न का उत्तर पाने के बाद मैं बेताल की भाँति अपने पुराने पेड़ पर नहीं लटकूँगा; मैं तो आपका उत्तर पाते ही रूपवती पत्नी की दिशा में प्रस्थान करूँगा।

कर्मयोग का सन्दर्भ

भगवान एक है मगर उसकी प्राप्ति के साधन अनेक हैं। हठयोग, भक्तियोग, प्रेमयोग, ज्ञानयोग और अन्त में चलकर कर्मयोग। हमारी एक प्राचीन पुस्तक (शायद 'योगवासिष्ठ') में तो 'ओषधि' को भी मोक्ष का मार्ग स्वीकृत किया गया है जिसका अर्थ यह है कि भाँग, धतूरा और अफ़ीम जैसी नशीली वनस्पतियों को खाकर भी वही आनन्द मिल सकता है जो परमात्मा की प्राप्ति से होता है। परमात्मा और आत्मा की चर्चा करते हुए मुझे आपको यह सूचना देते हुए हर्ष होता है कि आत्मा का भार मात्र इक्कीस ग्राम होता है। अमेरिका के एक चिकित्सक ने हज़ारों व्यक्तियों का मरने से तुरन्त पहले और मरने के तुरन्त बाद वज़न लेकर यह सनसनीखेज़ ख़बर दी है; वैसे नहीं।

ऊपर बताये गये जितने भी योग हैं, उनमें कर्मयोग ही एक ऐसा योग है, जिसे आम आदमी भी कर सकता है। इस योग के लिए न तपस्या करने की ज़रूरत है और न वन जाने की। कर्मयोग की सूचना सबसे पहले गीता में दी गयी। गीता मेरी प्रिय पुस्तक है क्योंकि उसमें 'त्यागी' लोगों की बड़ी प्रशंसा की गयी है। गीता को लेकर न जाने कितनी किताबें लिखी गयी हैं जिनमें लोकमान्य तिलक की लिखी 'गीता रहस्य' सर्वश्रेष्ठ स्वीकार की जाती है। यह पुस्तक लोकमान्य तिलक ने मोडले की जेल में लिखी थी। कन्हैयालाल माणिकलाल मुंशी ने 'गीता एण्ड मॉडर्न लाइफ' नाम की एक पुस्तक लिखी और बाद में चलकर बच्चन ने 'जनगीता' व 'नागर गीता' लिखीं, जिन्हें पढ़कर ठीक 'मधुशाला' जैसा ही आनन्द प्राप्त हुआ।

मैंने एक साधारण पाठक की हैसियत से गीता अनेक बार पढ़ी है। मुझे इस पुस्तक को पढ़कर अनेक शंकाएँ हुई हैं जिनमें से यहाँ मैं मात्र दो का ही ज़िक्र करूँगा। पहली शंका तो यह है कि एक ओर तो यह लिखा है कि मनुष्य कर्म करने में स्वतन्त्र है जब कि दूसरी ओर यह भी लिखा है कि भगवान जो है वह सारे संसार को एक मशीन की भाँति (यन्त्रवत् सर्व भूतेषु) चलाता है। दूसरे शब्दों में हम कर्म करने में भी स्वतन्त्र नहीं हैं; हम ठीक वही करते हैं जो ईश्वर चाहता है। दूसरी शंका यह है कि एक ओर तो भगवान कृष्ण निष्काम कर्म का उपदेश देते हैं और

दूसरी ओर अर्जुन को फल का लालच देते हुए कहते हैं कि ऐ पार्थ, तू युद्ध लड़। यदि तू जीत गया तो पृथ्वी का स्वामी होगा और यदि मारा गया तो स्वर्ग भोगेगा। अरे मूर्ख, तेरे तो दोनों हाथों में लड्डू हैं, फिर यह संकोच क्यों? (अभी अभी गीता का एक विज्ञापन निकला है। लिखा है कि इस नयी पोथी को पढ़कर आपको पता भी नहीं लगेगा कि आप गीता पढ़ रहे हैं या कोई उपन्यास। इस विज्ञापन को पढ़ कर हिन्दू धर्म के ठेकेदार मुक़दमा क्यों नहीं चलाते?)

यह देखकर बड़ा हर्ष होता है कि हमारे देश के कर्णधार कर्मयोग को भूले नहीं। एक रेल मन्त्री थे जिन्होंने रेलवे बोर्ड के चेयरमैन की बोगी एक स्टेशन पर कटवा दी थी। वे चेयरमैन भी चरित्रवान व्यक्ति थे, बिना बिजली और पानी के भी उन्होंने बोगी नहीं छोड़ी। धर्मयुद्ध कई दिन चला और अन्त में चलकर दोनों विभूतियों को अपना पद छोड़ना पड़ा। एक और भूतपूर्व मन्त्री जनता के दुःख से इतना द्रवीभूत हुए कि एक सरकारी बैंक के भीतर घुस गये और वहाँ काफ़ी 'कर्मयोग' सम्पन्न किया ताकि बैंक के सूट पहनने वाले और घूस खाने वाले अधिकारी और कर्मचारी समझ सकें कि प्राकृतिक विपत्ति से ग्रस्त ग़रीब लोगों को समय पर ऋण न देने के परिणाम क्या हो सकते हैं। एक और भूतपूर्व मन्त्री ने दिल्ली के टेलीफ़ोन एक्सचेंज में खुद जाकर यह पता लगाने की कोशिश की कि उन्हें एक ज़रूरी ट्रंककाल क्यों नहीं मिल रही थी! वहाँ जाना तो ठीक रहा (क्योंकि वैसे टेलीफ़ोन विभाग दूसरों की मुसीबत को कभी नहीं समझता) मगर वहाँ जाकर उन देश सेवक को जो क्रोध आ गया वह शायद ज़रूरत से ज़्यादा था। जैसी कि आशा थी, अगले दिन सारी राजधानी बिना टेलीफ़ोन के शान्तिपूर्वक रही। एक अंग्रेज़ी पत्रिका ने मौके का फ़ायदा उठाया और बताया कि ये नेता वैसे भी काफ़ी दिलचस्प क़िस्म के इंसान हैं। इन्होंने कभी अपने साथियों से कहा था कि यदि मैं सिगार पीता हूँ तो समझो कि मैं चर्चिल हूँ, यदि मैं छाता लेकर निकलूँ तो समझो कि मैं चेम्बर लेन हूँ और यदि कभी मेरे हाथ में छोटा-सा डण्डा दिखाई पड़े तो समझो कि मैं स्वयं पण्डित जवाहर लाल नेहरू हूँ। अख़बार में यह भी बताया गया कि ये भूतपूर्व मन्त्री एक बार तीन पीस का सूट धारण किये और सिगार पीते-पीते एक ऐसे 'स्विमिंग पूल' में कूद गये थे जिसमें कुछ देवियाँ स्नान कर रही थीं। जो लोग विस्तार में सारी सामग्री देखना चाहें वे सात सितम्बर उन्नीस सौ छियासी का 'इलस्ट्रेटेड वीकली' पढ़ने का कष्ट करें।

एक प्रदेश के मुख्यमन्त्री हैं जिनके यौन जीवन को लेकर एक अंग्रेज़ी साप्ताहिक अनर्गल बातें छाप रहा है। मुख्यमन्त्री ने अदालत में भारी रकम का दावा किया है जो कि विचाराधीन है। मेरे विचार में मुख्यमन्त्री ने एकदम ठीक क़दम उठाया। आपको याद होगा कि एक विदेशी पत्रिका ने हमारे भूतपूर्व प्रधानमन्त्री पर भी भयंकर आरोप लगाये थे। श्री मोरारजी देसाई ने अमेरिका की अदालत में करोड़ों रुपयों का दावा किया। इन अख़बार वालों ने न जाने कितने नेताओं को पदच्युत

कराया (जैसे टी. टी. कृष्णमाचारी या कृष्णा मेनन) और अब समय आ गया है कि प्रेस भी समझे कि उसकी जो आज़ादी है, उसकी भी एक सीमा है। जहाँ तक यौनाचार का प्रश्न है, मैं तो यही कहूँगा कि यह सब अपने-अपने दृष्टिकोण पर आधारित है। विद्यानिवास मिश्र हैं जो कालिदास की कविता में और खजुराहो की कला में वासना के स्थान पर शुद्ध अध्यात्म का सुख पाते हैं। संस्कृत का अमर ग्रन्थ 'अमरु शतक' न जाने कितनी शताब्दियों तक अश्लील माना जाता रहा मगर बाद में जब पता चला कि इसके वास्तविक लेखक शंकराचार्य थे, तो पुस्तक जो थी वह रातोंरात 'अश्लील' से 'सौन्दर्यवादी' या 'शृंगार प्रधान' हो गयी। कला के नापने के मापदण्ड सदा से लेखक के नाम से प्रभावित होते आये। गीता यदि भगवान की वाणी न होती तो उसे कौन पढ़ता?

मैं सोचता हूँ कि और सब तो ठीक है पर क्या वास्तव में कोई और ऐसा रास्ता नहीं है जिससे हम लोग अपना आक्रोश प्रकट कर सकें? क्या यह सारा 'कर्मयोग' जिसकी ऊपर चर्चा की गयी है, शालीनता और विनोद के साथ नहीं सम्पन्न किया जा सकता था? आपको याद होगा कि एक बार श्री श्रीपाद् अमृत डाँगे एक इतनी बड़ी याचिका लेकर संसद भवन आये थे जिसको भार के कारण बैलगाड़ी पर लाना पड़ा था। इसी प्रकार एक बार श्री फीरोज़ गाँधी ने स्पीकर से पूछा था कि यह क्या बात है कि जहाँ भी कुछ 'अफ़ेयर' होता है, वहीं स्त्रियों को मन्त्री बनाया जाता है? यह बात उन दिनों की है जबकि इत्तफ़ाक से 'होम अफ़ेयर्स' 'एक्सटर्नल अफ़ेयर्स' और 'इकॉनॉमिक अफ़ेयर्स' के विभाग तीन महिला-मन्त्रियों ने सँभाल रखे थे। इसी प्रकार एक बार पण्डित जी ने लोकसभा में कुछ इस तरह की बात की जिससे लगता था कि हमें उस प्रदेश के बारे में ज़्यादा चिन्ता नहीं करनी चाहिए जो कि चीन ने ले लिया है क्योंकि वहाँ कुछ पैदा तो होता ही नहीं है। उनकी बात सुनते ही महावीर त्यागी ने अपना बड़ा सिर सामने पेश किया और कहा कि क्या इस सिर की कोई क़ीमत नहीं है क्योंकि यह गंजा है और इस पर कुछ भी पैदा नहीं होता? एक और मज़ेदार घटना की याद आ रही है और सोचता हूँ कि उसे भी सुना ही दूँ। एक बार केन्द्रीय बजट पर बहस चल रही थी मगर सांसद लोग उस युवती को कहीं ज़्यादा देख रहे थे जो कि दर्शक दीर्घा में बैठी थी और जिसने अपना शरीर कम-से-कम ढक रखा था। अन्त में चलकर वित्तमन्त्री को सांसदों से कहना पड़ा था कि आप लोग बजट में वह नहीं देख रहे जो कि 'स्पष्ट' है; आप तो वही देखना चाहते हैं जो कि 'ढका' है। उनकी इस वक्रोक्ति पर पण्डित जी तक को हँसी आ गयी थी।

गीता में काफ़ी साफ़ कहा गया है कि हम सबको एक न एक दिन तो मरना ही है और इसी कारण हम यदि आज ही मर जाएँ तो क्या वह ठीक नहीं होगा? एक ओर कहा जाता है कि जीवन अमर है और दूसरी ओर अभिमन्यु की हत्या पर

यह सारा ज्ञान विलुप्त हो जाता है। जयद्रथ जो मारा गया था वह काफ़ी छल और कपट के साथ मारा गया था। आत्मा यदि अमर है तो इतना प्रपंच रचने की क्या ज़रूरत थी? और जब उनका उपदेश अर्जुन की बुद्धि में नहीं आया तो भगवान कृष्ण ने उसे अपना विकराल रूप दिखलाकर भयभीत कर दिया। मैथिली के व्यंग्यकार खट्टर काका (हरिमोहन झा) के अनुसार 'निष्काम' कर्म का जो मन्त्र है वह मात्र परिवार नियोजन में काम आ सकता है, जीवन के बाकी क्षेत्रों में नहीं।

इधर काफ़ी दिनों से सेना से निवृत्त अधिकारियों के निष्काम कर्मों के काफ़ी चर्चे सुनाई पड़ रहे हैं। कुछ दिनों पूर्व एक एयर मार्शल और एक मेजर जनरल पर मुक़दमा चलाया गया था क्योंकि वे दोनों सेवानिवृत्त भाई हमारी सेना के रहस्यों को विदेश पहुँचा रहे थे। आज के अख़बार में (28 अगस्त 1986 का इण्डियन एक्सप्रेस) बताया गया है कि एक सेवानिवृत्त ब्रिगेडियर ने काफ़ी घटिया माल बमों में लगाने दिया जिसके कि युद्ध के समय भयंकर परिणाम हो सकते थे। मेरा तो निश्चित मत है कि सेना के उच्च अधिकारियों को कभी सेवा से निवृत्त करना ही नहीं चाहिए। न वे रिटायर होंगे और न कोई अपराध सामने आएगा। लगभग ऐसी तो स्थिति एक प्रदेश के सांस्कृतिक संस्थान के साथ है जिसमें एक राजनीतिक महात्मा और एक कवि-अधिकारी साथ-साथ दोषी बताये जा रहे हैं। सच क्या है यह तो भविष्य ही बताएगा।

फलों की तरह गीता की भी कई क़िस्में हैं। मैंने ऊपर जो चर्चा की है वह मात्र 'भगवद्गीता' की है, 'रामगीता' या 'शिवगीता' की नहीं। 'भगवद्गीता' जो है वही वास्तविक गीता है, हाँ अलबत्ता इस बात को समझ पाना कठिन है कि युद्ध के क्षणों में इतनी बड़ी पोथी को सुनाने का और सुनने का समय कृष्ण और अर्जुन को कैसे मिल पाया था।

इन दिनों मुझे एक और गीता मिल गयी है जिसका नाम है 'ग़ज़ल गीता'। सोचता हूँ इसमें अध्यात्म और कव्वाली दोनों का आनन्द साथ-साथ आएगा। बहरहाल फ़िलहाल तो मैं उस कर्म का शिकार बनने वाला हूँ जिस पर मेरा कोई अधिकार नहीं। शरीर धर्म का प्रथम साधन है और इसी हेतु मैं बाथरूम की दिशा में अग्रसर हो रहा हूँ। चिरकीन का एक शेर याद आ रहा है जो अपने में लासानी है। इस शेर विशेष में महाकवि चिरकीन ने बताया है कि एक बार अपने को निवृत्त करते-करते उन्होंने पिछली दीवार पर अपनी प्रेयसी का (जैनेन्द्र कुमार की प्रेयसी का नहीं) चित्र कैसे अंकित कर दिया था। बच्चन के काव्य पाठ को सुनकर कम-से-कम दो नवयुवकों ने आत्महत्या की है (बच्चन की आत्मकथा) जब कि चिरकीन यदि धारा नगरी के राजा भोज के दरबार में होते तो उन्हें लाखों मिलते। प्रत्यक्षर लक्षं ददौ। ये लाख क्या मिलते—जूते या रुपये—इसकी चर्चा बल्लाल ने कहीं नहीं की। चिरकीन का उपरोक्त शेर मुझे कविमित्र भारतभूषण ने

दिया है जिससे आप उनकी कला-प्रतिभा का भी अन्दाज़ा लगा सकते हैं। निवृत्त करते समय दीवार पर प्रेयसी का चित्र उन्हीं द्रव, ठोस और गैस पदार्थों से बना जिनकी चर्चा श्रीलाल शुक्ल ने 'राग दरबारी' में विशदता के साथ की। मुझे खेद है कि ग्रामीण जीवन के इस मार्मिक पहलू पर 'ग्राम्या' के कवि पन्त जी ने भी कोई ध्यान नहीं दिया। शेर इस प्रकार है:

शिद्दते हाजत से बैठे जो पसे दीवार हम
पौंक से दीवार पर तसवीरे-जानाँ बन गयी।

गणतन्त्र दिवस की शोभायात्रा

आज हमारा गणतन्त्र दिवस है। गणतन्त्र दिवस उस दिवस को कहते हैं जिस दिन राजपथ पर परेड निकलती है, राष्ट्रपति सलामी लेते हैं और लाखों आदमी भयंकर सर्दी में रात बिताकर यह सारा कार्यक्रम देखते हैं। इसके बरख़िलाफ़ स्वाधीनता दिवस उस दिवस को कहते हैं जिस पर हमारे प्रधानमन्त्री लाल क़िले पर राष्ट्र का झण्डा फहराते हैं और लाखों लोग वर्षा में भीगते हैं। भगवान की भी क्या लीला है, जो भी मौसम हमें दिया वह छप्पर फाड़कर ही दिया।

मुझे गणतन्त्र दिवस ज़्यादा पसन्द है क्योंकि उस दिन देश की स्थिति दिखाने वाली झाँकियाँ निकलती हैं जिन्हें देखकर मैं गाँधी, जवाहरलाल, पटेल, सुभाष बाबू, भगतसिंह, आज़ाद, बिस्मिल और उस क़िस्म की शेष सारी आत्माओं को भूल जाता हूँ। आज भी वही स्थिति हैः मैं मूँगफलियाँ खा रहा हूँ और उधर राजपथ पर झाँकियाँ निकल रही हैं। भगवान ऐसा दिन मुझे बार-बार दिखाए।

सबसे पहली जो झाँकी है वह हमारे विधायकों की है। झाँकी में मात्र उन्हीं विधायकों को शामिल किया गया है जिन्होंने लोकसभा या किसी विधान सभा में शोर मचाया, हाथापाई की, जूतपैजारी के नये आयाम दिखाये और कसकर दल-बदल किया। झाँकी के समय भी वे एक-दूसरे की धोती खोलने की चेष्टा कर रहे हैं ताकि लाखों जनता अपने चुने हुए प्रतिनिधियों का सच्चा स्वरूप देख सके। प्रजातन्त्र सच्चा प्रजातन्त्र है। जितने विपक्षी दल हमारे यहाँ हैं, उतने किसी और देश में नहीं हैं। सारे विधायकों की तोंद निकली है, कान बहरे हैं और जेबें भरी हैं। भगवान इन्हें लम्बी आयु दे।

विधायकों के बाद जो दूसरी झाँकी आपके सामने से गुज़र रही है वह सरकारी अफ़सरों व कर्मचारियों की है। यह लोग नशाबन्दी के कारण देसी शराब नहीं पीते। वे विलायती शराब पीते हैं और उसके लिए प्रायः विदेश ही जाते रहते हैं। विदेशों में शराब के साथ-साथ साकी भी मिलती है जो काफ़ी काम की चीज़ होती है। अफ़सर लोग रिश्वत लेते हैं और कर्मचारी लोग ओवरटाइम लेते हैं, झूठे मेडिकल बिल पास कराते हैं और अपना बाक़ी दस्तूर भी बाक़ायदा लेते हैं। बहरहाल यह

सारा अमला—चाहे वह अफ़सरों का हो चाहे कर्मचारियों का—सब कुछ करता है, बस काम नहीं करता। काम ही करना होता तो क्या सरकारी नौकरी में ही आते?

अब जो झाँकी आपके सामने है वह उन चुनिन्दा पुलिस के कर्मचारियों की है जो सन्दिग्ध अपराधी की हवालात में पिटाई करते हैं, उन्हें अपना पेशाब पिलाते हैं और कभी-कभी उन्हें अन्धा भी कर डालते हैं। हाँ अलबत्ता अपराधी यदि स्त्रीलिंग होता है तो ये उसके साथ सिवा बलात्कार के और कुछ नहीं करते। थाने से बड़ा धार्मिक स्थान इस देश में कोई नहीं है। आप किसी भी थाने में किसी भी वक़्त चले जाइए; थानेदार वहाँ मिले या न मिले पर हनुमान जी की मूर्ति वहाँ ज़रूर मिलेगी।

अब जो झाँकी सामने आ रही है वह शिक्षक व छात्रों की है। काफ़ी शिक्षक ऐसे हैं जिनका वेतन चुंगी के मेहतर से भी कम है हालाँकि ऐसे भी काफ़ी शिक्षक इस झाँकी में हैं जो ट्यूशन करते हैं, कुंजियाँ लिखते हैं और घूस लेकर परीक्षाओं में नकल करवाते हैं। छात्र वे हैं जिनके एक हाथ में रामपुरी चाकू है और दूसरे हाथ में किसी छात्रा की साड़ी। छात्रा वह है जिसने धूप का चश्मा लगा रखा है ताकि साड़ी यदि उतर भी जाए तो भी वह पूरी नंगी तो न लगे। ये छात्र वही हैं जो यूनियन के इलेक्शन लड़ते हैं और जिनमें राजनीतिक पार्टियाँ कसकर दिलचस्पी लेती हैं। प्रजातन्त्र की शिक्षा स्कूल व कॉलेज से ही दी जा रही है; इससे उत्तम और क्या बात हो सकती है?

अगली झाँकी व्यापारियों की है। सूखा पड़े या चाहे बाढ़ आये—इनकी तो चाँदी ही चाँदी है। इसी चाँदी के कारण इनके सिरों की चाँद निकली है। ऊपर चाँद निकली है, आगे तोंद निकली है और पिछली दिशा में धोती निकली है। यहाँ से जाएँगे तो किसी विधायक के यहाँ जाएँगे, यज्ञोपवीत कान पर रखकर लघुशंका करेंगे और फिर कबाब के साथ दारू पिएँगे। बड़ी दुखी आत्मा है। सारी पार्टियों को चन्दा देना, सारे इंस्पेक्टरों को माहवारी देना और ज़िले के सारे अफ़सरों के यहाँ डाली भिजवाना। इससे ज़्यादा दुखी वर्ग देश में और कोई नहीं। हर एक नेता इन्हीं के काले पैसे के बल पर नेता बनता है और नेता बनने के बाद वह सबसे पहले काला बाज़ार ख़त्म करने की प्रतिज्ञा करता है। अब बताइए कि ये अगर कंचन बाई के कोठे पर न जाएँ तो कहाँ जाएँ? जाएँ तो जाएँ कहाँ?

अब जो झाँकी आपके सामने से गुज़र रही है वह राजनीतिक पेंशनरों की है। इनमें से जेल तो सब गये थे मगर सबका कारण देशप्रेम नहीं था। अपराध और भी हैं कानून में मुल्क़ी खिदमत के सिवा। सच्ची बात तो यह है कि काफ़ी सच्चे राष्ट्रसेवी तो गुलजारीलाल नन्दा की भाँति अपनी रोटी खुद ही पकाते हैं और कुछ को तो वह भी नहीं मिलती।

अब जो झाँकी आपके सामने आएगी वह बुद्धिजीवियों की है। इनकी दाढ़ी बढ़ी है, मुँह में से कच्ची शराब और बीड़ी की गन्ध आ रही है और इनके हाथों में कॉफ़ी

का प्याला है जो इनका राष्ट्रीय पेय है। वह जो झाँकी से हटकर लघुशंका करना चाहते हैं, वे अकवि हैं। वे जो दाढ़ी वाले सज्जन हैं, उनका व्यक्तित्व विराट् है। वे अपनी पोती की आयु की कन्या के साथ सोते हैं और आर्ष संस्कृति पर भाषण देने विदेश जाते हैं। कुछ प्रकाशक भी हैं मगर उनसे चला नहीं जा रहा। लेखकों का रक्त ज़रूरत से ज़्यादा पिएँगे तो यही हाल होगा। और लेखक भी कौन से? ऐसे लेखक जो सरे राह सबको गालियाँ देते हैं और रात-रात भर जागकर नया जासूसी या रोमाण्टिक उपन्यास लिखते हैं। उनसे जब चाहो तब किसी की भी प्रशस्ति लिखवा लो और जब चाहो, तब किसी पर भी मरसिया पढ़वा लो।

अब जो पार्टी नाचती-गाती चली आ रही है वह वेश्याओं की है जिनके साथ कुछ हिजड़े भी हैं। कोई-कोई वेश्या एकदम कुलीन घराने की युवती लगती है। यदि वेश्याएँ वाक़ई इतनी रूपवती होती हैं तो मैं उनके उद्धार के लिए अपने को समर्पित करता हूँ। और हिजड़ों का तो कहना ही क्या! उनके बिना तो गणतन्त्र दिवस की शोभायात्रा बड़ी संजीदा होती जा रही थी। कवि नज़ीर के शब्दों में, "आगा भी इनका साफ़ है, पीछा भी साफ़ है।" इन हिजड़ों में नेता भी हैं, लेखक भी हैं, वैज्ञानिक भी हैं, सेना के अफ़सर भी हैं और भारत सरकार के सचिव भी हैं। हिजड़ों की तादाद जिस तरह बढ़ती जा रही है, उसका आपको पता ही कहाँ है?

देखो भाई, अब आप सँभलकर बैठ जाओ। इस बार जो झाँकी आ रही है वह आतंकवादियों की है, उन धर्मात्मा पुरुषों की है जो शहरों में दंगे करवाते हैं और उन आर्थिक अपराधियों की है जिनका धन विदेशी खातों में जमा है। क्या कभी ऐसा दिन आएगा कि इनकी झाँकी के बिना भी गणतन्त्र दिवस की परेड राजपथ पर निकलेगी?

एक छोटी-सी झाँकी और आ रही है। सबने काले कोट पहन रखे हैं। ये वकील और जज हैं। ज़िला स्तर तक के लोग ही आये हैं क्योंकि भ्रष्टाचार अभी ऊँची अदालतों तक नहीं पहुँचा है। पहुँचेगा, वहाँ भी पहुँचेगा।

इसके बाद वह लम्बी भीड़ नाचती-गाती चली आ रही है जो किराये पर इकट्ठी की गयी है। इसका कोई अन्त नहीं है। मैं एक नपुंसक देशभक्त की भाँति आरामकुर्सी पर बैठा हूँ और परेड देख रहा हूँ। मैं सोचता हूँ कि इस मज़मून को लिखकर मैंने अपना फर्ज़ पूरा कर दिया। मैं सिगरेट सुलगा लेता हूँ और आँखें बन्द कर लेता हूँ। शोभायात्रा है कि चलती जा रही है, चलती जा रही है...

दिल्ली के सुलतान : कुछ दिलचस्प दास्तान

पिछले दिनों मैंने दिल्ली के बारे में कई किताबें पढ़ीं। पढ़कर लगा कि पहली बात तो यह है कि काफ़ी इतिहास लेखकों को इस बात का ही पता नहीं है कि दिल्ली का नाम दिल्ली जो पड़ा वह कैसे पड़ा? दूसरी बात यह है कि जब दिल्ली इतनी पुरानी और महत्त्वपूर्ण जगह है तो फाह्यान, इत्सिंग, इब्नबतूता व हुवेनसांग ने इसकी चर्चा क्यों नहीं की? दूसरे प्रश्न का निश्चित उत्तर किसी के पास नहीं है मगर पहले प्रश्न का उत्तर मैं जानता हूँ। काफ़ी लोगों ने बताने की कोशिश की है कि दिल्ली के लौहस्तम्भ को 'किल्ली' कहा जाता था और बाद में उसे 'ढिल्ली' कहा जाने लगा। इसी 'ढिल्ली' का रूप बिगड़ते-बिगड़ते 'दिल्ली' हो गया। मगर यह धारणा ग़लत है; ठीक नहीं। सन् उन्नीस सौ नौ में रेलवे बोर्ड से छपी और लाइब्रेरियन अबदुर्रशीद द्वारा लिखी 'तीर्थाटन प्रदीपिका' नामक मोटी पोथी से पता चलता है कि दिल्ली को दिल्लू नाम के हिन्दू राजा ने ईसा से पचास वर्ष पहले बसाया था। 'दिल्लू' नाम के राजा का ज़िक्र अनेक इतिहास ग्रन्थों में आता है मगर उसके नाम के साथ 'दिल्ली' को जोड़ने का साहस सिर्फ़ रेलवे बोर्ड के लाइब्रेरियन अब्दुर्रशीद ने ही किया। मैं उन्हें दाद देता हूँ और आगे बढ़ता हूँ।

फ़िलहाल मेरे पास कई अच्छी किताबें हैं। पहली है डॉक्टर परमात्मा शरण द्वारा लिखित 'दिल्ली की कहानी', दूसरी है मेरे मित्र विष्णु खन्ना की लिखी 'दिल्ली बोलती है'। तीसरी है महेश्वर दयाल द्वारा लिखित और बहुचर्चित पुस्तक 'दिल्ली: मेरी दिल्ली'। बाकी दो किताबें हैं ख्वाज़ा हसन निज़ामी की लिखी 'मुग़लों के अन्तिम दिन' तथा राजेश्वर बाबू की लिखी 'मुग़लवंश के डूबते सितारे'। इन सभी पुस्तकों में से मैं सुलतानों और शहंशाहों के कुछ रोचक प्रसंग आपको सुनवाता हूँ जो इस प्रकार हैं:

1. महमूद गज़नवी ने हिन्दोस्तान के ऊपर कई हमले किये और करोड़ों रुपयों की दौलत लूटी। मगर सबसे ज़्यादा क़ीमती जो चीज़ें थीं वे मात्र दो ही थीं। एक तो ऐसा पत्थर का अनमोल टुकड़ा था जिसके लगाने से गहरे से गहरा घाव भी ठीक हो जाता था (मैं शरीर के घावों की चर्चा कर रहा हूँ, दिल पर लगे घावों

की नहीं) और दूसरी जो बेशक़ीमती चीज़ थी वह एक पक्षी था। इस पक्षी में यह विशेषता थी कि यदि कभी भी ज़हर मिला खाना उसके सामने रखा जाता था, तो वह अपने-आप रोने लगता था।

2. एक बार मुहम्मद गौरी अपने गुलामों में इनाम बाँट रहा था। एकाएक उसने देखा कि एक ख़ूबसूरत गुलाम इनाम की अशर्फ़ियाँ अपने पास रखने के बजाय दूसरों के बीच बाँट रहा है। उसकी इस बेअदबी से बादशाह को बड़ा गुस्सा आया और उसने उस गुलाम को सज़ा देने से पहले स्पष्टीकरण का मौक़ा दिया। गुलाम ने सिर झुका के कहा, "मुझे इस दुनिया में आपके करम के अलावा और कुछ नहीं चाहिए। आपका हाथ मेरे सिर पर रहे तो मुझे किसी और चीज़ की तमन्ना नहीं।" गुलाम का जवाब सुनकर बादशाह का दिल पसीज गया। उसने उसे शाही अस्तबल का दरोग़ा बनाया और उसे अपने क़रीब रखने लगा। इस गुलाम का नाम कुतुबुद्दीन ऐबक था जिसे बाद में चलकर मुहम्मद गौरी ने दिल्ली का वायसराय बनाया। एक बार किसी हादसे में ऐबक खो गया तो सुलतान को इतना दुःख हुआ कि वह रोने लगा और उसने खाना-पीना तक छोड़ दिया।

3. अनेक सुलतानों और शहंशाहों को सफ़ेद हाथी का बड़ा शौक़ था। मुहम्मद गौरी ने जब कन्नौज पर चढ़ाई की तो वहाँ से उसे एक अदद सफ़ेद हाथी प्राप्त हुआ जिससे सुलतान को शब्दातीत हर्ष हुआ। चलते वक़्त उसने इस नायाब जानवर को कुतुबुद्दीन ऐबक को ही दे दिया। (कहते हैं कि अकबर महान् के फीलखाने में छः हज़ार हाथी थे मगर वे सारे काले थे। अकबर सारी उम्र एक सफ़ेद हाथी हासिल करने के लिए तरसता रहा। शाहजहाँ के पास अलबत्ता एक सफ़ेद हाथी ज़रूर था जिसे वह अपने मेहमानों को दिखाया करता था। ये बादशाह यदि आज ज़िन्दा होते तो उन सैकड़ों सफ़ेद हाथियों को प्राप्त कर सकते थे जो मोटे-मोटे वेतनों पर सरकारी सचिवालयों में काम करते हैं। मैं खुद उनमें से एक हूँ।) कुतुबुद्दीन हमेशा उसी सफ़ेद हाथी पर सवार होता था। चौगान खेलते घोड़े से गिरने के कारण जब कुतुबुद्दीन ऐबक की मृत्यु हो गयी तो इस सफ़ेद हाथी ने खाना-पीना छोड़ दिया और उसने ऐबक के ग़म में ही घुल-घुलकर अपनी जान दे दी।

4. कई शहरों को जीतने के बाद मुहम्मद गौरी ने उनका नाम 'गौर' रखा जैसे कि गौर-बंगाल ('गौर' शब्द बाद में चलकर 'गौड़' कहलाया। हमारे यहाँ जो गौड़ ब्राह्मण होते हैं, वे इस प्रसंग पर विशेष ध्यान दें)।

5. पिछली शताब्दी तक लोग मानते थे कि कुतुबमीनार जो है वह पास में बनी मस्जिद की ही एक मीनार है जो नमाज़ पढ़ने के लिए विशेष रूप से बनवायी गयी थी। सर सैयद अहमद खान इस मत को नहीं मानते थे। बाक़ी तर्कों के अलावा उन्होंने यह भी पूछाः कौन-सा ऐसा मुल्ला होगा जो दिन में पाँच बार अज़ान देने इतनी सीढ़ियाँ चढ़ता होगा? कौन-सी थी वह मिट्टी जिससे वह बना था? और अगर

वह अज़ान देता भी होगा तो इतनी ऊँचाई से दी गयी अज़ान को सुनता कौन होगा?

6. अल्तमश बड़ा दयालु और न्यायप्रिय बादशाह था। उसका हुक्म था कि मुसीबतज़दा लोग रंगीन कपड़े पहनें चाहे वे फटे हुए ही हों। उनकी पोशाक बाक़ी से अलग होने के कारण, बादशाह उन्हें जल्दी पहचान लेता था, परेशानियाँ सुनता था और तुरन्त न्याय करता था (मुसीबतज़दा लोग रंगीन कपड़ों का इन्तज़ाम कैसे करते थे, इसका इतिहास में कोई ज़िक्र नहीं मिलता)।

7. बादशाह और बख्तियार बाबा (जो कि एक फ़कीर थे) की आपस में नहीं बनती थी। गज़नी के बादशाह ने कहा, “अगर यह कव्वालियों की मजलिस बन्द नहीं हुई तो मैं इस फ़कीर को मुल्क़ से निकलवा दूँगा।” बाबा ने सुना, कुछ सोचा और फिर कहा, “देखता हूँ, मुल्क़ से कौन पहले निकलता है।” इसके थोड़े ही दिनों बाद बादशाह की मृत्यु हो गयी।

8. बख्तियार बड़े भावुक फ़कीर थे। एक बार एक शेर सुना तो दिल को ऐसा चुभा कि बेहोश हो गये। सिर्फ़ नमाज़ के वक़्त होश आता था, बाक़ी वक़्त कव्वालों से वही शेर बार-बार सुनते थे और बेहोश से ही रहते थे। वही शेर सुनते-सुनते उनका दम निकल गया (ऐसी मार्मिक शायरी अब नहीं लिखी जाती और न ऐसे गुणग्राहक श्रोता ही अब पाये जाते हैं)।

9. सुलतान रुक्नुद्दीन (रज़िया सुलतान के भाई जो अल्तमश के मरने के बाद गद्दी पर बैठे) आठों पहर चापलूसों, लफंगों और बदमाशों से घिरे रहते थे। जब बाज़ार से निकलते थे तो सोने के सिक्के उछालते निकलते थे। पहले तो लोगों ने उसे ग़रीबनवाज़ समझा मगर शीघ्र ही यह भरम टूट गया। सब जान गये कि इसका दिमाग़ काम नहीं करता। बादशाह जब दरबार लगाता तो भाँड, डोम-डोमनियाँ और नाचने-गाने वाले उसे घेर लेते। बड़े-बड़े अमीर, वज़ीर और विदेशों के राजदूत बादशाह से मुलाक़ात करने की प्रतीक्षा करते रहते मगर बादशाह को उनसे मिलने की फ़ुर्सत नहीं थी।

10. एक सौदागर गुलाम बेचने दिल्ली आया। एक को छोड़कर बादशाह ने बाकी सारे गुलाम खरीद लिये। उस बचे हुए लड़के ने बादशाह से पूछा कि “आलमपनाह, ये गुलाम आपने किसके लिए खरीदे हैं?” सुलतान ने मुस्कराकर कहा, “अपने लिए।” यह सुनने पर मामूली शक्ल वाला वह लड़का बहुत गिड़गिड़ाकर बोला, “तो एक गुलाम अल्लाह के नाम पर भी सही।” बादशाह को उस साधारण सूरत वाले लड़के पर दया भी आयी और हँसी भी। बहरहाल वह गुलाम भी खरीद लिया गया। यही आख़िरी गुलाम बाद में चलकर सुलतान बलवन बना।

11. अमीर खुसरो ने अपनी ज़िन्दगी में ग्यारह सुलतान देखे थे। हिन्दोस्तान की तारीफ़ें गिनाते हुए उन्होंने यह भी लिखा है कि यह मुल्क़ इसलिए भी बड़ा है क्योंकि यहाँ अमीर खुसरो जैसा कवि रहता है (अब वे पाठक और समीक्षक मुझे

क्षमा कर देंगे जो मुझ पर आत्मश्लाघा का सही इलज़ाम लगाया करते हैं।) उनके गुणग्राहकों में किशलू खान नाम के अमीर सबसे आगे थे। एक कवि का क़लाम उन्हें इतना पसन्द आया कि अस्तबल के सारे घोड़े उस कवि को दे दिये गये। राजा भोज की तरह उन्होंने भी खुसरो को एक क़लाम के एक-एक अक्षर के बदले में सोने का एक-एक सिक्का दिया था।

12. जलालुद्दीन खिलजी इतना 'सज्जन' व्यक्ति था कि जिस दिन उसका राज्याभिषेक हुआ और शाही सवारी निकली उस दिन भी वह यह बात भूल गया कि वह बादशाह है। तख़्त पर बैठने के बजाय वह अमीरों के साथ जा खड़ा हुआ और उनको सलाम झुकाने लगा। उसे भाँडों से इतना प्रेम था कि खुले दरबार में वह उनकी मज़ाक़ सुनता था और इतना हँसता था कि उसके पेट में बल पड़ जाते थे। न जाने कितने भाँड काफ़ी बड़ी-बड़ी तनख़्वाहों पर उसके दरबार में नौकर थे (कुछ लोग समझते हैं कि मात्र जनता पार्टी की सरकार में ही कुछ विदूषक थे जैसा कि ज़ाहिर हो गया होगा, यह धारणा ग़लत ही है, सही नहीं)।

13. खिलजी वंश का अन्तिम बादशाह था कुतुबुद्दीन मुबारक शाह। वह बिना किसी संकोच के साड़ी पहनकर दरबार किया करता था। कभी-कभी तो नंगा होकर दरबार में नाचा भी करता था। राज्य संचालन में बहस-मुबाहिसों की जगह सारा काम अश्लील इशारों से लिया जाता था (जो लोग समझते हैं कि हमारे शासकों ने आज़ादी के बाद ही नंगे नाच दिखाये, वे इस प्रसंग को पढ़ें और अपनी राय दुरुस्त करें)।

14. मुहम्मद तुग़लक ने हुकूमत करने के लिए मिस्र के खलीफ़ा से इज़ाज़त माँगी। आज्ञापत्र लेकर खलीफ़ा का जो दूत सुलतान के दरबार में आया, उसे सारी चीज़ें सोने और चाँदी की ही दी गयीं। घोड़ों के नाल तक सोने के थे। सारा सामान लेकर जब वह दूत मिस्र के लिए वापस हुआ तो कुछ डाकुओं ने उसकी सारी सम्पत्ति छीन ली और वह रोता-पीटता हुआ फिर दिल्ली आया। उसकी दास्तान सुनकर मुहम्मद तुग़लक बहुत हँसा और उसे दुगुनी सम्पत्ति देकर विदा किया। (बादशाह को इस बात का कोई ग़म नहीं हुआ कि उसके राज्य में कानून और व्यवस्था की हालत इतनी ख़राब थी) कहते हैं कि मुहम्मद तुग़लक न्याय पालिका का बहुत आदर करता था। एक लड़के ने काज़ी की अदालत में शिकायत दर्ज़ की कि बादशाह ने उसे बिना वजह पीटा है। अदालत ने बादशाह को तलब किया। फ़ैसले के मुताबिक उस लड़के ने बादशाह को इक्कीस कोड़े लगाये जिसके कारण बादशाह की टोपी अदालत में ही गिर पड़ी।

15. फीरोज़शाह तुग़लक के ज़माने में घूस ख़ूब चलती थी। एक बार एक विशिष्ट सिपाही इस बात को लेकर बहुत परेशान हो गया कि हालाँकि वह घुड़सवार है पर उसके पास घोड़ा नहीं है। बात बादशाह के कानों तक पहुँची। उस परिचित सिपाही ने बताया कि यदि उसके पास रिश्वत देने के लिए सोने का एक सिक्का

होता तो वह सारे मामले को उसी तरह सँभाल सकता था जैसे कि बाकी लोग सँभाल रहे थे। बादशाह को गुस्सा नहीं आया और अफ़सोस भी नहीं हुआ। वह हँसा और उसने उस सिपाही को एक सिक्का देकर कहा कि जाओ तुम भी मुंशी को रिश्वत दो और अपनी परेशानी दूर करो (आजकल जो भ्रष्टाचार विरोधक कानून बनाये जा रहे हैं, वे हमारी शानदार परम्परा के ख़िलाफ़ हैं। सन्तोष इसी बात का है कि ये सारे कानून भी सिर्फ़ काग़ज़ पर ही रहेंगे और बाक़ी उनका कोई असर नहीं होगा) घोड़ों की सालाना गणना के समय ऐसी घूस जमकर चलती थी।

16. दिल्ली के बाज़ार में एक फ़कीर आवाज़ लगा रहा था कि कोई है जो दो हज़ार सोने के सिक्के मेरी झोली में डाल दे और दिल्ली का तख्त ले ले (एक फ़कीर को इतने सोने की क्या ज़रूरत थी, इस बात पर अलग से विचार किया जा सकता है) बहलोल लोदी ने अपने चाचा से (जो उसके ससुर भी थे) दो हज़ार सिक्के लिये और फ़कीर को दे दिये। फ़कीर ने उसके सिर पर हाथ रखा और कहा, "जा, बेटा, तुझे दिल्ली का राज दिया।" बहलोल लोदी बादशाह तो बना मगर उससे पहले वह घोड़ों का सौदागर रहा। उसी दौरान उसने एक बार काफ़ी घोड़े दिल्ली के (सैयद) सुलतान को बेचे। बादशाह ने हिसाब चुकता करने के सन्दर्भ में कहा, "बहलोल, मैं सिर्फ़ नाम का बादशाह हूँ क्योंकि मेरा खज़ाना खाली है। मैं तुम्हें रुपया नहीं दे सकता, हाँ अलबत्ता यह इजाज़त दे सकता हूँ कि तुम मुल्क़ में किसी भी एक परगने को लूट लो और घोड़ों की क़ीमत वसूल कर लो।" बहलोल ने आज्ञा का पालन किया और उसने कई परगने लूटे।

17. सल्तनत मिलने से पहले पठान लोग इतने 'असभ्य' थे कि वे जब अफ़गानों के महल में जाते थे तो अपने जूते बगल में दबा लेते थे ताकि उन्हें कोई चुरा न ले। महलों में बिछे कालीनों के टुकड़े काटकर वे कहा करते थे, "वाह कितना बढ़िया ऊनी कपड़ा है; हम तो इसकी टोपियाँ बनवाएँगे।" जब उन्हें इत्र दिया जाता था तो वे उसे हथेली पर रखकर चाटा करते थे और पान तो इस तरह खाते थे जैसे कि बकरियाँ खाती हैं (मैंने स्वयं कुछ ऐसे विधायकों और मन्त्रियों को देखा है जिनकी 'शिष्टता' की ठीक यही स्थिति थी)।

18. हुमायूँ एक निहायत खुशमिज़ाज़ आदमी था। जब देश के कोने-कोने में बग़ावत फैल रही थी तब भी उसकी विनोदप्रियता पर कोई प्रभाव नहीं पड़ा था। एक दिन की बात है कि वह खानज़दा बेग़म के साथ जरबख्त के शामियाने के नीचे बैठा था जिसमें से मोतियों की लड़ें लटक रही थीं। सोने के सिक्के उछाले जा रहे थे और दरबार के बहुत से अमीर उन्हें उठाने में लगे थे। हुमायूँ की विनोदप्रियता ने ज़ोर मारा। उसने अमीरों को भिगोने के लिए फव्वारों का रुख उनकी दिशा में मोड़ दिया। भीगे कपड़ों में अमीर सिक्के छोड़कर भागने लगे और उनकी इस हरकत पर बादशाह बहुत देर तक हँसता रहा।

19. शेरशाह बहुत इंसाफ़ पसन्द बादशाह था। एक बार उसका शहज़ादा आदिल खाँ घोड़े पर सवार होकर बाज़ार से गुज़र रहा था। उसने एक सौदागर की हसीन बीवी को छत पर नहाते देखा और उसकी तरफ़ पान का बीड़ा फेंका। सौदागर ने बादशाह से फ़रियाद की। शेरशाह ने हुक्म दिया कि वह सौदागर भी शहज़ादे की बेग़म को उसी नज़र से देखे और वह भी उसकी दिशा में पान का बीड़ा फेंके।

20. मिर्ज़ा अब्दुर्रहीम ख़ानख़ाना अरबी, तुर्की, फ़ारसी, संस्कृत और हिन्दी के अच्छे ज्ञाता थे। वे बड़े रहमदिल थे और एक कहावत के अनुसार साल भर की कमाई को एक दिन में ही उड़ा दिया करते थे। जब उन्हें पता चलता कि कोई शरीफ़ आदमी बुरे हाल में है और वह लज्जा के मारे किसी से कुछ माँग भी नहीं सकता तो वे उसकी घर बैठे दावत कर दिया करते थे। पुलाव-ज़र्दे के थाल भिजवाये जाते थे जिनमें चावलों की पर्त के नीचे अशर्फ़ियाँ भरी रहती थीं। नवाब खाना, जिनके खाने में 'बताना' ('बताना' यानी अशर्फ़ियाँ)। (एक वे दिन थे और एक आज के दिन हैं कि अगर कोई वैसा करना भी चाहे तो पुलिस अशर्फ़ी तो क्या उन चावलों तक को गुम कर दे और उल्टे उस भद्र दरिद्र पुरुष पर चोरी का इल्ज़ाम लगाये)।

21. एक बार एक बड़े घर की रूपवती स्त्री ख़ानख़ाना पर आसक्त हो गयी। उसने एक वृद्धा स्त्री के हाथों रहीम साहब के पास ख़बर भिजवायी कि वह भी उनके सहयोग से उनके जैसा ही पुत्ररत्न चाहती है। रहीम ने सारी दास्तान सुनी और उस वृद्धा से कहा, "अगर तुम्हारी मालकिन को मेरे जैसा बेटा चाहिए तो उनसे कह दो कि आज से मैं उनका बेटा और वे मेरी माँ। उन्हें और क्या चाहिए? पला-पलाया बेटा मिल रहा है जो हर महीने उनके पास अशर्फ़ियाँ भेजता रहेगा।" (उस नारी रत्न के हृदय पर इससे क्या गुज़री होगी, उसका अनुमान आप खुद ही लगाइए)।

22. एक बार शाहजहाँ शिकार खेलते-खेलते रास्ता भूल गया और साथियों से बिछुड़ गया। किसी तरह वह एक ब्राह्मण की कुटिया पर पहुँचा और पीने के लिए पानी माँगा। प्यासा बादशाह ओक लगाकर डगडगाकर पानी पीने लगा। पानी की धार धीमी करने के लिए ब्राह्मण ने पानी के बर्तन में घास डाल दी। बादशाह ने गुस्से में कहा, "यह क्या करते हो?" ब्राह्मण ने रूखे मन से उत्तर दिया, "मैं तुम्हारे साथ ठीक वही कर रहा हूँ जो मैं अपने बैलों के साथ करता हूँ। जब वे शाम को थके-माँदे आते हैं तो बहुत प्यासे होते हैं। अगर मैं घास न डालूँ तो वे सारा पानी गटागट पी जाएँगे जिससे उनका पेट फट जाएगा।" बादशाह झेंप गया और धीरे-धीरे पानी पीने लगा। इतनी ही देर में उसके साथी भी आ पहुँचे। ब्राह्मण घबरा गया मगर बादशाह ने उसकी पीठ ठोंकी और इनाम में सोने के सिक्के दिये।

23. शाहजहाँ ने जब लालक़िला बनवाना शुरू किया तो वह जल्दी में था। उसने 'मीर इमारत' को हुकुम दिया कि क़िला फलाँ तारीख तक तैयार हो जाना चाहिए। उधर जो कारीगर थे (उस्ताद हासिद और उस्ताद हीरा) वे क़िले को क़िले

की तरह बनाना चाहते थे। बहरहाल स्थिति यह रही कि नींव खुदने के बाद दोनों कारीगर लापता हो गये। उनकी गिरफ़्तारी का वारण्ट भी जारी हुआ पर नतीजा कुछ नहीं निकला। एक दिन ऐसा हुआ कि दोनों कारीगर अपने आप ही बादशाह के सामने पेश हो गये। डाँट खाने के बाद वे दोनों बोले, "जहाँपनाह हम बेकसूर हैं। हम आपके नमकहलाल और वफ़ादार बन्दे हैं। हम नहीं चाहते थे कि क़िले की इमारत किसी भी तरह बोदी रह जाए। इसी कारण हमने नींवों को खुदा छोड़ा और खुद अफ़गानिस्तान चले गये। अब क़िले की नींव पक्की हो चुकी हैं। गरमी आयी, बरसात आयी, जाड़ा पड़ा—नींवों को जहाँ से झूमना था, झूमीं और जहाँ से सिकुड़ना था सिकुड़ीं। जो कुछ होना था, हो लिया। मालिक ने चाहा तो अब लाल क़िला ऐसा बनेगा कि हज़ारों बरस बाद भी लोग यही कहेंगे कि यह कल ही बना है। हुज़ूर सारी बात पर ग़ौर फरमाएँ और जो सज़ा मुनासिब समझें, वो दें।" शाहजहाँ ने सारी बात सुनी और दोनों उस्तादों को शाही खिलअत दी (ज़ाहिर है उन दिनों के मीर-इमारत और ठेकेदार ईमानदार होते थे। एक आज की सरकारी इमारतें हैं, बनने का ठेका बाद में दिया जाता है, मरम्मत का पहले)।

24. जामा मस्जिद जब बनकर तैयार हुई तो ईद का त्योहार आ पहुँचा। बादशाह ने मीर-इमारत को हुकुम दिया कि ईद की नमाज़ वे जामा मस्ज़िद में ही पढ़ेंगे। काम टेढ़ा था। हज़ारों मन मलबा इर्द-गिर्द पड़ा था। जगह-जगह पाड़ें बँधी थीं। मस्जिद की सफ़ाई आसान न थी। बहरहाल जब यह बात बादशाह के कानों तक पहुँची तो उसने ढिंढोरा पिटवा दिया कि जो चीज़ जिसको मिले वह उसे उठाकर ले जाए। फिर क्या था, शहरवाले टूट पड़े। देखते-देखते मस्ज़िद की सफ़ाई हो गयी (अगर वैसी कोई इमारत आजकल बनवायी जाती तो सामान उठाने के लिए सरकारी आज्ञा की ज़रूरत ही नहीं पड़ती। इस आज़ाद मुल्क़ के ज़िम्मेदार शहरी वैसे ही सारी सम्पत्ति उठाकर अपने घर ले जाते)।

25. शाहजहाँ के दरबारे-आम में हर एक को आने की छूट थी। एक दिन एक वृद्धा आयी और उसने बादशाह से शिकायत की कि उसका पति तीन लाख रुपया छोड़कर मरा था पर उसका बेटा है कि सारी रकम खुद ही हड़पना चाहता है। बादशाह ने हुक्म दिया कि एक लाख रुपये लड़के को दिये जाएँ, एक लाख वृद्धा को दिये जाएँ और एक लाख रुपये सरकारी खज़ाने में जमा कर लिये जाएँ। वृद्धा ने कहा कि हुज़ूर इंसाफ़ तो आपने ठीक किया पर उसकी जो क़ीमत ली वह ज़्यादा रही। बादशाह झेंप गया और उसने सारा रुपया माँ-बेटे को बराबर बाँट दिया (अगर आजकल का इंसाफ़ होता तो तीन लाख का तीन लाख रुपया सरकारी खज़ाने में जमा कर लिया जाता)।

26. एक दिन दरबार में एक मुंशी दौड़ा-दौड़ा आया और कहने लगा कि उसकी लौंडी को हुकूमत का एक सिपाही बहकाकर ले गया है और वापस नहीं कर रहा है। सिपाही तलब किया गया तो उसने बताया कि लौंडी उसकी है, मुंशी की नहीं। लौंडी

ने भी यही कहा। बादशाह ने हुक्म दिया कि हमारा कलमदान इस लौंडी को दो और उससे कहो कि उसे धोकर लाये। लौंडी जब कलमदान लेकर आयी तो बादशाह ने कहा, "इस सिपाही को कोड़े लगाओ। लौंडी, इसकी नहीं बल्कि मुंशी की है। जिस सलीके से इसने कलमदान को, दवातों को और कलमों को साफ़ किया है वह काम एक मुंशी की लौंडी ही कर सकती है, सिपाही की लौंडी नहीं" (अगर ऐसी परीक्षा इन दिनों ली जाती तो स्थिति यह रहती कि लौंडी कलमदान के साथ गायब मिलती)।

27. जहाँदारशाह बादशाह बना तो उसकी रखैल भी (लाड कुँवर) शाही महल में आकर रहने लगी। वैसे भी उसका सारा वक़्त डोम, डोमनियों, भाँडों और बाकी कलावन्तों के साथ ही बीतता था। जब गुस्से में आकर वज़ीर ने बादशाह से अर्ज़ किया कि मैं सारे अमीरों को सारंगियाँ बँटवा रहा हूँ और उनकी तलवारें नाचने-गाने वालों को दिलवा रहा हूँ ताकि अगर कोई मुसीबत आये तो वे सल्तनत की हिफाज़त कर सकें, तो बादशाह झेंप गया और उसने नाचने-गाने वालों को ऊँचे पद देने बन्द कर दिये।

28. लाड कुँवर अक्सर बादशाह को रथ में बिठलाकर दिल्ली के कलालखानों में ले जाती थी। एक बार तो दोनों ने शहर के एक शराबघर में इतनी शराब पी कि दोनों बेहोश हो गये। क़िले में वापस आये तो लाड कुँवर की सहेलियाँ उसे सँभालकर महलों में ले गयीं। रथ रथखाने में खड़ा किया गया और बैल खोलने के बाद रथवान जो था वह आराम करने चला गया। किसी को यह ख़याल ही नहीं रहा कि बादशाह सलामत रथ ही में बेहोश पड़े रह गये। सुबह होने पर बादशाह की खोज शुरू हुई और यह वाक़या सारे शहर को सकते में डाल गया।

29. फ़र्रूख़सियर के बाद दिल्ली के तख़्त की हालत यह रह गयी थी कि सैयद भाइयों ने भरे दरबार में कहा था कि वे जिसके सिर पर जूती रख देंगे, वही बादशाह बन जाएगा। मुग़ल साम्राज्य के पतन का यह चरमोत्कर्ष था। ये दोनों सैयद भाई मेरठ ज़िले में स्थित क़स्बा जानसठ के थे। इनकी जूती कई बादशाहों के सिर पर ठीक फिट हुई।

30. मुहम्मदशाह रंगीले के दरबार में अमर बेग़म एक मशहूर नाचने वाली थी। उसकी प्रतिभा मौलिक व अप्रकाशित थी। उसने अपने निचले शरीर पर चित्रकारी करा रखी थी। वह जब किसी मजलिस में जाती और नाचती तो कोई यह नहीं कह सकता था कि वह नंगी है। उसने अपने बदन को इस तरह गुदवा रखा था कि लगता था जैसे कि वह कमख्वाब के बूटेदार कपड़े पहने हो।

31. बादशाह मुहम्मदशाह वाकई रँगीला था। उसने बाँकों और ज़नानों की एक अलग पलटन बनवायी थी। ये लोग लड़ते तो वीरों की तरह थे मगर तलवार का हाथ मारकर 'उई' ज़रूर पुकारते थे। इनकी साख बहुत थी। अगर इन्हें कभी रुपये पैसे की ज़रूरत पड़ती तो ये लोग अपनी मूँछ का बाल तक गिरवी रख सकते थे। एक

दिन ऐसा हुआ कि एक बाँके की देखा-देखी एक बदमाश भी बाँके का स्वाँग भर के महाजन की दुकान पर चला गया और मूँछ के एक बाल के बदले अशर्फ़ियाँ उधार माँगने लगा। महाजन को कुछ शक हुआ और उसने कहा, "बाँके मियाँ, यह बाल ठीक नहीं है, दूसरा दो।" इतना सुनने पर उस बदमाश ने मूँछ के कई बाल तोड़े और महाजन को पेश किये। महाजन ने उसे बुरा-भला कहा और बताया, "तुम लपाड़िया हो। अगर तुम असली बाँके होते तो दूसरा बाल माँगने पर मेरा सिर अब तक नाली में तड़पता हुआ मिलता।"

32. मुहम्मदशाह के शासनकाल में व्यवस्था इतनी अच्छी थी कि बारह महीने तक वेतन न मिलने के कारण शाही खजांची ने खुद खज़ाने में से चोरी कर ली थी और उसकी दास्तान सुनने पर बादशाह ने उसे माफ़ भी कर दिया था।

33. जब नादिरशाह ने दिल्ली फ़तह कर ली तो उसके उपलक्ष्य में लाल क़िले में एक उत्सव हुआ जिसका सारा ख़र्च बादशाह मुहम्मदशाह को उठाना पड़ा। एक हसीन और अलबेली नाचने वाली को देखकर नादिरशाह ने कहा, "अगर हिन्द की इस परी की शादी किसी विलायती मर्द से कर दी जाए तो बच्चा कैसा होगा?" महफ़िल में बैठे हुए एक भाँड ने तुरन्त उत्तर दिया, "हुज़ूर गुस्ताख़ी माफ़, नादिर होगा।" (फ़ारसी में नादिर का अर्थ श्रेष्ठ या बड़ा होता है) नादिरशाह बहुत ख़ुश हुआ।

34. मुहम्मदशाह रंगीले ने अपनी रंगरलियों में तो करोड़ों रुपये फूँके पर अपने बेटे अहमदशाह को पैसे-पैसे के लिए तंग रखा। नतीजा वही हुआ जो होना था। गद्दी पर बैठते ही अनाड़ी शहंशाह ने पैसे को पानी की तरह बहाना शुरू कर दिया। नया बादशाह वैसे भी बहुत ख़ुशमिज़ाज क़िस्म का आदमी था। जिन दिनों अहमदशाह अब्दाली मुल्क़ पर हमला करने की सोच रहा था, उन दिनों बादशाह अहमदशाह दरबार में बच्चों से खेला करते थे। उसने अपने एक साल के शहज़ादे को काश्मीर का सूबेदार नियुक्त किया और पन्द्रह साल के एक और शहज़ादे को उसका नायब नियुक्त किया। 'दीवाने खास' में दूधपीते और घुटनों के बल चलते काफ़ी शहज़ादों को बाकी सूबेदारियाँ बाँटी गयीं। शाही नौकरों ने उन शाहज़ादों को गोद में लिया और बतौर शुक्रिया के उनके हाथ उठवाये। इस तमाशे को देखकर बादशाह हँसी के मारे लोट-पोट हो गया। बादशाह के इस 'भोलेपन' को लेकर पब्लिक गली-कूचों में कहा करती थी—अहमदशाह अलबेले, गुरखाँड के ढेले।

35. ख़ुशमिज़ाज होने के साथ-साथ नया बादशाह बहादुर भी बहुत था। लड़ाई का नाम सुनते ही वह काँपने लगता था। एक बार ऐसा हुआ कि वह अपनी बेग़मों के साथ कहीं से दिल्ली आ रहा था कि सिकन्दराबाद के पास मराठों ने शाही सवारी को घेर लिया। बादशाह अहमदशाह सिर पर पैर रखकर ऐसा भागा कि उसे बेग़मों तक की सुध नहीं रही। मराठों ने शाही सवारी लूट ली।

36. बादशाह की माँ कुदसिया बेग़म अपने को नूरजहाँ से कम नहीं समझती

थी। अपनी वर्षगाँठ पर उसने दो करोड़ रुपये खर्च किये थे जब कि शासन की यह स्थिति थी कि शाही फ़ौज ने तनख़्वाह न मिलने के कारण एक महल की चाँदी उखाड़कर दो लाख में बेची थी। (ऐसे उदाहरण आज भी कम नहीं हैं एक तरफ़ लोग सूखा या बाढ़ के कारण दम तोड़ते रहते हैं और दूसरी तरफ़ हमारे मन्त्री और अधिकारी राजभवनों में शानदार दावतें खाते रहते हैं।)

37. मुग़ल बादशाह हमेशा से अपना काफ़ी वक़्त हम्मामों में बिताया करते थे। जब सर टामस रौ आगरा आया था तो उसकी मुलाक़ात भी शहंशाह जहाँगीर से दरबारी हम्माम में ही हुई थी। शाही हम्मामों में बेहद ख़ास आदमी ही घुस सकते थे और उसका दर्ज़ा 'दीवाने खास' से भी कहीं ऊँचा था। बाद के मुग़ल सम्राट् तो सरकारी कामकाज सिर्फ़ हम्माम में ही करने लगे थे (आज़ादी के बाद कई मन्त्रीविशेष ऐसे थे जो सारी सरकारी फ़ाइलें अपने बाथरूम ही में निबटाया करते थे। एक ऐसे देसी नरेश का भी ज़िक्र दीवान जरमनीदास ने अपनी पुस्तक 'महाराजा' में किया)।

38. वैभव के इस युग में एक विदेशी अमीर ने दिल्ली दरबार की देखा-देखी शतरंज का सारा नक्शा अपनी छाती पर गुदवा रखा था। वह पलँग पर पड़ा हुक्क़ा गुड़गुड़ाता रहता था और हसीन बाँदियाँ उसकी छाती पर मोहरें बदलती रहती थीं।

39. अन्तिम मुग़ल सम्राट् बहादुरशाह जब गद्दी पर बैठे तो उनकी उम्र साठ वर्ष की हो चुकी थी। वे गद्दी पर बैठने के लिए बेचैन थे। शाही नजूमियों ने बहुत मना किया और कहा कि आप दिन निकलने तक तख़्त पर न बैठिए मगर वे नहीं माने। उन्होंने हुकुम दिया, "कोई बात नहीं, देखा जाएगा। सूरज न होगा तो क्या रोशनी न होगी? जाओ और इतनी रोशनी करो कि क़िला जगमगा उठे।"

40. बहादुरशाह ज़फ़र कम्पनी सरकार से भीख माँगते, सेठ साहूकारों से कर्ज़ा लेते पर दुखी और मुसीबतज़दा की जितनी मदद होती, उतनी करते। ग़रीबों, विधवाओं और अनाथों का महीना बँधा हुआ था। बिना ग़रीबों को खिलाये, बादशाह खाना खाने नहीं बैठता था। अरसे बाद किसी मुग़ल सम्राट् ने फिर से प्रजा का दिल जीता था हालाँकि वह नाम का ही बादशाह था। सड़कों पर जो ऐलान होते थे उनके पहले हमेशा यह कहा जाता था—खल्क खुदा का, मुल्क़ बादशाह का, हुक्म कम्पनी बहादुर का।

नोट: इतिहास पढ़ते-पढ़ते उसके प्रमुख चरित्रों के बारे में हमारी धारणाएँ निश्चित हो जाती हैं और उन धारणाओं के ख़िलाफ़ जब कुछ पढ़ने को मिलता है तो हमें दुःख होता है। हम सभी लोग यह मानते हैं कि रज़िया के बाद नसरुद्दीन जो बादशाह बने वे अत्यन्त धर्मभीरु, ईमानदार और सात्त्विक वृत्ति के व्यक्ति थे। उनकी बेग़म खुद बर्तन माँजती थी। इसी प्रकार बलबन जैसा भी था, कातिल नहीं था। मगर रॉयल हिस्टोरिकल सोसायटी के फैलो डॉ. परमात्मा शरण का कहना है कि नसरुद्दीन ने अपने भतीजे को कपट से मरवाया था ताकि वह खुद गद्दी पर बैठ सके और यही नहीं, बलबन ने भी सुलतान नसरुद्दीन को ज़हर दिलवाकर मारा ताकि वह खुद सुलतान बन सके।

ईस्ट इण्डिया कम्पनी : कुछ रोचक प्रसंग

(प्रस्तावना)

साहित्य के अतिरिक्त मुझे जिन विषयों से अनुराग है वे हैं इतिहास और दर्शन। इतिहास यह बताता है कि भूतकाल जो गुज़रा वह कैसे गुज़रा जबकि दर्शनशास्त्र यह बताता है कि हमारा जो भविष्य है वह कैसा होना चाहिए। भूत और भविष्य के बाद बचता ही क्या है? सिर्फ़ वर्तमान बचता है सो वह तो किसी-न-किसी तरह व्यतीत हो ही जाता है। इतिहास के क्षेत्र में जितना दिलचस्प काल ईस्ट इण्डिया कम्पनी की करतूतों का है, उतना शायद और कोई नहीं। महारानी एलिज़ाबेथ (प्रथम) ने सन् 1600 ईसवी में इस कम्पनी को बनाने का आज्ञापत्र जारी किया था और महारानी विक्टोरिया ने सन् 1857 ईसवी में कम्पनी की समाप्ति की घोषणा की थी जो लार्ड कैनिंग द्वारा प्रयागराज में स्थित मिण्टो पार्क में न जाने कितने राजों, महाराजों, नवाबों, जागीरदारों, रईसों, ज़मींदारों और बाक़ी क़िस्म के लोगों के सामने पढ़ी गयी। इस ढाई सौ वर्ष का इतिहास जिन पत्रों, डायरियों, सन्धियों, आज्ञापत्रों, संस्मरणों, वगैरह में लिखा है, उनकी संख्या मात्र दो लाख पृष्ठ बैठती है। अकेली 1857 की क्रान्ति को लेकर ही सैकड़ों किताबें लिखी गयीं जिनमें सुरेन्द्रनाथ सेन की किताब सबसे ज़्यादा प्रामाणिक मानी जाती है जिसका प्रमुख कारण यह है कि सेन साहब ने यह पुस्तक भारत सरकार के खर्चे पर लिखी। ईस्ट इण्डिया कम्पनी के पूरे इतिहास को लेकर जो श्रेष्ठ पुस्तकें हैं, उनमें से मुझे तीन बहुत प्रिय हैं। पहली पुस्तक है रैमज़े म्यूर की लिखी 'दी मेकिंग ऑव ब्रिटिश इण्डिया'; दूसरी पुस्तक है पण्डित सुन्दरलाल की 'भारत में अंग्रेज़ी राज' और तीसरी पुस्तक है जेम्स मिल की 'दी हिस्ट्री ऑव ब्रिटिश इण्डिया'। रैमज़े म्यूर ने यह साबित करने की कोशिश की कि अंग्रेज़ लोगों ने मात्र इस कारण हमारा शासन छीना क्योंकि हम एकदम जंगली, असभ्य, मूर्ख व निर्धन थे। अंग्रेज़ों ने भगवान की आज्ञा से इतने कठिन प्रयत्न करके हमारा उद्धार किया और जैसे ही हम इस लायक हो गये कि अपना शासन खुद सँभाल सकें, वैसे ही अंग्रेज़ों ने बिना किसी हील-हुज्जत के हमारा शासन हमारे

हाथों में सौंप दिया। इसके विपरीत पण्डित सुन्दरलाल ने एक हज़ार से ज़्यादा पृष्ठों वाली अपनी पुस्तक में यह साबित किया कि अंग्रेज़ लुटेरे थे, कपटी थे, कायर थे और उन्होंने सिर्फ़ विश्वासघात के बल पर सारे देश की हुकूमत छीनी। (मैं इसे ग़लत नहीं मानता, क्योंकि जब तक 'विश्वास' जैसी कोई चीज़ है तब तक 'विश्वासघात' नाम की दुर्घटना तो यदा-कदा होती ही रहेगी।) उन्होंने किसी भी गवर्नर जनरल में कोई गुण नहीं देखे, उन्होंने यह भी ज़िक्र नहीं किया कि 'सती प्रथा' को कम्पनी ने ही बन्द किया था। वे 'ब्लैकहोल' व 'पटना का हत्याकाण्ड' जैसी घटनाओं को स्वीकार ही नहीं करते और इसी कारण उनकी पुस्तक सच तो बोलती है पर पूरा सच नहीं बोलती। इस सबके बरख़िलाफ़ जेम्स मिल की पुस्तक निष्पक्ष है, वह काला व सफ़ेद—दोनों पक्षों को आपके सामने रखती है। मगर यह दुःख की बात है कि यह महान् कृति बड़े नीरस ढंग में लिखी गयी है और जो मज़ा बाक़ी दो किताबों में है वह इसमें नहीं मिलता।

पण्डित सुन्दरलाल ने 'भारत में अंग्रेज़ी राज' 1929 में लिखनी समाप्त की थी और यह पुस्तक उन भाग्यशाली पुस्तकों में से थी, जिसे छपने से पूर्व ही ज़ब्त कर लिया गया था। ज़ब्ती के इस हुक्म को महात्मा गाँधी ने 'दिनदहाड़े डाका' कहकर पुकारा और पुस्तक पर से प्रतिबन्ध हटाने के लिए इलाहाबाद हाईकोर्ट में मुक़दमा दायर किया गया। कांग्रेस के वकील सर तेज बहादुर सप्रू ने हाईकोर्ट में कहा और गला फाड़कर कहा कि इस पुस्तक को ज़ब्त करना अनैतिक है, क्योंकि इसमें जो कुछ भी कहा गया है वह अक्षरशः सत्य है। मगर सरकारी वकील (जो 'देशी' ही थे, अंग्रेज़ नहीं) ने जवाब दिया कि क्योंकि यह किताब एकदम सच्ची है, इसी कारण इसका छपना ख़तरनाक होगा। हाईकोर्ट ने सप्रू साहब की बात नहीं सुनी और किताब ज़ब्त कर ली गयी। मेरा सौभाग्य है कि जब मैं प्रयाग विश्वविद्यालय में दाखिल हुआ तभी मैंने प्रयाग ही में पण्डित सुन्दरलाल के दर्शन किये। यह सन् 1952 की बात है। पण्डित जी वृद्ध, स्नेही और अतिरिक्त भावुक थे; बातें करते-करते रो पड़ा करते थे।

अब मैं आपके सामने कुछ ऐसे रोचक प्रसंग प्रस्तुत करता हूँ जो कम्पनी के ढाई सौ वर्ष के जीवन पर प्रकाश डालते हैं। ये प्रसंग एकदम सच्चे हैं क्योंकि न जाने कितने विश्वसनीय अंग्रेज़ इतिहासकारों ने भी इनकी पुष्टि की है।

(रोचक प्रसंग)

1. प्लासी की लड़ाई में मीर जाफ़र ने सिराजुद्दौला को दग़ा दी और अपने नवाब बनने के हेतु क्लाइव की मदद की। मुर्शिदाबाद के एक हाज़िरतबीयत दरबारी ने मीर जाफ़र का नाम 'क्लाइव का गधा' रखा था। मीर जाफ़र नवाब भी बना मगर यह उपाधि उसके नाम के साथ मृत्युपर्यन्त जुड़ी रही। इस बात को नवाब भी जानता

था और क्लाइव भी।

2. हैदरअली एक मामूली फ़कीर था। उसके जन्म के समय एक दूसरे फ़कीर ने कहा था कि यह बच्चा तो बड़ा होकर बादशाह बनेगा। जब वह मात्र तीन वर्ष का था, तभी उसके पिता की मृत्यु हो गयी। नवाब अब्बास कुली खान ने फकीर की भविष्यवाणी को ध्यान में रखते हुए, उस मासूम बच्चे को एक बड़े नगाड़े के अन्दर बन्द करा दिया और ऊपर से नगाड़े पर चोट लगाने का हुक्म दिया। भगवान की कृपा से हैदरअली पर इसका कोई प्रभाव नहीं पड़ा। नवाब ने जब यह स्थिति देखी तो वह घबरा गया और उसने बच्चे को और तंग नहीं किया।

3. मद्रास का क़िला जीतने के बाद सदर फाटक पर हैदरअली ने एक दिलचस्प चित्र बनवाया। चित्र में हैदरअली तोपों के ऊपर बीच में बैठा था, मद्रास का गवर्नर मुर्गा बना हुआ था और अंग्रेज़ दूत डूप्रे जो था, उसने हाथी की नाक लगा रखी थी। हैदरअली सूँड को दबा रहा था और अशर्फ़ियाँ निकल-निकलकर नीचे गिर रही थीं।

4. तरकाट पल्ली के क़िले पर कम्पनी की सेनाओं ने दो तरफ़ से हमला किया। रात के अँधेरे में वे दोनों सेनाएँ एक-दूसरे पर ही गोलियाँ चलाती रहीं और कुल मिलाकर सात सौ अंग्रेज़ सिपाही इस धोखे में मारे गये। जब यह ख़बर टीपू सुलतान को दी गयी तो वह बेहद हँसा।

5. हैदरअली लिखना-पढ़ना बिल्कुल नहीं जानता था। उसने फ़ारसी में दस्तख़त करने की बहुत कोशिश की मगर वह 'हे' अक्षर के अलावा कुछ नहीं सीख पाया। यह 'हे' अक्षर भी वह उल्टा और ग़लत लिखता था। मगर निरक्षर होने के बावजूद वह बेहद चतुर, समझदार, दयालु, धर्मसहिष्णु और ज्ञानी था। सारे ब्रिटिश काल में उसका मुक़ाबला सिर्फ़ एक व्यक्ति करता था और वह था नाना फड़नवीस। उसके राज्य में गोवध करने पर अपराधी के हाथ काट लिये जाते थे।

6. एक बार शिया व सुन्नी मुसलमानों में झगड़ा हो गया। बात सुलतान तक पहुँची। हैदरअली ने दोनों पक्षों के लोगों को भरे दरबार में डाँटा और कहा, "यह क्या बेवकूफ़ी है? तुम लोग कुत्तों की तरह एक-दूसरे पर भौंकते हो और वह भी उन लोगों को लेकर जो कि न जाने कब के मर चुके हैं। जाओ और इस हिमाकत को तुरन्त बन्द करो।" उसने यह भी कहा, "यदि आइन्दा तुम लोग ऐसी हरकत करोगे तो तुम्हारे सिर कुचल दिये जाएँगे।" दंगा तुरन्त शान्त हो गया।

7. इंसाफ़ के लिए हैदरअली का दरवाज़ा चौबीस घण्टे खुला था। एक बार एक बूढ़ी स्त्री उसके रास्ते में लेट गयी। हैदरअली घोड़े से उतरा, अकेले में ले जाकर सारा क़िस्सा सुना, तहकीकात की और उस दरबारी की कमर पर दो सौ कोड़े लगवाये जिसने उस बूढ़ी की फ़रियाद ऊपर जाने से रोकी थी हालाँकि वह दरबारी हैदरअली का चहेता था। हैदरअली के राज्य में यदि चोरी या डकैती हो जाती थी तो स्थानीय पुलिस कर्मचारियों को फाँसी तक दी जाती थी। उसके जासूस हज़ारों

थे। वह खुद वेश बदलकर और कम्बल ओढ़कर नगर की गलियों में घूमा करता था। ग़रीबों पर और यात्रियों पर वह विशेष रूप से दयावान था और उनके लिए जो कुछ भी सम्भव होता था, वह करता था।

8. हैदरअली उन विलक्षण व्यक्तियों में से था जो एक साथ न जाने कितने काम कर सकते हैं। वह एक साथ चालीस-चालीस मुंशियों से काम लेता था। वह भुने हुए चने, बादाम और ज्वार की रोटी का शौक़ीन था। उसे लाल कपड़ों से विशेष प्रेम था और उसकी पगड़ी के कपड़े की लम्बाई सौ हाथ होती थी। वह शेर रखता था और उन्हें अपने हाथ से लड्डू खिलाया करता था। हैदरअली को घोड़ों का शौक़ भी ज़बर्दस्त था। अगर किसी घोड़ों के सौदागर का कोई घोड़ा उसके राज्य में मर जाता था तो उसकी आधी क़ीमत उसे दे दी जाती थी। हाँ, सौदागर को घोड़े की अयाल, उसकी दुम और स्थानीय कर्मचारी की सनद ज़रूर पेश करनी पड़ती थी।

9. सर जान मैकफ़र्सन (जो बाद में गवर्नर जनरल बना) अर्काट के नवाब की वकालत करने लन्दन गया था जहाँ कि उसने उस नवाब को ख़ूब लूटा। उसने इंग्लैण्ड के प्रधानमन्त्री तक को सत्तर लाख रुपये बतौर रिश्वत के देना चाहा, मगर प्रधानमन्त्री ने उसका प्रस्ताव स्वीकार नहीं किया। मैकफर्सन को जीवनकाल में साठ लोगों को रिश्वत देने के अपराध के कारण सज़ाएँ मिली थीं मगर उसकी यह बुरी आदत कभी नहीं छूटी। रिश्वत देने के जुर्म में ही उसे अन्त में चलकर तीन हज़ार पौण्ड का जुर्माना अदा करना पड़ा था। उसके नाम पर इलाहाबाद में एक झील अभी तक छावनी में स्थित है, हालाँकि उसकी स्थिति अब ठीक नहीं रही।

10. लार्ड वेलेज़ली ने एक फ्रांसीसी स्त्री अपने घर में रख रखी थी, जिससे वेलेज़ली के कई बच्चे हुए। गवर्नर जनरल बनने के लालच में उसे इस रखैल से शादी करनी पड़ी, हालाँकि गवर्नर जनरल बन जाने के बाद उसने उस स्त्री से अपने सारे सम्बन्ध तोड़ लिये थे।

11. लार्ड वेलेज़ली के प्रिय सहायकों में एक का नाम सर डेविड बेयर्ड था जो कभी टीपू सुलतान के क़ैदख़ाने में रह चुका था। जब वह टीपू की जेल में था तो सुलतान कभी-कभी उसे बन्दर की पोशाक पहनाकर एक बाँस पर चढ़वाया-उतरवाया करता था। सारे दरबारी मौज़ूद होते थे और उससे दिल्लगी किया करते थे। लार्ड वेलेज़ली ने उसे 'सर' का खिताब दिलवाया, पर बेयर्ड कभी भी दक्षिणी भारत नहीं गया।

12. जनरल लेक ने कर्नल भ्राक्टरलोनी को दिल्ली दरबार का रेज़ीडेण्ट और दिल्ली में पड़ी कम्पनी की सेना का सेनापति बनवाया। यह कर्नल दिल्ली में मुसलमानी ढंग से रहता था, मुसलमानी पोशाक पहनता था, न जाने कितनी तवायफ़ें रखता था और उन तवायफ़ों व खोजों के द्वारा दरबार के हालचाल मालूम किया करता था। उसे फ़ारसी का अच्छा ज्ञान था और एक बार दरबार में उसने फ़ारसी की कविता भी पढ़ी थी। कविता अच्छी थी और बादशाह ने उसे दाद दी थी।

13. वेलोर के विद्रोह का एकमात्र कारण यह था कि उस समय के अंग्रेज़ शासकों के हृदय में हिन्दुस्तानियों को ईसाई बनाने की बहुत इच्छा थी और दक्षिण भारत में तो इस दिशा में बेहद उत्साह था। लार्ड विलियम बेण्टिक ने आठ हज़ार रुपया नकद देकर एक फ्रांसीसी ईसाई से एक पुस्तक लिखवायी थी जिसका कि ख़ूब प्रचार भी किया गया था। इस पुस्तक में भारतीयों को तबीयत के साथ गालियाँ दी गयी थीं और यह भी बताया गया था कि हिन्दुस्तानी लोग एकदम जंगली थे और उनकी रक्षा व उद्धार के लिए अंग्रेज़ी शासन अत्यन्त आवश्यक था। इस पादरी-विशेष को कम्पनी ने उम्र भर के लिए पेंशन भी दी थी जो कि शायद कभी नहीं किया जाता था।

14. लार्ड मिण्टो ने एलार्फ राटन को अपना विशेष दूत बनाकर अफ़गानिस्तान भेजा था। वहाँ के चतुर मन्त्री मुल्ला जाफ़र ने उनसे बातचीत करने के बाद कहा था, "मैं यह तो नहीं मानता कि आप हमारे बादशाह को धोखा देना चाहते हैं किन्तु मेरा यह भी ख़याल नहीं है कि आप उतने ही सीधे हैं जितने कि आप तईं ज़ाहिर करते हैं। आपका चरित्र बड़ी चालबाज़ी का है और आपके साथ व्यवहार रखने में बहुत सावधान रहने की आवश्यकता है।"

15. लार्ड हेस्टिंग्ज़ ने अपने रोज़नामचे में लिखा था, 'देशी नरेशों के साथ सन्धि करते समय हम उन्हें स्वाधीन स्वीकार करते हैं और बाद में उनके दरबार में अपना रेज़ीडेण्ट नियुक्त करते हैं। रेज़ीडेण्ट राजा को ग़लत काम करने की सलाह देता है और वैसा काम हो जाने पर वह प्रजा को राजा के ख़िलाफ़ भड़काता है। उसका प्रमुख काम होता है गद्दी के लिए कोई और दावेदार खड़ा करना। इन मामलों में हमारी नीति निश्चित है। रेज़ीडेण्ट जो कुछ भी करता है हम उसी का समर्थन करते हैं। काफ़ी रेज़ीडेण्ट तो नरेशों का भरे दरबार में अपमान भी करते हैं मगर उस दिशा में भी कम्पनी शायद ही कभी कोई क़दम उठाती है।'

16. राघों जी की मृत्यु के बाद बीस वर्ष के नवयुवक और असहाय राजा पुरुषा जी भोंसले को घेरकर और डराकर आधी रात के समय एक सन्धि ज़बर्दस्ती के साथ करायी गयी। इस सन्धि के बारे में लार्ड हेस्टिंग्ज़ ने लिखा, 'हालाँकि यह सन्धि बड़ी 'चतुराई' और 'धन द्वारा' करायी गयी है पर ईश्वर साक्षी है कि हमारी इस सन्धि के उद्देश्य अत्यन्त पवित्र हैं।'

17. पुष्पा साहब ने रेज़ीडेण्ट से कहा, "कम्पनी मेरा राज्य ले ले और उसके बदले में मेरी सालाना पेंशन तय कर दे।" गवर्नर जनरल ने यह प्रार्थना भी स्वीकार नहीं की क्योंकि राजा की उम्र मात्र बाईस वर्ष ही थी और उसकी सारी उम्र की पेंशन का ख़र्चा गवर्नर जनरल नहीं उठाना चाहता था। वह चाहता था कि गद्दी भी छीनी जाये और पेंशन का खर्चा भी बचे।

18. एडमण्ड बर्क ने ब्रिटिश पार्लियामेण्ट में कहा कि भारत में ऐसा एक भी

राजा या नवाब नहीं है, जिसने अंग्रेज़ों पर विश्वास न किया हो और जिसे अंग्रेज़ों ने विश्वासघात के द्वारा बरबाद न किया हो। कम्पनी व्यापार करती है और देशी नरेशों को भी बाकी माल की तरह ही खरीदती है, बेचती है और कभी-कभी नीलाम भी करती है।

19. एडेम्स कोई सात माह गवर्नर रहा। वह प्रेस की स्वतन्त्रता का बहुत बड़ा हिमायती था। मगर जब उसके शासनकाल में 'कलकत्ता जर्नल' नामक एक पत्रिका ने कुछ ऐसी सच्ची बात छापी जो उसे नापसन्द आयी तो उसने उस सम्पादक को ज़बर्दस्ती बोरिया-बिस्तर बँधवाकर तुरन्त इंग्लिस्तान भेज दिया।

20. लार्ड विलियम बैण्टिक ने कम्पनी को लिखा, 'मुसलमानों का शासन हमारे शासन से बेहतर था। मुसलमान जिन देशों पर विजय करते थे उन्हीं में बस जाते थे, देशवासियों से मेलजोल रखते थे और उनके साथ शादी-विवाह तक करते थे। वे देशवासियों को सारे अधिकार देते थे और धीरे-धीरे राज्य और प्रजा के बीच कोई भावनात्मक अन्तर नहीं रह जाता था। हमारी नीति इस सबके एकदम विरुद्ध है। हमारा शासन स्नेहशून्य, स्वार्थमय और निर्दय है। हम प्रत्येक सन्धि में लिखते हैं—ईश्वर और पृथ्वी हमारे साक्षी हैं और जब तक ये चाँद और सूरज कायम हैं तब तक हम अपने वचन पर कायम रहेंगे। यह सब लिखने के बाद जैसे ही हमारे लिए उचित अवसर आता है हम सन्धि तोड़ देते हैं हालाँकि किसी भारतीय नरेश ने हमारे साथ ऐसा कभी नहीं किया।'

21. कुर्ग के राजा के साथ बड़ा ज़लील व्यवहार किया गया। अपनी शिकायतें दूर करने वह इंग्लैण्ड गया पर वहाँ भी कोई सुनवाई नहीं हुई। हाँ, अलबत्ता उसकी सुन्दर पुत्री को बहका कर ईसाई बना लिया गया और एक अंग्रेज़ ने उसके साथ शादी कर ली हालाँकि वह खुद इस सब के ख़िलाफ़ थी।

22. मेजर सदरलैण्ड जब ग्वालियर में रेज़ीडेण्ट नियुक्त हुआ तो वह गवर्नर जनरल से मिलने गया। लार्ड विलियम बैण्टिक ने अपनी गरदन कुर्सी के पीछे लटका ली, मुँह खोला, उसमें अपनी एक उँगली डाली और कसकर मुँह बन्द कर लिया। इसके बाद उसने मेजर साहब से कहा, "ग्वालियर के राज्य के साथ तुम्हें ठीक वही करना है जो मैंने अपनी उँगली के साथ किया।" उस नाटक के बाद दोनों ख़ूब हँसे।

23. जब अंग्रेज़ लोग सिन्ध नदी का उपयोग करना चाहते थे तो सिन्ध के अमीर ने एतराज़ किया। उस अमीर को बताया गया, "इंग्लिस्तान के शहंशाह ने महाराज रंजीतसिंह के लिए उपहार स्वरूप एक ऐसी घोड़ागाड़ी भेजी है जो केवल जल मार्ग द्वारा ही पंजाब तक पहुँचायी जा सकती है।" उपहार भेजने के बहाने कम्पनी की सेना सिन्ध नदी के बारे में सब कुछ जान लेना चाहती थी। जब इस चाल की सूचना गवर्नर जनरल (सर चार्ल्स मेटकॉफ) को मिली तो उसने इसे कपटी तथा अनुचित ठहराया।

24. 'ताज़ीराते हिन्द' लिखे जाने पर लोगों ने ठीक वही कहा जो एडमण्ड वर्क ने कभी 'आयरिश पेनल कोड' के बारे में कहा था। सबने स्वीकार किया कि 'यह एक सुसम्पादित और सब हिस्सों की निगाहों से होशियारी से लिखा हुआ ग्रन्थ है। यह एक चतुर व पेचीदा यन्त्र है और कभी भी किसी कुशाग्रही किन्तु सदाचार रहित मनुष्य ने किसी कौम पर अत्याचार करने, उसे दरिद्र बनाने, आचार भ्रष्ट करने और उसके भीतर मनुष्यत्व का नाश करने के लिए इससे अधिक उपयुक्त ग्रन्थ न रचा होगा।'

25. सन् 1853 में ब्रिटिश पार्लियामेण्ट को कम्पनी ने बताया, "हमने वास्तव में अंग्रेज़ी पढ़े-लिखे भारतीयों की एक ऐसी जाति बना ली है जो अपने देशवासियों के प्रति कोई सहानुभूति नहीं रखती और यदि रखती भी है तो बहुत कम। बेहतर यही होगा कि शिक्षा के लिए जो भी धन स्वीकार किया जाए वह मात्र अंग्रेज़ी शिक्षा के ऊपर ही खर्च किया जाए।"

26. मैकनादन ने (जो अफ़गानिस्तान का क्लाइव बनना चाहता था) अकबर खाँ को लिखा कि फलाँ-फलाँ सरदार आपका खात्मा करना चाहते हैं। उसने उन सरदारों को भी ऐसे ही पत्र लिखे कि अकबर खाँ तुम्हें बर्बाद करना चाहता है। अकबर खाँ ने पत्र मिलते ही अपने सारे सरदार बुलवाये और उन्हें मैकनादन का ख़त दिखलाया। इतना करना था कि सरदारों ने भी वे सारे ख़त अकबर खाँ के सामने रख दिये जो मैकनादन ने उन्हें लिखे थे। सारा वातावरण आश्चर्य और दुःख से तब तक भरा रहा जब तक अकबर खाँ को हँसी नहीं आ गयी। बाद में चलकर मैकनादन की किसी ने हत्या कर दी। अकबर खाँ अफगान देश का युवराज था।

27. जनरल नेपियर ने सिन्ध के मीर नसीर खाँ से कहा कि वह तो सिर्फ़ क़िले को अन्दर से देखना चाहता है। उसे इजाज़त दे दी गयी। मगर क़िले के अन्दर जाकर अंग्रेज़ सिपाहियों ने जो कुछ किया वह बयान नहीं किया जा सकता। ज़नानख़ाने में से पन्द्रह लाख रुपयों के ज़ेवर लूटे गये। बेग़मों ने सिर्फ़ इतना चाहा कि वे तीन-तीन जोड़ी कपड़े लेकर शहर से निकल जाएँ पर नेपियर ने यह बात भी नहीं मानी। ज़ेवर, जवाहिरात, बर्तन और क़ीमती कपड़े सब लूट लिये गये। एक स्त्री ने कुछ रुपये इज़ारबन्द में बाँध रखे थे। भागते समय कुछ रुपये गिरने लगे और अंग्रेज़ों ने उसका कमरबन्द काट दिया। एक दासी का पायजामा मात्र इसलिए उतरवाया गया, क्योंकि वह क़ीमती रेशम का था। अभागी स्त्रियाँ लज्जा और भय के कारण भागने लगीं और पाँच मील दूर बसे कहतर नामक स्थान पर रुककर उन्होंने साँस ली।

28. सन् 1847 में लार्ड डलहौजी ने इंग्लिस्तान के भारत मन्त्री को लिखा, "सतारा के राजा की मृत्यु निःसन्देह बहुत ही अच्छे मौक़े पर हुई है। यह भी सुख की बात है कि नये राजा की सेहत ख़राब है। लगता है, उनके भाग्य का फ़ैसला हमें जल्दी ही करना पड़ेगा। हमें इन परिस्थितियों के लिए ईश्वर को हृदय से धन्यवाद

देना चाहिए।"

29. नागपुर की लूट बड़ी दर्दनाक रही। सर जॉन के अनुसार सीता बल्डी के बाज़ार में शाही हाथी, घोड़े और सवारी के बैल सब्ज़ियों के भाव बेचे गये। बूढ़ी राजमाता दुःख के कारण मूर्छित हो गयीं। महलों का सारा सामान बाहर निकाला गया और उनके फ़र्श भी उखाड़े गये। ज़ेवर, जवाहिरात, सोने और चाँदी के जड़ाऊ बर्तन कलकत्ता में नीलाम किये गये और बेहद कम क़ीमत पर कम्पनी के कर्मचारियों व अधिकारियों ने उन्हें खरीदा। नागपुर में 600 हाथी, घोड़े, ऊँट और बैल 13000 रुपयों में नीलाम किये गये। शाही घोड़ों की जोड़ी पाँच-पाँच रुपयों में बेची गयी। हाथी सौ रुपयों में बिका। इन सारी नीलामों की, जिनमें लाखों-करोड़ों रुपयों की सम्पत्ति बेहद कम दाम पर बेची गयी, ठेकेदारी, 'हैमिल्टन एण्ड कम्पनी' नाम की एक अंग्रेज़ी फर्म के द्वारा ही करायी गयी।

30. सन् 1855 में तंजौर का राज्य ज़बर्दस्ती कम्पनी के राज्य में मिलाया गया। विधवा रानी ने मद्रास के हाईकोर्ट में मुक़दमा दायर किया और उसने अपना फ़ैसला रानी के हक में दिया। गवर्नर जनरल डलहौज़ी ने प्रिवी कौंसिल में अपील दायर की। वहाँ के विद्वान् जजों ने फ़ैसला दिया, "तंजौर पर जो कब्ज़ा किया गया वह कानून की दृष्टि से एकदम ग़लत था मगर चूँकि यह मामला राजनीतिक है, इसमें निर्णय देने का अधिकार इस अदालत के पास नहीं है।" विधवा रानी का दावा खारिज कर दिया गया। इस निर्णय के विरोध में एक लार्ड ने अपना पद छोड़ दिया।

31. लार्ड डलहौजी ने 'डाक्टरीन आफ़ लैप्स' के अनुसार वे सारी रियासतें छीन लीं, जिनका कोई उत्तराधिकारी नहीं था। प्रख्यात सांसद लडलो ने पार्लियामेण्ट में स्पष्टीकरण माँगा कि यह कैसा विचित्र संयोग है कि जब से यह कानून भारत में लगाया गया है, तब से जितने भी भारत के नरेश व नवाब मर रहे हैं, वे बिना कोई उत्तराधिकारी छोड़े ही मर रहे हैं। पुत्रविहीन मृत्यु इतनी ज़्यादा हो रही है कि उन्हें देखकर हमें आश्चर्य होता है।

32. लार्ड डलहौजी ने जिस राज्य को सबसे अन्त में कम्पनी के राज्य में शामिल किया वह 'अवध' था। इस सन्दर्भ में एक रोचक घटना सुनाने लायक है। डलहौजी का पिता (जो कम्पनी की सेना का कभी प्रधान सेनापति था) एक बार अपनी पत्नी के साथ लखनऊ के नवाब दरबार में गया था। उसने अपनी पत्नी का परिचय नवाब से करवाया। इस तरह का फ़ैशन भारत में नहीं था। नवाब को महसूस हुआ कि यह अंग्रेज़ अपनी बीवी को मेरे हाथ बेचना चाहता है। नवाब को गुस्सा आ गया और थोड़ी देर बाद उसने अपने मुलाज़िमों से कहा, "काफ़ी हो चुका। इस औरत को यहाँ से एकदम हटाओ।" लार्ड डलहौजी ने अवध लेने के बाद अपने सचिव से कहा कि आज मैंने अपने माँ और बाप के अपमान का बदला ले लिया।

33. सन् 1856 तक यह स्थिति आ गयी थी कि यदि कोई देसी (नेटिव) घोड़े

पर चढ़ा हुआ किसी अंग्रेज़ के सामने आ जाता था, तो उसे घोड़े पर से उतरना पड़ता था।

34. सन् 1857 में यह ऐलान किया गया कि तैंतीस करोड़ देवताओं की पूजा करने से क्या फ़ायदा! मोहम्मद और राम 'दग़ाबाज' और 'धूर्त' थे। उनका सहारा छोड़ो और सच्चे परमात्मा के पुत्र ईसामसीह की शरण में आओ। जो भी सिपाही ईसाई बनेगा उसे हवलदार बनाया जाएगा और जो हवलदार धर्म बदलेगा वह सूबेदार मेजर का पद पाएगा।

35. दमदम के एक ब्राह्मण सिपाही से एक मेहतर ने पानी पीने के लिए उसका लोटा माँगा। हिन्दू-प्रथा और अन्धविश्वास के कारण ब्राह्मण ने उसकी बात नहीं मानी। इस पर उस मेहतर ने कहा, "अब जात-पाँत का घमण्ड छोड़ो। क्या तुम्हें मालूम नहीं कि थोड़े ही दिनों में दाँतों से गाय और सूअर की चर्बी काटनी पड़ेगी। जो नये कारतूस बन रहे हैं, वे जानबूझकर ऐसे बनाये जा रहे हैं।" ब्राह्मण सिपाही घबरा गया और क्रोध में भरा-भरा वह छावनी को लौट गया...

36. मंगल पाण्डे का कोर्ट मार्शल हुआ। उसे फाँसी की सज़ा दी गयी। आठ अप्रैल का दिन फाँसी के लिए निश्चित किया गया। मगर यह तारीख आगे बढ़ानी पड़ी क्योंकि बैरकपुर का कोई भी मेहतर इस काम को करने के लिए राज़ी नहीं हुआ। बाद में चार आदमी कलकत्ते से बुलाने पड़े। इस घटना के बाद कम से कम बैरकपुर में, सारे हिन्दुस्तानी सिपाही 'पाण्डे' कहलाने लगे।

37. मेरठ में नये कारतूस इस्तेमाल न करने पर कुछ देसी सिपाहियों का कोर्ट मार्शल किया गया और उन्हें दस-दस वर्ष की क़ैद दी गयी। शाम को जब काफ़ी सिपाही रेजीमेण्ट बाज़ार से गुज़र रहे थे तो वहाँ की मज़दूर स्त्रियों ने कहा, "तुम्हारे भाई क़ैद में पड़े हैं और तुम यहाँ बाज़ार में चहलक़दमी कर रहे हो! तुम्हारे जीवन पर धिक्कार है।" सिपाही समझ गये कि इकतीस मई तक (जो गदर की निश्चित तिथि थी) प्रतीक्षा करना कठिन है। उन्होंने नौ मई को दिल्ली ख़बर भेज दी और दस तारीख से ही मेरठ में विद्रोह फूट पड़ा।

38. दिल्ली में मेरठ के हज़ारों सिपाहियों के पहुँचने पर उनका बड़ा स्वागत किया गया। हिन्दू और मुसलमान भारी तादाद में इकट्ठे हो गये और सिपाहियों को गले लगाया गया। मुसलमान लोग बताशे खिलाते रहे और हिन्दू लोगों ने बागी सिपाहियों को दूध और शरबत पिलाया।

39. इटावा में जब विद्रोह प्रारम्भ हुआ तो वहाँ के कलेक्टर मि. ह्यूम ने बड़ी वीरता दिखायी। उन्होंने अपनी नौकरानी के कपड़े लिये और पर्दानशीन औरत बनकर शहर से भाग गये। इसी प्रकार मुरादाबाद में कमिश्नर पावेल और उसके साथी मुसलमान हो गये और तब किसी तरह उनकी जान बची।

40. विद्रोहियों को आमतौर पर फाँसियाँ देकर ही मारा गया। क़ैदी को हाथी

पर बिठाकर पेड़ के नीचे ले जाते थे और वहाँ उसकी गर्दन में फन्दा डाला जाता था। बाद में हाथी हटा लिया जाता था और क़ैदी लटककर मर जाता था। मरने के बाद भी उनके शव कई-कई दिनों तक पेड़ों पर ही टँगे रहते थे। एक अंग्रेज़ बड़ा मज़ाकिया था। वह कहा करता था, "यह न भूलो कि मरने से पहले हम तुम्हें 'हाथीनशीन' करते हैं और यह इज़्ज़त कम नहीं होती।" यह 'विनोदी' अधिकारी ऊपर को रिपोर्ट भेजता था कि फाँसी लगने पर आदमी के हाथ अंग्रेज़ी के '8' जैसे हो जाते थे और सिर समेत बाक़ी जिस्म अंग्रेज़ी के '9' अंक जैसा हो जाता था। इस अफ़सर की विनोदप्रियता एक दिन और भी मौलिक हो गयी। एक दिन इलाहाबाद के चौक में फाँसियाँ दी जा रही थीं तो वहाँ अहियापुर का एक निवासी चलता-चलता यूँ ही खड़ा हो गया। उस विनोदप्रिय अफ़सर ने उससे वहाँ खड़े रहने का कारण पूछा। उस मूर्ख ने कहा, "मैं यह देखने के लिए रुक गया था कि फाँसी कैसे दी जाती है।" इस विनोदप्रिय अंग्रेज़ ने बिना किसी कसूर के उस आदमी को भी फाँसी पर लटका दिया। इस अफ़सर ने ऐसे इक्कीस सम्भ्रान्त लोगों को भी फाँसियाँ दीं जिन्होंने कोई भी कसूर नहीं किया था। हाँ, अलबत्ता वह विनोदी अधिकारी उन सबका कर्ज़दार ज़रूर था। जनरल नील जैसे निर्दय व्यक्ति ने भी उस विनोदी अफ़सर को इस तरह काम करने के लिए कड़े हाथों लिया।

41. सन् 1857 के सैनिक विद्रोह के सन्दर्भ में यह उल्लेखनीय बात है कि जब कानपुर में युद्ध छिड़ा तो एक स्त्री ने जान हथेली पर रखकर विद्रोही सैनिकों की हर सम्भव सहायता की। यह स्त्री हथियार बाँधकर घोड़े पर चढ़ी हुई बिजली की भाँति शहर की गलियों और छावनियों के बीच दौड़ती फिरती थी। कभी वह गलियों में पड़े हुए घायल सिपाहियों को दूध और मिठाई बाँटती थी और कभी अंग्रेज़ों के क़िले की दीवार के ठीक नीचे लड़ने चले विद्रोहियों का हौसला बढ़ाती थी। इस स्त्री का नाम अजीज़न था और वह एक वेश्या थी।

42. कप्तान हडसन ने शहर के एक मील दूर रह जाने पर सबको रोका और फिर उसने सम्राट् बहादुरशाह के तीनों शहज़ादों की हत्या कर दी। गोलियाँ छूटते ही शहज़ादों ने 'हाय, दग़ा' कहा और ठण्डे हो गये। (मिरज़ा इलाहीबक्श ने वादा किया था कि जनरल विल्सन तुम्हारी जान बख़्श देंगे) शहज़ादों के सिर काटे गये और उन्हें बहादुरशाह के सामने पेश करते हुए कहा गया, "कम्पनी की ओर से वह नज़र पेश की जाती है जो बरसों से बन्द थी।" बादशाह ने अपने पुत्रों और पौत्रों के सिर देखे और आश्चर्यजनक धैर्य के साथ कहा, "अलहम्दोलिल्लाह। तैमूर की औलाद ऐसे ही सुर्खरू होकर बाप के सामने आया करती थी।"

43. सम्राट् बहादुरशाह के कुटुम्बियों और रिश्तेदारों की तादाद काफ़ी थी। इनमें से अनेक को फाँसी पर लटका दिया गया। शहज़ादा मिर्ज़ा कैसर को भी फाँसी

दी गयी हालाँकि वे इतने बूढ़े और बीमार व्यक्ति थे कि उनका सिपाही-क्रान्ति से किसी प्रकार का कोई भी सम्बन्ध होने का प्रश्न ही नहीं उठता था। बादशाह की एक बेटी (रजिया बेग़म) ने रोटियों से मुहताज होकर एक बावर्ची से शादी कर ली जिसका नाम हुसैनी था।

44. अठारह अप्रैल 1859 को तात्या टोपे को फाँसी दी गयी। शाम को न जाने कितने यूरोपियों ने दौड़कर तात्या टोपे के सिर का एक या दो बाल काटा और उन्हें उसकी महान् वीरता की स्मृति में अपनी सम्पत्ति की भाँति रखा।

45. बादशाह बहादुरशाह पर मुक़दमा चलाया गया और बाद में उन्हें बर्मा की माण्डले जेल में रखा गया। उनका भत्ता बेहद कम था। सारे परिवार के खर्च के लिए तीस रुपये प्रतिमाह मिलते थे। उनकी आयु बयासी वर्ष की थी। उनके मरने के बाद उनकी क़ब्र बेहद साधारण ढंग से बनवायी गयी। यहाँ यह बताना अप्रासंगिक न होगा कि शाहजहाँ के गद्दी पाने के बाद नूरजहाँ जब लाहौर चली गयी थी तो उसे सात लाख रुपया सालाना की पेंशन दी गयी थी।

46. जब सरकार ने यह तय कर लिया कि बहादुरशाह के बाद कोई भी उत्तराधिकारी गद्दी पर नहीं बैठेगा तो इस बात को बादशाह तक पहुँचाने के लिए सर टामस मेटकाफ़, टामसन व सर ईलियट को भेजा गया। जब यह ख़बर बूढ़े और दयनीय बादशाह को दी गयी तो उसने आसमान की तरफ़ हाथ उठाकर कहा कि ऐ खुदा, इनके साथ इंसाफ़ कर। इत्तफ़ाक की बात कि उपर्युक्त तीनों अधिकारियों की मृत्यु उसी वर्ष के भीतर-भीतर हो गयी।

उपसंहार

(सन् 1700 का भारत)

यह हिन्दुस्तान एक ऐसा अथाह गड्ढा है जिसमें संसार का अधिकांश सोना और चाँदी चारों तरफ़ से अनेक रास्तों से आकर जमा होता है और जिसे बाहर निकलने का एक भी रास्ता नहीं मिलता।

—बर्नियर

(सन् 1900 का भारत)

बीसवीं सदी के प्रारम्भ में क़रीब दस करोड़ मनुष्य ब्रिटिश भारत में ऐसे हैं जिन्हें किसी समय भी पेट भर भोजन नहीं मिलता। इस अधःपतन की दूसरी मिसाल किसी भी सभ्य देश में कहीं पर भी दिखाई नहीं पड़ती।

—विलियम डिगवी

चम्पाकली
(1992)

साक्षात्कार को हिन्दी साहित्य की विधा स्थापित करनेवाले
सच्चे साहित्य-मर्मज्ञ
डॉ. रणवीर रांग्रा को
तथा
हिन्दी हास्य-व्यंग्य का सर्वप्रथम शास्त्रीय विवेचन करने वाले
तटस्थ समीक्षक
डॉ. धनंजय वर्मा
डॉ. शेरजंग गर्ग
व
डॉ. बालेन्दुशेखर तिवारी
को
समस्त आदर व स्नेह के साथ

दिल्लीनामा

"दिल्ली शहर जमुना जी के पश्चिमी किनारे पर कलकत्ते से ईस्ट इण्डियन रेलवे द्वारा 903 मील, बम्बई से जी.आई.पी. रेलवे द्वारा 959 मील और आगरे से 122 मील के फ़ासले पर वाके है। यह बम्बई-बड़ौदा सेण्ट्रल इण्डिया रेलवे, ईस्ट इण्डियन रेलवे, ग्रेट इण्डियन पेनिनसुला रेलवे और नार्थ वेस्टर्न रेलवे का जंक्शन है। ऊपर बताये स्थानों से दिल्ली शहर का भाड़ा क्रमशः आठ रुपये डेढ़ आना, नौ रुपये पन्द्रह आना और एक रुपया नौ आना है। यह शहर अब सूबा पंजाब में कमिश्नरी और ज़िले का सदर मुकाम है। यह बहुत पुराना और ऐतिहासिक शहर है और यहाँ जनरल निकलसन की मीनार, सफ़दरजंग का मक़बरा, शाही हम्माम, पठानों की काली मस्जिद, अमीर खुसरो का मक़बरा और अंग्रेज़ों का क़ब्रिस्तान देखने लायक स्थान हैं। इस शहर की फ़सील साढ़े पाँच मील है और यहाँ का सबसे रौनकदार बाज़ार चाँदनी चौक है जहाँ जगह-जगह के लोग भाँति-भाँति के कपड़े पहिने हुए नज़र आते हैं। दिल्ली में रुई कातने, आटा पीसने और बिस्कुट बनाने के बहुत-से कारखाने हैं और यह शहर ज़रदोज़ी और चाँदी के काम के लिए मशहूर है। देसियों के लिए यहाँ कई होटल और सराय हैं। स्टेशन के क़रीब ही लाला छुन्नामल की धर्मशाला है जिसमें मुसाफिरों से किराया नहीं लिया जाता। खाना भी मामूली दाम पर मिलता है और दिल्ली में सवारी मिलने में कोई ख़ास दिक्कत नहीं होती।"
(रेलवे गज़ेटियर : 1909)

दिल्ली शहर का वर्तमान नाम राजा दिल्लू के कारण पड़ा जो ईसा से लगभग 50 वर्ष पूर्व हुआ था। दिल्ली उससे पहिले भी स्थित थी। अभी तक दीवानी और लगान सम्बन्धी कागज़ों में 'इन्द्रप्रस्थ' नाम का एक इलाका है जो पुराने क़िले के पास स्थित है। महीरथ, हस्तिशाल, पाणिप्रस्थ, भाग्यप्रस्थ और श्रोणिप्रस्थ नगर अभी भी हैं जिन्हें अब मेरठ, हस्ताल, पानीपत, बाग़पत और सोनीपत कहा जाता है। मेरठ के बहुत पास हस्तिनापुर और परीक्षितगढ़ अभी तक विद्यमान हैं हालाँकि महाभारत काल का कोई भी व्यक्ति अब वहाँ नहीं मिलता। मुहम्मद गोरी ने दिल्ली के अन्तिम

हिन्दू सम्राट पृथ्वीराज को पराजित किया और अपने गुलाम कुतुबुद्दीन ऐबक को भारत का 'वायसराय' नियुक्त किया। कुतुबुद्दीन ने अपने गुलाम अल्तमश को गद्दी दी और खुद खुदा को प्यारा हो गया। ख्रुश्चेव ने यह सारी बात सुनकर पण्डित नेहरू से पूछा था कि "क्या गुलाम भी गुलाम रखते थे?" गुलाम वंश के बाद खिलजी वंश, तुग़लक वंश, सैयद वंश और लोदी वंश ने इस देश पर हुकूमत की। गुलाम वंश और खिलजी वंश में दो सुलतान ऐसे भी हुए जो साड़ी पहिनकर दरबार लगाया करते थे। इसके बाद बाबर आया जिसने पानीपत की पहिली लड़ाई से यह सीखा कि राजधानी और नीचे होनी चाहिए। उसने आगरा नगर बसाया और उसकी गलियाँ काबुल की तरह तंग रखीं। अकबर और जहाँगीर ने आगरा में ही राजधानी रखी मगर शाहजहाँ फिर दिल्ली चला आया। उसने बाबर और मुहम्मद तुग़लक की बुद्धिमानी को नहीं समझा। शाहजहाँ के बाद मुग़ल वंश दिल्ली ही रहा हालाँकि औरंगज़ेब की मृत्यु के सात वर्ष बाद ही वह महान् वंश एक 'हिजड़ा वंश' ही रह गया। नादिरशाह ने ऐसा हमला किया कि शहंशाह मुहम्मदशाह 'रंगीला' स्तब्ध रह गया। उसे 'कोहिनूर' नामक बेशक़ीमती हीरा भी देना पड़ा और तख्ते-ताऊस भी जिसकी क़ीमत उस समय मात्र एक करोड़ बीस लाख पाउण्ड थी। कुल मिलाकर नादिरशाह कोई सत्तर करोड़ की सम्पत्ति ले गया। अपने देश की सम्पत्ति विदेशों में जमा करने की परम्परा यहीं से शुरू हुई। नादिरशाह ने जो दिल्ली में कत्लेआम किया उसका आँखों देखा हाल मीर तकी मीर ने अपनी आत्मकथा 'ज़िक्रे-मीर' में दर्ज़ किया। इसके बाद अहमदशाह 'अब्दाली' ने भी पानीपत की तीसरी लड़ाई में मराठों को उनकी मूर्खता के कारण पराजित किया और मथुरा तक लूटमार की। दिल की बस्ती तो शहर दिल्ली है, जो भी गुज़रा है, उसने लूटा है। मेरा निश्चित विचार है कि यदि बदनसीब पानीपत नहीं होता तो हम कभी भी गुलाम नहीं बनते। जो लोग इस सन्दर्भ में और जानकारी चाहते हों वे ख्वाजा हसन निजामी द्वारा लिखित 'मुग़लों के अन्तिम दिन' और महेश्वरदयाल की प्रसिद्ध पुस्तक 'दिल्ली : मेरी दिल्ली' पढ़ें। यह वास्तव में एक रहस्य की बात है कि दिल्ली जैसे नगर की प्रसिद्ध चीनी यात्री हुएनसांग ने कोई चर्चा नहीं की हालाँकि दिल्ली तो सदा पूरब की 'रोम' रही। और यह सौभाग्य तो रोम को भी प्राप्त नहीं हुआ जो कि अन्तिम सम्राटों को दिल्ली में प्राप्त हुआ। सैयद भाई कहा करते थे कि "हम जिसके सिर पर जूती रख देंगे, वही दिल्ली का शहंशाह हो जाएगा।" जब अन्तिम मुग़ल सम्राट बहादुरशाह ज़फ़र को बर्मा की जेल में रखा गया तो उसे तीस रुपये प्रतिमाह की पेंशन दी गयी। इससे पहिले जब कभी सम्राट शाहजहाँ ने नूरजहाँ को लाहौर भेजा था तो उसे मात्र सात लाख रुपये की वार्षिक ग्राण्ट दी थी। शाहजहाँ फ़िज़ूलख़र्च था और 'आडीटर-जनरल' की कोई इज़्ज़त नहीं करता था। जब शाह आलम शहंशाह हुए तो स्थिति यह थी कि लोग कहा करते थे कि 'शहंशाह शाह आलम, शाहदरा

से पालम'। एक बार तो हालत इतनी नाज़ुक हो गयी थी कि जब रुहेलों के सरदार गुलाम कादिर ने दिल्ली पर हमला किया तो सरधने की बेग़म समरू ने अपने तोपखाने से शाह आलम की सहायता की। बेग़म समरू बड़ी वीर और पवित्र स्त्री थी, उसके प्रेमी सिर्फ़ सात थे जिनमें से एक (दीवान सिंह त्यागी) मेरी ही जाति के थे और वे दिन में बेग़म के बड़े वज़ीर का काम भी करते थे। बहरहाल गुलाम कादिर ने दिल्ली पर फिर हमला किया। इस बार उसने शहंशाहशाह आलम को अन्धा करवाया और फिर शाही तख्त पर बैठकर हुक़्क़ा पिया। उन दिनों तम्बाकू पीना सेहत के लिए बुरा नहीं माना जाता था।

बाद में चलकर सर एडविन लिटन ने नयी दिल्ली का निर्माण किया। राष्ट्रपति भवन, केन्द्रीय सचिवालय, पार्लियामेण्ट हाउस और इण्डिया गेट तभी बने। कनाट प्लेस का शानदार बाज़ार ठीक उसी स्थान पर बनाया गया जहाँ कभी झोंपड़ियों का एक गोल बाज़ार था और जहाँ हर हफ़्ते पैंठ लगा करती थी। केन्द्रीय सचिवालय में एक हज़ार कमरे हैं और उसके सारे बरामदों की लम्बाई सिर्फ़ आठ मील है, ज़्यादा नहीं। राष्ट्रपति भवन व साथ की इमारतों की ऊँचाई का एक मूल कारण यह भी है कि वे एक पहाड़ी पर बने हैं, मैदान पर नहीं। इन इमारतों के बनने के बाद देशी नरेशों ने अपने भवन बनवाये जैसे—काश्मीर हाउस, बड़ौदा हाउस, पटियाला हाउस वग़ैरा-वग़ैरा। निजाम का 'हैदराबाद हाउस' सबसे बड़ा था क्योंकि उसकी बेग़में सबमें ज़्यादा थीं।

आज़ादी के बाद नयी दिल्ली में काफ़ी सुधार किये गये। सबसे पहिले राजघाट बना जहाँ बड़े-बड़े लोग गाँधी जी को श्रद्धांजलि देने जाते हैं और बाद में कसकर रिश्वत लेते हैं। एक गाँधीवादी मन्त्री थे जिन्होंने अपनी मुत्यु के समय सिर्फ़ 300 करोड़ रुपयों की क्षुद्र राशि छोड़ी। एक और बड़े नेता थे जो उसी रमणी से प्रेम करते थे जिससे कि उनका सुपुत्र भी प्रेम करता था। आज़ादी से पहिले सारी राजधानी में मात्र एक क़ीमती होटल था जिसका नाम इम्पीरियल होटल था। आज राजधानी में पता नहीं कितने पाँच सितारों वाले होटल हैं जिनमें ज़िन्दा और मुर्दा—दोनों तरह का गोश्त मिलता है और मुर्गा जो है वह शराब में पकाया जाता है। पहिले वायसराय कहीं जाता था तो ट्रैफिक एक या दो मिनिट के लिए रुकता था। अब हालत यह है कि एक प्रधानमन्त्री के कारण ट्रैफिक इतनी देर रुका रहा कि अस्पताल जाती एक आसन्न-प्रसवा स्त्री ने टैक्सी में ही देश के भविष्य को जन्म दे दिया। पहिले यदि पटियाला हाउस और हैदराबाद हाउस होते थे तो अब हरियाणा भवन और उड़ीसा भवन हैं। ऊँचे घरानों की लड़कियाँ मात्र 'थ्रिल' पाने के लिए कालगर्ल्स बन रही हैं। एक ओर शानदार कोठियाँ हैं तो दूसरी ओर झुग्गियाँ और झोंपड़ियाँ हैं जिनमें कि रोज़ आग लगती है। बसों की हालत यह है कि वे चलती ज़्यादा हैं और रुकती कम हैं। महिलाओं की सुरक्षा के लिए बसों में पुलिस के रहने का प्रबन्ध किया गया तो

उसी पुलिस के एक सदस्य ने एक स्त्री-यात्री के साथ खुद ही बलात्कार सम्पन्न कर लिया, क्योंकि वह उस सुन्दर युवती को उदास नहीं देख सकता था। कनाट प्लेस जाकर भारतभूषण अग्रवाल की याद आती है जिन्होंने कनाट प्लेस को मात्र तीन पंक्तियों में समेट लिया था: गाड़ियों की गड़गड़ाहट, साड़ियों की सरसराहट, नाड़ियों की हरहराहट। अस्पतालों में या तो हड़ताल होती है या फिर बलात्कार होते हैं। हाँ, अलबत्ता दिल्ली में बाग और लॉन बहुत अच्छे हैं। आप अपनी प्रेयसि के साथ इण्डिया गेट जाइए, दिन-भर जामुन खाइए और अँधेरा हो जाने पर कन्या को पवित्र कीजिए। सादा जीवन, सादे विचार। एक बड़े आदमी ने अभी-अभी सुझाव दिया है कि बड़े-बड़े बागों और पार्कों में कुत्ते नंगे होकर न आयें वरन् 'पैंटी' पहिनकर आयें। लड़के-लड़कियाँ नंगे आ जाएँ तो कोई आपत्ति नहीं। नेशनल म्यूज़ियम उस स्थान को कहते हैं जहाँ प्राइवेट पार्टियाँ होती हैं और स्टेशन उस स्थान का नाम है जहाँ बिना किसी पूर्व-सूचना के बम-विस्फोट होते हैं। 'राष्ट्रीय अभिलेखागार' ऐसी जगह है कि मैं वहाँ बहुत बूढ़े लोगों को जाने की सलाह हर्गिज़ नहीं दूँगा; वहाँ जो अधिकारी हैं वे पुरानी चीज़ों को भीतर रखने का कानूनी अधिकार रखते हैं। दिल्ली के लेखक ज़्यादातर ऐसे हैं कि 'पद्म-श्री' पाने के लिए किसी के भी चरण पकड़ सकते हैं। वहाँ का चिड़ियाघर मात्र ऐसी जगह है जहाँ जाकर आपकी घबराहट दूर होती है। जानवर कैसे भी हों, वे आपका गला और जेब—इन दो चीज़ों को कोई क्षति नहीं पहुँचाते। शाहदरा उस जगह का नाम है जहाँ या तो प्रिंण्टिग प्रेस हैं या फिर ऐसे लोग हैं जो दहेज कम लाने के कारण अपनी पत्नी या पुत्रवधू की हत्या सम्पन्न करते हैं। इससे ज़्यादा आपको क्या चाहिए?

संसद की स्थिति आप जानते ही हैं। राज्यसभा के माननीय सभापति तक को एक दिन रोना आ गया। सचिवालय की स्थिति मैं जानता हूँ। देश में काले हाथी कम होते जा रहे हैं मगर सफ़ेद हाथियों की संख्या बढ़ती ही जा रही है। सर्वोच्च न्यायालय की स्थिति यह है कि एक निहायत विवादास्पद उद्योगपति की याचिका जजों ने घर पर सुनी क्योंकि वैसे गाँधी-जयन्ती के कारण अदालत बन्द थी। और इन दिनों तो सुप्रीम कोर्ट के एक जज के ख़िलाफ़ भी आर्थिक अनियमितताओं के इल्जाम लगाये जा रहे हैं जो उस काल से सम्बन्धित हैं जबकि वे हाईकोर्ट के चीफ़ जस्टिस थे।

इधर नयी सरकार आयी है। मन्त्री लोग अब भी विदेशों की यात्रा कर रहे हैं और क़ीमती होटलों में ठहर रहे हैं। पुराने मन्त्री व संसद्सदस्य अपनी कोठियाँ ही खाली नहीं कर रहे। टेलीफ़ोन और बिजली के लाखों रुपयों के बिल जो बिना भुगतान किये पड़े हैं सो अलग। एक प्रसिद्ध व्यक्ति ने अपनी कोठी खाली की तो उसे इस स्थिति में छोड़ा जैसे कि उसमें कोई विस्फोट हुआ हो। एक नेता हैं—जो झोंपड़ी में रहते हैं हालाँकि उसमें टेलीफ़ोन भी है और वातानुकूलित करने के उपकरण भी हैं।

छोटे-छोटे अधिकारी हैं जिनके महरौली के आसपास 'फ़ार्म हाउस' हैं। आख़िर, एक आदमी को कितनी ज़मीन चाहिए?

दिल्ली में महाभारत अभी भी जारी है। धृतराष्ट्र भी है, दुःशासन और शकुनि भी हैं और दुर्योधन व जयद्रथ भी हैं। पाण्डव अज्ञातवास पर थे, वे शायद अब लौटें। भारतमाता ठीक द्रौपदी की भाँति सबके सामने नंगी की जा रही हैं। एक धर्मप्रधान देश में यदि यह नहीं होगा तो और क्या होगा? जिस प्रकार मुहम्मद तुग़लक ने अपने बाप की हत्या की थी और जिस प्रकार अलाउद्दीन खिलजी और औरंगज़ेब आलमगीर ने क्रमशः अपने स्नेही चाचा और शरीफ़ भाइयों का गला काटा था, उसी तरह आज भी एक नेता दूसरे नेता का गला निःसंकोच होकर सबके सामने काट रहा है। इस चिरन्तन प्रथा में कतई कोई व्यतिक्रम नहीं आया।

आप जब भी दिल्ली जाएँ तो नये-पुराने सब मक़बरे देखकर आएँ। बहुत कम लोगों को यह मालूम है कि सफ़दरजंग के मक़बरे के गुम्बद में जो नीले पत्थर लगे हैं वे अब्दुर्रहीम ख़ानख़ाना के मक़बरे से चोरी किये गये थे। कुतुबमीनार की मरम्मत पर फ़ीरोज़शाह तुग़लक ने बहुत धन खर्च किया था क्योंकि सार्वजनिक निर्माण विभाग शायद गुलाम वंश की हकूमत में भी उतना ही भ्रष्ट था और घटिया माल लगाता था। जिन दिनों तुग़लकाबाद का निर्माण चल रहा था, उन दिनों दक्षिणी दिल्ली में आज की तरह मज़दूर और पानी की बड़ी किल्लत थी और उन्हीं दिनों निजामुद्दीन के औलिया भी कुछ निर्माण-कार्य में लगे थे। बादशाह ने गुस्से में आकर हुक्म जारी किया कि कोई भी मज़दूर निजामुद्दीन नहीं जाएगा। कहते हैं कि औलिया जैसे महान् सन्त को भी बड़ा क्षोभ हुआ और उन्होंने शाप दिया कि तुग़लकाबाद उजड़ जाएगा। वही हुआ। सबसे ज़्यादा महत्त्वपूर्ण इमारत है—हुमायूँ का मक़बरा। इसके तहखानों में दाराशिकोह जैसे न जाने कितने शहज़ादे दफ़न हुए पड़े हैं। बहादुरशाह ज़फ़र को अपने वज़ीर के विश्वासघात के कारण इसी इमारत से गिरफ़्तार किया गया था। ताजमहल जो है वह हुमायूँ के मक़बरे की ही 'नक़ल' है, फ़र्क़ इतना है कि ताजमहल में लाल की जगह सफ़ेद पत्थर लगा है और उसमें चार मीनारें भी हैं। हुमायूँ अपनी लाइब्रेरी से उतरते हुए गिर पड़ा था और इसी कारण उसकी मृत्यु हुई थी। इस घटना से हमें सबक मिलता है कि हकूमत करनेवाले को विद्वान् नहीं होना चाहिए। मेरा ख़याल है कि हुमायूँ का लड़का अकबर जो बेपढ़ा रहा, वह जान-बूझकर इसी कारण रहा।

चार्ल्स डिकिन्स प्रत्येक नगर की 'गन्ध' जानता था। हमारे यहाँ कलकत्ता, मद्रास और बम्बई का भी अलग-अलग एक चरित्र है। दिल्ली में न गन्ध है और न चरित्र। पता नहीं उस्ताद ज़ौक़ इस चरित्रहीन नगर की तंग गलियाँ क्यों नहीं छोड़ना चाहते थे? यही हाल दाग़ का था, उन्हें भी देहली का निवासी होने का गर्व था। तुमने उसको जादूगर क्यों कह दिया, देहलवी है दाग़ बंगाली नहीं।

मैं दिल्ली बहुत कम जाता हूँ और जब भी जाता हूँ तो उदास होकर ही लौटता हूँ। उदासी के इस मूड में मैं बराबर उमर ख़ैयाम, निराला और भर्तृहरि की कविता याद करता हूँ। उमर ख़ैयाम ने कहा था कि सुलतान के बाद सुलतान आया और चला गया। निराला की 'दिल्ली' नामक कविता बड़ी ही मार्मिक है : निस्तब्ध मीनार, मौन हैं मक़बरे; बोलते हैं स्यार रात यमुना कछार में। भर्तृहरि ने अपने 'वैराग्यशतक' में लिखा है कि "वह रमणीय नगर, वह महान् सम्राट, सामन्तों का वह समूह, सयानों की वह परिषद्, चन्द्रमा के समान सुन्दर वे रमणियाँ, बाँके और बहादुर राजकुमारों का वह दल, वे चारण लोग और उनकी वे विरुदावलियाँ जिसके प्रभाव से रसातल को चली गयीं, उस काल को प्रणाम है। उर्दू के एक बड़े शायर ने इसी बात को सरल भाषा में कहा। कलाम हाज़िर है :

दारा रहा न रहा सिकन्दर सा बादशाह
तख़्ते जमीं पै सैकड़ों आये, चले गये?

हमारी संस्कृति और संख्या

मेरे कुछ मित्र ऐसे हैं जो कि भारत सरकार के वरिष्ठ अधिकारी होने के बावजूद साहित्य से प्रेम करते हैं और जिनके व्यक्तिगत पुस्तकालय काफ़ी बड़े हैं। सैयद अब्दुर्रहमान व संजीव मुकर्जी मुझे बहुत प्रिय हैं। यह रचना भी संजीव मुकर्जी की ही सहायता से लिख रहा हूँ जिसके लिए उनके प्रति मैं हृदय से आभारी हूँ। जैसा कि आप देखेंगे, जैसे-जैसे संस्कृति व सभ्यता का विकास होता गया, वैसे ही वैसे संख्या आगे बढ़ती गयी।

ऋग्वेद जो है वह विशेषज्ञों द्वारा संसार की सबसे प्राचीन पुस्तक माना जाता है। द्वैत और अद्वैत की चर्चा वैदिक काल से ही प्रारम्भ हुई। ब्राह्मण को द्विज भी बहुत पहले से कहा जाता है। उसके बाद तीन की गिनती का प्रयोग भी बहुत सारे सन्दर्भों में किया गया जैसै कि त्रिमूर्ति शिव का तीसरा नेत्र, प्रकृति के तीन गुण, प्रयाग की त्रिवेणी, तीन प्रकार के सन्ताप और फ़िलस्तीन जिसने ईसाई धर्म, यहूदी धर्म व इस्लाम धर्म नाम के तीन महान् धर्मों को जन्म दिया। शंकराचार्य ने मानव जीवन की तीन महान् प्राप्तियों को ईश्वर की कृपा पर ही छोड़ दिया :

दुर्लभं त्रयमेवैतद्देवानुग्रहहेतुकम्
मनुष्यत्वं, मुमुक्षत्वं, महापुरुषस्य संश्रयः।।

इसके उपरान्त चार की गिनती आयी। फ़ारसी में 'क़िस्सा चहार दरवेश' लिखा गया और वेद भी चार ही लिखे गये। विष्णु के चार हाथ बताये गये। आर्यों ने समाज को चार वर्णों में बाँटा, मनुष्य के जीवन के लिए चार आश्रम निश्चित किये, समय को चार युगों में बाँटा और दिशाओं की संख्या भी चार ही निश्चित की गयी। गाय, भैंस और हाथी वग़ैरा को चौपाया कहा गया जो कि एकदम ठीक था। इस्लाम में पत्नियों की संख्या चार ही निश्चित की गयी। चार के बाद पाँच की गिनती आयी। सृष्टि को पाँच तत्त्वों में बाँटा गया, और पंचनद (पंजाब) की निवासिनी होने के कारण व पाँच पतियों की पत्नी होने के कारण द्रौपदी को पांचाली कहा गया। इन्द्रियाँ हमेशा पाँच ही रहीं चाहे वे ज्ञानेन्द्रियाँ हों या कर्मेद्रियाँ हों। वेदान्त में पंचरत्न, पंचगव्य, पंचभूत व पंचत्व की चर्चा की गयी और बाद में यह भी बताया गया कि

यदि कोई भाग्यशाली पुरुष प्रातःकाल में पाँच नारियों को मात्र याद ही कर ले तो उसकी सारी ग्लानि नष्ट हो जाती है :

अहल्या, द्रौपदी, कुन्ती, तारा, मन्दोदरी तथा
पंचकन्या स्मरेन्नित्यं महापातकनाशकम्

हमारे देश में ऋतुएँ जो थीं वे बाद में चलकर छह हो गयीं। बच्चा भी जब छह दिन का हो जाता है तो उसकी छठी का आयोजन किया जाता है। यह प्रथा बहुत पुरानी ठहरी।

कभी-कभी मैं सोचता हूँ कि सात के बाद सदियों तक अगली गिनती नहीं निकली जिसके कारण सैकड़ों वर्षों तक सारे संसार की विभिन्न वस्तुओं की संख्या सात ही रही। सूरज के सात घोड़े, सात आसमान, सात समुद्र, सप्तर्षि, सप्ताह के सात दिन, संगीत के सात स्वर, सिन्दबाद की सात यात्राएँ, हातिमताई के सात सवाल, इन्द्रधनुष के सात रंग, विवाह के समय की सप्तपदी, अज्ञेय के 'तार सप्तक' व धर्मवीर भारती का 'सात गीत वर्ष' इसी सिद्धान्त की पुष्टि करते हैं। रोम का निर्माण भी सात वर्षों में हुआ था और ताज़ीराते-हिन्द की कम से कम सात दफ़ा ऐसी हैं जो कि सात साल की क़ैद देने का प्रावधान करती हैं। यदि कोई आदमी गुम हो जाता है तो उसे तभी मृत घोषित किया जाता है जबकि सात वर्षों तक उसका कोई पता न लगे। पुराणों में सप्त-सिन्ध की चर्चा की गयी है जो इस प्रकार है:

गंगे च यमुने चैव गोदावरी सरस्वती
नर्मदे सिन्धु कावेरी जले अस्मिन् सन्निधिं कुरु

आठ की गिनती भी कभी बहुत प्रचलित थी। पाणिनि की 'अष्टाध्यायी', अष्टछाप के कवि, योग और साधना के आठ मार्ग, और वसु नामक आठ देवता इस मत की पुष्टि करते हैं। शास्त्रों में आठ बन्धनों की चर्चा इस प्रकार की गयी :

घृणा, लज्जा, भयं, शोको, जुगुप्सा चेति पंचमी
कुलं, शीलं तथा जातिरष्ट पाशाः प्रकीर्तिता

नौ का प्रयोग भी बराबर किया गया। भक्ति नवधा रही, रस नौ रहे, ग्रह भी नौ रहे, सन्तान के जन्म लेने के लिए नौ महीनों की अवधि निश्चित की गयी और वीर विक्रमाजीत व शहंशाह अकबर ने भी अपने दरबार में नौ ही रत्न रखे। नौलखा हार व नवरात्र को भी याद रखना है। बाद में चलकर हमारे एक महान् गणितज्ञ ने लीलावती नाम की सुन्दर कन्या को शून्य का रहस्य भी बताया। दिशाएँ दस हो गयीं और शिव का नाम एकादश भी रखा गया। भगवान ने दस अवतार लिये।

इसके बाद तो गिनतियों की गिनती बढ़ती ही चली गयी। राजा सगर के साठ हज़ार पुत्र थे और हमारे देवी-देवता मात्र तैंतीस करोड़ माने गये। गान्धारी के भी सौ पुत्र थे। ये बातें उन दिनों की हैं जब कि 'लाल तिकोन' को कोई नहीं जानता था। ज़रा-सी असावधानी और उम्र-भर की परेशानी।

अब मैं आपको यह बात बता दूँ कि सबसे सुन्दर जो गिनती है, वह सोलह की है। नीतिकार कहते हैं कि पुत्र जब सोलह वर्ष का हो जाए तो उसे मित्र मान लेना चाहिए:

लालयेत् पंचवर्षाणि, दशवर्षाणि ताड़येत्
प्राप्ते तु षोडशे वर्षे, पुत्रं मित्रवदाचरेत्

चन्द्रमा की जो कलाएँ हैं वे भी सोलह हैं। और उस कन्या का तो कहना ही क्या जो सोलह वर्ष की होने के कारण षोडशी कहलाती है। रीतिकाल के एक रस-सिद्ध कवि ने सारी स्थिति को इस प्रकार समझाया :

सोरह कला को चन्द, पूरन मुखारविन्द
सोरह शृंगार किये, सोरह बरस की

देवदासियों की परम्परा

आपने शरत्चन्द्र का 'देवदास' अवश्य पढ़ा होगा। बड़ा दुखान्त उपन्यास है। मगर 'देवदासी' की जो कथा है वह अपने पुल्लिंग 'देवदास' की कथा से भी कहीं ज़्यादा करुण है। मगर मैं शायद जल्दी कर रहा हूँ। चर्चा प्रारम्भ करने से पूर्व मैं संस्कृत के मधुरतम कवि जयदेव की कथा सुनाऊँगा। जयदेव का 'गीतगोविन्द' सम्भवतः विश्व की अकेली ऐसी पुस्तक है जिसका और किसी भाषा में अनुवाद नहीं किया जा सकता। उसकी भाषा का लालित्य और छन्द की क्षिप्रगति 'अनट्रांसलेटेबिल' हैं—इस बात को सर विलियम जोन्स तक ने स्वीकार किया। वैसे भी उस पुस्तक का अनुवाद न होना ठीक ही रहा; भक्ति के साथ शृंगार का जो जादू 'गीतगोविन्द' आप पर छोड़ता है वह अश्लीलता की चरम सीमा से भी आगे है। कला का इतना तात्कालिक प्रभाव छोड़ने वाली और कोई पुस्तक कम से कम मैंने नहीं देखी। इस दिशा में 'शृंगार-शतक', 'भामिनी-विलास' व 'अमरु-शतक' भी 'गीतगोविन्द' के सामने नहीं टिकते।

जयदेव बंगाल के वीरभूमि नामक ज़िले के निवासी थे। उनके मित्र एक राजकुमार थे जिनके पिता एक हरिजन कन्या के प्रणय में बुरी तरह फँसे थे। पिता के शृंगार को देखकर राजकुमार को वैराग्य हो गया। यह कथा बारहवीं शती की है। उसी शती में एक ब्राह्मण युगल था जिन्हें काफ़ी परिश्रम के बावजूद कोई सन्तान नहीं प्राप्त हो सकी थी। अन्त में चलकर वह उड़ीसा के जगन्नाथ मन्दिर में गये और प्रार्थना की कि भगवान उन्हें एक कन्या दे जिसे युवती होने पर उन्होंने देवता को समर्पित करने का संकल्प किया। नौ महीने बाद उन्हें एक कन्या-रत्न की प्राप्ति हुई जिसका नाम पद्मा रखा गया। यौवन प्राप्त होने पर वह इतनी रूपवती निकली कि उसके सामने चन्द्रमा लजाने लगा। जब उसे उसके माता-पिता देवदासी बनाने जगन्नाथपुरी ले गये तो वहाँ उन्हें स्वप्न में ईश्वर से आज्ञा मिली कि पद्मावती देवदासी नहीं बनेगी क्योंकि उसे तो जयदेव की पत्नी बनना था। काफ़ी खोजबीन के उपरान्त जयदेव मिले और पद्मावती से उनका विवाह हो गया। लड़की होनहार थी, उसके आलापों को सुनकर नदी के दूसरे तट की नावें अपने-आप इस तट पर आ जाती

थीं। सारी लड़कियों में इतनी प्रतिभा नहीं होती। मैंने स्वयं एक नदी के इस तट पर एक बार ऐसी रमणियाँ देखीं कि जिनके 'सौन्दर्य' के कारण मैं दूसरे तट पर जाने को व्याकुल हो उठा। ओ मेरे माँझी ले चल पार, ले चल पार... मेरे साजन हैं उस पार...

अब मैं असली मुद्दे पर आता हूँ। सब कानूनों के बावजूद, अकेले कर्नाटक प्रदेश में ही हज़ारों लड़कियाँ प्रतिवर्ष देवताओं को समर्पित की जाती हैं। यह प्रथा हज़ारों वर्ष पुरानी है और इस कारण इसके बन्द करने का तो प्रश्न ही नहीं उठता। पल्लव व चोल वंश के शासनकाल में ये कन्याएँ धार्मिक नृत्य और संगीत करती थीं। समय के साथ-साथ धर्म बदलता गया और फ़िलहाल जो स्थिति है वह इतनी सुखद है कि सुन्दर देवदासियों को आजकल के देवताओं की कामवासना का शिकार बनना पड़ता है। हालत इतनी सन्तोषजनक हो गयी है कि अनेक देवदासियों को महानगरों में बाकायदा बेचा जाता है जहाँ उन्हें वेश्यावृत्ति करने के लिए विवश होना पड़ता है। बम्बई की 20 प्रतिशत वेश्याएँ और पुणे की 50 प्रतिशत वेश्याएँ भूतपूर्व देवदासियाँ ही हैं। प्लेटो ने कहा था कि पत्नियों का राष्ट्रीयकरण होना चाहिए और पुराने ज़माने में हमारे देश में भी असाधारण रूपवती युवती को नगरवधू बनना पड़ता था। आम्रपाली ऐसी ही नगरवधू थी जिसने 'तथागत' के दर्शन प्राप्त किये थे। सदियों पुराने इस स्त्री-शोषण के विरुद्ध कोई हिन्दू कुछ नहीं कर रहा। सन्तोष की बात है कि देवदासियाँ अपने साथ न्याय किये जाने के लिए स्वयं ही 'यूनियन' बना रही हैं। सोचता हूँ कि मैं भी कर्नाटक चला जाऊँ और इस 'यूनियन' का सभापति बन जाऊँ। देवदासी सबकी हैं मगर उनका कोई नहीं है। उनकी सन्तान का पिता कौन है—यह वे स्वयं नहीं जानतीं। मेरे से पहले भी कुछ लेखकों ने इस ओर ध्यान दिया और 'जोगती' व 'महानन्दा' जैसे उपन्यास लिखे। मगर इन उपन्यासों पर फ़िल्में ही बनीं, और कुछ नहीं हुआ। कर्नाटक के अतिरिक्त यह पवित्र परम्परा आन्ध्र प्रदेश, महाराष्ट्र व उत्कल प्रदेश में भी प्रचलित है। नाम भले ही अलग-अलग हों, पीड़ा एक ही है। धर्म के नाम पर नारी जाति का इतना शानदार शोषण मात्र हमारे ही देश में पाया जाता है जो स्वयं में एक गौरव की बात है।

सरकार जानवरों पर अत्याचार रोकने के लिए पूरी कोशिश कर रही है। जानवरों को खेल-तमाशे दिखाने की ट्रेनिंग देने को भी अत्याचार माना गया है और इसके ख़िलाफ़ एक सर्कस के मैनेजर ने दिल्ली हाईकोर्ट से 'स्टे-आर्डर' भी लिया है। यह सबकुछ हो रहा है मगर देश की युवतियों पर जो अत्याचार खुलेआम किये जा रहे हैं, उसके बारे में कोई कुछ नहीं कहता। एक विशिष्ट सम्प्रदाय के लोग जो समझते हैं कि अधिक पत्नियाँ रखना उनका धार्मिक अधिकार है और इस सन्दर्भ में कनाडा के डालविन ओलरे का नाम विशेष रूप से उल्लेखनीय है जिनके पाँच पत्नियाँ और पैंतालीस बच्चे हैं। चार्ल्स द्वितीय और नवाब वाजिदअली शाह के कुल कितने बच्चे

थे, इसका पता उन बेचारों को स्वयं नहीं था। अरब देशों के एक अमीर हैं जिनकी पत्नियों की संख्या हज़ारों में है। मगर आदमी सिद्धान्तों का है—एक बार में चार से ज़्यादा बीवियाँ कभी नहीं रखता। एक यह सिद्धान्तवादी दकियानूसी अमीर है और एक ओर हमारे रीतिकालीन कृष्ण हैं जो हज़ारों गोपियों के साथ विहार करते थे और साथ ही साथ अर्जुन को वीतरागी होने का उपदेश भी देते थे। ताक री कुचन बीच काँकरी गुपाल मारी, साँकरी गली में गोरी हाँ करी न ना करी। तालन पै, ताल पै, तमालन पै, मालन पै; वृन्दावन बीथिन बिहार बंसीबट पै...

गृह-राज्य मन्त्री ने राज्यसभा में बताया कि राजधानी में स्त्रियों के ऊपर अत्याचार करने की वारदातें बढ़ रही हैं। 1989 में 159 शीलभंग, 161 बलात्कार, 336 पतियों द्वारा ढाये गये ज़ुल्म, 109 सास-ससुर द्वारा किये गये अत्याचार और दहेज को लेकर वधुओं की हत्याएँ की गयी थीं जबकि 1990 में ये सारे अपराध क्रमशः 176, 179, 341 व 116 तक पहुँच गये। ये सारी संख्याएँ वास्तविक संख्याओं से कम हैं क्योंकि सारे मामलों की रिपोर्ट कभी नहीं लिखवायी जाती। पुलिस स्वयं जो अपराध करती है, वे भी ऊपर लिखी संख्याओं में शामिल नहीं हैं। शीलभंग और बलात्कार में क्या अन्तर है—यह रहस्य ख़ाकसार भी नहीं जानता क्योंकि मेरे साथ न कभी किसी ने बलात्कार किया और न किसी ने मेरा शील ही भंग किया। मैं अभी भी उतना ही सुशील हूँ जितना चालीस वर्ष पहिले था। दिल्ली की पुलिस ने बड़ी तत्परता के साथ एक स्त्री की अधजली लाश को चिता से उतारा जिससे पता चला कि वह युवती मरी नहीं वरन् मारी गयी थी। एक हमारा देश है जहाँ जीवित पत्नी को जलाया जाता है और एक बँगला देश है जहाँ एक सिने-अभिनेत्री का प्रेमी खुलेआम भूख हड़ताल पर बैठा है। भीड़ इकट्ठी होती रही मगर वह 'नेशनल प्रेस क्लब' के सामने अपनी प्रेयसि के नाम का जप करता रहा। वैसे पत्नी को जलाने की वारदातें मुझे ज़्यादा दुःख नहीं पहुँचातीं क्योंकि शरीर तो पुराने कपड़ों की भाँति है। असली माल तो आत्मा है जिसे "नैनं छिन्दन्ति शस्त्राणि, नैनं दहति पावकः...।" इसी सत्य को ध्यान में रखते हुए सेशन की अदालत अभियुक्त को फाँसी की सजा देगी और हाईकोर्ट उसे बाइज़्ज़त बरी करेगा। ये ही वे परिस्थितियाँ हैं जो न्यायपालिका का सम्मान बढ़ाती हैं। 21-3-91 के इण्डियन एक्सप्रेस (दिल्ली संस्करण) के अनुसार एक अदालत में जब जज साहिब ने एक अभियुक्त को चार वर्ष की क़ैद की सज़ा सुनायी तो उसने अपना जूता निकालकर जज पर फेंका। दूसरे जूते का क्या हुआ, यह अख़बार में नहीं छपा।

मेरा यह निश्चित मत है कि लड़कियाँ जितनी ज़्यादा रूपवती होती हैं, उतनी ही ज़्यादा बेवकूफ़ होती हैं। इराक के साथ हुए युद्ध में एक अंग्रेज़ सैनिक नंगा होकर नहा रहा था कि किसी साथी ने उसका फ़ोटो खींच लिया। यह फ़ोटो संसार-भर के अख़बारों में छपा और वह ब्रिटिश सिपाही बिना कोई और वीरता दिखाये रातोरात

प्रसिद्ध हो गया। स्थिति यह है कि अनगिनत लड़कियाँ उसे या तो फ़ोन कर रही हैं या उसे प्रेमपत्र लिख रही हैं। वह बेचारा सिपाही बुरी तरह परेशान है। शायद उसी सिपाही को पूरन सरमा नामक एक युवती ने (जो एकदम देवदासी नहीं है) नीचे लिखा अपना परिचय और सन्देश भेजा है जो कविता में है:

तुलसी का बिरवा तुम्हीं, नेह रूप साकार
प्रातः की हो अर्चना, महिमा अपरम्पार,
गोरा मुख हँसता हुआ चमके बिन्दी लाल
आँखें उत्तर दे रहीं, आँखें करें सवाल,
मन की पोथी बाँच कर, जानो दिल का हाल
छोटे छोटे दर्द भी, बन गये गहरे लाल,
खुले नैन तो दिन उगे, झुके हुई तब रात
लोच कमर की क्या कहूँ, इन्द्र-धनुष सा गात,
हँसे, हँसा सारा गगन, मौसम हुआ सुवास
आ जा ओ शीतल किरन, कुछ पल मेरे पास,
तन बहके, मन बहकता, ठण्डी चले बयार
सौ घोड़ों पर आज मन, सहसा हुआ सवार,
मेरी मंज़िल आप हो, खड़ी बीच मँझधार
डूबी मेरी जीत है और तुम्हारी हार

गिर्जाघर, साइकिल व कुत्ते

मुझे गिर्जाघरों से हार्दिक अनुराग है। संसार की श्रेष्ठतम कला यूरोप के गिर्जाघरों में ही सुरक्षित है। वैसे भी गिर्जाघरों का हमारी प्राचीन सभ्यता और संस्कृति से घनिष्ठ सम्बन्ध है। गोस्वामी तुलसीदास ने (जो कुछ भक्तों के अनुसार अपने जन्म के समय पाँच वर्ष के बालक जैसे बड़े थे और जिनके जन्म के समय ही बत्तीस दाँत पूरी तरह निकले हुए थे) एक स्थान पर साफ़ लिखा है—सर समीप गिरजाघर सोहा। ऐसी स्थिति में यदि गिर्जाघरों में कोई अनैतिक काम होता है तो मुझे हार्दिक पीड़ा पहुँचती है। हेनरी द्वितीय के समय में चर्च के भीतर ही ऑर्कबिशप की हत्या की गयी थी। बादशाह यही चाहता था। जो लोग इस दारुण घटना के बारे में ज़्यादा जानना चाहते हों वे या तो प्रसिद्ध फ़िल्म 'बैकेट' देखें या फिर टी.एस. इलियट का प्रख्यात नाटक 'मर्डर इन कैथेड्रल' पढ़ें। सदा की भाँति पुस्तक जो है वह फ़िल्म से बेहतर है। हॉलीवुड में एक बार एक बकरी ने पहिले एक किताब खायी और फिर वह फ़िल्म खायी जो उसी पुस्तक पर करोड़ों की लागत से बनी थी। दोनों चीज़ें ग्रहण करने के बाद उस बकरी ने प्रेस वाले को बताया कि जो मज़ा किताब में था वह फ़िल्म में हर्गिज़ नहीं था। मैंने इसी कारण अपनी किसी किताब पर फ़िल्म नहीं बनने दी। यह दीगर बात है कि किसी भी प्रोड्यूसर ने ऐसा अनुरोध भी मुझसे कभी नहीं किया। एक मैं हूँ और एक गुलशन नन्दा थे। कहा जाता है कि गुलशन नन्दा ने कभी कोई ऐसी फ़िल्म नहीं देखी जिसके देखने के बाद उन्होंने कोई किताब नहीं लिखी और साथ ही साथ उन्होंने कभी ऐसी कोई किताब नहीं लिखी जिसके आधार पर कोई फ़िल्म नहीं बनी। गुलशन नन्दा से बड़ा साहित्यकार हिन्दी में कभी नहीं हुआ।

मुझे यह पढ़कर हार्दिक दुःख हुआ कि यूरोप के एक चर्च में प्रार्थना करते समय एक व्यक्ति की जेब कट गयी। सैनफ्रांसिस्को में एक चर्च से दो पादरी हटाये गये क्योंकि उन दोनों पर ऐसे अभियोग थे जो मैं लिख नहीं सकता। केपटाउन के एक पादरी ने इस कारण त्यागपत्र दे दिया क्योंकि वह एक विवाहिता स्त्री से प्रेम-सम्बन्ध रखता था। उसने पहिले भी ऐसा अपराध किया था पर तब उसकी

पत्नी ने उसे प्रथम अपराध होने के कारण बचा लिया था। इस बार पत्नी ने सारी ख़बर अख़बार वालों को खुद दी।

कल एक प्रतिभावान् मित्र आये और कहने लगे कि काश्मीर में जितने भी अपहरण किये जा रहे हैं वे प्रायः शुक्रवार को ही किये जा रहे हैं। डॉ. रूबिया सईद, गुलाम मुहम्मद मीर, प्रोफ़ेसर मुशीर-अल-हक़, खेरा साहिब और फ़ारूक अहमद शाह—सब के सब शुक्रवार को ही आतंकवादियों द्वारा अपहृत किये गये। ऐसा क्यों होता है—इस पर खोज होनी बाकी है। आशा है प्रधानमन्त्री सारे मुख्यमन्त्रियों को दिल्ली बुलाएँगे और इस मुद्दे पर विचार करेंगे।

पेट्रोल की खपत कम करने के लिए एक प्रदेश के माननीय मुख्यमन्त्री साइकिल पर सवार होकर सचिवालय जा रहे थे कि पता नहीं कैसे वे साइकिल से गिर गये। न्यूटन ने गुरुत्वाकर्षण का सिद्धान्त प्रतिपादित करके मनुष्य जाति का कितना बड़ा नुक़सान किया है—यह समझने में अभी देर लगेगी। प्रधानमन्त्री श्रीमती इन्दिरा गाँधी की सरकार ने जब पेट्रोल के दाम काफ़ी बढ़ाये थे तो वे भी एक दिन इक्के पर बैठकर संसद तक आयी थीं। जनता पार्टी के शासन काल में राजनारायण जी भी साइकिल से दफ़्तर जाया करते थे मगर उन्होंने सरकार भले ही गिराई हो, वे खुद कभी नहीं गिरे। मैं मुख्यमन्त्री तो नहीं हूँ पर साइकिल से गिरने का अनुभव मुझे ज़रूरत से ज़्यादा है। मगर इस दिशा में जितनी कुशलता मेरे एक निचले अधिकारी रखते थे, वह वास्तव में अवर्णनीय थी। एक बार वे कानपुर की माल रोड पर कुछ सोचते-विचारते साइकिल पर धीमी-धीमी गति से जा रहे थे कि एक बन्दर सहसा एक पेड़ से कूदा और सड़क पार करके दूसरे पेड़ पर चढ़ गया। उसने उस अधिकारी से या उसकी साइकिल से कोई नैतिक या अनैतिक सम्बन्ध नहीं स्थापित किया पर घबराहट में वे अधिकारी साइकिल से गिर गये और उनके सिर्फ़ सोलह फ्रैक्चर आये। ऐसे प्रतिभाशाली कलाकार रोज़-रोज़ नहीं पैदा होते। बड़ी मुश्किल से होता है चमन में दीदावर पैदा। और हाँ जो लोग पुरानी साइकिलों में दिलचस्पी रखते हों उन्हें मैं सलाह दूँगा कि वे पतरस का लिखा मशहूर हास्य-लेख 'मरहूम की याद में' अवश्य पढ़ें।

मध्यप्रदेश की सरकार बड़ी दयालु है। अभी-अभी जिन लोगों के तबादले के आदेश जारी हुए उनमें से एक डॉक्टर और एक कम्पाउण्डर वर्षों पहिले मर चुके थे। डॉक्टर प्रदीपकुमार गुप्ता—जिनका कि तबादला दतिया से भिण्ड को किया गया है—पाँच वर्ष पूर्व एक हवाई दुर्घटना में पंचत्व प्राप्त कर चुके थे और इसी प्रकार जिस कम्पाउण्डर का तबादला सागर से दतिया को किया गया है, वे भी वर्षों पहिले गोलोकवासी हो चुके थे। मगर यह नहीं है कि मध्यप्रदेश की सरकार ही इतनी चुस्त है। केन्द्रीय सरकार ने हाथियों की संख्या कम होते देखकर यह आदेश जारी किया कि हाथीदाँत का सामान न बने। जैसा कि ज़ाहिर है, यह आदेश मात्र इस कारण

जारी किया गया था कि और हाथी न मारे जाएँ। केरल की सरकार के पास उन हाथियों से प्राप्त दो हज़ार किलोग्राम हाथीदाँत पड़ा है जो आदेश जारी होने से पहिले मारे जा चुके थे। अब चूँकि हाथीदाँत का काम बन्द हो गया है, केरल सरकार अपने पास पड़े पुराने हाथीदाँतों को नष्ट करना चाहती है। इस पुराने स्टाक की क़ीमत मात्र साठ लाख रुपया है। इसके अतिरिक्त केरल में लगभग एक करोड़ रुपयों का हाथीदाँत का सामान गोदामों में बन्द पड़ा है क्योंकि अब तो हाथीदाँत का सामान बिक ही नहीं सकता। काले हाथी कम होते जा रहे हैं और सफ़ेद हाथियों की संख्या दिन-प्रतिदिन बढ़ती जा रही है। पार्किंज़न का कानून सचमुच कभी फेल नहीं होता।

मध्यप्रदेश की जनता स्त्रियों पर विशेष ध्यान देती है। इस स्थिति का सबूत यह है कि सन् 1988 से लेकर अब तक वहाँ दहेज को लेकर मात्र 679 पुत्र-वधुओं की हत्या सम्पन्न की जा चुकी है। सबसे ज़्यादा हत्याएँ जो की गयीं वे जबलपुर में की गयीं। जबलपुर वह नगर है जो भेड़ाघाट और हरिशंकर परसाई के लिए प्रसिद्ध रहा है। उस नगर की यह दशा? मध्यप्रदेश में जो हो जाए वह कम है। भगवान रजनीश की भूमि में कुछ तो विशिष्टता रहेगी ही। एक हमारा देश है जिसका नागरिक हज़ारों निरपराध युवतियों को जलाता है, बच्चों को अपंग बनाकर उनसे भिक्षा मँगवाता है, लड़कियों को मेले-ठेले से उठाकर कोठे पर पहुँचाता है, खाने की चीज़ों और दवाइयों तक में मिलावट करता है, दिन-दहाड़े किसी भी व्यक्ति की हत्या कर सकता है (और पैसे के ज़ोर से अदालत तो कभी जाता ही नहीं) वहीं इस असार संसार में ऐसे भी संवेदनशील प्राणी हैं जो कुत्तों तक पर किया गया अत्याचार नहीं सहन कर सकते। मैरीलैण्ड की एक महिला का प्यारा कुत्ता इत्तफ़ाक से हवाई जहाज़ में छूट गया और हवाई जहाज़ वालों की लापरवाही के फलस्वरूप चार घण्टे गर्मी में रहने के कारण स्वर्गवासी हो गया। कुत्ते की मालकिन ने हवाई जहाज़ उड़ाने वाली फ़र्म के ख़िलाफ़ सिर्फ़ एक करोड़ तीस लाख डालर का हर्जाना पाने के लिए अदालत का दरवाज़ा खटखटाया है। एक ओर ऐसे भाग्यशाली कुत्ते हैं और दूसरी ओर हमारी बहू-बेटियाँ हैं जो ज़िन्दा जलायी जाती हैं और कुछ नहीं होता। दरोगा जी की जेब गर्म कीजिए और सारे 'ताज़ीराते-हिन्द' को कमोड में डाल दीजिए। दरोगा की प्रथम सूचना-रिपोर्ट ग़लत होगी, पोस्टमार्टम की रिपोर्ट झूठी होगी, गवाह झूठे होंगे, वकील झूठ बोलेंगे और अदालत आपको बाइज़्ज़त बरी कर देगी। इधर तो अदालतों की नीयत पर भी शक होने लगा है। बम्बई हाई कोर्ट के कई जज भ्रष्ट बताये जाते हैं और इधर तो सुप्रीम कोर्ट के एक जज के ख़िलाफ़ भी जाँच करने की माँग हो रही है। जब बड़ी अदालतों का यह हाल है तो ज़िला-स्तर की अदालतों और जजों की क्या हालत होगी—यह आप स्वयं सोच सकते हैं। मैं तो अख़बार रख देता हूँ और शायर का कलाम याद करने लगता हूँ :

इब्तदाये इश्क़ है, रोता है क्या
आगे आगे देखिए, होता है क्या?

अज्ञेय जी की व्यंग्य-कविताएँ

'अज्ञेय' जी बाहर से बड़े गम्भीर और मितभाषी व्यक्ति थे। मगर इसका यह अर्थ नहीं कि वे विनोदप्रिय नहीं थे। कभी-कभी वे एकदम मुक्त, विनोदी व मस्त-मौला भी हो जाते थे। ऐसे ही क्षणों में वे कभी-कभी बेहद हास्यपूर्ण कविताएँ भी लिख डालते थे। कुछ उदाहरण प्रस्तुत करता हूँ :

(एक)

शाम सात बजे मन्त्री ने पुस्तक विमोची
सबेरे छह बजे अख़बार ने आलोची
प्रकाशक प्रसन्न हुआ
लेखक भी धन्न हुआ
दुःख यही कि पढ़ने की किसी ने नहीं सोची

(दो)

धीरे से बोले अज्ञेय जी अगरचे
शुरू में ही किये थे चर्चे और चरखे
आया जो आपातकाल
सूरमा हुए निढाल
समाचार-साप्ताहिक हो गये चरचे

(तीन)

भटनागर, भटनागरिन
चले मनाने हिन्दी दिन,
सारे आये वी.आई.पी.
बोले अंग्रेज़ी देसी,
खा खा लड्डू, पी पी चाय,

प्रस्तावों पर देकर राय,
हुए मोटरों पर असवार
झण्डे फहरे बीच बज़ार,
आया टी.वी. पर प्रोग्राम
हुआ बहुत हिन्दी का नाम,
हिन्दी वाले और वालिन
नाचे सारे धिन्नाधिन,
फिन फिन आये हिन्दी दिन
भटनागर, भटनागरिन,
हिन्दी का हो बड़ा सुहाग
कर्मों उसके हों बड़भाग

'अज्ञेय' जी की और 'अश्क' जी की आपस में चलती थी। डॉ. रामविलास शर्मा ने कहीं कहा है कि हिन्दी की छीछालेदर का नाम 'अश्क' है। मैं यह स्वीकार नहीं करता। अश्क जी की कमज़ोरी मात्र एक है और वह है सत्य बोलना, चाहे वह अप्रिय ही क्यों न हो। उनके अनुसार 'अज्ञेय' सोचते अंग्रेज़ी में थे और लिखने हिन्दी में थे। उन्होंने 'अज्ञेय' को एक कुण्ठित व्यक्ति माना जो चमचे रखता था और गुटबन्दी में विश्वास करता था। वे यह भी कहते हैं कि उन्होंने अपनी रचनाओं के मूल सूत्र और लेखकों से चोरी किये थे। उन्होंने एक स्थान पर लिखा है कि बहुत वर्षों पहिले जब वे अज्ञेय से मिले थे तो अज्ञेय ने उन्हें अंग्रेज़ी के उद्धरणों की एक फ़ाइल दिखाई थी जिसका उपयोग उन्हें अपने उपन्यास में करना था। अश्क जी की राय में अज्ञेय जो थे वे मात्र एक बेहद श्रेष्ठ पत्रकार ही थे; और कुछ नहीं। मेरा निजी विचार यह है कि यह सब 'अज्ञेय' जी की विनोदवृत्ति मात्र थी। उनकी महान् कविता 'असाध्य वीणा' एक चीनी कविता पर आधारित थी जिसका पर्दाफ़ाश 'धर्मयुग' में किया गया। मेरा निश्चित मत है कि यह सब अज्ञेय ने पाठकों के मनोविनोद के लिए जानबूझ कर किया था। वे हास्य लिखते ही नहीं थे वरन् जीते भी थे। जो लोग इस सन्दर्भ में ज़्यादा जानकारी चाहते हों वे उपेन्द्रनाथ अश्क की पुस्तक 'विवादों के घेरे में' तथा प्रयाग से प्रकाशित 'साहित्य-सम्पर्क' का दूसरा अंक पढ़ें। बहरहाल अज्ञेय जी ने अश्क जी को लेकर लिखा :

(चार)

उपन्यासकार ओपिन्द्रनाथ अश्क
हिन्दी उचानों की करते रहे मश्क
घूम आये दूर-दूर
देस लौटे थके चूर

'ग़ल्त हाय ग़ल्त रहा, बीत गया दशक

अज्ञेय जी ने हमारे प्रतिभावान् साहित्यकार प्रभाकर माचवे की वन्दना भी की है। वह कविता इस प्रकार है :

(पाँच)

मेधावी थे माचवे पर होते गये पोंगा
कान से लगाये अकादेमी का चोंगा
सबको मनाते
हाँ में हाँ मिलाते
घिघियाते घिघियाते
रह गये घोंघा

उन्होंने आज के राजनेताओं को भी नहीं बख़्शा। यदि वे वैसा न करते तो वे भी राज्यसभा के सदस्य बन सकते थे। वे कहते हैं :

(छह)

गाँव के मुलाहज़े को आये थे मन्तरी
आगे पीछे, इधर उधर, डोलते थे सन्तरी
मेज़ कुर्सी दस्तरख़ान
देख कह उठा किसान
ठाठ तो साहिबों के हैं, माल मगर कन्तरी

उनकी व्यंग्य कविताओं में 'लौटे हुए यात्री का वक्तव्य' कदाचित् सर्वश्रेष्ठ है। उन्होंने 'कुट्टिचातन्' नाम से गद्य में भी हास्य-व्यंग्य लिखने की कोशिश की मगर उस क्षेत्र में तो वे ख़ाकसार के स्तर तक भी नहीं पहुँच पाये। मगर कविता के क्षेत्र में मैं उन्हें हिन्दी का सर्वश्रेष्ठ कलाकार मानता हूँ। चन्दबरदाई से लेकर पन्त और निराला तक उनसे पीछे पड़ते हैं। खेद की बात है कि अज्ञेय जी आज हमारे बीच नहीं हैं। वे होते तो मेरा समर्थन करते। अब मैं उनकी एक श्रेष्ठ हास्य कविता देता हूँ और आपसे विदा लेता हूँ। कविता इस प्रकार है :

(सात)

कुछ गोरियाँ, कुछ भोरियाँ
लाला जी ज़ेवर बनवा लो
खाली करो तिजोरियाँ
काँगड़े की छोरियाँ
ज्वार मका की क्यारियाँ

हरियाँ भरियाँ प्यारियाँ
धन खेतों में लहर हवा की
सुना रही हैं लोरियाँ
काँगड़े की छोरियाँ

पुतलियाँ चंचल कालियाँ
कानों में झुमके बालियाँ
हम चौड़े में खड़े लुट गये
बनीं न हमसे चोरियाँ
काँगड़े की छोरियाँ

ग्रेटा गार्बो और उसके अतिरिक्त

राँची के पास किसी स्थान पर दो स्त्रियों को 'डायन' या 'चुड़ैल' समझकर गला घोंटकर मार डाला गया। पिछले तीन महीनों में इस क़िस्म की यह इक्कीसवीं वारदात है। यह सारी पुनीत क्रिया आदिवासियों के क्षेत्र में ही सम्पन्न की गयी। समाचार पढ़ने पर मुझे जॉन ऑफ़ आर्क की याद आ गयी जिसे चर्च के कानून के अनुसार चुड़ैल माना गया था और धार्मिक अदालत के फ़ैसले के अनुसार जिसे ज़िन्दा जलाया गया था। मुझे इस कथा पर आधारित एक अंग्रेज़ी फ़िल्म ने कई महीनों तक परेशान रखा था। परेशानी का प्रमुख कारण यह था कि उस फ़िल्म में नायिका का पार्ट इंग्रिड बर्गमैन ने किया था जिसके समान कोई दूसरी सुन्दर कन्या शायद ब्रह्मा ने बनाई ही नहीं। या तत्रस्यात् युवतिविषये सृष्टिराद्यैव धातुः (कालिदास)।

आप यहाँ तर्क दे सकते हैं कि आदिवासी लोग पिछड़े हुए हैं और इस कारण अभी तक पुराने दकियानूसी संस्कारों से बँधे हैं। मगर पश्चिमी उत्तर प्रदेश के लोग तो प्रायः शिक्षित व सम्भ्रान्त ही होते हैं। इस क्षेत्र की गजरौला नामक बस्ती में एक मिशन स्कूल से एक लाख रुपया चोरी किया गया और बतौर कमीशन के कुछ प्राध्यापिकाओं के साथ बलात्कार भी किया गया। पहिले आठ-दस दिन तो कुछ हुआ ही नहीं, पर जब प्रेस ने घटना का पर्दाफ़ाश किया तो गिरफ़्तारियाँ की गयीं। मेडिकल रिपोर्ट में बलात्कार के निशान नहीं थे पर माननीय मुख्यमन्त्री ने आश्वासन दिया है कि ग़लत मेडिकल रिपोर्ट देने वाले डॉक्टर के ख़िलाफ़ भी एक्शन लिया जाएगा। मुलायम सिंह यादव सिर्फ़ नाम के ही मुलायम हैं, वैसे नहीं। और चूँकि वे कर्मठ, ईमानदार और सख़्त क़िस्म के प्रशासक हैं, वे ज़्यादा दिन मुख्यमन्त्री रहेंगे नहीं। सत्य है कवि की वाणी।

आपको जानकर ख़ुशी होगी कि दहेज के कारण जो हत्याएँ हुआ करती थीं वे थोड़े दिनों बाद बन्द हो जाएँगी। कुछ डॉक्टरों का कहना है कि इन हत्याओं का प्रमुख कारण यह है कि लड़कियों की संख्या लड़कों से ज़्यादा है। ये डॉक्टर एक ऐसी दवा बनाने में लगे हैं जिसके प्रयोग से लड़कियाँ कम पैदा होंगी और जब ऐसा वास्तव में सम्पन्न हो जाएगा तो लोग न लड़कियों का जन्म होते ही उसका गला

घोंटेंगे और न दहेज के कारण उसकी हत्या ही करेंगे। लड़कियाँ होंगी और ख़ुश रहेंगी। जब वे आसन्न-प्रसवा होंगी तो उन्हें 'मातृत्व-अवकाश' मिलेगा जो विदेशों में तो पतियों तक को मिलता है। बात भी ठीक है; यदि पति न होता तो कन्या मातृत्व का सौभाग्य ही कैसे प्राप्त करती? हाँ, इस सम्बन्ध में मैं अपनी महिला-पाठकों की भलाई के लिए यह ज़रूर बताना चाहूँगा कि 'मातृत्व-अवकाश' प्राप्त होने के लिए सिर्फ़ स्त्री होना ज़रूरी है, विवाहित होना नहीं।

स्त्री जहाँ भी होगी, विपत्ति वहीं पहुँचेगी। पाकिस्तान की प्रधानमन्त्री माननीया बेनजीर भुट्टो के ख़िलाफ़ विरोधियों से और कुछ नहीं हो पाया तो उन्होंने यही झूठी अफ़वाह उड़ानी शुरू कर दी कि सरकार जो भी ठेके देती है, उसमें से दस प्रतिशत उनके पति को दिया जाता है। मगर मुझे ख़ुशी है कि वहाँ कम से कम राशि तो निश्चित है; उन देशों का क्या करें जहाँ पता ही नहीं कि कितना देना पड़े? वियतनाम में तो स्थिति इतनी नाज़ुक है कि एक दलाल ने एक नवयुवक से दहेज का आधा हिस्सा लिया और बाद में पता चला कि जिसे वधू समझा गया था वह लड़की न होकर लड़का थी। दलाल गिरफ़्तार हो चुका है, मामला जेरे-अदालत है। दलाली में ऐसी धोखाधड़ी कभी नहीं सुनी गयी।

प्रख्यात सिने-सुन्दरी ग्रेटा गार्बो की कलाकृतियों का नीलाम होने वाला है। आशा है सारा सामान दो करोड़ डालर में बिकेगा। और हाँ, यह सारा सामान वह है जो ग्रेटा गार्बो के ड्राइंगरूम व आर्ट गैलरी में लगा था; यदि उनकी व्यक्तिगत चीज़ें—जैसे गहने, कपड़े, क्राकरी, पुस्तकें, बिस्तर और जूते—नीलाम होने लगे तो क्या स्थिति होगी, यह कोई नहीं जानता। लोग कितने अमीर हो सकते हैं, इसका आप अन्दाज़ा नहीं लगा सकते। एलिज़ाबेथ टेलर का औसत खर्चा एक हज़ार डालर प्रति सेकण्ड है जबकि जैकलीन ओनासिस की ख़रीदारी तीन हज़ार डालर प्रति मिनट है। एक ओर ये लोग हैं और दूसरी तरफ़ हमारा देश है जहाँ विपत्ति के समय लोग अपने बच्चों तक को बेचते हैं। वैस्ट इज वैस्ट (आल्डस हक्सले)।

साम्यवादी देशो में इधर कुछ ऐसे परिवर्तन आ रहे हैं कि कुछ समझ में नहीं आता। चीन के सुप्रीम कोर्ट ने फ़ैसला दिया है कि 'अश्लील' साहित्य और चित्र बेचने पर फाँसी की सजा दी जा सकती है और हंगरी में स्थिति यह है कि जैसे ही सरकार कुछ उदारवादी हुई वैसे ही अश्लीलता की बाढ़ आने लगी। एक अश्लील पत्रिका का प्रकाशन शुरू हुआ तो उसके ग्राहकों की संख्या दस लाख हो गयी। जैसे ही 'लाल सितारे' डूबे वैसे ही 'लाल लालटेनें' जलनी शुरू हो गयीं।

एक प्रदेश के एक मन्त्री जब कैबिनेट की मीटिंग में भाग लेने आये तो वे शराब में धुत्त थे। उन्होंने एक महिला साथी से अभद्र व्यवहार किया। वैसे भी वे मन्त्री-विशेष कुछ होनहार क़िस्म के थे और स्टाफ़ कार के कई ड्राइवरों के साथ पहले ही कुश्ती लड़ चुके थे। मुख्यमन्त्री ने तुरन्त कार्रवाई की और मन्त्री जी को

गद्दी छोड़नी पड़ी। इसके बरख़िलाफ़ एक मुख्यमन्त्री ऐसे निकले कि कभी साइकिल पर दफ़्तर जाते थे और कभी साधारण बस में। यह सब कुछ वे इसलिए करते रहे ताकि पेट्रोल का खर्चा कम से कम हो। कुछ प्रशंसकों ने उनकी नाक पर पत्थर मार दिया मगर उससे क्या?

इन मुख्यमन्त्री को मैं हदय से प्रणाम करता हूँ। दूसरे महायुद्ध के दौरान मेजर-जनरल और भारत सरकार के संयुक्त सचिव तक साइकिलों पर दफ़्तर जाते थे। मगर इस सन्दर्भ में इतनी बात मैं अवश्य कहूँगा कि हमारे अख़बार इन समाचारों को तो मोटे अक्षरों में छाप रहे हैं और उन ख़बरों को कम छाप रहे हैं जिनके अनुसार ग़रीबी के कारण लोग अपनी खाल, अपनी आँख और अपने गुर्दे तक बेच रहे हैं। अबोध बच्चों को उड़ाया जाता है और उनकी अँतड़ियों को निकाला जाता है ताकि उस स्थान पर तस्करी का सामान भरा जा सके। गुर्दे के बारे में एक मज़ाक़ सुनाता हूँ। जब 'जिगर' साहब लाहौर गये तो उनके सम्मान में नगर के सारे साहित्यकारों ने एक जलसा किया। जब मण्टो का परिचय जिगर साहब से करवाया गया तो मण्टो ने कहा कि "हुज़ूर गुस्ताख़ी माफ़ करें तो मैं कुछ अर्ज़ करूँ। असलियत यह है कि अगर आप मुरादाबाद के जिगर हैं तो ख़ाकसार जो है वह लाहौर का गुर्दा है।" मण्टो की बात सुनकर जिगर साहब ने मण्टो को गले लगा लिया। आप लोग कहेंगे कि दुखान्त प्रसंग में भी मैं मज़ाक़ के मूड में क्यों आ जाता हूँ। मैं जवाब में सिर्फ़ यही कहूँगा कि कुछ लोग ऐसे भी हुं जो हँसते हुए रोते हैं। मैं शायद उन्हीं में से एक हूँ।

जहाँ मैं प्रेस की आज़ादी का क़ायल हूँ वहाँ मैं यह ज़रूर चाहता हूँ कि जहाँ भी एक इंसान दूसरे इंसान का शोषण करे या उसे सताए तो अख़बारनवीस उसे मुखपृष्ठ पर छापें। ऐसे समाचारों को अन्दर छापना और मुख्यमन्त्री जी की बस-यात्रा को मुखपृष्ठ पर मोटे अक्षरों में छापना कम से कम मुझे अच्छा नहीं लगता और मैं दावे के साथ कहता हूँ कि वैसा करना स्वयं मुख्यमन्त्री जी को भी अच्छा नहीं लगा होगा। मगर यदि यश की प्राप्ति मन्त्री जी को ही होनी है तो उसे कोई नहीं रोक सकता। मैं एक उद्धरण देता हूँ जिससे यह स्थिति साफ़ हो जाती है।

"हे मेरे प्राणनाथ विष्णु भगवान, आपने एक छोटे से पर्वत को उँगली पर उठा लिया तो आप गोवर्धनधारी कहलाने लगे, और एक मैं लक्ष्मी हूँ जो कि तीनों लोकों के पति स्वयं आपको अपने कुचाग्रों पर उठाती हूँ और कोई मेरी चर्चा तक नहीं करता।" (चाणक्य)

देश की पुलिस सुधर रही है...

"इन्दौर नगर में क्रुद्ध भीड़ ने एक पुलिस चौकी को आग लगा दी। चौकी के बाहर खड़ी पुलिस की मोटरगाड़ियाँ भी जला दी गयीं। बाहर से पुलिस आयी और उसने स्थिति पर काबू पाने के लिए आँसू-गैस के गोले छोड़े। जो लोग दंगा-फ़साद और आगजनी कर रहे थे, उन्हें तितर-बितर किया गया।"

(इण्डियन एक्सप्रेस)

"नयी दिल्ली में एक संतरी-धारी पुलिस कर्मचारी का अपहरण कर लिया गया। अपहरणकर्ता शराब पिये हुए थे और किसी बारात में जा रहे थे। जिस कार में पुलिस कर्मचारी को ज़बर्दस्ती बन्द किया गया था उसे कण्ट्रोल-रूम की तत्परता के कारण मधुबन चौक पर रोक लिया गया और चार अपहरणकर्ता गिरफ़्तार कर लिये गये।"

(इण्डियन एक्सप्रेस)

"इण्डियन पुलिस सर्विस के शिक्षार्थी बिहार के रोहतास ज़िले में एक गाँव देखने गये। बातचीत के दौरान ग्रामवासियों ने उन्हें बताया कि वे कच्ची सड़क से ही ख़ुश हैं और उन्हें पक्की सड़क हर्गिज़ नहीं चाहिए। सड़क यदि पक्की बनी तो उस पर पुलिस की गाड़ियाँ ही दौड़ेंगी और वे लोग यह बिल्कुल नहीं चाहते कि गाँव में पुलिस आये।"

(इण्डियन एक्सप्रेस)

ऊपर लिखी ख़बरों को पढ़कर मुझे बड़ा दुःख हुआ। एक हमारा देश है, जहाँ ग्रामवासिनी भारतमाता पुलिस से इतनी घृणा करती है और एक इंग्लैण्ड है जहाँ पुलिस की रक्षा के लिए रास्ता चलती भीड़ अपने प्राणों की भी बाजी लगा देती है। लन्दन के 'बाबी' की लोकप्रियता हम सभी जानते हैं। मेरे दुखी होने का एक प्रमुख कारण यह भी है कि पुलिस के अनेक बहुत बड़े-बड़े अधिकारी मेरे घनिष्ठ मित्र व निकट सम्बन्धी हैं। बंगाल के डाइरेक्टर-जनरल-पुलिस देवेन्द्रनाथ पाण्डेय मेरे सहपाठी और निकट सम्बन्धी हैं। बिहार के डाइरेक्टर-जनरल-पुलिस तेजप्रताप सिंह मेरे सहपाठी और मित्र हैं। उत्तरप्रदेश के डाइरेक्टर-जनरल-पुलिस विनोदकुमार जैन मेरे निकट सम्पर्क में रहे हैं और इंस्पेक्टर-जनरल-पुलिस घमण्डीसिंह आर्य भी मेरे नितान्त आत्मीय थे

और उनकी कार्य-तत्परता के ही कारण पूर्वांचल के कुछ आतंकवादियों ने उनकी हत्या कर दी थी। मेरी सगी पत्नी के सगे मामा महेशचन्द्र त्यागी उन दिनों प्रयाग के सीनियर सुपरिण्टेण्डेण्ट-पुलिस थे जबकि मैं वहाँ विश्वविद्यालय में पढ़ता था। और पश्चिमी बंगाल काडर के डिप्टी कमिश्नर पुलिस एस. गुप्ता को तो मैं कभी भूल ही नहीं सकता। वे तीन महीने तक हैदराबाद में स्थित 'एडमिनिस्ट्रेटिव स्टाफ़ कॉलेज ऑफ़ इण्डिया' में मेरे साथी रहे और सच्ची बात यह है कि लार्ड फ़ुल्टन के बाद उस समय का यदि और कोई नाम मेरे मन पर अंकित है तो उन्हीं का है। बाद में उन्होंने 'भारत में वेश्यावृत्ति' नाम से एक शोध-पत्र लिखा जिसकी एक प्रति उन्होंने ख़ाकसार को भी दी। पुलिस के प्रति मेरे मन में जो आदर व स्नेह है, उसी के कारण मैंने पुलिस पर 'देश की एक समर्पित सेवा' नाम का अमर प्रबन्ध लिखा जो बाद में चलकर मेरी 'विषकन्या' नामक पुस्तक में शामिल किया गया। मुझे यह कहते हुए हार्दिक हर्ष होता है कि उस लेख के कारण देश की पुलिस रातोंरात कार्यतत्पर व ईमानदार हो गयी। अब वे दिन गये जब पुलिस भ्रष्ट या ढीली हुआ करती थी जिसके कारण मिस्टर जस्टिस आनन्दनारायण मुल्ला को अपना एक निर्णय पुलिस के ख़िलाफ़ देना पड़ा था। पुलिस की वर्तमान स्थिति क्या है, इसकी सुखद जानकारी देने के लिए मैं आपको 'इण्डियन एक्सप्रेस' व 'सण्डे साप्ताहिक मेल' में छपे कुछ दिलचस्प वाकये सुनाता हूँ।

उत्तरप्रदेश के प्रतापगढ़ ज़िले में स्थित कुण्डा नामक स्थान की पुलिस ने पिछड़ी जातियों के तेरह व्यक्तियों को एक मुठभेड़ में मार डाला। इस बहादुरी के लिए पुलिस को पुरस्कृत किया गया। बाद में सी.आई.डी. ने कुछ ऐसी रिपोर्ट दी कि इलाके के पुलिस-अधीक्षक समेत एक दर्जन पुलिसकर्मियों को सेवा से निलम्बित कर दिया गया। जनता दल के अनुसार मृत व्यक्ति हरिजन थे और मुठभेड़ जो थी वह फ़र्ज़ी थी। श्री रामविलास पासवान ने अपील की है कि प्रत्येक मृत व्यक्ति के आश्रितों को दो-दो लाख रुपये दिये जाएँ, पुलिसकर्मियों के विरुद्ध हत्या का मुक़दमा दर्ज़ कराया जाए और इस काम के लिए एक विशेष अदालत गठित की जाए। इस सारे हादसे के सन्दर्भ में उत्तरप्रदेश के मुख्यमन्त्री महोदय ने लगभग पाँच सौ उन तथाकथित फ़र्ज़ी मुठभेड़ों का विवरण तैयार करना प्रारम्भ कर दिया है जो कि उस समय सम्पन्न की गयी थीं जब श्री विश्वनाथप्रताप सिंह उत्तरप्रदेश के मुख्यमन्त्री थे।

उत्तरप्रदेश के बाँदा जनपद में पुलिसकर्मियों ने सात कोल-कन्याओं के साथ सामूहिक बलात्कार सम्पन्न किया और बस्ती के लोगों को यह चेतावनी भी दी कि यदि किसी ने इस पवित्र घटना की कहीं चर्चा की तो उसे गोलियों से भून दिया जाएगा। बलात्कार केवल उन्हीं युवतियों के साथ किया गया था जो कि सुन्दर थीं। बहरहाल बात पत्रकारों तक पहुँच ही गयी। गाँव वालों ने बताया कि सबसे ज़्यादा ख़तरा जो है वह वर्दीवालों से ही है क्योंकि डाकू वग़ैरा तो खाना खाकर चले जाते

हैं पर वर्दीवाले तो कुछ भी नहीं छोड़ते।

राजस्थान में एक डाक बँगले का चौकीदार था जिसका नाम बालजी था। एक दिन उस अदना चौकीदार ने पुलिसवालों को डाक बँगले में ऐय्याशी करने से रोका। पुलिसवाले स्वाभिमानी तो होते ही हैं, उन्होंने उस धृष्ट चौकीदार को अन्धा कर दिया। सरकार की कार्यतत्परता के कारण उस अन्धे चौकीदार को अभी तक कोई रोशनी नहीं मिली है; आगे क्या होगा यह भगवान जाने। यह घटना 14-12-1989 को घटित हुई थी और अभी तक कुछ नहीं किया गया। राजस्थान की पुलिस में एक विशेषता है और वह यह कि वह अपनी ड्यूटी को अंजाम देते समय छोटे और बड़े में भेदभाव नहीं बरतती। अगर एक ओर एक चौकीदार को सूरदास बनाया गया तो दूसरी ओर प्रान्तीय प्रशासन सेवा के एक अधिकारी और उसकी निजी पत्नी को भी नहीं बख़्शा गया और पुलिस ने पति-पत्नी-दोनों के ख़िलाफ़ अदालत में इस्तगासा पेश किया है जिसके अनुसार वे दोनों पुलिस को सरकारी ड्यूटी अंजाम देने में बाधा डाल रहे थे। सारी घटना का मूल कारण यह था कि एक शादी में भाग लेते समय उस प्रशासनिक अधिकारी ने अपनी कार पुलिस के अनुसार ग़लत जगह पर पार्क कर रखी थी। चूँकि बात बड़े अफ़सर की थी, शायद कुछ किया जाए वर्ना स्थिति तो यह आ गयी थी कि यदि जन-आक्रोश का भय न होता तो उन पति-पत्नी को खुलेआम गिरफ़्तार कर लिया जाता। एक तरफ़ बड़े-बड़े प्रशासनिक अधिकारी सरकार पर पुलिस के ख़िलाफ़ क़दम उठाने पर ज़ोर डाल रहे हैं तो दूसरी ओर पुलिस ने भी संकल्प कर लिया है कि उपर्युक्त पति-पत्नी को किसी न किसी मामले में फँसाकर सबक ज़रूर सिखाया जाएगा। पुलिस एक न एक दिन आएगी और ज़रूर आएगी। बकौल शायर के, "नींद एक नाज़नीन से तो कम नहीं, आते-आते भी सहर तक आएगी।" मैं पुलिस में और नींद में ज़्यादा फ़र्क़ नहीं समझता।

दिल्ली की एक अदालत ने एक अभियुक्त को बाइज़्ज़त बरी कर दिया और पुलिस कर्मचारियों को (जिनमें एक असिस्टेण्ट पुलिस कमिश्नर भी शामिल थे) बुरी तरह डाँट दिया। जज के अनुसार पुलिस-केस झूठा था हालाँकि उसमें अभियुक्त को एक लाख रुपयों का जुर्माना व दस वर्ष की कड़ी क़ैद हो सकती थी। अदालत की बात क्या चली कि मुझे अकबर इलाहाबादी की याद आ गयी। अनवर साहब जब एक सिविल अदालत के जज थे तो किसी मुकद्दमे की सुनवायी के दौरान उनके एक दोस्त ने एक पार्टी के पक्ष में उन्हें सिफ़ारिशी चिट्ठी लिखी। चिट्ठी के जवाब में अकबर साहब ने महज़ एक शेर लिखा : मुझसे इन्साफ़तलब यह कैसी बियाबानी है, मैं हाकिम हूँ उस अदालत का जो खुद ही 'दीवानी' है। जवाब पढ़कर दोस्त ने अपना सिर पकड़ लिया।

पाकिस्तान में हमारे सर्वप्रथम राजदूत और बाद में महाराष्ट्र के राज्यपाल बाबू श्रीप्रकाश ने एक बार हम कुछ छात्रों को प्रयाग में बताया था कि जब कोई आम

विदेशी हमारा देश देखने आता है तो वह न तो प्रधानमन्त्री से मिलता है और न किसी सामाजिक नेता से। वह मात्र दो व्यक्तियों से मिलता है, एक पुलिसमैन से और दूसरे दूकानदार से। यदि पुलिस उससे बुरा व्यवहार करती थी तो वह समझता है कि यहाँ की सरकार निकम्मी है और यदि दूकानदार उसे ठगता है तो वह समझता है कि हमारा सारा समाज ठग है, जालसाज़ है और धोखाधड़ी में विश्वास रखता है। मुझे आपको यह सूचना देते हुए हार्दिक सन्तोष होता है कि हमारी पुलिस फ़ोर्स हमारे अपने लोगों के साथ कुछ भी कर ले पर विदेशियों के साथ जो भद्रता वह दिखाती है उसका वाकई कोई जवाब नहीं। मैं मात्र एक ही उदाहरण देता हूँ जो सारी स्थिति को स्पष्ट कर देगा। निज़ाम बहादुर नामक एक अफ़गान अपने साथ दो लाख नकद रुपये लेकर देश की राजधानी दिल्ली में कहीं जा रहे थे। दो पुलिसकर्मियों ने उन्हें रोका और उनसे एक लाख पैतालीस हज़ार रुपये छीन लिये। यह पवित्र काम सम्पन्न करने के बाद उन्हें थाने ले जाया गया जहाँ कि दरोगा जी ने उनसे सच्ची हमदर्दी ज़ाहिर की और उनकी शेष रकम भी उनसे छीन ली गयी। दोनों सिपाही गिरफ़्तार कर लिये गये मगर इस बीच सब-इंस्पेक्टर साहब भाग निकले। जो भद्र पुरुष ज़्यादा विवरण जानना चाहते हों वे 4-2-1991 का 'इण्डियन एक्सप्रेस' पढ़ने का कष्ट करें। निज़ाम बहादुर साहब की पुलिस से जो लोमहर्षक भेंट हुई उसे पढ़कर मुझे एक और शेर याद आ गया : मुसाफ़िर हैं हम भी, मुसाफ़िर हो तुम भी, फिर किसी मोड़ पर मुलाक़ात होगी।

प्रख्यात न्यायवेत्ता वी.एम. तारकुंडे का कहना है कि पुलिस जो है वह देश का सबसे बड़ा साम्प्रदायिक संगठन है और उसके कारण देश में साम्प्रदायिकता और अपराध बढ़ रहे हैं। उनके अनुसार पुलिस का आचरण आज देश के सामने सबसे बड़ी चुनौती है। 5.3.91 के अख़बार के अनुसार श्रीमती गाँधी की हत्या के बाद दिल्ली में जो हिंसात्मक वारदातें हुई थीं, उनके सन्दर्भ में तीस पुलिस कर्मचारियों के ख़िलाफ़ कार्रवाई होनी है जिनमें एक डिप्टी कमिश्नर-पुलिस भी शामिल हैं। महाजनो येन गतः स पन्थाः।

हमारे देश की ज़्यादातर पुलिस अशिक्षित या अर्धशिक्षित है। उनका वेतन औरः शेष सुविधाएँ भी विदेशों की अपेक्षा बेहद कम हैं। सरकार न जाने कितने पुलिस-कमीशन बिठा चुकी पर पुलिस की ओर कोई विशेष ध्यान दिया जाना अभी बाकी है। स्थानीय नेता लोग जो हैं, वे पुलिस को पथभ्रष्ट ही करते हैं, और कुछ नहीं। मगर ये सारी दलीलें तब ख़लास हो जाती हैं जब आपको पता लगता है कि सिपाही और दरोगा जी ही नहीं वरन् इण्डियन पुलिस सर्विस के सदस्य-अधिकारी भी ठीक वही कर सकते हैं जो एक निम्नतम पुलिसकर्मी कर सकता है। 22.2.91 के इण्डियन एक्सप्रेस के अनुसार राजधानी के एक पाँच सितारों वाले होटल में 14.2.91 की रात्रि को जो हुआ वह ऐसा था कि 'न भूतो न भविष्यति।' ये चारों

उच्च अधिकारी शराब पिये हुए थे और वे उसी स्थिति में रात के साढ़े ग्यारह बजे उपर्युक्त होटल में प्रकट हुए। उसके बाद उन्होंने होटल की युवती-कर्मचारियों के साथ अभद्र व्यवहार किया और अश्लील इशारे किये। इसके बाद उन्होंने लॉबी में एक रिसेप्शनिस्ट लड़की के साथ अभद्र व्यवहार किया, उसका पता पूछा और उसे अपने साथ चलने के लिए निमन्त्रण दिया। होटल के एक ड्राइवर ने जब सारे कार्यक्रम में दखल देने की कोशिश की तो उसे पीटा गया। शरीरमाद्यं खलु धर्मसाधनम्। होटल के अधिकारियों ने पुलिस-कण्ट्रोल रूम को फ़ोन किया और पुलिस तुरन्त ही वहाँ पहुँच भी गयी। जब उन उच्च अधिकारियों ने पुलिस को अपने परिचय-पत्र दिखाये तो पुलिस ने उन्हें बाकायदा सलामी दी। होटल के प्रबन्धकों ने थाने में चार रिपोर्ट दर्ज़ करवायीं जिनके फलस्वरूप उन्हें थाने में ही धमकी दी गयी। मैंने अख़बार पढ़ा तो सन्न रह गया। हवा कुछ ऐसी बदली ज़माने की, दुआएँ माँगता हूँ होश में न आने की। मैं पूछता हूँ कि यदि एक सुन्दरी उनके साथ चली ही जाती तो क्या बिगड़ जाता? वक़्ते रुख़सत प्यार से जो देखा तुमने, इससे बढ़कर मेरा सामाने सफ़र क्या होगा?

पुलिस के ऊपर वर्णित अभिनन्दनीय व्यवहार पर शोक प्रस्ताव पारित करने से पूर्व यह उचित ही होगा कि हम देश की शेष स्थिति पर भी एक या दो अदद दृष्टिपात कर लें। अभी कुछ दिनों पहिले एक संसदसदस्य ने दिल्ली के एक प्रमुख अस्पताल के एक डॉक्टर को पीट दिया क्योंकि वह उनका परीक्षण करने में तथाकथित देर कर रहा था। एक माननीय सांसद ने पार्लियामेण्ट के अध्यक्ष की मेज़ पर से कुछ काग़ज़ात ज़बर्दस्ती उठा लिये। एक प्रदेश में गवर्नर जब विधान-सभा का उद्घाटन करने जा रहे थे तो जनता के प्रतिनिधि विधायकों ने वह हंगामा किया कि महामहिम राज्यपाल महोदय की टोपी ही गिर गयी। इंस्पेक्टर जनरल पुलिस ने यह दृश्य देखकर अपनी टोपी को दोनों हाथों से सिर पर ही दबा लिया ताकि वह भी गुरुत्वाकर्षण के सिद्धान्त की शिकार न बने। बाद में वे शरीफ़ गवर्नर अपने पद से भी हटा दिये गये। टोपी भी गयी और नौकरी भी गयी। एक मुख्यमन्त्री की नाक पर पत्थर मारा गया। किसी-किसी प्रदेश में मन्त्रिमण्डल में सत्तर तक मन्त्री हैं। स्थिति इतनी नाज़ुक है कि न उनके बैठने के लिए कमरे हैं और न ही ऐसा कोई काम है जो उन्हें सौंपा जा सके। एक प्रदेश के मुख्यमन्त्री ने एक सभा में गाना गाया और वाजिदअली शाह की याद ताज़ा करा दी। कुछ राजनीतिक पार्टियाँ हैं जो दंगे करवाती हैं और कुछ ऐसे वरिष्ठ नेता हैं जो खुलेआम यह पूछ रहे हैं कि देश में सरकार है कहाँ? न्यायपालिका की हालत यह है कि हाई कोर्ट और सुप्रीम कोर्ट तक के जजों पर उनकी निष्पक्षता और ईमानदारी को लेकर उँगलियाँ उठाई जा रही हैं। धर्मप्रधान होते हुए भी काफ़ी सदाचारियों, ब्रह्मचारियों व स्वामियों से पुलिस पूछताछ कर रही है। और जहाँ तक नौकरशाही का प्रश्न है, स्थिति यह है

कि वे देश की जनता को इस तरह खा रहे हैं कि जैसे इराक-युद्ध में ब्रिटिश सेना के सामान को अरब के रेगिस्तानी चूहे खाते रहे। जमशेदपुर में एक हाथी ने एक अन्वेषक को वन में मार दिया मगर अगले ही दिन कई हाथी आये और आँखों में आँसू भर कर उसके परिवार से क्षमा-याचना करने लगे। जंगल के काले-कलूटे हाथी हृदय रख सकते हैं पर सचिवालयों में बैठने वाले लाखों सफ़ेद हाथी कोई हृदय नहीं रखते। त्रिवेन्द्रम् में एक जादूगर ने आँखों पर पट्टी बाँधकर 450 किलोमीटर तक मोटरसाइकिल चलाई मगर लोग यह भूल गये कि उस अदना जादूगर से करोड़ों गुना बड़ी जादूगर तो हमारी सरकारें हैं जो आँखों पर पट्टी बाँधकर पिछले चालीस वर्षों से इस विशाल देश का प्रशासन चला रही हैं और जहाँ तक प्रेस का प्रश्न है, स्थिति यह है कि वह दिन-प्रतिदिन इतना दिलचस्प होता जा रहा है कि कुछ कहा ही नहीं जा सकता। परसों एक अंग्रेज़ी समाचार-पत्र में 'विडो' के स्थान पर 'विन्डो' छपा था और आज एक अख़बार में जनरल के स्थान पर 'फ़्यूनरल' छपा है। यदि विधवा स्त्री को हम खिड़की स्वीकार भी कर लें (क्योंकि कुछ पतिव्रता विधवाएँ ऐसी होती हैं कि हम उनमें प्रवेश कर सकते हैं) तब भी एक सेनापति को हम अन्तिम संस्कार कैसे कह सकते हैं? जब तक देश और समाज की स्थिति नहीं सुधरेगी तब तक मात्र पुलिस ही कैसे सुधर सकती है? आख़िर वे भी तो इसी देश के वासी हैं और इसी समाज के सदस्य हैं? यदि हम लोग किसी लायक होते तो हमारे यहाँ भी रूबेन ग्रीनबर्ग जैसा पुलिसमैन हो सकता था। स्थिति ज़्यादा ख़राब हो जाने पर जब उसे अमेरिका के एक नगर-विशेष में बुलाया गया तो आने का समाचार छपते ही उस नगर के अपराधों में अठारह प्रतिशत की कमी आ गयी। नगर के मेयर ने उसे एक लाख डालर का वेतन देना चाहा मगर उसने वह स्वीकार नहीं किया। स्थिति सँभलते ही वह फिर चार्ल्सटन लौट गया।

अब मैं आपकी ख़िदमत में पाकिस्तान के शायर महबूब ख़िज़ाँ का कलाम पेश करता हूँ और अपना यह 'पुलिस-विलाप' बन्द करता हूँ :

जी चाहता है, किसने कहा, मत ख़रीदिए
दौलत से हुस्न, हुस्न से दौलत ख़रीदिए,
कुछ लोग जी रहे हैं शराफ़त को बेचकर
थोड़ी बहुत उन्हीं से शराफ़त ख़रीदिए,
फैला है कारोबारे-मुरब्बत सो आप भी
सबकी तरह किसी की ज़रूरत ख़रीदिए,
अपनी पसन्द अपने मुक़द्दर की बात है
सुब्हे-अजल से शामे क़यामत ख़रीदिए,
गहराइयों की फ़िक्र में क्यों मुब्तला हैं आप
लिखिए ग़ज़ल अवाम पे, शोहरत ख़रीदिए,

कहते हैं जिसको शेर, दुआ का मुकाम है
रुसवाइयाँ कमाइए, इबरत ख़रीदिए,
आँखें रहीं तो रंग बहुत, रौशनी बहुत
अब हो सके तो परदा-ए-ग़फलत ख़रीदिए,
क्यों आप शर्मसार हैं अपने वुजूद से
सच बोलिए, जहाँ की अदावत ख़रीदिए,
दुनिया के रोग झेलिए कमरे में बैठ कर
खिड़की के पास जाइए, हसरत ख़रीदिए,
उम्रे-अज़ीज़, वक़्त नहीं मोल-तोल का
बाज़ार उठ चुका, अजी हज़रत ख़रीदिए,
बेरंग है हिक़ायते-ख़ूने-जिगर 'ख़िज़ाँ'
ख़ूने-जिगर से रंग की क़ीमत ख़रीदिए,

युवती-मंगल

पिछले कुछ दिनों से मैं लगातार ऐसी ख़बरें पढ़ रहा हूँ जिनसे यह सिद्ध होता है कि वे दिन शायद लद गये जबकि स्त्रियाँ अबला हुआ करती थीं और उनके आँचल और आँखों में क्रमशः दूध और पानी पाया जाता था। इन दिनों तो स्त्रियाँ इतनी समर्थ और शक्तिमयी होती जा रही हैं कि अपने दाँतों तले उनकी उँगली दबाने को तबीयत करती है। क्योंकि आप मुझ पर विश्वास नहीं कर रहे हैं, इस कारण मैं सारा ब्योरा थोड़े विस्तार में प्रस्तुत करता हूँ।

फ़्लोरिडा में एक सुन्दर वधू ने अपने समर्थ पति से सुहागरात में कहा कि वह उसकी पीठ पर सवारी गाँठना चाहती है। उस ग़रीब का क्या था, वह राज़ी हो गया। उसने सोचा होगा कि बीवी वैसे भी जीवन-भर उसकी पीठ या सिर पर ही बैठनी है, चलो इसका प्रारम्भ सुहागरात से ही हो जाए। बीवी जो थी वह कुर्सी के सहारे पति की कमर पर चढ़ने लगी। दुर्भाग्य या सौभाग्य की बात यह रही कि वह कुर्सी पर से फिसल गयी और बरास्ते खिड़की के अपने अठारहवीं मंज़िल पर स्थित फ्लैट से नीचे आ गिरी। इस प्रक्रिया के सम्पन्न होने के कारण उसकी पवित्र आत्मा उसकी सुन्दर देह से अलग हो गयी। पति मूर्ख था, वह अजर और अमर आत्मा के पीछे तो दौड़ा नहीं; नश्वर देह के नाश पर क्रन्दन करने लगा। दूसरी घटना और भी लोमहर्षक है। नेवाडा नामक देश में शादी के तुरन्त बाद वर और वधू एक विशाल गुब्बारे में बैठे और स्वर्ग का आनन्द लेने की कोशिश आकाश में करने लगे। इसी बीच समुद्री हवा का एक ऐसा तेज़ झोंका आया कि वे पति-पत्नी बिना किसी पासपोर्ट या वीजा वग़ैरा के पास के एक और देश में जा पहुँचे जहाँ जनता ने उनका हार्दिक स्वागत किया। शादी कराने वाले पादरी ने बाद में कहा कि यह तो सच है कि विवाह जो होता है वह स्वर्ग की इच्छा के अनुसार होता है पर उसका यह अर्थ कदापि नहीं है कि दम्पती शादी के तुरन्त बाद गुब्बारे द्वारा स्वर्ग पहुँचने की चेष्टा करें। एक और नारी-रत्न ने तो कमाल ही कर दिखाया; उसने चलते हुए हवाई जहाज़ में तीस हज़ार फुट की ऊँचाई पर एक अदद पुत्र-रत्न को जन्म दिया। संयोग की बात कि वायुयान के यात्रियों में एक डॉक्टर और एक हसीन नर्स भी

शामिल थी जिन्होंने उस भूतपूर्व गर्भवती स्त्री की पूरी-पूरी सहायता की। पता नहीं कि बीसवीं शताब्दी में ऐसी रोमांचकारी कोई और घटना भी हुई है या नहीं। हाँ, अलबत्ता यह निश्चित है कि विश्व की उन्नीसवीं शती के अन्त तक के सारे इतिहास में ऐसी कोई घटना कभी नहीं घटी। इस भयंकर रहस्य का कारण मात्र यह है कि बीसवीं शती से पहिले हवाई जहाज़ ही नहीं होता था। रावण के पुष्पक विमान की बात छोड़ दीजिए; वह और कठिन कामों के लिए इस्तेमाल किया जाता था न कि यात्री-युवतियों को प्रसव का अवसर प्रदान करने के लिए। रावण बड़ा सख़्त-मिजाज़ व्यक्ति था और वह पुष्पक विमान केवल निजी यातायात के लिए रखता था; फुटकर लोगों के लिए नहीं। रावण के मिजाज़ के बारे में किसी पाठक को कोई शंका हो तो वह गोस्वामी तुलसीदास की लिखी रामायण पढ़ ले।

अब कुछ ऐसी युवतियों की चर्चा करूँगा जो कि सचमुच ही वीरांगना कही जा सकती हैं। हैम्बर्ग में एक चौदह वर्षीया कन्या ने पिस्तौल दिखाया और एक क़स्बे के बैंक से दस हज़ार मार्क की रक़म सबके सामने से उठा ली। बैंक के अधिकारियों और पुलिस की सतर्कता के फलस्वरूप वह लड़की गिरफ़्तार कर ली गयी। उसका वह नवयुवक मित्र भी हिरासत में ले लिया गया जो बैंक के बाहर मोटर-साइकिल लेकर तैयार खड़ा था और अपनी प्रेयसि व लूटी हुई रक़म की प्रतीक्षा कर रहा था। जैसे ही पुलिस प्रकट हुई वह अपनी प्रेयसि तक को छोड़कर भाग खड़ा हुआ मगर बाद में पकड़ लिया गया। दोनों अभियुक्तों ने अपना जुर्म कबूल कर लिया। सत्यमेव जयते। ठीक इसी प्रकार लन्दन में दो बहिनों ने एक शानदार दूकान से चोरी की। दोनों बहिनें पकड़ी गयीं और अदालत ने प्रत्येक पर दो-दो सौ पाउण्ड का जुर्माना किया। दोनों बहिनें इतनी रूपवती थीं कि स्वयं दूकानदार ने उनका जुर्माना अपनी जेब से अदा किया। परोपकाराय सतां विभूतयः। दोनों बहिनों में से एक की उम्र बीस वर्ष थी और दूसरी जो थी वह तेईस वर्ष की थी। मेरी क्षुद्र बुद्धि में दोनों बहिनें एकदम मूर्ख थीं। जब वे इस योग्य थीं कि चाहतीं तो किसी करोड़पति का दिल वैसे ही चुरा सकती थीं तो वे एक दूकान में से टुच्ची-सी चोरी क्यों कर रही थीं? यह सच ही कहा जाता है कि स्त्री जितनी अधिक रूपवती होती है, वह उतनी ही ज़्यादा बेवकूफ़ होती है। क्लियोपेट्रा से लेकर मार्लिन मनरो तक इस नियम का अपवाद नहीं सिद्ध हो सका।

वीर युवतियों की पैदावार हमारे देश में कम हो गयी हो—यह कहना ग़लत होगा। ग्यारह अगस्त उन्नीस सौ नब्बे के अख़बार के अनुसार हैदराबाद की पुलिस अकादेमी में जब इण्डियन पुलिस सर्विस के अधिकारियों की परेड हो रही थी—जिसमें देश के गृहमन्त्री मुख्य अतिथि थे—तो स्थिति यह रही कि एक ओर तो अकादेमी के उच्च अधिकारी नये अफ़सरों की प्रशंसा करते रहे और दूसरी ओर प्रशिक्षण पाने वाले जो अधिकारी थे, वे एक के बाद एक बेहोश होकर गिरते रहे। कुल मिलाकर

पाँच अधिकारी बेहोश हुए। जितने भी अधिकारी बेहोश हुए वे सब के सब पुरुष थे हालाँकि अधिकारियों में तीन युवतियाँ भी शामिल थीं। इसी प्रकार जब संसद में एक सम्मानित सांसद ने रिमार्क किया कि सरकार की नीतियाँ स्त्रियों के 'स्कर्ट' की भाँति हैं जो कभी उठती है और कभी गिरती है तो एक माननीय सांसद ने तुरन्त इस उपमा पर आपत्ति उठायी। अन्त में चलकर वित्तमन्त्री ने यह कहा कि युवतियों के वस्त्रों का क्या कहना, उनका फ़ैशन तो बदलता है पर डिज़ाइन वही रहती है जो पहली थी। जो लोग इस सन्दर्भ में ज़्यादा जानकारी चाहें वे सात सितम्बर उन्नीस सौ नब्बे का अख़बार पढ़ें।

अब थोड़ी-सी चर्चा यदि भूतपूर्व युवती इंग्लैण्ड की महारानी एलिज़ाबेथ (द्वितीय) की कर ली जाए तो शायद असंगत नहीं होगी। इतिहास में पहिली बार शाही दम्पती एक ऐसे पोत में चढ़े जिसमें हज़ारों सामान्य यात्री भी थे। महारानी और उनके पति ने आम लोगों के साथ खाना खाया और उनसे बातचीत भी की। जब एक यात्री ने प्रिंस फ़िलिप से कहा कि "आप आज भी उतने ही सुन्दर हैं जितने कि आप अपनी शादी के समय थे" तो महारानी के पति ने हँसकर उत्तर दिया कि "शायद आपकी आँखों पर अब चश्मा लगना चाहिए।" इस सन्दर्भ में मुझे फ्रांस सम्राट् हेनरी (क्रमसंख्या याद नहीं) की याद आ रही है। एक बार जब वे शिकार पर जा रहे थे तो एक भिखारी ने अपना टोप उतारकर उन्हें सलाम किया। सम्राट हेनरी घोड़े से उतरे और उन्होंने भी अपना हैट उतारकर उस भिखारी के अभिवादन का उत्तर दिया। थोड़ा चलने के बाद जब साथ चल रहे एक अमीर ने सम्राट से पूछा कि आपको "एक भिखारी के प्रति इतनी शिष्टता दिखाने की क्या आवश्यकता थी?" तो हेनरी ने तुरन्त उत्तर दिया कि "क्या शिष्टता दिखाने में मैं एक साधारण भिखारी से भी पीछे रह सकता था?"

'अमेरिकन मेडिकल जरनल' के अनुसार अमेरिका जैसे सभ्य देश में भी पति लोग अपनी पत्नियों के साथ इतना दुर्व्यवहार करते हैं कि विक्षिप्त स्त्रियों की संख्या बढ़ती जा रही है। पत्नियों की हत्या करने के मुकद्दमे भी बढ़ते ही जा रहे हैं। बाईस प्रतिशत से लेकर पैंतीस प्रतिशत तक पत्नियाँ पतियों द्वारा शारीरिक व मानसिक यातनाओं की शिकार बनायी जाती हैं। विशेषज्ञों की खोज के अनुसार पतियों और पत्नियों के बीच हुए झगड़ों के कारण अमेरिका में साढ़े तीन करोड़ काम के घण्टों की हानि प्रति सप्ताह होती है। पति और पत्नी के एक झगड़े के कारण एक ऊँचे अधिकारी ने निर्णय लेने में कुछ ग़लती की जिसके परिणामस्वरूप दस लाख बिकी हुई मोटरों को वापस लेना पड़ा और फ़ोर्ड मोटर कम्पनी को भारी हानि उठानी पड़ी। पति और पत्नी से मेरा अभिप्राय अपने निजी पति और अपनी निजी और सगी पत्नी से है—पराये पति और परायी पत्नी से नहीं। यदि उनके कारण हुई मानसिक और शारीरिक परेशानियों को भी ध्यान में रखने लगें तब तो बेकार गये काम के घण्टों

का साप्ताहिक औसत कहीं ज़्यादा बढ़ जाएगा। इस स्थिति से तो हमारे देश की स्थिति कहीं ज़्यादा अच्छी है। गोस्वामी तुलसीदास ने ठीक ही कहा था कि ढोल, गँवार, शूद्र, पशु और नारी कभी-कभी शारीरिक मरम्मत के अधिकारी हैं और हमें उनका यह अधिकार उनसे कभी नहीं छीनना चाहिए। बहरहाल मेरी पाठिकाओं को यह जानकर ख़ुशी होगी कि पुरुष की अपेक्षा नारी में फिर भी सहनशक्ति कहीं ज़्यादा होती है और इसी कारण जापान तक में—जहाँ कि पति के प्रति अत्यधिक सम्मान रखने की भावना लड़कियों के हृदय में बचपन से ही डाली जाती है—स्थिति यह है कि स्त्री की औसत आयु बयासी वर्ष है जब कि पुरुष की औसत आयु मात्र छिहत्तर वर्ष ही है। जिसको राखै साइयाँ, मार सकै ना कोय।

सब कुछ कह लेने के बावजूद शायद सत्य यही है कि स्त्रियाँ कितनी भी बहादुर क्यों न हों, वे 'निर्लज्जता और दृढ़ता' में पुरुषों का मुक़ाबला कभी नहीं कर सकतीं। इधर तो विदेश में एक पुरुष का ऐसा आपरेशन किया गया कि उसके एक के स्थान पर दो दिल हो गये। अब सुन्दर स्त्रियों को यह घमण्ड जो रहा करता था कि पुरुष के हृदय पर उनका एकाधिकार रह सकता है, वह भी समाप्त हो गया। अब दिल की रानियाँ कम से कम दो तो रह ही सकती हैं। और यदि दिलों की संख्या इसी प्रकार बढ़ती गयी तो वह दिन दूर नहीं जब कि हिन्दी सिनेमा के कवि की यह उक्ति सच ही साबित हो जाएगी कि 'इक दिल के टुकड़े हज़ार हुए, कोई यहाँ गिरा कोई वहाँ गिरा।' साउदी अरब का एक करोड़पति शेख अफ्रीका गया जहाँ सौन्दर्य-विशेषज्ञों ने उसका वज़न कम किया और इस सबके बाद वह मज़ाक़ पसन्द अमीर बिना कोई बिल अदा किये वापस चला गया। उसका कहना है कि उसे जो खर्चे का अनुमान भेजा गया था वह ग़लत था और अंग्रेज़ी न जानने के क़ारण वह उसे भली-भाँति समझ नहीं पाया था। अफ्रीका आने से पूर्व इस शेख की स्थिति यह थी कि वह बिना सहारे दस क़दम नहीं चल सकता था और वही व्यक्ति है जिसने वज़न कम होते ही बिलों की गैर-अदायगी को एक कला के स्तर तक पहुँचा दिया। उसकी इस हरकत से एक हसीन डॉक्टर बहुत दुखी है क्योंकि उस ग़रीब ने उस अमीर के लिए वह सब कुछ किया था जो एक स्त्री एक पुरुष के लिए कर सकती है। और सबके बाद में मैं अपने ही देश के एक मन्त्री की चर्चा करूँगा जिसने कि विधानसभा के स्पीकर की कुर्सी पर खुलेआम मूत्रदान कर दिया। अब आप ही बताइए कि इतना पौरुष किसी युवती में हो सकता है? ये ही वे गुण हैं जिनके कारण स्त्री सदा पुरुष की गुलाम ही रहेगी। स्काटलैण्ड की एक लेडी मैजिस्ट्रेट ने, जिसने अपने जीवन में दस हज़ार अदालती शादियाँ करवायी हैं, अट्ठावन वर्ष की आयु में तिरसठ वर्ष के एक पुरुष को आख़िरकार अपना दिल दे ही दिया। वह अब नौकरी से अवकाश लेगी और विवाहित जीवन बिताएगी। मैं परम पिता परमात्मा से प्रार्थना करता हूँ कि वह इस स्त्री को सारे सुख दे। वह दूधों नहाए और पूतों फले।

विश्वकवि रवीन्द्रनाथ ठाकुर को वर्षा से बहुत प्रेम था और इसी कारण उन्होंने 'वर्षा-मंगल' नाम की रचना लिखी। मुझे सुन्दर युवतियों से बेहद लगाव रहा और इसी कारण मैंने इस रचना का नाम 'युवती-मंगल' रखा। आशा करता हूँ कि गुरुदेव का कोई भक्त इससे दुखी नहीं होगा। अब मैं प्रेम के अन्यतम कवि बच्चन का एक शेर आपकी सेवा में प्रस्तुत करता हूँ और आपसे विदा लेता हूँ। ये वे ही बच्चन हैं जिन्होंने सारी उम्र हिन्दी में 'कविताई' की और बाद में चलकर कुछ अशआर उर्दू में भी कहे। बच्चन की 'मधुशाला' लाखों में छपी और करोड़ों ने पढ़ी। स्थिति यह हो गयी कि तुलसीदास और प्रेमचन्द के बाद यदि कोई तीसरा हिन्दी साहित्यकार उतना लोकप्रिय हुआ तो वह बच्चन ही था। मगर यह भी सच ही है कि 'मधुशाला' ने बच्चन को जितना नुक़सान पहुँचाया उसका पता शायद बच्चन जी को स्वयं भी नहीं है। मैंने हापुड़ की एक बड़ी साहित्य गोष्ठी में किसी प्रसंग में बच्चन की कुछ नितान्त श्रेष्ठ कविताएँ जब श्रोताओं को सुनायीं तो हिन्दी के जाने-माने कथाकार नफ़ीस आफ़रीदी ने मुझसे पूछा कि क्या बच्चन ने 'मधुशाला' के अतिरिक्त और भी कविताएँ लिखी हैं? मैं दुःखाधीन होकर चुप हो गया। बहरहाल बच्चन का वह शेर हाज़िर है जिसमें एक प्रेमी और उसकी सुन्दर प्रेमिका के प्रेम की स्थिति का सच्चा खाका खींचा गया है। शेर इस प्रकार है :

ज़िन्दगी एक चूहेदानी है
सब फँसों की महज़ कहानी है;
एक जो राह है निकलने की
उसपे बिल्ली की हुक्मरानी है?

सत्यम्, शिवम्, सुन्दरम्

पिछले कुछ दिनों से मुझे अख़बार पढ़ने के प्रति कुछ विरक्ति-सी होती जा रही है—ठीक उसी प्रकार जैसे कि महाराज भर्तृहरि को उस समय विरक्ति हुई थी जबकि उन्होंने जाना था कि उनकी प्राणप्रिया पत्नी एक और पुरुष से प्रेम करती थी। धिक् तां च, तं च, मदनं च, इमां च, मां च। एक ओर उत्तरी भारत में ग़रीब लोग ठण्ड से मर रहे हैं और दूसरी ओर पुणे में जानवरों को सर्दी से बचाने के लिए गर्म वास्कटें सिलवायी जा रही हैं। ग़रीब आदिवासी मजबूरी में अपनी लड़कियाँ बेचते रहे और हमारे एक भूतपूर्व देशनेता मित्रों के साथ समुद्री द्वीपों में मौज-मस्ती करते रहे। पहिले स्थिति यह थी कि रावण ने सीता चुराई तो ज़रूर थी मगर उनका कोई अनादर नहीं किया था और उन्हें महल में लाने के बजाय अलग अशोक-वाटिका में रखा गया था। इधर स्थिति यह है कि हवालात और अस्पताल जो है वे शोक-वाटिका बनते जा रहे हैं क्योंकि वहाँ स्थित सुन्दर युवतियों के साथ बलात्कार ही नहीं वरन् सामूहिक बलात्कार सम्पन्न किया जाता है। हमारी पुलिस जो है वह स्त्री का दुःख देख ही नहीं सकती। एक ओर देश में पैसे की इतनी कमी है कि लोग जाली नोट बनाने को विवश हो रहे हैं और सरकार जो है वह विदेशों से ऋण ले रही है और दूसरी ओर ऐसे लोग हैं जो संकट की इस स्थिति में अपना धन विदेशी बैंकों में जमा कर रहे हैं। एक ज़माना था कि हमारे देश में दूध-दही की नदियाँ बहती थीं और एक आज का भारत है जहाँ विवश होकर हमारे एक राजनेता मूत्रपान किया करते थे। पहिले विद्यार्थी परीक्षा में कलम लेकर जाया करते थे और एक आज का दिन है कि कलम के स्थान पर रामपुरी चाकू से काम लिया जाता है। एक प्रधानमन्त्री ऐसे आये कि सती-प्रथा के तो विरुद्ध थे मगर वोट के लालच में ऐसे फँसे कि सैकड़ों बच्चे देखते-देखते आत्मदाह सम्पन्न कर गये। ये राजनेता कहा करते थे कि "मुझे आप खरीद नहीं सकते क्योंकि मैं मुफ़्त मिलता हूँ" पर इंग्लैण्ड के प्रथम प्रधानमन्त्री वालपोल की उक्ति सही निकली कि हरएक आदमी का दाम होता है। सत्य थी कवि की वाणी। अब एक नये प्रधानमन्त्री आये हैं जिनके सिर के बाल तो काले हैं पर दाढ़ी सफ़ेद है हालाँकि दाढ़ी की उम्र हमेशा सिर के बालों से बीस साल कम

होती है। ये प्रधानमन्त्री एक लम्बे-चौड़े आश्रम में रहते हैं जिसमें जीवन की प्रत्येक सुविधा हाज़िर है। अरसे बाद एक नेता ऐसा आया जो देश के लिए कुछ कर सकता था पर उसकी स्थिति उस कठपुतली की तरह है जिसकी डोर किसी दूसरी पार्टी के हाथ में है। ऐसे व्यक्ति को उसके प्रतिद्वन्द्वी कब तक काम करने देंगे?

जहाँ तक साहित्यकारों का प्रश्न है वहाँ स्थिति यह है कि हरएक शाख पर उल्लू बैठा है मगर परम पिता परमात्मा है कि गधों को जलेबियाँ खिला रहा है। काफ़ी विद्रोही साहित्यकार मन्त्रियों के दरबारों की शोभा बढ़ा रहे हैं और लगता है कि पण्डित जी जो हिन्दी को 'दरबारी' भाषा कहते थे वह सम्भवतः ठीक ही था। पहिले यदि इन्द्र किसी तपस्वी की तपस्या भंग करना चाहता था तो मेनका, उर्वशी और तिलोत्तमा वग़ैरा को भेजा करता था। आजकल यदि किसी प्रदेश की सरकार गिरानी होती है तो गवर्नर को काम पर लगाया जाता है। देश की आर्थिक स्थिति ख़राब है—बेहद ख़राब है—मगर कुछ प्रदेशों में सत्तर मन्त्री हैं और प्रदेश के नेता जो हैं, उनके नौ बच्चे हैं। एक समय आएगा कि सारी कैबिनेट परिवार के सदस्यों की ही बन सकेगी और बाहरी मदद माँगने की ज़रूरत ही नहीं रहेगी। देश की करोड़ों युवतियाँ अधनंगी हैं और शानदार होटलों में जो सुन्दरियाँ नाचती हैं वे भी पूरी तरह नंगी होती हैं। रावण ने सीता को रथ पर बिठाकर राम से अलग किया था तो आज के राजा लोग बढ़िया मोटरों में लड़कियों को भगाते हैं। हमारे देश में इतने चक्रवर्ती सम्राट एक साथ पहले कभी नहीं हुए। और नम्रता देखिए कि सम्राट होते हुए भी ये लोग अपने को मन्त्री ही कहते हैं, राजा नहीं।

महाकवि सुमित्रानन्दन पन्त का कहना था कि 'भारतमाता ग्रामवासिनी'। महात्मा गाँधी कहा करते थे कि सच्चा हिन्दुस्तान तो वह है जो गाँवों में रहता है। मगर ओष्ठ-सेवा (लिप-सर्विस) के अतिरिक्त किसी ने भी गाँवों के लिए उतना ठोस काम नहीं किया जितना कि हमारे उपप्रधानमन्त्री ने किया। वे पहिले देहाती हैं जिन्होंने बाकी देहातियों को पाँच सितारों वाले होटलों में उनके स्वागत के लिए द्वार खोले। अब जो भी देहाती धोती पहिनकर इन शानदार होटलों में जाएगा वह आधे दाम पर वहाँ मनपसन्द खाना खा सकेगा। राजधानी के अशोक होटल में बाकायदा एक चौपाल खुल गयी है जहाँ एकदम देहाती वातावरण रखा गया है। ग्रामीण ढंग के कुएँ हैं, छप्परों की झोंपड़ियाँ हैं, पुआल के ढेर हैं, पशुओं का बाड़ा है, कुटीर उद्योगों के नमूने हैं और मिट्टी के बर्तन हैं। उपप्रधानमन्त्री के लिए देहातियों के दिल में जो जगह है वह और किसी भी नेता के लिए नहीं है। उनके प्रशंसक ग्रामीणों ने उन्हें लाखों रुपयों की थैली भेंट की, रत्नजड़ित कटार दी और उनके पुत्र को चाँदी का एक छोटा-सा रथ भी प्रदान किया। उपप्रधानमन्त्री जी जब नार्वे के सम्राट की शवयात्रा में भाग लेने गये तो प्रधानमन्त्री के कहने के बावजूद वे एक स्पेशल वायुयान से ही नार्वे गये। दो सौ यात्रियों को ले जाने वाला यह विशिष्ट वायुयान

मात्र आठ या दस यात्रियों को लेकर ही उड़ा। एक सम्राट की शवयात्रा में भाग लेने वालों को भी सम्राट् की ही भाँति वहाँ जाना उचित था। जाटों का देस हरियाना, जहाँ दूध-दही का खाना। बिन पढ़ा जाट पढ़ा जैसा, पढ़ा जाट ख़ुदा जैसा। बचपन में सुनी ये कहावतें आज भी उतनी ही सच हैं जितनी कि सैकड़ों साल पहले थीं। त्यागी होने के नाते जाटों से मेरा सदा से घनिष्ठ सम्बन्ध रहा। दोनों जातियाँ एक ही जलवायु में फलीं-फूलीं।

आज़ादी के बाद संसद में पहुँचने का एक ही मार्ग था और वह था चुनाव जीतना। मगर इधर कुछ प्रतिभावान् व्यक्तियों ने लोकसभा पहुँचने का भी 'शार्ट कट' निकाल लिया। अभी-अभी दो सम्भ्रान्त नागरिक दर्शकों की दीर्घा से कूद गये और संसद में पहुँच गये। मेरे विचार में इन दोनों विभूतियों को 'परम वीर चक्र' दिया जाना चाहिए।

देश की दयनीय स्थिति में मात्र न्यायपालिका ही एक ऐसी संस्था बची है जिस पर हम करोड़ों लोगों का विश्वास टिका है। यह हार्दिक प्रसन्नता का विषय है कि हमारी सारी अदालतें ज़िम्मेदारी और दयानतदारी से काम कर रही हैं। बम्बई हाई कोर्ट के दो जजों पर वकील और प्रेस—दोनों भ्रष्टाचार का आरोप लगा रहे हैं। दिल्ली हाईकोर्ट के मिस्टर जस्टिस चावला ने जो कुछ किया उसे आप सब जानते ही हैं। बस एक सुप्रीम कोर्ट पिछड़ा हुआ था सो अब वह भी ज़माने के साथ हो गया। वहाँ के एक जज ने, जब वे हाई कोर्ट के चीफ़ जस्टिस थे, वह शानदार आचरण किया था कि सुप्रीम कोर्ट का बार-एसोसियेशन यह सोच रहा था कि उनकी अदालत में जाएँ या न जाएँ। जस्टिस रामास्वामी ने अपने पंजाब हाई कोर्ट के चीफ़ जस्टिस रहने के काल में मात्र साढ़े तेरह लाख रुपयों का फ़र्नीचर अपने सरकारी निवास के लिए खरीदा था जबकि नियमों के अनुसार उनके आवास में अड़तालीस हज़ार रुपयों का फ़र्नीचर ही रखा जा सकता था। जो कुछ खरीदा गया वह बाज़ार भाव से कहीं ज़्यादा भाव पर खरीदा गया है। लड़के की शादी मद्रास में सम्पन्न की गयी और सरकारी खर्चे पर की गयी। जज साहब का घरेलू टेलीफ़ोन का बिल मात्र नौ लाख रुपये का ही आया। जिन छोटे कर्मचारियों ने उनकी सहायता की उन्हें बार-बार तरक्की दी गयी। हिज़ लार्डशिप की दास्तान सुनकर ख़ाकसार की गर्दन स्वाभिमान और गर्व से इतनी झुक गयी कि उसे सीधा होने में काफ़ी समय लगेगा। जो मित्रगण ज़्यादा जानकारी चाहते हों वे 21 जनवरी, 1991 का 'इण्डियन एक्सप्रेस' (दिल्ली संस्करण) पढ़ें। मनसा, वाचा, कर्मणा—सब दिशाओं से आप एकदम पवित्र हो जाएँगे। अब तो इन न्यायाधीश के ख़िलाफ़ मुकद्दमा चलाया जा रहा है जिसके कारण प्रेस का प्रसन्न होना स्वाभाविक ही ठहरा। अख़बारों की बिक्री एकदम बढ़ेगी।

संसार सदा से इसी प्रकार चला आ रहा है और सदा इसी प्रकार चलता रहेगा। सत्युग, द्वापर युग, त्रेतायुग और कलियुग—सदा साथ-साथ ही चले। पुनर्जन्म मृत्यु

के बाद ही नहीं वरन् इस जन्म में भी होता है और बार-बार होता है। स्वर्ग और नरक—सब इसी पृथ्वी पर हैं और कहीं नहीं। जो समर्थ हैं वे करते हैं और जो असमर्थ है वे सन्त, उपदेशक और व्यंग्यकार बनते हैं। कुछ लोग होंगे जो मेरी वाणी को सुनेंगे और बाद में निद्रालाभ करेंगे (किस-किस को याद कीजिए किस-किस को रोइए, आराम बड़ी चीज़ है मुँह ढक के सोइए), कुछ लोग होंगे जो मुझे मूर्ख वताएँगे और कुछ लोग होंगे जो मुझे पागल समझेंगे। मगर मैं आपको बताता हूँ कि एक दिन आप जागेंगे और मेरी प्रशंसा करेंगे। जब तक वह समय आएगा तब तक के लिए एक शायर का कलाम आपकी ख़िदमत में पेश करता हूँ :

मैं वक़्त के सीने में फड़कता हुआ दिल हूँ
लोगो, मुझे कब तक नज़र-अन्दाज़ करोगे?

बड़ा होने का दुःख

आज अख़बार में पढ़ा कि हमारे महामहिम राष्ट्रपति जी, जो सरकारी दौरे पर जम्मू गये थे, चाहते हुए भी वैष्णवदेवी का मन्दिर नहीं देख सके। प्रत्येक 'अत्यन्त-अत्यन्त महत्त्वपूर्ण व्यक्ति' को (अंग्रेज़ी में जिसे वी.वी.आई.पी. कहा जाता है) यदि कभी हैलीकोप्टर में बैठना पड़े तो वह (यानी कि विमान) ऐसा होना चाहिए कि उसमें दो इंजन लगे हों। इतने बड़े हैलीकोप्टर के उतरने के लिए वैष्णवदेवी के परिसर में कोई हवाई पट्टी (या हैलीपैड) नहीं थी। वहाँ केवल एक इंजन वाले हैलीकोप्टर के ही उतरने की सुविधा थी जो कि राष्ट्रपति जी के लिए बेकार थी। इस तमाम तकनीकी परेशानी का फल यह निकला कि राष्ट्रपति जी मन्दिर नहीं देख सके। मैंने जब से यह समाचार पढ़ा है तभी से मैं लगातार यही सोच रहा हूँ कि बड़ा होने में कितने दुःख हैं। कितना अच्छा रहा कि मैं बड़ा आदमी नहीं बना। मैं जाता तो टट्टू लेता और वैष्णवदेवी घूम आता। मैं वैष्णवदेवी के दर्शन करता और वैष्णवदेवी मेरे दर्शन करतीं। दक्षिणा हर स्थिति में पण्डों के पेट में ही जानी थी। और मेरी जगह यदि स्टीवेंसन होता तो वह गधे पर ही जाकर तीर्थयात्रा कर आता। आख़िरकार वैष्णवदेवी के लिए तो शायद दस मील ही पैदल (या टट्टू पर) चलना पड़ता है जबकि आर.एल. स्टीवेंसन ने तो एक कुमारी गधी के सहारे सारे यूरोप की यात्रा की थी। यकीन न हो तो आप उस गधी से या स्टीवेंसन से खुद पूछ लीजिए। यदि किसी कारण ये दोनों प्राणी आपको न प्राप्त हों तो आप स्टीवेंसन की लिखी 'ट्रैवेल्स विद ए डंकी' नाम की प्रसिद्ध पुस्तक पढ़िए और अपनी क्या लघु और क्या दीर्घ, दोनों प्रकार की शंकाएँ मिटाइए।

संसार में जितने भी बड़े लोग हुए, उन सबको बड़ा अनुशासित जीवन जीना पड़ा। यही वह सच्चा कारण था जिसके कारण बाकी लोग बड़े नहीं बने। इंग्लैण्ड के प्रधानमन्त्री ग्लैडस्टन जब पार्लियामेण्ट जाने के लिए कपड़े पहना करते थे तो वे इतने दुखी हो उठते थे कि उनकी आँखों में आँसू आ जाते थे। विन्सटन चर्चिल कभी-कभी इच्छा न होने पर भी सिगार मुँह से लगाते थे क्योंकि जनता उनको उसी रूप में देखना चाहती थी। शरत् बाबू अपने ग्रामीण जीवन से बेहद खुश थे क्योंकि कलकत्ता जाने पर उन्हें रोज़ दाढ़ी बनानी पड़ती थी जिससे कि उन्हें सख़्त एतराज़

था। गृहयुद्ध के दौरान चार्ल्स प्रथम एक दिन बराबर भूखा रहा मगर शाही पोशाक में उसने किसी छोटी-मोटी सराय में खाना खाने से एकदम मना कर दिया। शहंशाह बाबर, अलबत्ता, कभी-कभी रात को साधारण लोगों की पोशाक ज़रूर पहनता था और आगरे की एक सराय में चपातियाँ और कबाब खाया करता था। मैंने स्वयं देखा है कि एक बड़ी सरकारी मगर अन्तरंग क़िस्म की पार्टी के दौरान पण्डित नेहरू ने किस तीव्रता के साथ अपने जूते उतारे थे, सिर नंगा किया था, और सिगरेट सुलगायी थी। डॉक्टर काटजू ने एक स्थान पर लिखा है कि एक बार काफ़ी रात गये जब वे और पण्डित जी कहीं से लौट रहे थे तो पान की एक दूकान खुली देखी। दोनों उतरे, तबीयत के साथ पान खाया और थकावट उतारी। और असली मज़ा जो था वह तब आया जबकि दोनों ने देखा कि पान के पैसे देने के लिए उन दोनों के पास बटुआ नहीं था।

मैं तो अपेक्षाकृत बेहद-बेहद छोटा इंसान हूँ मगर एक आला अफ़सर होने के कारण मुझे भी काफ़ी अनुशासन में रहना पड़ा। टाई लगानी पड़ती थी, सूट पहिनना पड़ता था, दाढ़ी बनानी पड़ती थी, और जूतों पर पालिश भी करनी पड़ती थी। न चाहते हुए भी मैं यह सब काम करता था। तुझसे भी दिलफ़रेब हैं ग़म रोज़गार के। वर्ना क्या मैं नहीं चाहता कि कलुवा हलवाई की तरह मुक्त रहूँ? कलुवा है कि सारा दिन लुंगी पहिनता है, दिन-भर बीड़ी फूँकता है, सबके सामने चौराहे वाली नाली में पेशाब करता है, दारू पीकर हर हसीन औरत को 'हाय मेरी जान' (पन्त जी के शब्दों में—प्रिये, प्राणों की प्राण) कहकर छाती पर हाथ मारता है और अश्लील से अश्लील गालियाँ बकता है। गालियाँ देते समय तो उसकी वाणी पर ठीक वही सरस्वती बिराजती हैं जो कभी उपमा देते समय कालिदास की वाणी पर उतरा करती थीं। मैंने उसे एक गाली को दुबारा देते कभी नहीं सुना, हर समय ताज़ी गाली ही सुनी। मौलिक व अप्रकाशित। छाती पर भी जब वह हाथ मारता है तो ज़रूरी नहीं कि छाती उसकी अपनी ही हो। इतना स्वार्थी वह कभी नहीं रहा। सिनेमा में अक्सर उसका हाथ साथ की सीट पर बैठी किसी और की बीवी की छाती पर ही पड़ता रहता है और उसके इस अन्दाज़ से कस्बे की काफ़ी औरतें बेहद खुश हैं। और जहाँ तक उसकी मेहमाननवाज़ी का प्रश्न है, उसका तो पूछना ही क्या। एक बार एक सज्जन रात को उसके यहाँ ठहरे और सुबह को चलने लगे क्योंकि किसी अदालत में उनकी तारीख थी। वे उसके दूर के रिश्तेदार थे। उसने उन्हें रोकना चाहा। ज़ब काफ़ी देर तक बहस चलती रही तो पास खड़े एक सज्जन ने कलुवा को समझाने की कोशिश की कि भाई, थाना-कचहरी का मामला है, इन्हें जाने दो। कलुवा ने इन सज्जन से तुरन्त कहा कि "बाबू, देख, यह मेरा मेहमान है, मैं चाहूँ तो इसके मुँह में मूतूँ, तू कौन होता है बीच में दखल देने वाला?"

कलुवा हलवाई की भाँति एक 'देवी' हैं जो काफ़ी होनहार हैं। इनकी माँ अपने

नौकर के साथ भागी थीं और ये जो भागीं तो उसी नौकर के लड़के के साथ भागीं। जवानी में पता नहीं क्या-क्या गुल खिलाये। इधर जब से 'दादी' बनी हैं तब से एकदम सात्त्विक व संयमी हो गयी हैं। बहरहाल शादी-विवाह में अब भी नाचती हैं और काफ़ी मटक-मटककर नाचती हैं। एक तरफ़ पैर थिरकते हैं तो दूसरी ओर मुख से वही शाश्वत भक्तिगीत निकलता है जो पचीस वर्ष पूर्व मेरे पिताजी सुना करते थे : शहर बनारस जइयो, बढ़िया-सी साड़ी लइयो : पहिनैयो अपने आप, नाड़ा झब्बेदार लइयो। यह 'झब्बेदार नाड़ा' क्या होता है, यह मैं भी नहीं जानता। जो लोग नाड़े की दिशा में ज़्यादा गहराई में जाना चाहते हों वे मेघदूत का दूसरा खण्ड तथा रघुवंश का सप्तम सर्ग पढ़ें। कालिदास किसी को कभी निराश नहीं करता। इसी कारण तो वह 'कविकुलकमलशिरोमणि' कहलाता है, वैसे नहीं।

वाकई, छोटा होने के अपने अलग मज़े हैं। चाणक्य ने कहा है कि ग़रीबी जो है वह एक जादू है; ग़रीब आदमी सबको देखता है पर उसे कोई नहीं देखता। वैचित्र्य जो है वह ग़रीबी में ही है। अगर आप आर्टिस्ट हैं तो हमेशा रेल का सफ़र तीसरे दर्जे में कीजिए। जो विविधता, जो बेतकल्लुफी और जो ताज़गी आपको वहाँ मिलेगी वह वातानुकूलित डिब्बे में कभी नहीं मिलेगी। ये जितने बड़े आदमी हैं ये सब एक-से हैं। इनकी बीवी, इनके बच्चे, इनकी मोटरें, इनके सुख-दुःख, इनके डॉक्टर, इनके बावर्ची, ड्राइवर, मसालची और खानसामा—सब एक-से हैं। आप इनके पास आधा घण्टे से ज़्यादा बैठ ही नहीं सकते। मज़ा जो है वह आम आदमी की संगत में ही है। अपनी आत्मकथा में सामरसेट माम ने कहा है कि "मैं एक घोड़ा-डॉक्टर के साथ किसी सुनसान द्वीप में पन्द्रह दिन तक रह सकता हूँ पर ब्रिटेन के प्रधानमन्त्री के पास पन्द्रह मिनट से ज़्यादा नहीं बैठ सकता।"

अब मैं आपको अपनी भाषा के कुछ साहित्यकारों की वाणी सुनवाता हूँ। ये साहित्यकार वरिष्ठ हैं, गरिष्ठ हैं और इनकी जो कलम है वह बलिष्ठ है। इनकी वाणियाँ इस प्रकार हैं; इनमें से अपने को कनिष्ठ कोई भी नहीं मानता :

"अज्ञेय एक सुन्दर आदमी हैं और यह गुण क्या कम है? मुस्कुराते तो बहुत अच्छे लगते हैं। लेकिन कभी-कभी उन पर दया भी आती है। चिन्तक और मनीषी का पोज बनाये रखने के लिए इस व्यक्ति को कितना सहना पड़ा है वह कहा नहीं जा सकता। वह खुलकर हँस नहीं सकता, बोल नहीं सकता, गप नहीं लगा सकता, मज़ाक़ नहीं कर सकता, मज़ाक़ सह नहीं सकता और भीड़ का अंग कभी नहीं बन सकता। ज़िन्दगी की कितनी खुशियाँ महान् कहलाने के चक्कर में इसने अपने ऊपर हराम कर लीं..."

(उपेन्द्रनाथ 'अश्क')

"हिन्दी की छीछालेदर का नाम है उपेन्द्रनाथ 'अश्क'।"

(डॉ. रामविलास शर्मा)

राम-कथा तथा कुछ और प्रसंग

राम सीता करे क्रीड़ा चित्रकूट बने।
शची समे इन्द्रराज येहेन नन्दने।।
सीताक बुलिल राम हरषि बदने।
अयोध्यार भोग आउर न परम मने।।
गिरिर कन्दरे मन्द सुरभि अपार।
आछोक मनुष्य मन मोहे देवतार।।
मानस शिलार फोट सीता देवी दिल।
आलिंगनते रामर हिताय सच्चरित।।
हेन देखि सीताये करिला परिहास।
सुरत श्रृंगार बर भैल अभिलाष।।
अनेक हरिष भैल रामर शरीरे।
सीतार उरुत शिरे शुइला नदी तीरे।।
सीतार रूपक देखि काक भैल भोल।
एक दोवा करि गैया चापिलेक कोल।।
राघवर अतिशय निद्रात देखिया।
सीतार तनत परिलेक जम्प दिया।।

"राम और सीता वन में क्रीड़ा कर रहे थे। वन था चित्रकूट का। वहाँ की गिरिकन्दराओं के सुख के आगे अयोध्या के भोग-विलास भी फीके पड़ गये थे। एक दिन राम नदी-तट पर सीता की जंघा पर सिर रखकर सो रहे थे। तभी पास बैठा एक कौआ सीता के रूप पर मोहित हो गया। वह फुदककर सीता की गोद तक जा पहुँचा और सीता के खुले हुए वक्ष पर उसने चोंच मार दी। सीता के विह्वल होते ही राम की आँख खुल गयी। उन्होंने सरकण्डे का बाण छोड़ा। कौआ आगे-आगे और बाण पीछे-पीछे। कौए के भय को देखकर दयावान् राम ने उसके प्राण नहीं लिये, सिर्फ़ उसकी एक आँख ले ली। उस दिन से क़ौआ काना हो गया। रामचन्द्र जी के

हाथों का कोमल स्पर्श पाकर सीता जी के स्तन का घाव ठीक हो गया।"

ऊपर लिखा उद्धरण व उसका अर्थ मैंने ज्ञानपीठ पुरस्कार से सम्मानित असमिया के प्रख्यात कथाकार वीरेन्द्र भट्टाचार्य के उपन्यास 'मृत्युंजय' से लिया है। 'उत्तर रामचरित' में भी रामचन्द्र जब राजा बनने के बाद दौरे पर पंचवटी जाते हैं तो वहाँ सीता के साथ भोगे गये सुख को, भवभूति के अनुसार वे हृदय के साथ याद करते हैं। जब से रामजन्मभूमि-बाबरी मस्जिद विवाद चला है तब से मैं राम के बारे में बराबर पढ़ रहा हूँ। मुलायमसिंह यादव की कठोर सरकार द्वारा लाखों आदमी हिरासत में ले लिये गये। सरकार ने राममन्दिर के पक्षपातियों के साथ सख़्ती से काम लिया। चुनाव पास थे जो मन्दिर और मस्जिद, दोनों के ऊपर थे। पिछड़ी जातियों और अल्पसंख्यकों की सहानुभूति—पंजाब, आसाम व काश्मीर में जलती हुई आग से कहीं ज़्यादा ऊपर है। चुनाव और कुर्सी से आगे देखने की क्षमता किसी राजनीतिक पार्टी के पास नहीं है। इन्हें यह पता नहीं कि ज़्यादा रगड़ खाने पर स्वभाव से शीतल चन्दन भी आग पैदा कर सकता है। अतिशय रगड़ करै जो कोई, अनल प्रकट चन्दन ते होई...

शृंगार रस भक्ति रस का ही दूसरा नाम है। जयदेव, सूरदास, विद्यापति और बंगला के वैष्णव कवि इसका उदाहरण हैं। सुमित्रानन्दन पन्त तक ने अपने महाकाव्य 'लोकायतन' में कहा है :

धिक् वह जो ईश्वर की शोभा को
पत्नी सा दे सका न परिरम्भण

और

स्त्री पुरुष देखते अपलक
ईश्वर का मुख तकता ईश्वर

आचार्य (उसके बाद 'भगवान' और उसके बाद 'ओशो') रजनीश ने 'सम्भोग से समाधि तक' नाम का जो अमर ग्रन्थ लिखा है वह सचमुच पढ़ने लायक है। मुझे तो खजुराहो की मूर्तियों, वात्स्यायन के कामसूत्रों और क्लबों में अधनंगी या नंगी नाचती रूपवती युवतियों में भी परम पिता परमात्मा के ही दर्शन होते हैं, और किसी के नहीं। जिसकी रही भावना जैसी, प्रभु मूरति तिन देखी तैसी। ज्ञानपीठ एवार्ड मिलने के बाद 'फ़िराक़' साहब ने 'सब्लिमेशन ऑफ़ सैक्स' नाम का एक मार्मिक लेख लिखा था जो 'इलस्ट्रेटेड वीकली' में छपा था। वाममार्गी लोग एकदम गधे नहीं थे। कभी समय मिले तो पढ़िए कि जगत्‌गुरु शंकराचार्य ने 'अमरु-शतक' कैसे लिखा था। तुलसीदास, चण्डीदास और कालिदास—ये तीनों स्त्रियों के ही दास रहे थे। तुलसीदास का प्रेम अपनी पत्नी तक सीमित था, चण्डीदास की प्रेयसि एक धोबिन थी और कालिदास एक वेश्या से प्रेम करते थे। भगवान कृष्ण की प्रेयसियाँ अनन्त थीं। जब स्वयं भगवान की यह स्थिति थी तो उनके भक्त और क्या करते?

ऊपर लिखी स्थिति में यह स्वाभाविक ही है कि पुरुष होने के नाते मैं स्त्रियों पर ज़्यादा ध्यान दूँ। सैन बर्नाडिनो नामक स्थान पर एक ऐसे दम्पती को कारावास की सजा सुनायी गयी जो अपनी पुत्री को पुरुषों से बचाने के लिए दस वर्ष से अलमारी में बन्द रख रहे थे। प्रेग की पार्लियामेण्ट ने साम्यवादी पार्टी के प्रथम सचिव को जो संसद सदस्य भी थे—संसद की सदस्यता से बर्खास्त कर दिया क्योंकि जब ब्रिटेन की प्रधानमन्त्री संसद में आयीं तो वे खड़े नहीं हुए और जब फ्रांस के राष्ट्रपति संसद में आये तब वे गोंद चबाते रहे। हमारे विधायक इतने अशिष्ट हर्गिज़ नहीं हैं। हाँ, अलबत्ता यह दीगर बात है कि कभी-कभी वे विधानसभा के अध्यक्ष की कुर्सी पर मूत्रदान अवश्य कर देते हैं। हैदराबाद के एक स्त्री-प्रेमी व्यक्ति ने पत्नी होते हुए भी नाम बदलकर एक परायी नारी से शादी रचायी और सवा लाख रुपयों का दहेज प्राप्त किया। इसके बाद उसका तबादला गुण्टूर को हो गया जहाँ उसने नाम बदलकर फिर एक और स्त्री-रत्न प्राप्त किया और एक लाख का दहेज और लिया। पता नहीं उनका यह कुटीर-व्यवसाय कब तक चलता रहता यदि एक चतुर नायिका ने पुलिस को ख़बर न दे दी होती। फ़िलहाल वे हवालात में हैं और सोच रहे हैं कि देश की शेष स्त्रियों का उद्धार कैसे किया जाए। 'विष्णु सहस्रनाम' का पाठ जारी है। यदि भगवान अपने नाम हज़ार दफ़ा बदल सकते हैं तो फिर उनके भक्त वैसा क्यों नहीं कर सकते? भगवान के सारे भक्त जनता दल के वरिष्ठ नेता चन्द्रशेखर थोड़े ही हैं कि लगातार चलते रहें, दौड़ते रहें और फिर भी वहीं रहें जहाँ कि दस महीने पहिले थे। बदनाम भी हुए, कुछ हाथ न आया।

परिभाषा का अर्थ उस भाषा से है जो कि परियाँ बोलें। कारागार उस स्थान का नाम है जहाँ कि कार खड़ी हो। रजनीश का अर्थ उस व्यक्ति से है जो रात को भगवान रहे। विनोदचन्द्र पाण्डेय उस व्यक्ति का नाम है जो प्रेस के साथ विनोद करे। चन्द्रशेखर का अर्थ है कि दाढ़ी चन्द्रमा के समान सफ़ेद हो। राजीव का अर्थ उस जनसेवक से है जो राजा की भाँति रहे। विश्वनाथप्रताप सिंह का क्या अर्थ है—यह आज तक कोई नहीं जान पाया। ब्रह्मा न जानाति कुतो मनुष्यः। इतना अवश्य सच है कि मण्डल आयोग की सिफ़ारिशों ने न जाने कितने निरीह किशोरों के साथ-साथ इनकी साख को भी जला दिया।

मैं यह प्रबन्ध समाप्त ही कर रहा था कि ख़बर मिली कि चद्रशेखर जो हैं वे देश के प्रधानमन्त्री हो गये हैं। मुझे खुशी है कि मेरी और विश्वनाथप्रताप सिंह की भाँति वे भी प्रयाग विश्वविद्यालय के ही छात्र हैं। कम से कम इस दृष्टि से तो मैं इन दोनों जननेताओं के समकक्ष बैठता हूँ। वे ठीक उसी बलिया ज़िले के हैं जिसने सन् बयालीस के आदोलन में सचमुच आज़ादी प्राप्त कर ली थी। मुझे यदि पता होता कि मेरी लेखनी का इतना तात्कालिक प्रभाव होगा तो मैंने इस लेख को बहुत पहले लिख लिया होता। मेरी तरह चन्द्रशेखर जी भी शायरी के शौक़ीन हैं। जनता

दल के नेता विश्वनाथप्रताप सिंह के प्रति अविश्वास प्रस्ताव पेश करते हुए उन्होंने लोकसभा में एक शायर का यह कलाम बाकायदा पढ़ा था :

चमन को सींचने में पत्तियाँ कुछ झड़ गयी होंगी
यही इल्ज़ाम मुझ पर लग रहा है बेवफ़ाई का;
मगर कलियों को जिसने रौंद डाला अपने हाथों से
वही दावा करे हैं इस चमन की रहनुमाई का?

यह एक अजीब इत्तफ़ाक है कि आज मैं यह लेख अख़बार में भेज रहा था तो पता चला कि चन्द्रशेखर जी अपनी सारी कार्यकुशलता के बावजूद प्रधानमन्त्री नहीं रहे। कांग्रेस पार्टी ने 'एक शेर' का वादा करके, उनको पूरी ग़ज़ल सुना दी। मैं चन्द्रशेखर जी से नम्र निवेदन करूँगा कि वे कतई निराश न हों। वे पद-यात्रा करें और समय मिले तो राम की कथा पढ़ें जिसकी चर्चा इस निबन्ध के प्रारम्भ में की गयी है। राज्यतिलक के स्थान पर राम को वनवास मिला था। मेरे काफ़ी पाठक ऐसे होंगे जो चन्द्रशेखर जी के 'भूतपूर्व' होने पर दुखी होंगे। उनका मन बहिलाने के लिए मैं विभिन्न कवियों की कुछ मार्मिक पंक्तियाँ उनकी सेवा में प्रस्तुत करता हूँ:

मेरी सरकार ने वादा किया है पाँचवें दिन का
किसी से सुन लिया होगा कि दुनिया चार दिन की है

(अज्ञात)

वे जो महन्त बनकर बैठे हैं कुण्ड पर
अवतार बन के गिरते हैं परियों के झुण्ड पर

(इंशा)

तेरी आँखों से रुलाई तो नहीं माँगी थी
जून माँगा था, जुलाई तो नहीं माँगी थी

(अज्ञात)

बिरहिन बैठी रेल पै, कढ़ी आह की भाप
बिन इंजन के चल पड़ी, गाड़ी आपुहि आप

(अज्ञात)

चुनाव जो अभी-अभी हुए...

जब कांग्रेस ने चन्द्रशेखर वाले जनता दल को अपना समर्थन देना बन्द कर दिया तो मध्यावधि चुनाव कराने के अतिरिक्त और कोई विकल्प देश के पास नहीं रह गया। यह चुनाव ऐसा रहा कि 'न भूतो न भविष्यति' वाली उक्ति सार्थक हो गयी। इस चुनाव ने यह साबित कर दिया कि संसार का सबसे बड़ा प्रजातन्त्र अब वास्तव में प्रौढ़ हो गया है। अपने इसी मत की प्रुष्टि करने के लिए ये सारे तथ्य नीचे देता हूँ। इनके पढ़ने से बहुतों का भला होगा।

यह शायद सबसे पहिला ऐसा चुनाव है जिसमें एक वेश्या भी उम्मीदवार की हैसियत से खड़ी हुई। हिजड़े तो हमेशा से चुनाव लड़ते और जीतते आये थे पर वेश्या का खड़ा होना एक अभूतपूर्व घटना रही। वेश्याओं, हिजड़ों और पेशेवर गुण्डों के साथ-साथ फ़िल्मी सितारों का भी चुनाव में खड़ा होना स्वाभाविक ही था। गुण्डों को तो जमानत पर रिहा कराया गया ताकि वे प्रजातन्त्र के विकास में अपना सहयोग दे सकें। एक स्थान पर तो एक भूतपूर्व यशस्वी डाकू को भी टिकट दिया गया।

चुनाव के सन्दर्भ में दंगे भी आयोजित किये गये। विदेशों से धन की सहायता भी शायद ली गयी। चुनाव का खर्चा अरबों में आया। यशवन्त सिन्हा के शब्दों में 'चुनाव अब केवल पैसों और गुण्डों की मात्रा के सहारे ही जीता जा सकता है, वैसे नहीं।' मतदाताओं की एक सूची में एक जगह एक कुत्ते का नाम भी शामिल था जिसे सुनकर श्रीमती मेनका गाँधी प्रसन्न हुई होंगी। मतदान-केन्द्रों पर इतनी पुलिस लगायी गयी जितनी कि पहिले कभी नहीं लगायी गयी थी। काफ़ी उम्मीदवारों की हत्या सम्पन्न कर दी गयी और मतदान-केन्द्रों पर नियुक्त सरकारी कर्मचारियों का जीवन-बीमा भी पहिली बार कराया गया। मदिरा का वितरण खुलेआम किया गया और 'मधुशाला' के साथ-साथ 'मधुबाला' का प्रबन्ध भी कहीं-कहीं किया गया। हाथ पर ऐसी स्याही लगायी गयी जो बाद में एक रसायन द्वारा हटायी जा सकती थी। अनेक स्थानों पर एक-एक मतदाता ने पता नहीं कितने वोट डाले। काफ़ी केन्द्रों पर ऐसे मत-पत्रों के पुलिन्दे मिले जिन पर पहले ही मुहर लगा दी गयी थी। मतदान-केन्द्रों पर नियुक्त अधिकारियों ने भी उन मतदाताओं की तरफ़ से वोट डाले

जो किसी कारण मतदान-केन्द्रों तक नहीं पहुँच पाये थे। मतदाता फिर भी कम ही रहे और इस कारण यह चिन्ता भी पैदा हुई कि खाली मत-पेटियों का क्या किया जाए।

काफ़ी मुख्यमन्त्री ऐसे वीर निकले कि उन्होंने अपनी-अपनी सेना खड़ी कर ली। यह सारा काम जाति और धर्म के आधार पर ही सम्पन्न किया गया। एक महत्त्वपूर्ण प्रत्याशी ने प्रण किया कि या तो वे चुनाव जीतेंगे या फिर आत्महत्या ही करेंगे। कम से कम उनके विचार में लोकसभा और मरघट में कोई अन्तर नहीं था।

इलेक्शन-कमिश्नर काफ़ी धाकड़ क़िस्म के आदमी थे और उन्होंने काफ़ी निर्देश जारी किये और काफ़ी जगह दुबारा चुनाव कराने का निर्णय भी लिया। यह दीगर बात है कि उनके द्वारा जारी किये गये अनेक महत्त्वपूर्ण निर्देशों का पालन राज्यों की सरकारें क्या, केन्द्रीय सरकार तक ने नहीं किया। मैं इस चुनाव में भी वोट नहीं डाल सका। अपने साठ वर्ष के जीवन काल में मैं रिटनिंग अफ़सर रहा, पोलिंग अधिकारी भी रहा पर अपनी ड्यूटी के कारण या फिर दौरों और तबादलों के कारण जीवन में एक बार भी अपना वोट देने का मौलिक अधिकार प्रयोग में नहीं ला सका।

अब आप आँखें बन्द कीजिए और सोचिए कि हमारे देश जैसा प्रजातन्त्र और कहाँ देखने को मिलेगा? आपमें से कुछ जाहिल नागरिक मेरी भाँति शायद यह भी सोचेंगे कि इसी दिन के लिए भगतसिंह और खुदीराम बोस फाँसी पर चढ़े थे? क्या इसी प्रजातन्त्र के लिए पण्डित नेहरू, सरदार पटेल और मौलाना अबुलकलाम आज़ाद ने अपनी युवावस्था जेल की काल कोठरियों में गुज़ारी थी? देश का भविष्य क्या है, यह मैं नहीं जानता। यह देश इतना विचित्र है कि एक समय इसमें अड़तालीस चक्रवर्ती सम्राट एक साथ शासन करते थे। यहाँ तो साम्यवादी दल भी बनेगा तो चार क़िस्म का बनेगा। महामति मनु ने कहा है कि "अनायकाः विनश्यन्ति, नश्यन्ति बहुनायकाः।"

अपने देश की स्थिति और अपने राजनेताओं को देखकर मुझे ग्रीस के दार्शनिक थेल्स की याद आती है। मेरी भाँति वे भी काफ़ी मज़ाक़ पसन्द आदमी थे। उन्होंने अनेक पेशे किये मगर सबमें असफल होने के बाद वे ज्योतिषी और दार्शनिक बन गये। उन्हें यह विश्वास था कि उन्हें लेने के लिए स्वर्ग से रथ आएगा। जब रथ नहीं आया तो उन्होंने पहाड़ पर से छलाँग लगा दी और मोक्ष कर लिया। मेरे विचार में ठीक यही स्थिति हमारे राष्ट्र के नेताओं की है। वे आकाश को तो देखते हैं पर पैरों तले पड़ी ज़मीन को नहीं।

मैं सारी स्थिति देखता हूँ मगर शोक प्रस्ताव पारित करने के अतिरिक्त और कुछ कर नहीं सकता। कर ही क्या सकता था बन्दा, खाँस लेने के सिवा मेरी तो वही हालत है जो दिल्ली का दरबार देखकर अकबर इलाहाबादी की हुई थी : साक़ी उनकी जाम भी उनका, आँखें मेरी बाक़ी उनका। मैं अपने चारों ओर देखता हूँ और शायर का कलाम याद करता हूँ:

लीडरों की धूम है और फ़ौलोवर कोई नहीं
सब तो जनरल हैं यहाँ, आख़िर सिपाही कौन है?

(अकबर इलाहाबादी)

वो रोये बहुत स्पीचों में 'हिकमत' इसको कहते हैं
मैं समझा खैरख़्वाह उनको 'हिमाकत' इसको कहते हैं

(अकबर इलाहाबादी)

अब भी न आया इन्क़लाब अगर
फिर न कहना कि आने वाला है

(इक़बाल हैदर)

घरेलू नौकर : कुछ संस्मरण

आज मैं घरेलू नौकरों की चर्चा करूँगा। ज़्यादातर संस्मरण उन्हीं नौकरों के हैं जिन्होंने मुझे उनकी सेवा प्राप्त करने का अवसर दिया पर कुछ संस्मरण ऐसे नौकरों के भी हैं जिन्होंने मेरे मित्रों और पड़ोसियों इत्यादि के यहाँ काम किया। मैं यकीन दिलाता हूँ कि सिवा मूल विषय के और किसी बात की चर्चा नहीं करूँगा। वही पुरानी मल्लिनाथ वाली प्रतिज्ञा : नामूलं लिख्यते किंचित् नापेक्षित मुच्यते।

सबसे पहिले मुझे सीताराम की याद आती है। मेरी सगी पत्नी के सगे मामा भारत सरकार के संयुक्त सचिव थे और उन्हें आज से चालीस वर्ष पहिले तीन हज़ार रुपये प्रतिमाह मिलते थे। नयी दिल्ली में अशोक रोड पर उनकी शानदार कोठी थी जिसका लान एकड़ों में था। वे विधुर और साथ ही साथ निःसन्तान भी थे। दो-चार स्त्रियों से उनके सम्बन्ध काफ़ी घरेलू थे मगर उनकी चर्चा फिर कभी करूँगा। सीताराम उन्हीं का नौकर था और वह अन्त तक उनके साथ रहा। सीताराम में सारे गुण थे मगर एक ऐब था। वह छोटे-छोटे बच्चों को (जिनमें कभी मेरी पत्नी भी शामिल थी) भूत-प्रेतों की कहानियाँ सुना-सुनाकर डराया करता था। इस दिशा में उसे कमाल हासिल था। सुनता हूँ कि एक बार स्थिति इतनी नाज़ुक हो गयी थी कि बच्चे उसकी कहानियाँ सुन-सुनकर इतना डर गये कि रोने लगे। मामा जी बड़े रौबदार आदमी थे; उन्हें पता लगा तो उन्होंने बच्चों को (जो छुट्टियों में यहाँ-वहाँ से उनकी मेहमानदारी करने आ जाया करते थे) ख़ूब डाँटा। उन्होंने बताया कि भूत-प्रेत सब मन का भय हैं, उनका वास्तविकता से कोई सम्बन्ध नहीं होता। जब इस उपदेश का बच्चों पर कोई प्रभाव नहीं पड़ा तो एक दिन उन्होंने सीताराम के क़िस्से खुद सुने थे कि उन्हें खुद खौफ़ लगने लगा। हनुमान चालीसा का पाठ भी किया पर बेकार। घबराकर बेचारों ने दूसरी शादी कर डाली ताकि अकेले न सोना पड़े। जैसा कि हम सभी जानते हैं, यदि पत्नी पास हो तो कोई दूसरा भूत-प्रेत कभी तंग नहीं करता।

मेरे यहाँ प्रयागराज में एक सेवक था जो बड़ा धार्मिक था। सुबह कोई सात बजे उठता था और गंगास्नान करने निकल जाता था। कोई दो घण्टे बाद लौटता और

फिर पूजा करता था। जब तक पूजा समाप्त होती थी तब तक मेरी पत्नी दोपहर का खाना भी चूल्हे पर चढ़ा देती थी। खाना समाप्त करने के बाद वह तुलसी के पौधों की देखभाल करता था और फिर कुछ देर विश्राम करता था। सन्ध्या समय वह मन्दिर जाता था और प्रसाद मिलने के बाद ही लौटता था। रात को रामायण का पाठ चलता था जिसे हम सब सानन्द सुनते थे क्योंकि उसका कण्ठ वास्तव में मधुर था। कुल मिलाकर स्थिति यह थी कि नौकर वह था और काम हम लोग करते थे। जैसे ही कोई त्यौहार आता था, वैसे ही वह अपने गाँव चला जाता था जहाँ उसकी दो पत्नियाँ रहती थीं। सन्तान न होने के कारण उसने दूसरी शादी की थी हालाँकि बच्चे फिर भी नहीं थे। पता नहीं उसके बच्चे क्यों नहीं होते थे वर्ना स्थिति तो यह थी कि उसके ज़िले में (यानी कि ज़िला जौनपुर में) मूली और बैंगन भी इतने बड़े-बड़े होते थे जितना कि वह खुद था। जब मेरा तबादला हुआ तब उसकी तीसरी शादी की बातचीत चल रही थी। इस बार वह काफ़ी सतर्क था; एक ऐसी युवती से विवाह करने की सोच रहा था जो पहिले ही से गर्भवती थी। धर्मपरायण व्यक्ति था, बिना पितृऋण उतारे कैसे रह सकता था?

मैं दिल्ली जब-जब भी रहा, नौकर की तकलीफ़ बराबर रही। एक बार नौकर मिला जो ज़रूरत से ज़्यादा कार्यतत्पर था। मेरे कपड़े उसके शरीर पर एकदम फिट आते थे। सिगरेट भी वह मेरे ही ब्राण्ड की पीता था। बच्चों को बेटा कहता था, अम्माँ को माता जी कहता था और मेरी बीवी पर भी वही अधिकार रखना चाहता था जो मैं रखता था। सामान खरीदने के बाद अगर नोट में से थोड़ी-बहुत राशि बच जाती थी तो वह उसे भी अपने पास ही रख लेता था। कुल मिलाकर स्थिति यह थी कि वह 'घरेलू' ज़्यादा था और 'नौकर' कम। बड़ा प्रेमी जीव था। मुहल्ले की जितनी भी जवान नौकरानियाँ थीं, उन सबके साथ उसके सम्बन्ध बेहद निकट के थे। वह गाहे-बगाहे पिटता भी रहता था मगर उससे कोई विशेष अन्तर नहीं पड़ता था। मैंने उसे कई बार निकालने की चेष्टा की मगर वह हम लोगों से इतना ज़्यादा स्नेह करने लगा था कि उसने मेरा पीछा तभी छोड़ा जब मैंने दिल्ली छोड़ी। आदमी होनहार था; बाद में वह दिल्ली पुलिस में भर्ती हो गया।

मेरठ में कई नौकर रहे पर मनोरथ की याद अभी तक बाकी है। दुनिया का शायद ही कोई ऐसा नशा था जो उसने नहीं किया था। नशा और सिनेमा—इन दो चीज़ों के अलावा उसका और कोई शौक़ ही नहीं था। इन दो चीज़ों से जो वक़्त बाकी बचता था, उसमें वह सारा काम दिल लगाकर करता था। मीनाकुमारी से उसे सच्ची मुहब्बत थी। जब उस महान् अभिनेत्री की मृत्यु हुई तो उसने महीनों तक कोई पिक्चर नहीं देखी। ग़म ग़लत करने के लिए सिर्फ़ ठर्रा ही पीता रहा। वह खुद भी अच्छा अभिनेता था। तोपखाने की रामलीला में उसने हनुमान, सीता और राजा जनक—इन तीनों का रोल एक साथ अदा किया था। वह तो अवसर नहीं मिला

नहीं तो राजा जनक क्या, वह उनके धनुष तक का पार्ट भी अदा कर सकता था। हनुमान का पार्ट अदा करते समय उसकी पूँछ ने जो-जो कमाल दिखाये थे वे वर्णित नहीं किये जा सकते। लंका-दहन में बेचारे की पूँछ ऐसी जली कि बाकी रामलीला में उसे बिना पूँछ के ही काम करना पड़ा।

मातादीन एक साहित्यप्रेमी व्यक्ति था। वह सारे अख़बारों में मेरी रचना सबसे पहिले पढ़ता था और उन पर आलोचनात्मक टिप्पणी भी किया करता था। आचार्य रामचन्द्र शुक्ल की भाँति वह कभी-कभी काफ़ी पते की बात भी कह जाता था। मेरी कुछ कविताएँ उसे ज़ुबानी याद थीं। अख़बार बराबर पढ़ने के कारण वह राजनीति में भी दखल रखता था और मेरी पत्नी और बच्चों के साथ सरकार की विभिन्न नीतियों पर भी वह विशद चर्चा किया करता था। मैंने उसे ध्यान से देखा और महसूस किया कि वह एक आम विधायक से किसी भी तरह पिछड़ा हुआ नहीं था। वह रेडियो पर सारे समाचार बिना नागा सुनता था और हम लोगों के साथ टेलीविज़न भी देखा करता था। घर पर जितने टेलीफ़ोन आते थे, उन्हें भी सुनता था और काफ़ी को तो अपने ही लेबिल पर निबटाया भी करता था।

एक दिलचस्प नौकर की बात और करूँगा और बस। यह नौकर कभी मेरे एक ठेकेदार मित्र के यहाँ काम करता था और यह उसी का प्रताप था कि ठेकेदार साहब को पुत्र की प्राप्ति हुई। वह जहाँ कहीं भी गया, सन्तान की कमी कभी नहीं रही। उसने न जाने कितने परिवारों का वंश-वृक्ष आगे चलाया और न जाने कितनी रमणियों की गोद भरी। इस देश की जनसंख्या को प्रकाश में लाने के सन्दर्भ में जितना योगदान उसने दिया, उतना शायद किसी और अकेले व्यक्ति ने कभी नहीं दिया। मैं तो जब भी उसे याद करता हूँ, मन ही मन उसे प्रणाम कर लेता हूँ। घर का सारा काम, बाज़ार का सारा काम और यह निःशुल्क सेवा अतिरिक्त। ठीक जयशंकर 'प्रसाद' वाली सर्वतोमुखी प्रतिभा।

मैंने जो घरेलू नौकर रखे वे सब इस सरकारी नौकरी में आने के बाद ही रखे। नौकरी में आने से पहिले तो स्थिति यह थी कि मैं खुद ही कहीं घरेलू नौकर बनने के लायक था। हाँ, इधर हालत काफ़ी बदली है। घरेलू नौकरों की यूनियन है और वे महँगाई भत्ता, पेंशन, छुट्टी, चिकित्सा और पता नहीं क्या-क्या बाकी सुविधाएँ माँग रहे हैं। सोचता हूँ कि रिटायर होने के बाद किसी हसीन विधवा का घरेलू नौकर ही बन जाऊँ। वह अमीर न भी हो, तो भी चलेगा। हाँ, हसीन होना ज़रूरी है। अगर वह न अमीर हुई और न हसीन, तो मैं वहाँ जाकर क्या खाक करूँगा? अरे, फिर अपनी बीवी ही क्या बुरी है जिसके साथ ज़िन्दगी काटी है? मैं आपसे पूछता हूँ, कर्तव्य और चरित्र भी तो कोई चीज़ है या नहीं?

उदासी की वेला

लौटी ग्रामवधू पनघट पर
लगा चितेरा अपने पट पर
बँधी नाव हिलती है तट पर
कवि के अग्निप्राण उकताये

(निराला)

आते कैसे सूने पल
जीवन में ये सूने पल;
जब लगता सब उच्छृंखल
तृण, तरु, पृथ्वी, नभमण्डल

(पन्त)

एक पत्ता झरा
फिर एक दूसरा पत्ता झरा
फिर एक—हाय!

(अज्ञेय)

साँझ होते ही न जाने
छा गयी कैसी उदासी,
क्या किसी की याद आयी
ओ, विरह-व्याकुल प्रवासी

(नरेन्द्र शर्मा)

फागुन के सूखे दिन
क़स्बे के स्टेशन की धूलभरी राह बड़ी सूनी-सी
ट्रेन गुज़र जाने के बाद
पके खेतों पर उदासी हुई दूनी-सी

(धर्मवीर भारती)

मेरा कोई नहीं सच्चा मीत

मैंने कभी नहीं गाया ख़ुशी का गीत
मैं हो उठा और भी उदास
वनों में सहसा फूट पड़े पलाश

(रवीन्द्रनाथ त्यागी)

आप सोचेंगे कि आज यह मुझे क्या हो गया है कि उदासी की ही पंक्तियाँ उद्धृत करता चला जा रहा हूँ? क्या मैं 'हिन्दी काव्य में उदासी-तत्व' नाम का शोध-प्रबन्ध लिखने बैठा हूँ? वैसे हिन्दी कविता–जो इधर लिखी जा रही है–वह ऐसी है कि जहाँ वह उदासी पैदा करने की कोशिश करती है, वहाँ हँसा जाती है और जहाँ हँसाने की प्रत्यक्ष कोशिश करती है तो मन वास्तव में उदास हो जाता है। वैसे भी यदि 'जयशंकर प्रसाद के नाटकों में हास्य' नाम का विषय लेकर मेरे एक मित्र डॉक्टरेट ले सकते हैं, तो मैं 'हिन्दी काव्य में उदासी' विषय पर निःसंकोच खोज क्यों नहीं कर सकता? पर ऐसी कोई बात है नहीं। मुझे साहित्य का डॉक्टर या कम्पाउण्डर नहीं बनना है, मैं तो उसका मरीज ही बना रहूँ तो काफ़ी है। हाँ, अलबत्ता नर्स सुन्दर मिलती रहे, इतनी-सी शर्त ज़रूर है।

मेरी उदासी का कारण यह है कि अपनी आदत के अनुसार मैं आज फिर उदास हूँ। हिन्दी कविता की नायिका विरह के कारण उदास रहती थी, और कवि जो था वह बेचारा नायिका को उदास देखकर ही उदास हो जाता था। अयोध्यावासी इस कारण उदास रहते थे कि इस वर्षा ऋतु में पता नहीं सीता वन में कहाँ भीग रही होंगी और वनवास (क्रम-संख्या एक) के बाद सीता यह सोच-सोचकर उदास होती थीं कि इस वनवास (क्रम-संख्या दो) में जब रात को उनके बच्चे होंगे तो जन्म के गीत कौन गाएगा? मुझे ऐसी कोई चिन्ता नहीं है। न मैं वन में हूँ और न मुझे प्रसव होना है। पर स्थिति फिर भी यही है कि मैं उदास हूँ।

आपको प्रश्न करने का पूरा अधिकार है कि मैं क्यों उदास हूँ। मैं आपको यकीन दिलाता हूँ कि मुझे देश की, समाज की या मनुष्य की कोई चिन्ता नहीं है। अगर मैं आराम से ठाठ के साथ रहता हूँ तो 'ठेठ हिन्दी का ठाठ' लिखने और पढ़ने के अलावा मुझे और कुछ नहीं करना। हिन्दी का लगभग सारा काव्य व्यक्तिगत उदासी पर केद्रित है। देश भूखों मरता है, मरे। आदिवासियों में बच्चे बेचे जा रहे हैं तो बिकें। पूरब में बाढ़ आ गयी और सैकड़ों-हज़ारों पशु (जिनमें आदमी भी शामिल है) बह गये हों तो बहें। मुझे तो या 'रामचन्द्रिका' लिखनी है या 'जहाँगीर जस-चन्द्रिका'। रीतिकालीन साहित्यकार कितने महान् थे कि एक तरफ़ सारे का सारा देश अत्याचार, ग़रीबी और पीड़ा में तड़पता रहा और वे थे कि केवल विरह में तड़पती रूपवती नायिका को ही पकड़ते रहे। सोरह सिंगार किये सोरह बरस की। कितनी ख़ुशी की बात है कि हिन्दी कविता की नायिका कभी सत्तरह साल की नहीं हुई, वह तो सदा सोलह साल की ही रही। सच्चाई यह है (अच्छा खण्डित

सत्य, सुन्दर नीरन्ध्र मृषा से) कि हालत अभी भी वही है। नायिका ने जहाँ सोलहवाँ साल पार किया, वह 'प्रयोग' की सामग्री न रहकर 'प्रयोगवाद' की सामग्री हो गयी। नायिका को 'भार्या' और 'भार्या' से 'आर्या' बनने में केवल नौ महीने लगते हैं। और एक दफ़ा वह माता बनी तो फिर माता ही बनती चली गयी। 'माता' बनने के बाद वह 'भारतमाता' हो गयी और कवि के काम की चीज़ नहीं रही। पन्त जी ने एक कविता में 'तीस कोटि' सन्तान की चर्चा की है जो अब ग़लत हो गयी है। पन्त जी थे जो सोचते थे कि देश के बाकी लोग भी उनकी तरह अविवाहित ही रहेंगे। मगर देश के लोग उतने बेवकूफ़ नहीं निकले। उन्होंने शादी क्या, शादियाँ कीं और भारतमाता के मैले आँचल को अस्सी करोड़ बच्चों से भर दिया। 'भारत भारती' के अमर गायक राष्ट्रकवि के खुद ही नौ से ज़्यादा बच्चे हुए। उसके बाद फिर रह ही क्या गया? महाजनो येन गतः स पन्थाः। हिन्दी के पुराने कवि तो आँख और आँचल दोनों पर ध्यान देते थे (आँचल में दूध और आँखों में पानी) मगर नयी पीढ़ी जो आयी वह मात्र आँचल से ही जुड़ी रही। उसने उसके नीचे भले ही देखा हो, उसके ऊपर कभी कुछ नहीं देखा।

मैं फिर बहक गया। सवाल यह उठता है कि मैं अगर उदास हूँ तो मैं करूँ क्या? अज्ञेय जी कहेंगे कि मेरे वर्य, यदि खुद नहीं लिख सकता तो किसी और से चोरी ही कर। जैनेन्द्र जी कहेंगे कि लिखने-पढ़ने का काम मुझ पर छोड़ और तू किसी प्रेयसि को पकड़। जो काम मैं कर सकता हूँ, वह मैं करूँगा और जो काम तू कर सकता है, वह तू कर। प्रभाकर माचवे कहेंगे कि तू कुछ भी कर मगर कम से कम पच्चीस विधाओं में और पचास भाषाओं में कर। परसाई जी कहेंगे कि पता नहीं यह वैष्णव कहाँ तक फिसलेगा? भारती जी कहेंगे कि वत्स तू कुछ भी लिख, बस छपने के लिए उसे 'धर्मयुग' में न भेज। थोड़े दिनों की बात और है, इज़्ज़त से रिटायर हो लेने दे। मैं सबकी वाणी सुनता हूँ और फिर उदास हो जाता हूँ।

सोचता हूँ कोई हास्य-प्रधान कविता पढ़ूँ। अभी-अभी हाथरस स्कूल के किसी कवि की वाणी पढ़ी जिसमें कहा गया था कि यह बड़े खेद की बात है कि "जहां पिछले पन्द्रह-बीस वर्षों में हिन्दी काव्य में हास्य-व्यंग्य का स्तर इतना ऊँचा उठा, वहाँ हिन्दी गद्य में हास्य-व्यंग्य का पतन ही होता चला गया।" इस वक्तव्य को पढ़कर वाणी के पास नयन नहीं रहे और नयनों के पास वाणी नहीं रही। बहरहाल स्वर्ण-कवि पन्त और महाप्राण निराला ने इस दिशा में भी अपने अनन्त पाठकों को निराश नहीं किया। दो नमूने हाज़िर हैं :

छाया छाँव बनी पछाड़ खा
कुत्ता लैंडी बना हाड़ खा
चूहा शेर बना पहाड़ खा
मोम फूल मेमनों

मेंढकों वनचूहों की
काव्यसैन्य नव देख
गीदड़ों चोलों के संग
भाव सहस्रों जलते-बुझते
फुलझड़ियों-से मन में

(पन्त)

बापू, तुम मुर्ग़ी खाते यदि
तो क्या भजते होते तुमको
ऐरे-ग़ैरे, नत्थू ख़ैरे?
सर के बल खड़े हुए होते
हिन्दी के इतने लेखक कवि?

बापू, यदि तुम मुर्ग़ी खाते
तो क्या अवतार हुए होते
कुल के कुल कायथ बनियों के
दुनिया के सबसे बड़े पुरुष
आदम भेड़ों के होते भी?

बापू, यदि तुम मुर्ग़ी खाते,
तो क्या पटेल, राजन्, टण्डन,
गोपालाचारी भी भजते?
भजता होता तुमको मैं ओ'
मेरी प्यारी अल्लारक्खी
बापू, यदि तुम खाते मुर्ग़ी...

(निराला)

मुर्ग़ी मैं भी नहीं खाता। ब्राह्मण जो हूँ। सिर्फ़ आदमी का गोश्त खा सकता हूँ, और किसी का नहीं। और आदमी का गोश्त भी यदि ज़िन्दा मिल जाता है तो हर्गिज़ नहीं छोड़ता। हर पाप का प्रायश्चित्त होता है। मेरी वाणी आपको माननी पड़ेगी। मैं स्वयं ब्रह्मा के मुख से निकला हूँ। बाकी लोग ब्रह्मा के और अंगों से निकले हैं। ब्रह्मवाक्यं जनार्दनः।

उदासी घट नहीं रही। सोचता हूँ कि छड़ी लूँ और माल रोड पर घूमने निकल जाऊँ। वर्षा की कविप्रिया ऋतु है। यदि कोई सुन्दर युवती फिसलती दीखेगी तो उसे सँभाल लूँगा। यदि वह न फिसल रही होगी तो फिसलाने की कोशिश करूँगा। स्त्रियों का उद्धार तो करना ही है। यदि वे फिसलेंगी नहीं, तो उन्हें उठाऊँगा कैसे?

सोचता हूँ कि जल्दी करूँ। साँझ घिरती जा रही है और बँगला के वैष्णव कवियों की काव्यसाधना का समय पास आता जा रहा है। वैसे भी देश के पास काम बहुत है और वक़्त कम है। आराम हराम है क्योंकि जितने भी हरामी पैदा होते हैं वे आराम करने वालों की वजह से ही होते हैं! जब सारा देश ही भारतमाता के साथ बलात्कार कर रहा है तो मैं ही पीछे क्यों रहूँ? "मैं गाता हूँ, इसलिए रवानी मेरी है।" बच्चन की पंक्तियाँ क्या याद आ गयीं कि हाथ-पैर तीव्रता से काम करने लगे। उन्हीं ने तो मेरे जैसे होनहार लोगों के लिए लिखा है :

फूल चढ़ाया, अतल समाया
अक्षत जल तल पर उतराया
सगुन अमंगल मंगल पाया
हों भगवान सहाय कि नैया जाती है
चढ़ना हो, जिसे चढ़ जाये कि नैया जाती है

युवती-वृत्तान्त

इंग्लैण्ड की रानी (एलिज़ाबेथ द्वितीय) पुराने कपड़ों व पुराने जूतों को पहिनना बहुत पसन्द करती हैं। अब वे अपने पति से भी पहिले की अपेक्षा अधिक प्यार करती है क्योंकि वे भी अब पुराने हो गये हैं। वैसे महारानी एलिज़ाबेथ (द्वितीय) विश्व की सबसे अमीर स्त्री हैं। पिछले वर्ष पार्लियामेण्ट ने उनके खर्चे के लिए पचास लाख पाउण्ड दिये थे मगर सर हार्डी एमिस के अनुसार उन्होंने अपनी शाही पोशाक पर शायद ही कुछ खर्च किया। सादा जीवन, उच्च विचार। ब्रिटेन की पार्लियामेण्ट भी बहुत खुशमिजाज़ संस्था है, एक बार जब वहाँ का राजा चार्ल्स (द्वितीय) क़रीब तीस लाख पाउण्ड संसद से चाहता था तब संसद ने उसे ग्यारह पौण्ड दो शिलिंग व दस पेंस की राशि प्रदान की थी। वैसे भी कपड़ों और जूतों वग़ैरा पर खर्च करना रूपवती रमणियों को शोभा नहीं देता। कवि बिहारी के शब्दों में उस स्त्री को आभूषणों की क्या ज़रूरत है जिससे कि अपने सौन्दर्य का भार ही नहीं उठाया जाता?

वैसे भी कपड़े और ज़ेवर वग़ैरा तो नश्वर वस्तुएँ हैं। इनसे ज़्यादा दिनों तो यौवन ही चलता है और जीवन जो है वह यौवन से ज़्यादा चलता है। और इन सबसे ज़्यादा चलता है प्रेम जो जन्म-जन्मान्तरों तक चलता है। 'प्री' धातु में 'मनिन्' प्रत्यय जोड़ने से 'प्रेम' बनता है। यहाँ तक तो सब सरल है मगर आगे जो है वह बहुत कठिन है। प्रेमपन्थ अति कठिन है सब कोऊ जानत नाहिं, चढ़िबो मोम तुरंग पै चलिबो पावक माँहि। कभी चैन मिलता नहीं आशिक़ों को, मुहब्बत में बस एक मुश्किल यही है। हम तो मरते हैं इन चार पर; नाज़ पर, अन्दाज़ पर, रफ़्तार पर, गुफ़्तार पर। न्यूयार्क में अभी-अभी एक प्रेमी-युगल का विवाह हुआ। विवाह होने के तुरन्त बाद बच्चा तो नहीं हुआ (जैसा कि वहाँ रिवाज है) मगर एक हादसा ज़रूर हो गया। कुछ डकैतों ने वर-वधू की गाड़ी पर हमला किया और अपनी बन्दूकें निकाल लीं। तेरह हज़ार डालर की राशि या भेंट में आयी वस्तुएँ, शादी का केक, फूल और कार—इन सब को छीन लिया और भाग गये। दम्पती को दो मील पैदल चलना पड़ा। मगर प्रेम के सामने उन्होंने सम्पत्ति की हानि का ज़रा भी मलाल नहीं किया। प्रेम के कारण ही गिलेन और एड्रियाना की सगाई 67 वर्ष तक रही। इसके बाद मेक्सिको में उनका

विवाह हुआ। विवाह के पवित्र अवसर पर उन दोनों में से प्रत्येक की आयु मात्र 82 वर्ष थी। शादी के बाद वे सुख से रहे जिसके मुख्यतः दो कारण थे : एक कारण तो यह था कि उनके बच्चा नहीं हुआ और दूसरा कारण यह था कि उन्हें बिना नौकर के रहना पड़ा। अपने विवाहित जीवन के उस संक्षिप्त संस्करण के दौरान उन्होंने लगभग तैंतीस नौकर रखे मगर मालकिन के तेज़ स्वभाव के कारण कोई भी दो दिन से ज़्यादा नहीं टिक पाया। अपने नाटक 'विक्रमोर्वशीयम्' में कालिदास ने कहा है कि स्त्रियों की सेवा करना बड़ा कठिन है। सत्य थी कवि की वाणी।

गाँधी बाबा ने कहा था कि गाँवों में घरेलू धन्धों का विकास करो। ख़ैर, वहाँ तो कुछ नहीं हुआ—सिवा इसके कि बच्चे बड़े पैमाने पर पैदा किये गये और फ़ौजदारियों की वारदातें चौगुनी हो गयीं—मगर शहरों में घरेलू धन्धे ज़रूर जड़ पकड़ते गये। देश की राजधानी में विश्वविद्यालय की मार्क-शीट और डिग्रियाँ काले बाज़ार में सफ़ेदपोश लोग बेच रहे हैं और पुलिस आराम से सो रही है। इस समाचार की चर्चा मैं यूँ कर रहा हूँ कि झूठी डिग्री के विक्रेता भी इतने निष्ठावान् पुरुष हैं कि लड़कियों से सिर्फ़ दो तिहाई पैसा ही लेते हैं। एक लड़की से तो कुछ भी नहीं लिया; वह बहुत सुन्दर जो थी। जो काम 'आभार-प्रदर्शन' से होना असम्भव था, वही काम 'उभार-प्रदर्शन' के कारण सरल हो गया। बालिका होनहार थी, यदि ज़रूरत से ज़्यादा भावुक होती तो उस चर्च की महिला की भाँति आत्महत्या कर लेती जिसने ग़लती से 'गुड फ्राइडे' के दिन सामिष भोजन कर लिया था और जिसके कारण वह पश्चात्ताप की अग्नि में जली जा रही थी।

लन्दन में एक ऐसा अख़बार छपना शुरू होने वाला है जिसे अन्धे व्यक्ति भी पढ़ सकें। मैं सोचता हूँ कि ऐसा करना अन्धों के प्रति अत्याचार होगा। पिछले कुछ वर्षों से सूखा, बाढ़, रेल-दुर्घटना, बस-स्टैण्डों और स्टेशन पर बम फटना, पंजाब में प्रतिदिन हत्याएँ होना, कश्मीर में आतंकवाद फैलना, महँगाई, हरिजनों और नवविवाहित बन्धुओं को ज़िन्दा जला देना—यही वे समाचार हैं जो नियमित रूप से अख़बारों में छप रहे हैं। बोफोर्स की तोप भी इसी तरह बराबर चल रही है। इन समाचारों को पढ़कर अन्धे लोग क्या प्रसन्न होंगे? क्या गाँधीजी ने भ्रष्टाचार, शोषण और अपराधी लोगों को विधानसभाओं में चुने जाने के लिए ही अपनी इतनी ज़िन्दगी जेलों में गुज़ारी थी? क्या यही वह स्वाधीनता है जिसके लिए मंगल पाण्डे से लेकर सुभाषचन्द्र बोस तक सैकड़ों लोगों ने अपना सारा जीवन देश के लिए न्यौछावर कर दिया था?

देश के अनेक कर्णधारों पर नयी दिल्ली की नगरपालिका ने नोटिस जारी कर दिये हैं। कुल मिलाकर इन महान् नेताओं ने, जो कि रोज़ ही कहीं न कहीं लाखों लोगों को गाँधीजी की याद दिलाते रहते हैं, बिजली और पानी के बिल वर्षों से अदा नहीं किये हैं और अब ऐसे बिलों की राशि इकत्तीस लाख रुपये हो गयी है। इस घटना का सम्बन्ध स्त्रियों के साथ सीधा है क्योंकि इन ईमानदार नागरिकों में कुछ

महिलाएँ भी शामिल हैं। एक भूतपूर्व सांसद हैं और एक सम्भ्रान्त महिला हैं जो 'इविक्शन' के भय से इतनी भयभीत हैं कि मकान के बाहर के द्वार पर 24 घण्टे ताला लगाये रहती हैं। इस वीर नारी को मैं प्रणाम करता हूँ।

थोड़े ही दिन हुए, अमेरिका में पतियों और पत्नियों की एक-दूसरे के प्रति निष्ठा जाँचने के लिए कुछ जाँच-पड़ताल की गयी। इस प्रक्रिया में काफ़ी परिश्रम और धन खर्च किया गया। कम्प्यूटर की सहायता भी ली गयी क्योंकि देश के सारे विवाहितों में से तीन चौथाई विवाहितों की जाँच करनी थी। पुरुषों में से पिचानवे प्रतिशत लोगों ने बताया कि उनकी पत्नियाँ उन्हें कभी धोखा नहीं देंगी जबकि उन लोगों की पत्नियों में पैंतीस प्रतिशत पत्नियाँ ऐसी निकलीं जो अपने पतियों को धोखा दे चुकी थीं। इसी प्रकार काफ़ी पत्नियाँ यह समझती थीं कि उनके पति उनके अतिरिक्त किसी और स्त्री से प्रेम नहीं करते हालाँकि कम्प्यूटर ने साफ़ बता दिया कि उनमें से पचास प्रतिशत झूठ बोल रहे थे। कुल मिलाकर स्थिति यह निकली कि निष्ठावान् पत्नियों की संख्या ईमानदार पतियों से ज़्यादा थी। स्त्रियाँ इतनी सरल और सीधी होती हैं कि कालिदास तक ने शेष नौकर-चाकरों की भाँति उनसे भी 'प्राकृत' ही बुलवाई, संस्कृत नहीं।

22 मई, 1990 को राज्यसभा के इतिहास में एक महान् दुःखपूर्ण घटना सम्पन्न हुई। विरोधी पक्ष के वरिष्ठ सांसदों ने उपसभापति श्रीमती नजमा के हाथ से काग़ज़ छीनने की कोशिश की और बाद में उनके कक्ष में जाकर उन्हें धमकी दी। राज्यसभा के सभापति सबके सामने फूट-फूटकर रोने लगे। वयोवृद्ध, सज्जन और शालीन सभापति ने रोते हुए यही कहा कि मेरी हत्या कर दो मगर प्रजातन्त्र की हत्या न करो। जन्मजात सज्जन सभापति जी को यह पता नहीं था कि इस देश के सांसद उनकी भी हत्या करेंगे और संसद की भी। जिनके लिए मैं मर गया उनका ये हाल है, ईंटें चुरा के ले गये मेरी मज़ार से।

स्त्रियों को लेकर आज बहुत-सी उक्तियाँ याद आ रही हैं। सोचता हूँ, उन्हें आप तक पहुँचा दूँ। 'पत्नी' उस स्त्री को कहा जाता है जो पति के सामने सदा 'तनी' रहती है। पत्नियों को उचित है कि वे अपने पति को डाँटें और रोज़ डाँटें : डाँटने का कारण पत्नी को तो नहीं परन्तु पति को हमेशा मालूम होगा। यदि आपकी पत्नी कार चलाना चाहती है तो आप 'उसके रास्ते में हर्गिज़ न आइए।' अपनी पत्नी को सदा पास रखिए। यदि आप यह करेंगे तो और लोगों की पत्नियाँ आपके पास कभी नहीं आएँगी और न आपकी ही पत्नी किसी दूसरे पुरुष के पास जा सकेगी। एक गणितज्ञ ने एक रूपवती रमणी को सूचना दी थी कि यदि तुम मेरा छटाँक-भर दुःख बाँट लो तो मेरा 'मन' हल्का हो जाएगा। बच्चे अपने और स्त्री दूसरी की हमेशा से अच्छी लगती आयी है। अमेरिका में शादी के अवसर पर जो ग्रीटिंग्स भेजे जाते हैं उनमें प्रायः लिखा रहता है कि भगवान करे कि ऐसे अवसर आपके जीवन में

बार-बार आएँ। लड़कियों के कालिजों के पास 'गाड़ी धीरे चलाइए' की तख्ती कभी नहीं लगायी जाती क्योंकि वहाँ गाड़ियों की रफ़्तार वैसे ही कम हो जाती है। प्रत्येक व्यक्ति चाहता है कि उसके पास निजी पत्नी हो और शादी के बाद वह सदा यही चाहता है कि उसके पास एक अदद कार भी हो ताकि वह इच्छानुसार अपनी पत्नी से दूर रह सके। एक सम्पादक ने एक नवोदित लेखिका को लिखा था कि इस बार हम कुछ कारणों से आपकी रचना नहीं छाप सके, मगर विश्वास रखिए कि होली के अवसर पर हम आपको अपने 'अंक' में निश्चित रूप से लेंगे। इसी प्रकार एक मनचले नवयुवक ने एक ऐसी रूपवती रमणी से (जो पति के अतिरिक्त अपना प्यार किसी को भी नहीं देती थी) कहा था कि आप मेरी माँ लगती हैं। युवती ने तुरन्त उत्तर दिया कि "ऐसा कभी नहीं हो सकता क्योंकि मैं तो विवाहित हूँ।" लड़की पैसा चाहती है या प्यार—इस प्रश्न का उत्तर यह है कि प्रत्येक युवती किसी पैसे वाले का प्यार चाहती है। स्त्रियों का सबसे बड़ा हथियार उनकी ज़ुबान होती है जिस पर वे कभी भी ज़ंग नहीं लगने देतीं। घर निकलते समय पति घड़ी देखता है और पत्नी दर्पण। चलचित्रों और स्त्रियों में कोई मौलिक अन्तर नहीं होता; दोनों खुद ही बोलती रहती हैं; और किसी दूसरे की सुनतीं ही नहीं। स्त्री अपने जन्म का महीना और तारीख कभी नहीं भूलती, हाँ जन्म का वर्ष उसे कभी याद नहीं रहता। पत्नी पति को माफ करती है जबकि ग़लती उसकी अपनी होती है। घड़ी बिगड़ती है तो चुप हो जाती है पर जब पत्नी बिगड़ती है तो सारे मुहल्ले को सिर पर उठा लेती है। कुछ स्त्रियाँ इतनी ज़्यादा सफाईपसन्द होती हैं कि साबुन से कुछ धोने के पूर्व वह साबुन को भी साबुन से धोती हैं। प्रेमिका का हाथ पकड़ने से पहले उसके पैर पकड़ने कहीं ज़्यादा ज़रूरी हैं। यदि आप किसी लड़की से प्रेम करते हैं तो उसके पिता से मिलिए और पूरी लड़की माँगिए, सिर्फ़ उसका हाथ ही नहीं। संसार की सभी धनी स्त्रियों को अपना ऑटोग्राफ़ देने पर खुशी होती है बशर्ते कि वह ऑटोग्राफ़ किसी दूसरे के नाम दिये जाने वाले चेक पर न हों। पत्नी धर्मपत्नी होती है जबकि पति धर्मसंकट होता है। प्रेमिका यदि वाकई बस में नहीं आती तो आप उसे कार में अवश्य ला सकते हैं। प्रेम अन्धा होता है मगर पड़ोसी कभी अन्धा नहीं होता। यदि आपके घर में बेग़म है तो आप ग़म ढूँढ़ने बाहर क्यों जाते हैं?

कुछ कवियों ने यह ग़लतफ़हमी पैदा कर दी है कि स्त्रियाँ अबला होती हैं। यह एकदम ग़लत है। चाणक्य ने लिखा है कि स्त्रियों में पुरुष की अपेक्षा छह गुना अधिक साहस होता है। भर्तृहरि ने 'शृंगार शतक' में लिखा है कि यदि सुन्दर युवतियों ने देवताओं के राजा इन्द्र तक को अपना सेवक बना लिया तो वे अबला कैसे कही जा सकती हैं? स्त्री में बहुत हॉर्स-पावर होती है। विरहिन बैठी रेल पर कढ़ी आह की भाप, बिन इंजन के चल पड़ी गाड़ी आपुहि आप।

निबन्ध के अन्त में स्त्री-जाति से सम्बन्धित कुछ अशआर पेशे-खिदमत करता

हूँ और आपसे विदा लेता हूँ। भरतवाक्य के वे काव्यांश इस प्रकार हैं :

अन्दाज़ अपना आईने में देखते हैं वो
और यह भी देखते हैं कोई देखता न हो

(अज्ञात)

सामने बैठ के जब दिल को चुराये कोई
ऐसी चोरी का पता ख़ाक लगाये कोई

(अज्ञात)

हमें तो डूबने का ग़म नहीं इस बात का ग़म था
जहाँ पर नाव डूबी उस जगह पानी बहुत कम था

(अज्ञात)

तुम्हारे लफ़्ज़ तो मेरे लिए रोटी का टुकड़ा हैं
ज़रा तकरीर दे डालो कि मेरा पेट भर जाए

(अज्ञात)

बन के नेता शरीफ़ काम करो
जेबकतरो! तुम्हें हुआ क्या है?

(सिगार)

मुझे फूँकने से पहले, मेरा दिल निकाल लेना
यह किसी की है अमानत, कहीं साथ जल न जाए

(अनवर)

मेरी ग़जलों की शहज़ादी
आधा रेशम, आधी खादी
एक शे'र का वादा करके
तुमने पूरी ग़ज़ल सुना दी

(अज्ञात)

ख़ुदा महफ़ूज़ रखे आपको तीनों बलाओं से
वकीलों से, हकीमों से, हसीनों की निगाहों से

(अकबर)

कुछ प्राचीन कथाएँ

हमारा देश एक धार्मिक देश है। कुछ लोग इस देश को कृषिप्रधान कहते हैं पर वे ग़लत हैं और योजना भवन कभी न कभी उनके ख़िलाफ़ एक्शन लेगा। हमारी प्राचीन पुस्तकों में अनन्त धार्मिक कथाएँ छिपी पड़ी हैं और उन सबके ऊपर 'अनामदास का पोथा' लिखना बड़ा कठिन है। कुछ कथाओं के कुछ प्रसंगों की संक्षिप्त चर्चा आज करता हूँ ताकि नये लेखकों की इस ओर रुचि बढ़े।

राजा हरिश्चन्द्र बड़े सत्यवादी राजा थे। उन्होंने एक रात स्वप्न में देखा कि उन्होंने अपना सारा राज्य विश्वामित्र को दे दिया। स्वप्न की बात को ही आधार मानकर वे अपने परिवार के साथ देश से निकल गये और अपने जीवन में एक के बाद एक महान् विपत्ति का सामना करते रहे। राजा हरिश्चन्द्र का नाम मैं जब भी सुनता हूँ तो सोचता हूँ कि वे कितने सरल व्यक्ति थे। आज का युग है कि बड़े-बड़े लोग स्वप्न में क्या, जागते हुए भी जो वचन देते हैं उसे अगले दिन भूल जाते हैं। एक वचन, द्वितीय वचन और तृतीय वचन अलबत्ता अभी भी हैं और मदरसों में बाकायदा पढ़ाये जाते हैं मगर इनके अतिरिक्त और कोई वचन अब सच्चा नहीं रहा। सरकार ने जब पेट्रोल के दाम तिगुने किये थे तो कहा था कि यह सारी आय देश की सड़कों की मरम्मत पर खर्च की जाएगी। रुपया तो ज़रूर खर्च हो गया, मगर सड़कें वैसी ही हैं जैसी कि पहले थीं। स्थिति यह है कि जिसे शीर्षासन लेकर शवासन तक सारे आसन आते हों, वही भाग्यवान् व्यक्ति हमारी सड़कों पर गाड़ी चला सकता है, बाकी लोग नहीं। मुझे तो रोना उस वक़्त आता है जबकि कोई बड़ा नेता अपने द्वारा दिये वचन को पूरा करता दिखता है। ऐसे अवसर बेहद कम होते हैं मगर होते हैं। धीरे-धीरे ऐसे नेताओं को भी बुद्धि आ जाएगी।

राजा उत्तानपाद (जिसके पैर सदा ऊपर की दिशा में ही उठे रहते थे) दो रानियाँ रखता था। ध्रुव पर जो अत्याचार किया गया था वह छोटी रानी के कारण किया गया था। इसी प्रकार राजा दशरथ ने भी राम को जो वनवास दिया था वह भी अपनी छोटी रानी कैकेयी के ही कारण दिया था। जो रानी ज़्यादा युवा और रूपवती होती थी, उसकी सारी इच्छाएँ सत्युग में भी पूरी होती थीं। आजकल जो होता है, वह

कुछ नया नहीं है। सब कुछ शास्त्रसम्मत है, पवित्र है और हमारी पुरानी संस्कृति का अवशेष है। राजा दशरथ की चर्चा करने से मुझे श्रवण कुमार की कथा याद आ गयी। अपने माता-पिता के लिए जब वह नदी में अपना 'कण्टेनर' डाल रहा था तभी उसकी आवाज़ सुनकर राजा दशरथ ने अपना शब्दबेधी बाण चला दिया। श्रवणकुमार मर गया। सारा काम धोखे में हुआ था; दशरथ ने माफ़ी भी माँगी पर श्रवण के माता-पिता ने उसे क्षमा नहीं किया। उन्होंने मात्र यही शाप दिया कि जा, आज जैसे हम पुत्र के वियोग से मरते हैं, एक दिन तू भी इसी प्रकार पुत्र के वियोग में प्राण देगा। मैं जब-जब भी यह कथा पढ़ता हूँ तो ख़ुश होता हूँ। ये जितने भी लोग नकली दवाइयाँ बेच रहे हैं, ग़रीबों की ज़मीन छीन रहे हैं, असहाय पुत्रवधुओं को जला रहे हैं या सीमेण्ट में बालू मिला रहे हैं—ये सब भी किसी के शाप से इसी प्रकार दुःख पायेंगे। इसमें मुझे कोई शंका नहीं दिखाई पड़ती। वैसे यह भी हो सकता है कि शायद मैं स्वयं ही भ्रष्ट हो जाऊँ। कवि 'मज़ाज' के शब्दों में आख़िर एक इंसान के बिगड़ने में कितनी देर लगती है?

महाभारत में यदि कोई महाप्राण है तो वह मात्र कर्ण ही है। वह पाण्डु का पुत्र नहीं था। कुन्ती ने अपनी शादी से पूर्व 'सोलर एनर्जी' के प्रभाव से उसे जन्म दिया था। सूर्य-पुत्र होने पर भी सिवा दुर्योधन के, किसी ने उसे भाई स्वीकार नहीं किया। वह दुर्योधन के साथ अन्त तक रहा और उसने युद्ध में वीरगति पायी। भीष्म पितामह तक ने उसे पाण्डवों से मिल जाने की सलाह दी थी मगर कर्ण अपनी प्रतिज्ञा से पीछे नहीं हटा। एक वह युद्ध था और एक आज के ये धर्मयुद्ध हैं जिनमें एक पार्टी से दूसरी पार्टी में जाने के लिए इतनी मुद्रा मिलती है जितनी कि आप और मैं तो अनुमान भी नहीं लगा सकते। शराबी, कबाबी, वेश्यागामी, भ्रष्ट और चरित्रहीन जनसेवक हैं जो लाखों की भीड़ में माइक पर चिल्ला-चिल्लाकर कहते हैं कि हमें अपनी पुरानी संस्कृति को नहीं भूलना चाहिए क्योंकि हमारा देश महान् है। ये 'जनसेवक' भी कितने बड़े लोग हैं। पहले मात्र कर्ण की माता होने के कारण ही कुन्ती लजाती थी, कर्ण लजाता था और एक ये आज के कर्णधार हैं जो भूखी जनता का रक्त पीते हैं, उसका गोश्त खाते हैं, और फिर भी लाखों लोगों को दिन-दहाड़े ईमानदार होने की सलाह देते हैं। आपने इससे बड़ा आश्चर्य क्या सचमुच कहीं देखा है? क्या आपने अख़बार में नहीं पढ़ा कि 'मदर टेरेसा' तक को भेजे गये लाखों रुपयों के डालर किसी धार्मिक व्यक्ति ने चोरी कर लिये? क्या आप नहीं जानते कि इस देश के कई महान् साहित्यकार अपनी आधी रचनाएँ विदेश से चुराते हैं?

इक्ष्वाकु वंश में एक राजा थे—त्रिअरुण। उन्होंने एक बार सोचा कि चलो कुछ और नहीं तो दिग्विजय ही कर डालें। रास्ते में मिली एक पिशाची कन्या जिसका नाम मुझे याद नहीं आ रहा। उस तरुण रानी के साथ राजा फिर से सदाबहार हो गये। राजपाट चौपट होने लगा तो ब्राह्मण मन्त्री ने यज्ञ करवाया। रानी से कुछ इस

प्रकार सामग्री डलवायी गयी कि वह बेचारी स्वयं ही अग्नि में गिर गयी। राजा फिर से कर्तव्यपरायण हो गया। सारी समस्या जो थी वह रानी की जाति और कुल के कारण थी। अरे, इस जाति और कुल के कारण तो राम के परम भक्त विभीषण तक भयंकर परेशानियों में पड़ते रहते थे। एक बार ब्राह्मणों के एक आश्रम में उन्होंने बड़ा अभद्र व्यवहार किया। ब्राह्मणों ने विभीषण जी की काफ़ी ठुकाई की और फिर उन्हें कालकोठरी में डाल दिया। काफ़ी दिनों बिना नाश्ते रहना पड़ा। बहरहाल वायरलैस की मदद से रामचन्द्रजी को सूचना भेजी गयी और रामचन्द्र जी स्वयं आये। उन्होंने विभीषण की तरफ़ से स्वयं माफ़ी माँगी और विभीषण को फिर से आज़ादी मिली। एक वे लोग थे जो अपने भक्तों और सेवकों की ओर से स्वयं क्षमा माँगा करते थे और एक ये आजकल के राजा हैं जो अपनी ग़लतियों के कारण सचिवों, मन्त्रियों और गवर्नरों को निकालते हैं। समय वास्तव में बदल गया। पुराने ज़माने में एक भील का बच्चा था जो शिवजी की मूर्ति पर थूका करता था उन्हें सामिष भोग लगाता था और मूर्ति पर पड़ी पत्तियों को अपने पैर से हटाता था। मगर फिर भी वह सच्चा श्रद्धाशील माना गया और भगवान शिव ने उसे दर्शन दिये। बस कोई चुनाव में पचास हज़ार झूठे वोट डलवा दे, सारे कसूर माफ। भीष्म पितामह ने ठीक ही कहा था कि ओ अर्जुन, मनुष्य धन का दास होता है मगर धन किसी का दास नहीं होता। कौरवों ने मुझे धन से अपने वश में कर रखा है और इस कारण मैं तुझसे कहता हूँ कि अपने पक्ष में युद्ध करने के अतिरिक्त, तू मुझसे जो चाहे, वह माँग ले। उनकी उदार वाणी सुनकर जब अर्जुन अपने हैडक्वार्टर्स को लौट रहे थे तो रास्ते में मिल गयी उर्वशी जो उस समय प्रेम करने की प्रबल मुद्रा में थी। जब अर्जुन ने गन्धर्व विवाह करने को मना कर दिया तो उर्वशी ने उसे शाप दिया—आज तूने एक नपुंसक की भाँति मुझे ठुकराया है; जा तू भी कभी एक वर्ष तक नपुंसक की स्थिति में रहेगा। वही हुआ।

ऋषि बनने से पूर्व विश्वामित्र राजा थे। एक बार शिकार खेलते-खेलते वसिष्ठ जी के आश्रम में पहुँच गये। वहाँ उनकी तबीयत वसिष्ठ जी की गाय पर आ गयी। गाय न मिलने के कारण जो कुछ हुआ वह संक्षिप्त रूप से नहीं बताया जा सकता। बस, इतना ही समझ लीजिए कि उस गाय के कारण ही विश्वामित्र को राजा से ऋषि बनना पड़ा। तेरे लिए मैंने लाखों के बोल सहे। इसी भाँति एक बार ऐसा हुआ कि राजा प्रहलाद का पुत्र एक ऐसी सुन्दर कन्या के प्रणयपाश में फँस गया जो सुधन्वा नामक एक और नौजवान से इश्क़ करती थी। लड़की किसे मिले, इस विवाद के फ़ैसले की ज़िम्मेदारी स्वयं प्रहलाद पर पड़ गयी। मगर वे धर्म से विचलित नहीं हुए। उन्होंने कन्या का विवाह सुधन्वा से ही होने दिया, अपने पुत्र से नहीं। यदि ऐसी घटना आजकल होती तो राजा प्रहलाद उस कन्या के साथ स्वयं अपना ब्याह रचा लेते। इसी प्रकार एक दिन महर्षि कण्व जब समिधा इकट्ठी करने वन की ओर गये

तो उनकी पत्नी के पास बैठे हुए महर्षि के छोटे भाई को ऐसी नींद आयी कि वह अपने भाई की पत्नी की गोद में ही सिर रख कर सो गया। वन से लौट कर ऋषि कण्व ने जब अपने आश्रम में यह सात्त्विक दृश्य देखा तो उनकी स्थिति ठीक राजा जुझारसिंह की भाँति हो गयी जिसको अपने भाई राजा हरदौल के बारे में कुछ ऐसो ही ज़बर्दस्त ग़लतफ़हमी हो गयी थी और जिसके कारण राजा हरदौल को विष खाना पड़ा था और मुंशी प्रेमचन्द को एक कहानी और लिखनी पड़ी थी। मुंशी प्रेमचन्द एक ईमानदार कथाकार थे; उन्होंने राजा हरदौल पर कहानी लिखी और उस कहानी का नाम 'राजा हरदौल' ही रखा; 'देवर निरबंसिया' या 'द्वितीय प्रतिश्रुति' नहीं। इसी प्रकार चर्मरोगी होने के कारण जब देवापि ने पिता का राज्य छोटे भाई शान्तनु को दिया तो सूखा पड़ने के कारण जनता भूखों मरने लगी। शान्तनु अपने बड़े भाई के पास गये और उन्होंने उनसे विनती की कि राजा आप ही बनें। ठीक वही स्थिति जो आज के कुछ मुख्यमन्त्रियों के साथ होती है। जैसे ही कानून और व्यवस्था बिगड़ी वैसे ही केन्द्र से प्रार्थना करनी शुरू कर दी कि राष्ट्रपति जी, जब तक स्थिति सुधरे, तब तक इस प्रदेश का प्रशासन आप ही चलाएँ। बहरहाल आप कुछ भी करें, बस विरोधी पार्टी की सरकार न बनने दें।

महर्षि अत्रि बहुत बड़े तपस्वी थे मगर उन्हें अपनी सुन्दर कन्या के विवाह की बड़ी चिन्ता रहती थी। लड़की का नाम था अपाला। वह काफ़ी होनहार क़िस्म की कन्या थी। उसने अपने पिता की चिन्ता को अपने हाथों में ले लिया और 'सोमलता' नामक वनस्पति को खोजा जिससे कि सोमरस बनता था। सोमरस इन्द्र को बहुत प्रिय था। उन्हें जैसे ही अपाला की खोज का पता लगा, वे तुरन्त उसके पास आये और उसकी सहायता की। मैं कलम रोकता हूँ और सोचता हूँ कि यदि इन्द्र के स्थान पर मुरारजी देसाई होते तो वे क्या करते? मेरे विचार में वे उस लड़की को जेल भिजवाते और उससे अपना मूत्र (यानी कि लड़की का मूत्र) पीने को कहते। वैसे मैं जब भी मुरार जी की आत्मकथा पढ़ता हूँ तो मुझे नारद की याद आ जाती है। एक बार नारद मुनि ने इस बात को जानने के लिए आकाश-पाताल एक कर दिया था कि विश्व में सबसे बड़ा जो है वह कौन है? अन्त में चलकर जब स्वयं भगवान ने उनसे कहा कि नारद, इस संसार में सबसे बड़े आप स्वयं ही हो, तब नारद को एकदम विश्वास आ गया और उन्होंने शान्ति की साँस ली। नारद जी के जीवन की एक और घटना भी है जो लिखने लायक है। एक बार ऐसा हुआ कि कृष्ण जी बीमार पड़ गये और नारद जी ने उनकी रानियों (रुक्मिणी, सत्यभामा इत्यादि) से कहा कि यदि आप अपनी चरणरज इन्हें पिला दो तो ये तुरन्त ठीक हो सकते हैं। रानियों ने कहा कि अपने पति को अपनी चरणरज पिलाने से तो हमें नर्क मिलेगा जो हम नहीं चाहतीं। विधवा होना स्वीकार है मगर नरकवास नहीं। नरक में न फ्लश है और न एयरकण्डीशनर। न शराब है और न क्लब। अन्त में चलकर नारद

को गोपियों के पास जाना पड़ा और उनके हार्दिक व शारीरिक सहयोग से कृष्णजी की पीड़ा दूर हुई। गोपियों के बारे में मैंने बहुत कुछ पढ़ा है मगर जो आनन्द डॉ. धर्मवीर भारती जी की एक गोपी ने दिया वह और कहीं नहीं मिला। 'ठण्डा लोहा' नामक ग्रन्थ में कवि कहता है : "आज खा गया बछड़ा रामायण की पोथी, अच्छा अब जाने दो मुझको, घर में कितना काम पड़ा!"

एक ब्राह्मण था, नाम था नरोत्तम। उसे सिद्धि प्राप्त थी। एक बार एक बगुले ने उड़ते हुए उसके सिर पर बीट कर दी। नरोत्तम को क्रोध आ गया, उसने शाप दिया और शाप देते ही वह बगुला जल गया। अपने इस तेज़ को देखकर नरोत्तम को बड़ा अहंकार हो गया। एक दिन किसी सयाने ने बताया कि "सितारों से आगे जहाँ और भी हैं।" यह सुनना था कि नरोत्तम अपने से बड़े प्राणी की खोज में निकल पड़ा। चाण्डाल के पास गया, पतिव्रता के पास गया और पता नहीं कहाँ-कहाँ गया। अन्त में चल कर विश्व में सर्वश्रेष्ठ जो मिला वह एक ब्राह्मण ही था। नरोत्तम जहाँ से चला था, वहीं आ गया। मैं एकदम सच कह रहा हूँ; उस लम्बी कथा का अन्त ठीक इसी प्रकार होता है। और यदि झूठ भी बोल रहा हूँ तो क्या हुआ? धर्मराज युधिष्ठिर ने भी तो झूठ बोलकर द्रोणाचार्य की हत्या की थी और आप जानते हैं कि इसकी उन्हें क्या सजा मिली थी? मात्र एक दिन का नरकवास। अगर इस कलियुग में वैसा किया जाता तो सेशन जज कम से कम सात साल की सजा देता।

मर्यादा पुरुषोत्तम राजा रामचन्द्र ने एक बार अश्वमेध यज्ञ किया। सारा काम काफ़ी बड़े पैमाने पर किया गया—ठीक उसी तरह जैसे कि ज़हरीली गैस से मरने वालों की आत्मा को पवित्र करने के लिए भोपाल में किया गया। जब दक्षिणा देने का अवसर आया तो मुनि वसिष्ठ ने कहा कि मुझे तो सीता चाहिए और वह भी सारे गहनों के साथ। लोग घबरा गये। काफ़ी लोग बीच में पड़े। अन्त में चलकर वसिष्ठ ने सीता के वज़न का आठ गुना सोना लिया और तब शहर छोड़ा। इसके बाद वे आश्रम चले गये और रूखा-सूखा खाकर रहने लगे। सादा जीवन, उच्च विचार। पत्रकारों द्वारा पूछे जाने पर वसिष्ठ जी ने कहा कि उन्होंने इतनी भयंकर दक्षिणा मात्र इस कारण माँगी थी कि रामचन्द्र जी की कीर्ति अक्षय हो सके। वर्ना उन्हें सोने से क्या लेना-देना? ठीक वही भगवान रजनीश जैसी 'विरक्त-मुद्रा' या 'मुद्रा-विरक्ति'। इस सादगी पे कौन न मर जाए ख़ुदा, लड़ते हैं और हाथ में तलवार भी नहीं!

राजा रामचन्द्र की चर्चा चले और हनुमान जी की याद न आये, ऐसा कैसे कर सकता हूँ? वैसे भी वे 'एनीमल गॉड' होने के कारण जल्दी प्रसन्न हो जाते हैं और अपने भक्त के प्रति सदा वफ़ादार रहते हैं। कम से कम मेरे 'कवि मित्र' विनोदचन्द्र पाण्डेय का तो यही कहना है। तुलसीदास को रामचन्द्रजी के दर्शन हनुमान जी ने ही करवाये थे हालाँकि गोस्वामी जी स्वयं भी काफ़ी 'विलक्षण' व्यक्ति थे। (गीता प्रेस से छपी गुटका रामायण के अनुसार तुलसीदास जी ने जब जन्म लिया तो वे

रोये नहीं थे और उनके मुँह से 'राम' निकला था। उनके मुख में जन्म के समय बत्तीस दाँत थे और उनका डीलडौल पाँच वर्ष के बालक जैसा था।) वनवास से लौटने के बाद जब राम राजा हो गये तो उनकी दिनचर्या निश्चित की गयी। इस सारी व्यस्त दिनचर्या में हनुमान जी को सेवा करने का कोई अवसर नहीं दिया गया था। हनुमान जी ने प्रार्थना की कि जब भी राजा रामचन्द्र जँभाई लिया करें तो उस समय चुटकी बजाने का उन्हें अधिकार दिया जाए। याचिका स्वीकृत हो गयी। अब, जँभाई एक ऐसी चीज़ है जो चौबीस घण्टों में कभी भी आ सकती है। स्थिति यह रही कि हनुमान जी चौबीस घण्टे ही भगवान के साथ रहने लगे। बहरहाल जब एक सेविका ने उन्हें अन्तःपुर में नहीं घुसने दिया तो स्थिति यह हो गयी कि रामचन्द्र जी ने जो जँभाई ली तो चुटकी न बजने के कारण उनका मुख खुला का खुला ही रह गया। बड़ी मुश्किल से बजरंगबली ने समझौता किया।

कुरुक्षेत्र के पास महर्षि मुद्‌गल निवास करते थे (वे बड़े साहित्यप्रेमी थे और इसी कारण बाद में चलकर उन्हीं के वंश में 'सारिका' सम्पादक अवधनारायण मुद्‌गल का जन्म हुआ) जब किसान लोग फसल काटकर ले जाते थे तो महर्षि मुद्‌गल अपने लिए अन्न के दाने बीना करते थे और पन्द्रह दिन में एक बार भोजन करते थे। एक बार दुर्वासा ने परीक्षा ली, जिसमें वे खरे उतरे। उन्हें लेने के लिए स्वर्ग से विमान आया पर मुद्‌गल जी ने स्वर्ग जाने से मना कर दिया। उनका तर्क था कि स्वर्ग में जाकर यह भय सदा लगा रहेगा कि वहाँ से कहीं पतन न हो जाए। पृथ्वी पर रहने में यह कितनी बड़ी सुरक्षा है कि चाहे जितना पतित हो लो, रहोगे तो पृथ्वी पर ही। वे स्वर्ग नहीं गये। हाँ, दुर्वासा जी ज़रूर दौरे पर आगे निकल गये और द्वारिका पहुँच गये। वहाँ सरकिट हाउस में ठहरे और कृष्ण जी के यहाँ लंच पर गये। मन भरकर (और तन भरकर) गरमागरम खीर खायी और उसके बाद वे कृष्ण जी व रुक्मिणी जी से बोले कि जो जूठी खीर बाकी बची है, उसे तुम दोनों अपने शरीर पर पोत लो। उन्होंने सोचा कि जैसे बिट्‌ठलदास मोदी जिस्म पर गीली मिट्टी का लेप करवाते हैं वैसे ही यह भी शायद कोई प्राकृतिक चिकित्सा है। इतना सोचने के बाद उन्होंने खीर को अपनी सारी देह पर पोत लिया। दुर्वासा ने कुछ और कष्ट भी दिया मगर बाद में वे प्रसन्न हो गये। उन्होंने रुक्मिणी को वर दिया कि तुम्हारे जैसी रूपवती स्त्री कोई नहीं होगी और तुम्हें वृद्धावस्था कभी नहीं आएगी। मेरा ख़याल है कि सदा युवा और सुन्दर बने रहने के लिए युवतियों को चाहिए कि वे भी अपनी देह को खीर से पोता करें। दुर्वासा जैसे ऋषि झूठ नहीं बोल सकते।

महाराज इन्द्र की दो कथाएँ सुनाता हूँ और बस। जब युधिष्ठिर स्वर्ग जाने लगे तो उनके साथ उनका अलसेशियन कुत्ता भी था। इन्द्र स्वर्ग के राजा थे और उन्होंने उस कुत्ते को ठीक उसी तरह अन्दर जाने से रोका जैसे कि आजकल कहीं-कहीं कॉफ़ी हाउस में जाने से प्रख्यात चित्रकार हुसैन को (जो जूता नहीं पहिनते हैं)

रोका जाता है। कुत्ता शायद घटिया नस्ल का था। बहरहाल जब युधिष्ठिर ने कहा कि यदि कुत्ता नहीं जाएगा तो वे भी स्वर्ग नहीं जाएँगे और इन्द्र को विवश होकर कुत्ते को प्रवेश देना पड़ा। यह थी पहिली कथा। कथा क्रम-संख्या दो इस प्रकार है कि एक महाशय थे विरोचन-पुत्र बलि। कसकर शराब पीते थे, जुआ खेलते थे, वेश्यागमन करते थे और अगर कोई और काम की चीज़ बाकी रह गयी हो तो उसे भी करते थे। एक बार वेश्या के यहाँ जा रहे थे तो रास्ते में गिर पड़े। जब उठे तो कुछ ग्लानि हुई (तब तक नशा कुछ कम हो गया था) और उसी मानसिक स्थिति में उन्होंने वह सारी सामग्री, जो वे वेश्या के लिए ले जा रहे थे, सामने के शिवमन्दिर में चढ़ा दी। इस शुभकार्य के उपलक्ष्य में उन्हें तीन घड़ी के लिए स्वर्ग के राजा इन्द्र का सिंहासन मिला। आदमी समझदार थे। इन्होंने उस तीन घड़ी में ही ऐरावत हाथी, कौस्तुभ मणि, कामधेनु और चिन्तामणि जैसी जितनी भी काम की चीज़ें थीं, उनका दान कर दिया। इन्द्राणी जी का दान नहीं कर पाये, बस इसी बात का दुःख रहा। इन्द्र को उन्हें—सब पापों के बावजूद धरती का राज्य देना पड़ा। वे हमारे देश में एक प्रदेश के मुख्यमन्त्री बने।

यह बड़े दुःख का विषय है कि हमारे बच्चे और नवयुवक अपनी पुरानी धार्मिक कथाओं को न पढ़कर 'सत्यकथा' व 'कामिक्स' पढ़ते हैं। जैसा कि आपने महसूस किया होगा, जितनी शिक्षाप्रद कथाएँ हमारे प्राचीन साहित्य में हैं उतनी शायद संसार में और कहीं नहीं हैं। यदि मैं कभी शिक्षा-मन्त्री बना तो इन सारी कथाओं का अनुशीलन अनिवार्य कर दूँगा। हाँ, अलबत्ता कथाओं को थोड़ा-बहुत सम्पादित करूँगा और उनका कॉपीराइट अपनी पत्नी के नाम रखूँगा। हिन्दी के जितने भी लेखक-प्रकाशक हैं, उनका सारा धन्धा पत्नी ही सँभालती हैं, और कोई नहीं। जैसा वे लोग करते हैं, वैसा ही मैं भी करूँगा। महाजनो येन गताः स पन्थाः?

डॉ. रामकुमार वर्मा नहीं रहे

हिन्दी के मूर्धन्य साहित्यकार डॉ. रामकुमार वर्मा का पिछले दिनों देहावसान हो गया। अख़बारवालों को कई महीनों के लिए एक 'थीम' मिल गया; अब सारी पत्र-पत्रिकाएँ काफ़ी दिनों तक उनके बारे में कुछ न कुछ छापती ही रहेंगी। इण्डियन एक्सप्रेस के सम्पादक नन्दन कागल ने एक बार मुझसे कहा था कि यदि अपराध होने बन्द हो जाएँ और प्रसिद्ध लोगों की मृत्यु न हो तो कोई भी अख़बार एक सप्ताह से ज़्यादा नहीं चल सकता। अब लोग डॉ. वर्मा के बारे में अपने झूठे-सच्चे संस्मरण लिखेंगे और वे लोग भी उनके साथ गहन आत्मीयता का दावा करेंगे जिन्होंने उन्हें कभी देखा तक नहीं था? काफ़ी लेखक लिखेंगे कि उन्होंने वर्मा जी की किस प्रकार कभी आड़े वक़्त में मदद की थी। मेरा भी उनके साथ काफ़ी निकट का सम्पर्क था और इस कारण यह स्वाभाविक ही है कि मैं भी इस सन्दर्भ में कुछ लिखना चाहूँ। आज तो जितने भी दैनिक पत्रों के रविवासरीय संस्करण निकले हैं उन सभी में उन्हीं की चर्चा है। मगर उनकी मृत्यु के अतिरिक्त कुछ और भी ऐसे लोमहर्षक समाचार छपे हैं जिन्हें आप छोड़ नहीं सकते। ग़म और भी हैं ज़माने में मुहब्बत के सिवा। पहिले मैं उन सनसनीखेज़ और हैरतअंगेज़ ख़बरों की ही चर्चा करूँगा; वर्मा जी की बाद में। वैसे भी इस सन्दर्भ में मैंने जितनी शोकसभाएँ देखीं वहाँ सबसे कम जिस व्यक्ति की चर्चा की गयी वे मात्र डॉ. रामकुमार वर्मा ही थे।

ओस्लो नगर में एक भद्र पुरुष ने अपने रहने के लिए एक कमरा किराये पर लिया। सामान वग़ैरा सजाने के बाद वे घूमने निकल गये। काफ़ी घूमने के बाद जब उन्होंने वापस लौटना शुरू किया तो उन्हें सहसा याद आया कि उन्हें अपने नये निवास का नम्बर व पता याद नहीं है। वे घण्टों उस कंक्रीट के जंगल में भटकते रहे और उन्होंने अपने फ्लैट जैसे दीखने वाले न जाने कितने मकानों का द्वार खटखटाया। अन्त में चलकर एक अधेड़ महिला ने उन्हें एक ओर तो पीने के लिए कॉफ़ी दी और दूसरी ओर पुलिस को टेलिफ़ोन भी कर दिया। पुलिस ने उनकी बात पर विश्वास नहीं किया और उन्हें हिरासत में ले लिया। पुलिस ने उन्हें सोने के लिए इतना अच्छा बिस्तर दिया और खाने के लिए इतना अच्छा भोजन दिया कि अगले

दिन उन्होंने अदालत में कोई सफाई पेश नहीं की। उन्हें तीन माह की साधारण क़ैद हुई और जेल में भी वे इतने आराम से रहे कि उन्हें अपने फ्लैट की याद ही नहीं आयी। उधर उनके फ्लैट की मालकिन ने उनके गुम हो जाने की सूचना पुलिस को दर्ज़ करवायी। अब पुलिस को भी उनकी याद आयी और वे सम्मानपूर्वक जेल से अपने फ्लैट पर पहुँचाये गये। कारावास की अवधि में वे इतने सुख से रहे कि उनका वज़न दस पौण्ड बढ़ गया। अपने फ्लैट पर जाकर वह अकेली आत्मा बुरी तरह उदास हो गयी।

कुवैत पर हमला करने के बाद इराक के राष्ट्रपति इतने बदनाम हो गये हैं कि अनेक माता-पिताओं ने अपने बच्चों का, यदि उनका नाम भी राष्ट्रपति के नाम से मेल खाता था, नाम बदल दिया। सद्दाम हुसैन यदि कभी देवता माने जाते थे तो अब अत्याचारी माने जाने लगे। बहरहाल इराक में यदि बच्चों के नाम ही बदल गये तो मैलबोर्न में स्थिति यह आ गयी कि एक दम्पती ने कर्ज के दबाव में अपने तीन छोटे पुत्रों की नीलामी की घोषणा अख़बारों में छपा दी। उन्होंने विज्ञापन में साफ़-साफ़ छपाया कि प्रत्येक बच्चे का कम से कम दाम पन्द्रह हज़ार डालर होगा। हाँ, यदि कोई व्यक्ति तीनों बच्चों को एक साथ खरीदेगा तो उसे तीन हज़ार डालर की विशेष छूट मिलेगी। मध्यपूर्व के एक अमीर सौन्दर्य के भी उपासक है और ईश्वर के भी। उन्होंने अपने जीवन में सैकड़ों सुन्दर रमणियों को पवित्र किया मगर एक समय में चार से अधिक हसीन पत्नियाँ कभी नहीं रखीं। वही बात जो कभी अकबर इलाहाबादी ने कही थी—उन्हें गाने की आदत भी है और शौक़े-इबादत भी; दुआएँ निकलती हैं उनके मुँह से ठुमरियाँ बन कर।

एक गुजराती पति-पत्नी इंग्लैण्ड में साथ-साथ रहना चाहते थे पर सात साल तक उन्हें एक-दूसरे से अलग ही रहना पड़ा। इंग्लैण्ड के अधिकारियों और अदालतों को पता नहीं कैसे यह लघुशंका हो गयी कि वे वास्तव में पति-पत्नी नहीं हैं; वे तो सिर्फ़ इंग्लैण्ड में बसने के लिए एक नाटक कर रहे हैं। अन्त में चलकर स्थिति यह आ गयी कि सब दिशाओं से निराश होकर उनका बैरिस्टर सम्बद्ध मन्त्री से मिला जिनके हस्तक्षेप से पति और पत्नी विरह के कष्ट से मुक्त हो सके। पत्नी का विरह बड़ा कष्टप्रद होता है। यदि ऐसा नहीं होता तो यक्ष मेघ के हाथ अपना सन्देश अपनी पत्नी तक नहीं भेजता। जो जिज्ञासु सारी बात विस्तार में जानना चाहते हों वे 'कालिदास' नामक कवि की 'मेघदूत' नामक पोथी पढ़ें।

ब्रिटेन के मन्त्री ने लालफ़ीताशाही को काटा और पति-पत्नी का सुखद मिलन सम्पन्न करवाया। हमारे देश का कोई मन्त्री होता तो लालफीते के सहारे आत्महत्या कर लेता मगर उसे काटता हर्गिज़ नहीं। चौदह अक्तूबर उन्नीस सौ नब्बे के 'साप्ताहिक सण्डे मेल' के अनुसार स्थिति यह है कि हमारे माननीय वित्तमन्त्री एक ऐसा कमरा बनवा रहे हैं जिसमें बीस हज़ार फ़ाइलें रखी जा सकें। उन्हें इतना काम और है कि

फ़ाइल निबटाने का समय ही नहीं मिल पाता। वैसे यह स्थिति देशवासियों के हित ही में है। न वित्तमन्त्री फ़ाइल पढ़ेंगे, न कोई नया टैक्स लगेगा। उसी अख़बार में रेलमन्त्री की भी बड़ी प्रशंसा की गयी है। लिखा है कि हमारे रेलमन्त्री इतने कर्मठ हैं कि रेल मन्त्रालय को छोड़कर शेष सारे मन्त्रालयों में गहरी रुचि रखते हैं और उनके बारे में सब कुछ जानते हैं। स्वयं प्रधानमन्त्री तक कभी-कभी इतने व्यस्त रहते हैं कि घर न जाकर दफ़्तर में रखी चटाई पर ही निद्रा-लाभ करने को विवश हो जाते हैं। विरोधी पक्ष की स्थिति इस सबके बरख़िलाफ़ है। उनके पास तो बस इतना समय है कि इतिहास में प्रथम बार उन्होंने राष्ट्रपति भवन के भीतर नारे लगाये। सारा काम इतनी नाटकीयता के साथ किया गया कि कुछ कहा नहीं जा सकता।

'नाटकीयता' शब्द का प्रयोग करते ही मुझे नाटककार डॉ. रामकुमार वर्मा की सहसा फिर याद आ गयी। जब मैं प्रयाग विश्वविद्यालय का छात्र था तभी मुझे उनके निकट आने का अवसर मिला था। वे दीर्घकाय, सुन्दर, विनोदी, सरल और स्नेही व्यक्ति थे। उनके महत्त्व के बारे में मैं कुछ नहीं कहूँगा। साहित्य का मूल्यांकन सरकार करती है। पद्मभूषण उन्हें सरकार ने बनाया, किसी आलोचक ने नहीं। किसी भी साहित्यकार को कोई अलंकार देना, उन्हें संसद्सदस्य बनाना, उन्हें विदेश भेजना, उन्हें अकादेमी पुरस्कार देना, उनकी कृतियों को कोर्स में लगवाना (या कुछ भी नहीं करना)—सब कुछ सरकार के हाथ में है, मेरे या आपके हाथ में नहीं। ऐसी सुखद स्थिति में किसी भी साहित्यकार (चाहे वह कितना ही बड़ा क्यों न हो) के बारे में कोई भी साहित्यकार (चाहे वह कितना ही छोटा क्यों न हो) क्या कहने का साहस कर सकता है? सरकार है कि गधों को विदेश भेजती है, नकलचियों को अकादेमी पुरस्कार देती है और गधों को अलंकृत करती है। और यह सारा काम बड़ी अदा के साथ, बड़ी गम्भीरता के साथ और बड़ी नाटकीयता के साथ सम्पन्न किया जाता है। हमारे शास्त्रकारों के अनुसार नाटक सबसे ऊपर है और इस सन्दर्भ में मुझे नाट्यशास्त्र की एक उक्ति अनायास ही याद आती है जो इस प्रकार है :

न तज्ज्ञानं, न तच्छिल्पं, न सा विद्या, न सा कला
न स योगो, न तत्कर्मं, नाट्ये यस्मिन् न दृष्यते?

रूपवती रमणियाँ : एक शोध-प्रबन्ध

मुर्ग़ी और अण्डे के चिरन्तन प्रश्न की ही भाँति यह कहना बहुत कठिन है कि स्त्री और पुरुष–इन दोनों में से कौन पहले पैदा हुआ। बहरहाल यह निश्चित है कि न जाने कितने हज़ारों या लाखों वर्षों से इस पृथ्वी पर स्त्री और पुरुष दोनों पाये जाते रहे हैं और स्त्री का पुरुष के जीवन में इतना महत्त्व है कि भगवान शिव भी 'अर्धनारीनटेश्वर' के नाम से पुकारे जाते हैं। हमारे देश में जितनी लोकप्रियता भगवान शिव को मिली उतनी किसी और देवता को कभी नहीं मिली। सारे उत्तरी भारत में जितने भी मन्दिर हैं, उनमें से अधिकांश शिव के ही हैं। बंगाल और आसाम में चण्डी, दुर्गा या काली की पूजा होती है जो शिव की अर्धांगिनी थीं। महाराष्ट्र में गणेश जी पूजे जाते हैं जो शिव के पुत्र हैं और इतनी उम्दा सवारियों के आ जाने के बाद अब भी चूहे की ही सवारी गाँठते हैं। महाकवि कालिदास शिव के भक्त थे और महर्षि दयानन्द को जो संन्यास लेने की सूझी थी, उसका कारण भी शिवजी का एक मन्दिर ही था। इस प्रबन्ध में मैं स्त्रियों की ही चर्चा करूँगा। स्त्री से मेरा अभिप्राय उस युवती से होता है जो बेहद रूपवती हो। शेष स्त्रियों को मैं सदा माता मानता रहा और इस दृष्टिकोण में कभी कोई परिवर्तन आएगा–ऐसा मुझे नहीं दिखता।

इस देश के साहित्य में स्त्रियों के बारे में इतना कहा गया है कि उसे बताने के लिए एक़ सेहतमन्द पोथी लिखनी पड़ेगी जो कि मेरा निमित्त नहीं है। मैं तो मोटी-मोटी बातें ही आपको बताऊँगा जो कि वैसे तन्वी युवतियों पर ही लागू होती हैं। मनु महाराज स्त्रियों को कठोर अनुशासन में रखने के पक्षपाती थे हालाँकि उन्होंने यह भी कहा है कि जहाँ स्त्रियों की पूजा होती है, वहाँ देवता निवास करते हैं। वे कभी यह नहीं चाहते थे कि स्त्री किसी देश पर शासन करे। स्त्री नायकाः नश्यन्ति। इतिहास ने साबित कर दिया कि वे ठीक थे। एलिज़ाबेथ (प्रथम) को छोड़कर कोई ऐसी रानी नहीं हुई जिसके शासन में कोई देश महान् बना हो। हाँ, अलबत्ता, रूपवती रानियों को लेकर बर्बाद अनेक देश हुए। ट्राय की हेलेन और भारत की रजिया बेग़म इसकी प्रमाण हैं। वेदों में लिखा है कि स्त्री का ही दूसरा नाम घर है। यानी कि स्त्री जो है वह चल सपत्ति भी है और अचल सम्पत्ति भी है।

उस पर पति को सम्पत्ति-कर नहीं देना पड़ता, यह एक दीगर बात है। बुद्धचरित में अश्वघोष ने कहा कि रूपवती रमणियों को उदार होना चाहिए; अनुदार रूप वैसा ही होता है जैसा कि पुष्पविहीन वन। विष्णु पुराण के अनुसार स्त्रियों का अपमान करना पाप है। काव्यमीमांसा के अनुसार घर का वैद्य, मित्रकवि और अपनी पत्नी—किसी को भी अच्छी नहीं लगती चाहे वह कितनी भी चतुर और रूपवती क्यों न हो। एक और शास्त्रकार के अनुसार अश्व, शस्त्र, शास्त्र, वीणा और स्त्री की सच्ची प्रतिभा तभी प्रकट होती है जबकि उन्हें उपयुक्त पुरुष मिलता है। पण्डितराज जगन्नाथ का कहना है कि सारे पुराण, सारे शास्त्र और स्मृतियाँ और सारे दर्शनग्रन्थ तभी तक साथ देते हैं जब तक कोई मृगनयनी अपने कटाक्ष आप पर नहीं छोड़ती। रावण जैसा विद्वान् और तेजस्वी पुरुष भी सीता के अनुपम लावण्य के कारण पथभ्रष्ट हो गया। स्त्री वह तालाब है जिसमें सहृदय पुरुष स्नान करते हैं। जो पाठक इस विषय में ज़्यादा जानकारी चाहते हों वे भामिनी-विलास, अमरुशतक तथा शृंगारशतक का अध्ययन करें। बीच वाली पोथी शंकराचार्य ने रची थी।

स्त्री और पुरुष का जो सम्बन्ध है उसको घनिष्ठ कैसे करना चाहिए—इस विषय को लेकर जिन आचार्यों ने काम किया उनमें श्वेतकेतु, वाभ्रव्य, दत्तक, चाराणय, सुवर्णनाभ, घोटकमुख, गोनर्दीय, कुचुमार और कोका पण्डित प्रमुख स्थान रखते हैं। आपको जानकर विस्मय होगा कि हमारे विशाल देश में जैसे प्रत्येक प्रदेशों की भाषा अलग है, उसी प्रकार विभिन्न क्षेत्रों की सुन्दरियों के गुण और स्वभाव भी अलग-अलग हैं। महाकवि कल्याणमल्ल ने बताया है कि मध्यप्रदेश की स्त्रियाँ विचित्र वस्त्र पहिनती हैं, उनके आचार-विचार पवित्र होते हैं और वे कारीगरी में निपुण होती हैं। मालवा की युवतियाँ हाथापाई से प्रसन्न रहती हैं। गुजरात की युवतियाँ कोमलांगी होती हैं और वे अपने प्रियतम की प्रतीक्षा में जागती रहती हैं। वे स्वभाव से निर्लज्ज व हँसी-मज़ाक़ में कुशल होती हैं। महाराष्ट्र की स्त्रियाँ व्यंग्य में चतुर, हास्य-प्रेमी और मन्द-मन्द मुस्कराने में प्रवीण होती हैं और यही स्थिति बिहार की स्त्रियों के साथ भी होती है। वे स्वभाव की रसीली और वेशभूषा बदलने की शौक़ीन होती हैं। बंगाल की बालाएँ फूल की भाँति कोमल, मधुर, प्रियभाषिणी और पानीदार नेत्रों वाली होती हैं। उड़ीसा की युवतियाँ प्रेम करने में लज्जा नहीं करतीं। आसाम की सुन्दरियाँ मधुरभाषिणी, लता की भाँति कोमल और अत्यन्त प्रेमपरायण होती हैं जब कि कोंकण देश की युवतियाँ स्वस्थ, चतुर और दूसरी स्त्रियों पर आक्षेप लगाने की शौक़ीन होती हैं। मिथिला की स्त्रियाँ विशाल-नेत्री, स्वामी से प्रेम करने वाली और चाल में अत्यन्त मनोहर होती हैं। दक्षिण की स्त्रियों में लज्जा और कलाप्रेम बहुत होता है। और भी बहुत-से गुण विभिन्न प्रान्तों की स्त्रियों में पाये जाते हैं पर उनके जानने के लिए आप सारे देश की यात्रा करें तो ज़्यादा अच्छा रहेगा। सारी बातें लिखी नहीं जा सकतीं।

प्राचीन काल में शत्रुओं को मारने के लिए विष-कन्याओं का प्रयोग किया जाता था। 'मुद्राराक्षस' नाटक में चाणक्य ने ऐसा ही किया। विषकन्या को बनाने में बहुत समय लगता था। उन्हें बचपन से ही विष खाने की आदत डाली जाती थी और यौवन प्राप्त होने तक वे ऐसी ज़हरीली हो जाती थीं कि उन्हें चूमने तक से पुरुष मर जाता था। कुछ लोग, जिनके पास समय कम होता था, किसी भी सुन्दर युवती के गाल, ओठ और पुरुषों को प्रिय शेष अंगों पर तीव्र विष लगा देते थे और इस प्रकार शत्रु को समाप्त कर देते थे। इतिहासकार कर्नल टॉड ने भी विष-कन्याओं की चर्चा की है। धीरे-धीरे विष महँगा होता गया और कन्या सस्ती होती गयी और इसके फलस्वरूप विष-कन्याओं का निर्माण बन्द होता गया। वैसे मेरा व्यक्तिगत अनुभव तो यह है कि प्रत्येक सुन्दर युवती विष-कन्या ही होती है। मैंने एक सुन्दरी को देखा जो अपने पति को प्रेमियों से पिटवाया करती थी। एक बार एक ऐसी मकान-मालकिन से पाला पड़ा जो एक साथ दर्जनों प्रेमी पालती थी और सबको बराबर स्नेह देती थी। एक ऐसी रूपसि भी देखी जिसने न जाने कितने करोड़पतियों को कसकर लूटा मगर पति किसी को नहीं बनाया। मैं ऐसी कुछ हसीन लेखिकाओं को भी काफ़ी निकट से जानता हूँ जिनका प्रेम न कभी मौलिक रहा और न कभी प्रकाशित ही हुआ। इन सब मामलों में नाश जो हुआ वह सदा पुरुष का ही हुआ। युवतियाँ जो थीं वे सदा दूधों नहाईं और पूतों फलीं। युवक जो था वह हमेशा पिटा और चरित्रहीन कहलाया। स्त्री के चरित्र को ब्रह्मा नहीं जानते, हम और आप तो चीज़ ही क्या हैं! महाकवि ग़ालिब इतने बड़े आदमी थे, बादशाह के दोस्त थे, हँसमुख थे, मशहूर थे मगर एक डोमनी की मुहब्बत में ऐसे फँसे कि बर्बाद हो गये। एक दिन उस महान् आत्मा को स्वयं कहना पड़ा :

इश्क़ ने 'ग़ालिब' निकम्मा कर दिया
वर्ना हम भी आदमी थे काम के?

जन्मदिवस के अवसर पर

जैसा कि आप भी शायद जानते होंगे, जन्मदिवस सिर्फ़ बच्चों का ही मनाया जाता है, बड़ों का नहीं। बड़ों का मृत्युदिवस मनाया जाता है। मैं ठीक कह रहा हूँ न? यही बात कभी अमीर खुसरो ने भी कही थी : बाला था सबके मन भाया, बड़ा हुआ कुछ काम न आया...। इन्हीं कारणों को ध्यान में रखते हुए आस्ट्रेलिया में स्थित 'सांटा कुंज टुकोपिया' नामक एक छोटे से स्थान में प्रथम दो पुत्रों को छोड़ कर शेष सन्तान को जन्म लेते ही मार दिया जाता है। न रहेगा बाँस, न बजेगा हारमोनियम।

मुझे अच्छी तरह याद है कि तमाम ग़रीबी के बावजूद मेरे माता-पिता मेरा जन्मदिन मनाया करते थे। जन्मदिनों को केवल पुत्रों के लिए ही मनाया जाता था, पुत्रियों के लिए नहीं। बहरहाल उन दिनों सत्यनारायण की कथा कही जाती थी जिसमें कलावती नाम की एक कन्या मुझे विशेष रूप से आकृष्ट करती थी। यज्ञ किया जाता था जिसके लिए हम लोग जंगल में से आम की सूखी लकड़ी चुरा कर लाया करते थे। यज्ञ सम्पन्न होने के बाद घर के सारे लोग मुझसे कोई कविता पढ़ने का आग्रह किया करते थे। संयुक्त परिवार था और पड़ोसी व मित्र इत्यादि भी इस अवसर पर उपस्थित रहते थे। इस सारी भीड़ के सामने मैं कुछ विशिष्ट कविताएँ ही सुनाया करता था। उन कविताओं में से दो तो मुझे अभी तक याद हैं। कविताएँ शायद इस प्रकार थीं :

(एक)

एक शहर है टिम्बकटू
लोग वहाँ के हैं बुद्धू
बिना बात की ही ही ही
बिना बात के हू हू हू

(दो)

सूख सूख पट्टी
चन्दन गट्टी

राजा आया
महल बनाया
झण्डा गाड़ा
बजा नगाड़ा
रानी गयी रूठ
पट्टी गयी सूख

आजकल जो जन्मदिवस मनाये जाते हैं वे एकदम अलग हैं। अब यज्ञ, धार्मिक कथाएँ या प्रीतिभोज नहीं होते। आजकल सैकड़ों शानदार आदमी किसी होटल में इकट्ठे होते हैं और मोमबत्तियाँ जलाई जाती हैं। बच्चा जो होता है वह मोमबत्ती बुझाता है और उसके बाद केक काटता है। इसके बाद सारे प्राणी चिल्लाकर समवेत स्वर से चिल्लाते हैं : हैप्पी बर्थ डे टू यू ऽ ऽ ऽ। इसके बाद लोग केक खाते हैं, शराब पीते हैं और पिछले पैरों पर खड़े होकर खाना खाते हैं। इस दौरान यदि बत्ती भाग जाती है तो मज़ा आ जाता है। कोई सज्जन किसी युवती का चुम्बन ले लेते हैं और वह स्त्री उनको कसकर झापड़ रसीद करती है। बत्ती आ जाती है तो उस रोमाण्टिक व्यक्ति को पता लगता है कि उसने जिस स्त्री से छेड़छाड़ की थी वह उसकी प्रिय युवती की बड़ी बहिन थी। जिस स्त्री ने झापड़ का निर्यात किया था वह भी यह देखकर दुखी होती है कि उसने जो झापड़ मारा था वह छेड़छाड़ करने वाले व्यक्ति के गाल के बजाय उसके अपने पति के गाल पर ही पड़ा था। झापड़ एकदम वीरगाथाकालीन था; उसने पति का चश्मा चकनाचूर कर दिया। स्त्री को पति के चाँटा लगाने का कोई दुःख नहीं हुआ। हाँ, अलबत्ता चश्मा टूटने का दुःख उसे ज़रूर हुआ। ऐसी सुविधाएँ हमारे बचपन में कहाँ थीं?

मेरे एक अभिन्न मित्र हैं जिनके लगभग नौ बच्चे हैं। बिना कोई विशेष परिश्रम किये ये काफ़ी ठाठ से रहते हैं। जब कभी हाथ तंग होता है तो किसी न किसी बच्चे का जन्मदिवस मना लिया जाता है। निमन्त्रणपत्र छापने में वे वैसी ही बुद्धिमत्ता दिखाते हैं जो फ्रायड ने अपने विवाह के कार्ड पर दिखाई थी। उसने लिखा था कि "इस शुभ अवसर पर अभ्यागत लोग कोई उपहार न लाएँ, जो कुछ देना है वह नकद ही दें।" संक्षेप में स्थिति यह है कि हर दूसरे महीने वे किसी बच्चे का जन्मदिवस मनाते रहते हैं और हज़ारों रुपया बटोरते रहते हैं। मेरे ये मित्र परिवार नियोजन में विश्वास नहीं रखते। उनका कहना है कि विश्वकवि रवीन्द्रनाथ ठाकुर अपने माता-पिता की चौदहवीं सन्तान थे। अब यदि परिवार नियोजन किया जाता तो सिर्फ़ दो सन्तान ही पैदा होतीं और स्थिति यह रहती कि हमें इस महान् कवि की वाणी से वंचित रहना पड़ता।

मैं उनकी यह बात जब भी सुनता हूँ तभी यह सोचता हूँ कि परिवार नियोजन करके मैंने भयंकर भूल की। अरे, बच्चे तो भगवान की कृपा से जन्म लेते हैं। भगवान

के कार्य में ऐसी बाधा डालने की दुर्बुद्धि मेरे दिमाग़ में कैसे आयी?

देश के सामने फ़िलहाल जितनी भी समस्याएँ हैं, उनमें जनसंख्या की समस्या कदाचित् सबसे बड़ी है। तमाम भ्रष्टाचार के बाद भी आज़ादी के बाद देश में अपूर्व समृद्धि आयी। मगर बढ़ती हुई जनसंख्या के कारण हमारी सारी उपलब्धियाँ खलास हो गयीं। हमारा कर्तव्य है कि जनसंख्या के ख़तरे को महसूस करें और अविवाहित रहें। पत्नी की हत्या भी इस दिशा में सहायता दे सकती है। विधवा होने पर स्त्रियाँ भी इस दृष्टि से महत्त्वपूर्ण हो जाती हैं। पत्नी की हत्या करने में यदि भय लगता है तो उसका परित्याग ही कर दें। दो बच्चे हो जाने के बाद मर्यादा पुरुषोत्तम राम ने भी अपनी प्रिय सीता का परित्याग कर दिया था। उन दिनों परिवार नियोजन के और साधन उपलब्ध ही नहीं थे। यह ख़तरा उन दिनों इस कारण और भी ज़्यादा था क्योंकि इक्ष्वाकु वंश के सम्राट मात्र सन्तान के लिए ही तो विवाह करते थे—और किसी कारण नहीं। इस गुण की चर्चा कालिदास ने 'रघुवंश' में खुले आम की। रामचन्द्र जी के विपरीत भगवान कृष्ण परिवार नियोजन के पक्ष में नहीं थे। यदि वे ऐसा करते तो रासलीला में हज़ारों गोपियाँ कहाँ से मिलतीं? सूरदास, देव, बिहारी, विद्यापति, चण्डीदास और जयदेव की वाणी हम कैसे सुनते? गोपियों के बच्चे थे मगर कुल मिलाकर वे कितने थे, इसका पता मुझे नहीं।

आज मैं सत्तावन वर्ष का अधेड़ हो गया। अश्क जी ने अपनी पचासवीं वर्षगाँठ पर एक मोटी पुस्तक अपने खर्चे पर छापी थी। पन्त जी ने भी साठ वर्ष का होने पर एक किताब लिखी थी। मगर मैं इतना भाग्यहीन हूँ कि मेरी रजत जयन्ती कोई नहीं मनाएगा। हाँ, अगर मैं खुद चाहूँ तो अपने ऊपर अभिनन्दन ग्रन्थ निकाल सकता हूँ। सारे परिचित साहित्यकारों से रचना लूँगा, विज्ञापन इकट्ठे करूँगा और रेशमी जिल्द की दो सौ प्रतियाँ छापूँगा। विज्ञापनों के कारण एक लाख से ऊपर आय होगी। आयकर देने का प्रश्न ही नहीं उठता क्योंकि आयकर विभाग में इधर काफ़ी साहित्यकार हो गये हैं और वे अपनी रचनाएँ छपाने को उत्सुक भी हैं। अटलबिहारी वाजपेयी और विश्वनाथप्रताप सिंह की रचनाएँ मुखपृष्ठ पर छापूँगा। दोनों कवि हैं। मुखपृष्ठ पर श्रीदेवी का वह फ़ोटो भी दूँगा जिसमें वह तीन-चौथाई नंगी है। जिस तेज़ी से वह स्त्रीसुलभ लज्जा व संकोच छोड़ती जा रही हैं उसे देखकर लगता है कि ग्रन्थ के अगले संस्करण तक वह बेचारी पूरी तरह नंगी हो जाएगी। अगर सुनहरे पर्दे पर रहना है तो शेष पर्दा त्यागना पड़ेगा। नागार्जुन के शब्दों में : पियो सन्त हुगली का पानी, पैसा सच है दुनिया फ़ानी।

सारी परेशानियों के बावजूद जन्मदिवस एक हर्ष और उल्लास का दिवस होता है। यदि आप बच्चे हैं तो आपको खिलौनों और कहानियों की किताबें मिलती हैं और यदि आप युवती हैं तो आपका उदार पति या आपका बेवकूफ़ बाप आपको साड़ी देता है। मेरे जैसे अधेड़ व्यक्तियों के पास लोग बधाई देने आते हैं। सोचता

हूँ कि जितने भी जन्मदिवस मना सकूँ उन्हें एक साथ ही मना लूँ। इस समाजवादी सरकार का कुछ पता नहीं कि जन्मदिवस पर भी टैक्स लगा दे। यह मुझ अकेले का भय नहीं है, 'मख़मूर' जालन्धरी भी यही सोचते हैं। कलाम हाज़िर है :

बन-सँवर कर सुए-बाज़ार भी जाया न करो
कहीं देना न पड़े रेशमी सलवार पै टैक्स,
रोज़ ख़त लिख कर मुझे प्यार जताया न करो
है ख़बर गर्म कि लगने को है अब प्यार पै टैक्स,
गोद भरने की दुआ आज से माँगा न करो
कहीं लग जाए न इक नन्हे से इज़हार पै टैक्स,
गुस्लख़ाने में नहाते हुए गाया न करो
वरना लग जाएगा गाये हुए अशआर पै टैक्स,
जल्द मैके से चली आओ, सुना है मैंने
तै हुआ है कि लगे 'हिज्र' के आज़ार पै टैक्स...

यक्ष-प्रश्न

आज मैं फिर से गधों की ही चर्चा करूँगा। कुछ और कहने से पहिले मैं आपको यह बताना ज़रूरी समझता हूँ कि मैं पहिला लेखक नहीं हूँ जिसने कि गधे को साहित्य में स्थान दिया। बंकिम बाबू न जाने कब 'गर्दभ-स्तोत्र' लिख गये थे और कृश्नचन्दर ने तो कमाल ही कर दिखाया। उन्होंने 'एक गधे की आत्मकथा' और 'एक गधे की वापिसी' नामक कई श्रेष्ठ किताबें गधे को ही लेकर लिखीं। मगर वे सारी रचनाएँ उस रचना से पीछे पड़ती हैं जो कि मैं लिखने जा रहा हूँ।

प्रजातन्त्र का अर्थ उस सरकार से होता है जो कि गधों की होती है और जो गधों के लिए मात्र गधों द्वारा ही चलायी जाती है। जो गधे सरकार चलाते हैं, आजकल उन्हें नेता कहते हैं। नेता वह व्यक्ति है जो आपके न चाहते हुए भी आपकी सेवा करना चाहता है। नेता वह व्यक्ति है जो चाहता है कि मेरे मरने के बाद मेरा लड़का भी मेरी ही भाँति मुख्यमन्त्री बने। नेता वह व्यक्ति है जो आपको चारों तरफ़ दिखाई पड़ता है। देश में जनता है ही नहीं; जो कुछ है बस नेता ही नेता है। कुछ लोग हैं जो नेता रह चुके हैं, कुछ लोग हैं जो कि नेता हैं और कुछ लोग हैं जो भविष्य में नेता बनेंगे। बकौल अकबर इलाहाबादी के—कुछ हो गये वकील और कुछ हो गये लीडर, यानी कि और कोई दिल्लगी ही नहीं रही? पपीहा पुकारा कि ये 'पी' कहाँ, मगर वो तो प्लीडर से लीडर हुए। ज़्यादा नेता होने से देश का क्या होता है, यह बात मनु पहिले ही बता गये हैं—नश्यन्ति बहुनायकाः। हमारे पुराणों में जो तैंतीस करोड़ देवी-देवताओं की चर्चा की गयी है, उसका अभिप्राय इन नेताओं से ही है; और कुछ नहीं।

नेता बनने के लिए पहिली ज़रूरत यह है कि गधा जेल गया हो; सन्दर्भ चाहे कुछ भी रहा हो। जेल से छूटने के बाद गधा जो है वह चुनाव लड़ता है। चुनाव जो लड़ा जाता है वह या तो धर्म के आधार पर लड़ा जाता है या फिर पैसा, गुण्डों और जाति के आधार पर लड़ा जाता है। पार्टी से टिकट मिलने के बाद गधे की क्या स्थिति होती है यह कवि के मुख से आप स्वयं सुनें :

स्वेत स्याम रतनार अँखियाँ निहार के

सिण्डीकेटी प्रभुओं की पग-धूर छार के
लौटे हैं दिल्ली से कल टिकट मार के
खिले हैं दाँत ज्यों दाने हों अनार के
बन गये सारे काम
दिलाएँगे अन्न दान के, उधार के
टल गये संकट देश के, बिहार के
लौटे हैं दिल्ली से कल टिकट मार के
सपन दिखे कार के
गगन विहार के
सीखेंगे नखरे सात समन्दर पार के
लौटे हैं दिल्ली से कल टिकट मार के
आये दिन बहार के

(नागार्जुन)

चुनाव लड़ने के बाद जो अगला काम होता है वह यह है कि गधा मन्त्री कैसे बने! बड़ा आसान है। पार्टी का समर्थन कीजिए और मुख्यमन्त्री की आलोचना कीजिए। यह लोक भी ठीक, परलोक भी ठीक। समझदार प्राणी लड़की से और उसकी अम्माँ से एक साथ प्रेम करता है। गधे की आवाज़ जितनी बुलन्द होती आएगी, मन्त्री बनने की सम्भावना उतनी ही ज़्यादा होती जाएगी। मुख्यमन्त्री जो होता है वह निहायत शातिर गधा होता है। वह जानता है कि वालपोल ने ठीक ही कहा था कि प्रत्येक व्यक्ति की क़ीमत होती है। मुख्यमन्त्री उस बोलने वाले गधे को मन्त्री बना देता है। बन मन्त्री और कर मेरे पक्ष की बात। "भरते हैं मेरी आह को वे फ़ोनोग्राफ़ में, कहते हैं फ़ीस लीजिए और आह कीजिए।" "जब सुन चुके ग़ज़लें मेरी बोले कि ला चन्दा, जो हिनहिनाया है तो लीद भी कर" (अकबर) वज़ीर होने के बाद बचता ही क्या है—सिवा ऐश करने के और घूस लेने के। कवि कहता है :

हुस्न देखिए बुताने काशी का
चेहरा कि चाँद पूर्णमाशी का
चश्मे-तर देख के वो मिस बोलीं
महकमा है यह आबपाशी का

(अकबर)

गधा वज़ीर बनता है, दौरे करता है, दंगे करवाता है, रिश्वत लेता है, व्यभिचार करता है, क़त्ल करवाता है और जो कुछ समय बचता है उसमें देश की सेवा भी करता है। देशी शराब के ठेके देना, सुन्दर कन्याओं का उद्घाटन करना और ज़िला अधिकारियों को बाकी गधों के सामने डाँटना उसका पैदायशी हक़ है। इब्ने इंशा के शब्दों में 'आप चाहें तो ख़ूब पढ़-लिखकर अकबर के नौरतन बनें और चाहें तो बेपढ़ा

रहकर शहंशाह अकबर बनें।' हर प्रदेश में पचास-पचास मन्त्री हैं, करोड़ों रुपयों का ख़र्चा है (हालाँकि मन्त्री का वेतन वैसे बेहद कम है) मगर देश के लिए हमें कोई भी कष्ट उठाना पड़े, हम उससे पीछे थोड़े ही हट सकते हैं? 'लीडर को ग़म बहुत हैं मगर आराम के साथ' (अकबर)। वज़ीर का ख़ाक़ा खींचते हुए कवि कहता है :

लोगो, मुझे सलाम करो, मैं वज़ीर हूँ
गर्दन के साथ खुद भी झुको, मैं वज़ीर हूँ,
गर्दन में हार डाल दो मैं झुक सकूँ अगर
नारे भी कुछ बुलन्द करो, मैं वज़ीर हूँ,
लिखे हैं शायरों ने कसाइद मेरे लिए
एकाध नज़्म तुम भी कहो, मैं वज़ीर हूँ,
जो मुझसे कहने आये, ख़बरदार मत कहो
जो कुछ मैं कह रहा हूँ, सुनो, मैं वज़ीर हूँ,
अख़बारवालो, सोच-समझ कर करो सवाल
जूँ शीशा मेरे मुँह न लगो, मैं वज़ीर हूँ
मुझको तो मिल गयी है वज़ारत की ज़िन्दगी
मरते हो तुम तो जाओ मरो, मैं वज़ीर हूँ,
मुझ से करावतों को बस अब भूल जाओ तुम
ऐ मेरे भाईबन्द गधो, मैं वज़ीर हूँ

(शौक़त थानवी)

मन्त्री बनने के बाद गधे की बस एक तमन्ना बाक़ी रहती है और वह है गवर्नर या राजदूत बनने की। पहिले सरकार तोड़ने और बनाने के लिए गधे खरीदे जाते थे (और कहीं-कहीं तो एक-एक गधा दस-दस लाख में बिकता था) मगर हमारे भूतपूर्व प्रधानमन्त्री ने वह व्यापार और सुविधा बन्द कर दी। मुख्यमन्त्री बनने के बाद तो यह स्थिति हो जाती है कि दफ़्तर क्या, विधानसभा तक जाना मुश्किल हो जाता है। मुख्यमन्त्री जी घर पर बैठे रहते हैं और विधानसभा में जूता चलता रहता है, हाथापाई होती रहती है और गाली-गलौज चलती रहती है। गधे जो हैं वे आपस में ही लड़ते रहते हैं। ऐसा न करें तो देश फिर से गुलाम कैसे बने?

आज़ादी के बाद इस देश का इतिहास मात्र कुछ मुख्यमन्त्रियों का इतिहास बनकर ही रह जाता है। एक मुख्यमन्त्री थे जो सरेराह क़त्ल किये गये थे। एक दूसरे मुख्यमन्त्री अपने पद से इस कारण हटाये गये थे क्योंकि उन्होंने अपनी लड़की को मेडिकल कालिज में ग़लत ढंग से दाख़िल करवाया था। एक मुख्यमन्त्री हैं जो अपनी पत्नी को घर से बेदखल करवाते हैं और एक मुख्यमन्त्री हैं जिनके पास एक साल से भी पुरानी आठ हज़ार फ़ाइलें पड़ी हैं। एक और मुख्यमन्त्री थे जिन्होंने श्रीमती गाँधी के नाम से करोड़ों रुपयों का घोटाला किया था। और एक मुख्यमन्त्री थे जो

बग़ैर किसी का नाम लिये करोड़ों रुपये अकेले ही डकार गये। वे पं. नेहरू के जूतों के फ़ीते खोला करते थे। एक और थे जो अपने यौनाचारों को लेकर अदालत के दरवाज़े खटखटाने लगे। कहाँ तक कहा जाए : हरि अनन्त हरि कथा अनन्ता, ले पतझर मत माँग वसन्ता।

ग़रीब लोगों से ज़बर्दस्ती टैक्स लिये गये और विदेशों से भारी सहायता ली गयी मगर अरबों-खरबों रुपये खर्च करने के बाद भी गाँव लगभग वहीं हैं जहाँ थे, पूरब का भैया अब भी उसी फ़ुटपाथ पर सोता है जहाँ कि कभी उसका सगा भाई सोता था और लड़की है तो वह उसी होटल में पेशा करती है जहाँ कि उसकी सगी माँ किया करती थी। इन जन-नेताओं को लेकर, इन गाँवों को लेकर, इन 'अपने उत्सवों' और फ़िल्मी कार्यक्रमों को लेकर मुझे कुछ प्रिय कवियों की वाणी याद आ रही है जो मैं लेख का आकार लम्बा करने के लिए यहाँ देता हूँ :

मिल और ज़मीं अलाट कराती है लीडरी
और कोठियों पर कब्ज़ा दिलाती है लीडरी
लंच और डिनर मज़े से उड़ाती है लीडरी
ग़म साथ-साथ क़ौम का खाती है लीडरी
फ़ुर्सत मिले तो टूर पर जाती है लीडरी
फिर दूर से ही जलवा दिखाती है लीडरी

दुनिया में ले के सेठ से ऐ यारो ता फ़क़ीर
है लीडरी की ज़ुल्फ़े-गिरहगीर का असीर
इन आन में बनाये मिडिल फ़ेल को वज़ीर
क्या-क्या मैं और ख़ूबियाँ उसकी कहूँ नज़ीर
ज़र्रों को आफता ब बनाती है लीडरी

(मजीद लाहौरी)

स्वर्ग था ऊपर, नीचे पाताल
अपच के मारे बुरा हाल
दिल दिमाग़ भूसे के, खद्दर की खाल

(नागार्जुन)

'पड़ा है क़हर, बशर मर रहे हैं फ़ाक़ों से
खुशी हो क्या मुझे शबरात के पटाकों से
बुझी हुई है तबीयत, ये रौशनी है फ़िज़ूल
उतार लीजिए साहब, चिराग़ ताकों से

(अकबर)

टोपी कहती है मैं थैली बन सकती हूँ
कुर्ता कहता है मुझे बोरिया ही कर लो,
ईमान बचाकर कहती हैं आँखें सब की
बिकने को हूँ तैयार, ख़ुशी हो जो, दे दो

(दिनकर)

कोटि कोटि सन्तान नग्न तन
अर्ध-क्षुधित, शोषित, निरस्त्र जन
मूढ़ असभ्य अशिक्षित निर्धन

नत मस्तक तरुतल निवासिनी
मिट्टी की प्रतिमा उदासिनी
वह अपने घर में प्रवासिनी
भारतमाता ग्रामवासिनी

(सुमित्रानन्दन पन्त)

सारी रचना सुनने के बाद यक्ष ने धर्मराज से कहा कि देश की स्थिति तो तुमने ख़ूब बयान कर दी; अब ज़रा यह बताओ कि यह दर्दनाक हालत चलेगी कब तक? आँखों से आँसू पोंछते हुए धर्मराज ने कहा कि हे अन्नदाता, इस प्रश्न का उत्तर मैं नहीं जानता। यक्ष चुप हो गया। प्रश्न का उत्तर यक्ष भी नहीं जानता था?

कुछ दिलचस्प बड़े लोग

साठ वर्ष के अपने इस क्षणभंगुर जीवन में मैंने बड़ी-बड़ी हस्तियाँ देखीं। मैं आज उनमें से कुछ की चर्चा यहाँ करूँगा। इस चर्चा के छपने पर यदि किसी ने मेरे ख़िलाफ़ अदालत का दरवाज़ा नहीं खटखटाया, तो इस चर्चा की अगली किस्तें भी लिखूँगा।

पण्डित गोविन्दबल्लभ पन्त हमारे उत्तर प्रदेश के प्रथम मुख्य मन्त्री थे। कहा जाता है कि वे काफ़ी मामलों में बड़े अद्‍भुत थे। वे उत्तरप्रदेश के सारे कलेक्टरों, कमिश्नरों और पुलिस के कप्तानों को नाम से जानते थे और उनकी दिनचर्या का भी उन्हें पूरा पता रहता था। एक बार उन्होंने अपने निजी सचिव से कहा कि बरेली के कमिश्नर से तुरन्त फ़ोन पर बात करवाओ। मगर इसके तुरन्त बाद उन्होंने घड़ी देखी और कहा कि रुको, टेलीफ़ोन तीन बजे के बाद करना क्योंकि यह कमिश्नर जो हैं वह तीन बजे तक दिन में सोते हैं। इसी प्रकार जब एक डिपुटी-इंस्पेक्टर-जनरल का तबादला कानपुर को किया गया तो उन्होंने तुरन्त मुख्य सचिव से कहा कि आप जानते हैं कि यह अफ़सर शराब पीता है और कानपुर जो है वह शराब के सन्दर्भ में 'सूखा प्रदेश' है। अब यदि वहाँ पुलिस का डिपुटी-इंस्पेक्टर-जनरल खुद ही शराब पिएगा तो बाकी पब्लिक की नशाबन्दी वह कैसे करेगा? मेरी सगी पत्नी के सगे मामा उन दिनों प्रयाग के सीनियर सुपरिण्टेण्डेण्ट ऑफ़ पुलिस थे और वे पन्तजी के बड़े भक्त थे। ये सारी बातें मैंने उन्हीं से सुनी थीं। कहते हैं कि पन्त जी के पास भेजी फ़ाइलें शायद ही कभी वापिस लौटती थीं। उनके यहाँ आयात तो था पर निर्यात नहीं था। सचिव लोग ज़रूरी काम पड़ने पर खुद ही जाते थे और उनकी सलाह व आदेश प्राप्त करते थे। वैसा करने में भी उन्हें काफ़ी कठिनाई उठानी पड़ती थी क्योंकि पुलिस की लाठी से पन्तजी की गर्दन आज़ादी की जंग में तोड़ी जा चुकी थी और इस कारण वह बराबर हिलती ही रहती थी। उनके हिलते हुए सिर को देखकर कोई यह नहीं समझ सकता था कि वे 'हाँ' कह रहे हैं या कि 'ना'। सचिव लोग उन्हें बोलने के लिए बाध्य करते थे और तभी बाकी हुक्म जारी किये जाते थे। मगर पन्त जी से इस दिशा में एक और मुख्यमन्त्री कहीं आगे निकल गये। उनके पास फ़िलहाल आठ हज़ार फ़ाइलें पड़ी हैं और उनमें से काफ़ी ऐसी हैं जो कि

एक साल पहिले उनके पास भेजी गयी थीं। एक कार्यतत्पर अधिकारी ने समय की कमी के कारण उनकी अनुमति के बिना दिल्ली की हवाई यात्रा की और केन्द्रीय सरकार से अपने प्रदेश के लिए काफ़ी राशि प्राप्त की। मगर जब वह वापिस लौटा तो मुख्यमन्त्री ने उनसे इतना ही पूछा कि मेरी पूर्वाज्ञा के बिना आप दिल्ली गये तो कैसे गये? उनसे यह भी कहा गया कि वे हवाई जहाज़ का किराया और भत्ता वग़ैरा फलाँ तारीख तक सरकारी ख़ज़ाने में जमा करें। ये मुख्यमन्त्री 'भारतरत्न' बने थे।

पन्त जी के बाद उत्तरप्रदेश के मुख्यमन्त्री श्री सम्पूर्णानन्द जी बने। वे अपने बालों के कारण मुख्यमन्त्री कम और कव्वाल ज़्यादा लगते थे। उनके बाद जो कुछ हुआ वह शब्दातीत ही रहेगा। जब श्री चन्द्रभानु गुप्त मुख्यमन्त्री थे और मुंशी जी गवर्नर थे तो उत्तरप्रदेश का नारा एक ही था और वह था : लखनऊ के तीन चोर–मुंशी, गुप्ता, जुगलकिशोर। मुंशी जी के साथ मैं कई सप्ताह तक रहा था। वे एक बड़े वकील थे, राजनीतिक नेता थे और साथ ही साथ गुजराती के अमर साहित्यकार भी थे। मगर सारे सांख्य और वेदान्त के बाद भी वे यह कभी नहीं भूलते थे कि वे गवर्नर थे। बाहर से इतना बड़ा लगने वाला वह आदमी भीतर से काफ़ी छोटा था। वैसे सच्ची बात तो यह है कि वे बाहर से भी बड़े नहीं थे; उनका क़द काफ़ी छोटा था।

जयप्रकाश नारायण के दर्शन कई बार किये। वे हमेशा गम्भीर बने रहते थे। उन्हें देखकर हमेशा यही लगता था कि ये अभी-अभी किसी शवयात्रा से लौटे हैं और अभी-अभी किसी दूसरी शवयात्रा में जाने वाले हैं। जैसे उत्तरप्रदेश ने प्रधान मन्त्री पैदा करने के अलावा और कोई धन्धा नहीं किया, उसी प्रकार जयप्रकाश बाबू ने गम्भीर रहने के सिवा देश की और कोई सेवा नहीं की। मुझे बताते हुए हर्ष होता है कि मुरारजी देसाई भी उनके बारे में ठीक वही विचार रखते हैं जो मैं रखता हूँ। हालाँकि मैं आपको यकीन दिलवाता हूँ कि मैंने कम से कम अभी तक कभी मूत्रपान नहीं किया। न अपना, न किसी दूसरे का।

जब मैं उच्च शिक्षा प्राप्त करने प्रयाग गया तो वहाँ देखा कि डॉक्टर अमरनाथ झा का बड़ा आतंक था। लोग उनके नाम से डरते थे। बच्चन जी जैसे 'ही मैन' ने भी अपनी आत्मकथा में उनके आतंक की चर्चा की है। बहरहाल मैंने वहाँ उन्हें अनेक बार देखा और हर दफ़ा यही महसूस किया कि शायद वे हीन भावना से ग्रस्त थे और उन्हें 'दरबार' लगाने की आदत थी। मगर कहते हैं कि एक बार मज़ा आ गया। झा साहब (जो मिथिला के रहने वाले थे) 'बिहार पब्लिक सर्विस कमीशन' के अध्यक्ष थे। उन्होंने एक सीधे-सादे प्रत्याशी से पूछा कि आप क्या बलिया के रहने वाले हैं और यदि हैं तो क्या यह बताएँगे कि बलिया के लोग क्या वास्तव में बेवक़ूफ़ होते हैं और यदि होते हैं तो उसका कारण क्या है? प्रत्याशी ने यक्ष के सारे प्रश्नों का उत्तर एक ही किस्त में दे दिया। वह बोला कि "मैं निश्चयपूर्वक बलिया का ही

निवासी हूँ और यह एकदम सच है कि वहाँ के लोग सदा से वज्रमूर्ख ही होते आये हैं। जहाँ तक इस स्थिति के कारण का प्रश्न है, तो उसका एक ही सच्चा उत्तर है : बलिया के निवासी इस कारण मूर्ख होते हैं क्योंकि बलिया जो है वह मिथिला से लगा हुआ है।" झा साहिब (जो मिथिला के ही थे) मुस्कुरा कर चुप हो गये। लड़का अलबत्ता ज़रूर डिपुटी कलेक्टर बना दिया गया। मुझसे एक बार निराला जी ने कहा कि तुम्हें अमरनाथ झा से ज़रूर मिलना चाहिए क्योंकि 'ही इज ए वेरी स्मार्ट मैन।' मैंने उनकी आज्ञा का पालन किया और पहिली ही भेंट में समझ गया कि वे शालीन और सम्भ्रान्त थे और हीन भावना जैसी कोई चीज़ उनके मन में नहीं थी।

फ़िराक़ साहब के बारे में क्या कहा जाए, समझ में नहीं आता। उनमें वह दुर्गुण था जिसके कारण अंग्रेज़ी के महान् साहित्यकार आस्कर वाइल्ड को जेल जाना पड़ा था। उनकी यही वह आदत थी जिसके कारण उनके पुत्र ने आत्महत्या की। कहते हैं कि एक बार ऐसा हुआ कि ठीक सामने रहने वाले एक प्रोफ़ेसर ने अपने पहाड़ी नौकर को किसी घरेलू काम के सन्दर्भ में रात को फ़िराक़ साहब के यहाँ भेजा और वहाँ उर्दू के उस महान् कवि ने उसके साथ बलात्कार किया। अगले दिन सुबह जब वे प्रोफ़ेसर सारी बात की शिकायत करने फ़िराक़ साहब के यहाँ गये तो उस महान् आत्मा ने उनसे कहा कि "रात मैं 'वहशी' हो गया था। यह तो आपकी तकदीर अच्छी थी किं आप खुद नहीं आये; अगर आप आये होते तो मैं आपके साथ भी वैसा ही व्यवहार करता।" प्रोफ़ेसर मन ही मन भगवान को धन्यवाद देते हुए अपने घर आये और अगली पोथी लिखने बैठ गये। इसी प्रकार कहते हैं कि जब एक बार किसी मुशायरे में हिस्सा लेने फ़िराक़ बम्बई गये तो वहाँ एक हादसा हो गया। हुआ यह कि किसी महत्त्वपूर्ण चौराहे पर एक हाथी अड़ गया और हज़ार कोशिशों के बावजूद टस से मस नहीं हो पाया। यातायात रुक गया, भीड़ जुड़ गयी। कहते हैं कि किसी मनीषी ने हाथी के कान में चुपके से कहा कि "ऐ गजराज! कुछ असलियत का पता भी है या नहीं? असलियत यह है कि तुम्हारे पीछे 'फ़िराक़' खड़ा है।" हाथी का इतना वचन श्रवण करना था कि वह ताबड़तोड़ भागने लगा। जो लोग और भी ज़्यादा अश्लील मज़ाक़ पढ़ना चाहें वे 'जोश' मलीहाबादी की आत्मकथा 'यादों की बारात' पढ़ें। इतना ध्यान रखें कि पुस्तक पूरी हो, सम्पादित या संक्षिप्त नहीं।

प्रयाग में पण्डित सुमित्रानन्दन पन्त रहते थे जिनका बेहद आदर था। वे अविवाहित थे और इस स्थिति का असली कारण जानने के लिए यार लोग सदा उत्सुक रहा करते थे। पन्त जी का स्वयं का कहना यह था कि वे आर्थिक कठिनाइयों के कारण विवाह नहीं कर पाये। कुछ लोग कहते थे कि उनके चिरकुमार रहने का कारण यह था कि जिस रमणी से वे प्यार करते थे, उसकी शादी किसी दूसरी जगह कर दी गयी थी। मगर एक दिन हम लोग वास्तव में स्तब्ध रह गये जबकि हिन्दी विभाग के व्याख्याता डॉ. हरदेव बाहरी ने भरी क्लास में हमें बताया कि पन्त जी तो

हिजड़े हैं। सारी क्लास हँस पड़ी। वैसे यह सत्य है कि अपने हाव-भाव इत्यादि में पन्त जी कभी-कभी काफ़ी स्त्रैण लगते थे मगर डॉ. बाहरी का आरोप दिलचस्प होते हुए भी सच्चा नहीं लगता था। कुछ कोमलता तो कवियों में सदा से ही रहती आयी। सौन्दर्यवादी कवि रवीन्द्रनाथ ठाकुर अपनी युवावस्था में वर्षा मंगल गाने के साथ-साथ नृत्य भी किया करते थे। हमारे देश में तो एक ऐसा शासक हुआ है जो निर्लज्ज होकर औरतों के कपड़े पहिन कर दरबार लगाता था और कभी-कभी तो एकदम नंगा होकर नाचने भी लगता था। इस सुलतान का नाम कुतुबुद्दीन मुबारकशाह था।

उपेन्द्रनाथ 'अश्क' एक बेहद दिलचस्प आदमी हैं। उन्हें वृद्धावस्था कभी नहीं आएगी। नये लोगों का उत्साह बढ़ाने में उन जैसा कोई और सीनियर साहित्यकार शायद नहीं है। मगर इस प्रतिभावान् व्यक्ति की तीन चौथाई प्रतिभा साहित्यिक फ़साद उठाने में ही चली गयी। दूधनाथसिंह ने 'रीछ' नाम की कहानी लिखी तो अश्क जी ने 'अजगर' नाम की एक श्रेष्ठ कहानी लिख डाली। सर्वेश्वर ने 'कुआनो नदी' नाम से काव्यग्रन्थ निकाला तो अश्क जी ने भी जवाब में अपनी नयी किताब का नाम 'अदृश्य नदी' रखा। और कोई विवादास्पद चीज़ लिखने के बाद वे सारे दोस्तों को (जिनमें टेलीफ़ोन होने के कारण ख़ाकसार भी शामिल था) फ़ोन करेंगे और कहेंगे कि "भाई कैसी लगी वो कहानी? लोग कह रहे हैं कि अज्ञेय के ऊपर है, तुम्हारा क्या ख़याल है?" बहरहाल सारा प्रपंच भी वे खुद ही रचते और शगूफ़ा छोड़ कर बाद में बड़ी तटस्थता से स्थिति का मज़ा लेते। यदि 'अश्क' जी जैसे मौलिक व्यक्ति 'चेतन' पर दस हज़ार पन्ने काले करने के बजाय 'काँकड़ा का तेली' और 'कैप्टेन रशीद' जैसी कुछ कहानियाँ और लिख लेते तो वे हिन्दी में और भी अमर हो जाते। मगर यह बात भी एकदम सच है कि नये लेखकों को प्रोत्साहन देने और ज़रूरतमन्द लेखकों की मदद करने में उनका कोई सानी नहीं।

मेरे ज़माने में प्रयाग विश्वविद्यालय का हिन्दी-विभाग दो प्रकार के लोगों के बीच साफ़ तरह से बँटा था। डॉ. धीरेन्द्र वर्मा, डॉ. रसाल, ब्रजेश्वर वर्मा और डॉ. धर्मवीर भारती इतने क्षीण थे कि उर्दू का कवि तो यही पूछता : सुनते हैं उनके भी कमर है; कैसी है, किस तरफ़ को है, किधर है? इन दिग्गजों के बरख़िलाफ़ डॉ. रामकुमार वर्मा, डॉ. माताप्रसाद गुप्त, पं. उमाशंकर शुक्ल और डॉ. जगदीश गुप्त इतने मोटे थे कि बिना संकोच के एक महान् 'हस्ती' स्वीकार कर लिये जाते थे। 'हस्ती' या 'हस्ति'—क्या फ़र्क़ पड़ता है?

जहाँ तक मेरी याददाश्त काम करती है, उन दिनों सबसे विचित्र विद्वान् थे अंग्रेज़ी विभाग के अध्यक्ष प्रोफ़ेसर सतीशचन्द्र देव। अगर वे अच्छी मुद्रा में होते थे तो वे हमेशा 'योर ओबिडियेण्ट सरवेण्ट' कहकर छात्रों को शर्मिन्दा किया करते थे और यदि वे गुस्से में होते थे तो कुछ भी कर डालने की क्षमता रखते थे। अपना पाण्डित्य बघारने में उन्हें हार्दिक हर्ष होता था। मैं एक बार किसी सन्दर्भ में उनसे

मिला। उन्होंने मुझसे कहा कि आप तुरन्त कमरे से निकल जाइए। मैं घबराकर कमरे के बाहर आ गया और बरामदे में खड़े होकर पसीना पोंछने लगा। देव साहब कमरे से बाहर आये और चिल्लाकर बोले, कि कमरा तो कमरा, आप इस बरामदे से भी बाहर निकल जाइए। मैं बरामदे से निकलकर भागा क्योंकि यदि कहीं पास रहता तो वे मुझे विश्वविद्यालय से भी निकल जाने को कहते। उन दिनों वे युनिवर्सिटी के 'प्रॉक्टर' थे।

डॉ. सतीशचन्द्र देव बंगाली थे और इसी कारण क्लास में ऐसी शान्ति रहती थी कि लगता था कि छात्र लोग पढ़ नहीं रहे हैं बल्कि किसी जादूगर का खेल देख रहे हैं। बंगाल का जादू सदा से मशहूर रहा (तुमने उसको जादूगर क्यों कह दिया, देहलवी है 'दाग़' बंगाली नहीं।) देव साहब के बारे में जो प्रचलित कहावत थी वह बच्चन जी के शब्दों में इम प्रकार थी :

प्रोफ़ेसर देव थे गोलमटोल,
मानो विश्व ज्ञान के ढोल,
विनम्रता के थे अवतार
और विनम्रतर बन जाने में
उन्हें नहीं लगती थी बार,
कर सकते थे वे हाफ़िज़ का
होनोलूलू का, हलवे का
एक साँस में शंखोच्चार

नटवरलाल की सच्ची कथा

असली मुद्दे पर आने से पहिले मैं उन दो ख़बरों की चर्चा करूँगा जो कि आज के अख़बार में छपी हैं। शायद पिछले वर्ष कलकत्ता के कुछ होनहार और भद्र नवयुवकों ने एक ऐसे टेलीफ़ोन की सार्वजनिक अन्त्येष्टि की थी जो कई साल से 'डैड' पड़ा था और जिसे हज़ार कोशिशों के बावजूद दूरभाष-विभाग के अधिकारी ठीक नहीं करा पाये थे। उस टेलीफ़ोन को मृत व्यक्ति की भाँति अग्नि को समर्पित किया गया और बाद में उसका श्राद्ध वग़ैरा भी किया गया। ठीक इसी प्रकार का हादसा हमारी राजधानी में अभी-अभी हुआ। एक महत्त्वपूर्ण संसद सदस्य जब चुनाव में हार गये तो उनके एक विनोदी प्रतिद्वन्द्वी ने उनकी इस 'राजनीतिक मृत्यु' के अवसर पर 'अन्तिम संस्कार' का प्रबन्ध किया और उनके 'अन्तिम संस्कार' में उपस्थित होने के लिए हज़ारों 'काले' कार्ड छपवाये जो बाकायदा वितरित किये गये। इस शुभ काम के पूरे हो जाने के बाद इस विरोधी मित्र प्रवर ने अपने साथियों के साथ अपना भी मुण्डन कराया और सबने बाकायदा विलाप किया। अस्थि-विसर्जन के लिए जब हरिद्वार की यात्रा शुरू होने वाली थी तो लोगों को पता चला कि मामला 'राजनीतिक मृत्यु' का है, सच्ची 'मृत्यु' का नहीं। असलियत का पता लगते ही सारी भीड़, जो 'स्यापा' कर रही थी, एक साथ हँस पड़ी। दूसरी ख़बर यह है कि उत्तर रेलवे की एक रेलगाड़ी अपने आप चलनी शुरू हो गयी और बिना किसी ड्राइवर के साठ मील की रफ़्तार पर कोई सौ मील तक चली गयी। यदि सरकार के बिना यह देश चल सकता है तो बिना ड्राइवर के रेल क्यों नहीं चल सकती?

अब मैं असली मुद्दे पर आता हूँ और उपर्युक्त मंगलाचरण के बाद धूर्तरत्न नटवरलाल की कथा प्रारम्भ करता हूँ। नटवरलाल का असली नाम मिथिलेश कुमार श्रीवास्तव बताया जाता है पर वे 'वास्तव' में 'श्रीवास्तव' ही हैं या और कुछ, यह कोई नहीं बता सकता। वे हर बार पुलिस को अपना कोई नया नाम ही बताते हैं जो एकदम वाजिब है। यदि प्रेमचन्द, सुमित्रानन्दन पन्त और रजनीश नाम बदल सकते थे तो नटवरलाल अपना नाम क्यों नहीं बदल सकता? आख़िर वह भी तो एक विलक्षण व प्रतिभाशाली नागरिक है जिसने धोखाधड़ी को कला के स्तर तक पहुँचाया

है। जैसा कि वह स्वयं कहता है, इस देश में अब तक तीन ही व्यक्ति समझदार हुए हैं जिनके नाम हैं डॉ. राजेन्द्रप्रसाद, बाबू जयप्रकाश नारायण और नटवरलाल। संयोग की बात देखिए कि ये तीनों महान् व्यक्ति बिहार ही में पैदा हुए—ठीक वही बिहार जहाँ कि कभी भगवान महावीर भगवान बुद्ध जैसे महान् धार्मिक नेता और विद्यापति जैसे कवि पैदा हुए थे।

नटवरलाल पुलिस द्वारा सर्वप्रथम सन् 1937 में तब पकड़ा गया था जबकि वह कलकत्ता में सड़क पर पड़े हुए नौ टन पराये लोहे को अपना बताकर उसका नीलाम कर रहा था। इस केस में उसे छह महीने की कड़ी क़ैद मिली थी। जेल से छूटने के बाद उसने कलकत्ते में ही क्लाइव रोड पर स्थित एक कम्पनी को तीन हज़ार रुपयों से मुक्ति दिलवायी जिसके बदले में उसे आठ महीने की जेल हुई। जेल से छूटने के बाद उसने एक वेश्या को कोई नशीली दवा पिलाकर बेहोश किया और उसके उपरान्त उसके घर में रखी नकद रकम व आभूषणों को लेकर वह अन्तर्धान हो गया। इस वेश्या का नाम राधा दासी था और वह कलकत्ते की राजबल्लभ लेन पर रहती थी। इस वेश्या का उद्धार करने के उपरान्त उसने कुछ और वेश्याओं के धन को भी पवित्र किया। नाम, निवास स्थान और धोखाधड़ी के तरीकों में बराबर परिवर्तन करते रहने के कारण पुलिस उसको नहीं पकड़ सकी।

इन घटनाओं के बाद उसका मन वेश्याओं से ऊब गया। अब वह फर्जी रेलवे रसीद बनाने लगा और रेलवे से बिल्टियाँ छुड़ाने लगा। ऐसा उसने कितनी बार किया—इसका उसे स्वयं भी कोई पता नहीं। इसके बाद उसने फर्जी चेक देने शुरू किये और न जाने कितनी फ़र्मों को कितनी ही बार धोखा दिया। एक ऐसे ही मामले में वह पुलिस द्वारा पकड़ा गया पर बाद में जमानत पर रिहा हो गया। रिहा होते ही उसने कलकत्ता छोड़ दिया और वह मद्रास चला गया। यदि शंकराचार्य दक्षिण से उत्तर आये थे तो नटवरलाल उत्तर से दक्षिण गया। कला जो होती है वह किसी भी बन्धन को स्वीकार नहीं करती।

मद्रास पहुँचकर उसने एक नितान्त प्रतिष्ठित फर्म से हज़ारों रुपयों का तार खरीदा। माल बरामद होने के बाद वह उस फर्म के एक कर्मचारी के साथ बैंक गया और उसके बाद चेक भुनाने की प्रक्रिया में ऐसा गया कि फिर कभी नहीं लौटा। इस सफलता के बाद नटवरलाल भागलपुर गया और वहाँ अपने को अनेक प्रतिष्ठित फ़र्मों का प्रतिनिधि बताकर एक बड़े व्यापारी से मिला और बाद में फर्जी रसीद बनाकर महावीर प्रसाद नामक सेठ को ठगा। इस बार उसे काफ़ी फ़ायदा हुआ क्योंकि ठगी हुई जो रकम थी वह इकत्तीस हज़ार रुपये थी। इस रकम में एक बैंक-ड्रापट भी था जिसे भुनाते हुए वह पुलिस द्वारा पकड़ा गया मगर इस बार वह पुलिस को धोखा देकर फिर एक स्वतन्त्र नागरिक हो गया।

नटवरलाल ने सदा यही सोचा कि वह सारे देश की सेवा करेगा। बिहार से

वह संयुक्त प्रान्त आ गया जहाँ उसने बनारस तथा आजमगढ़ में फिर ठगी शुरू की। इस बार वह फिर पुलिस की गिरफ़्त में आ गया मगर भागलपुर जाते हुए उसे चकमा दिया और वह फिर से आज़ाद हो गया। उसने भागलपुर के एक बैंक के मैनेजर से दोस्ती की और कलकत्ता व पटना में फर्जी फर्में खोलीं। धीरे-धीरे उसने उस बैंक से साढ़े छह लाख रुपये ठगे और इसके बाद वह उस स्थान से फिर फरार हो गया। इसके बाद वह उड़ीसा गया, जहाँ उसने किसी झूठे नाम से एक फर्म खोली और एक बड़ी मोटर गाड़ी भी खरीदी। उसने कटक बैंक में तीन लाख रुपये भी जमा किये। इसी बीच पुलिस ने उसे फिर पकड़ लिया और भागलपुर व कलकत्ते में जो ठगी सम्पन्न की थीं, उनके सदर्भ में उसे पटना की दिशा में ले जाने की कोशिश की। मगर नटवरलाल ने पुलिस को फिर चकमा दिया और वह फिर रास्ते में ही फ़रार हो गया।

अब वह सीधा दिल्ली पहुँचा। वहाँ एक व्यापारी से दो लाख रुपये ठगे। इससे पहिले कि दिल्ली की पुलिस उसे पकड़ती, वह बंगलौर पहुँच गया। वहाँ की पुलिस सचमुच कार्यतत्पर निकली और नटवरलाल सचमुच गिरफ़्तार कर लिया गया। जब वह कानूनी कार्यवाही के लिए दिल्ली लाया जा रहा था, तभी वह पुलिस को चकमा देकर फिर फरार हो गया। इसके बाद उसे उत्तरप्रदेश की पुलिस ने उस वक़्त गिरफ़्तार कर लिया जब वह फर्जी रेलवे रसीदों की सहायता से रेल-विभाग को लूट रहा था। इस बार फिर लम्बी क़ैद की सजा हुई और वह कई जेलों में कुछ वर्ष रहा। इसके बाद स्थिति यह रही कि जेल के कर्मचारियों को कुछ प्रलोभन देकर वह लखनऊ की सेण्ट्रल जेल से निकल भागा। इसके बाद वह आन्ध्र प्रदेश चला गया और वहाँ भी उसे जेल हुई मगर नटवरलाल था कि वह वहाँ की सेण्ट्रल जेल से भी निकल भागा। इसके बाद वह कानपुर में उस समय पुलिस द्वारा पकड़ा गया जबकि वह नकली नाम से रेल-यात्रा कर रहा था। इस बार उसके ख़िलाफ़ कानूनी कार्रवाई शुरू की गयी और अदालत ने उसे छब्बीस वर्ष की कड़ी क़ैद की सजा दी। बहरहाल जेल में वह फिर भी सिर्फ़ कुछ महीनों तक ही रहा। गुर्दे के दर्द की झूठी शिकायत के आधार पर वह बम्बई की आर्थर रोड जेल में रखा गया। इसके बाद वह जब अस्पताल से जेल के लिए वापिस आ रहा था तो उसने सिपाही को ताजमहल होटल में चाय पिलायी। पुलिस जब चाय पी रही थी तब नटवरलाल एक रेल द्वारा बम्बई छोड़कर फिर कहीं के लिए भागा जा रहा था। इसके बाद वह बनारस व गोरखपुर में फिर गिरफ़्तार किया गया। उसने फिर पुलिस को चकमा दिया और वह फिर आज़ाद हो गया। फ़िलहाल वह भोपाल में एक जाली चेक भुनाते हुए फिर पकड़ा गया है और अभी तक वह कहीं नहीं भागा है। कल क्या होगा, यह कोई नहीं जानता।

नटवरलाल की उम्र इस समय लगभग पचहत्तर साल है। ठगी के अतिरिक्त उसमें और कोई व्यसन नहीं है। हाँ अलबत्ता, ठगी जो है वह एक ऐसा काम है जिसको

किये बिना वह रह नहीं सकता। ठगी को उसने कला के स्तर पर प्रतिष्ठित किया है जिसका कि उसे गर्व है। इस बार भी जब वह पकड़ा गया तो उसे कोई क्षोभ या दुख नहीं था। वह तो यही कहता है कि मैं सिर्फ़ पूँजीपतियों का धन उनसे लेकर ग़रीबों में बाँटता हूँ और यह भी एक प्रकार का समाजवाद ही है। वह अपनी तुलना विनोबा भावे से करता है जो बड़े-बड़े ज़मींदारों से भूमि माँगकर उसे भूमिहीनों में बाँटा करते थे। इस बार भी वह जब पकड़ा गया तो उसके पास से अनेक उच्च अधिकारियों की मुहरें और लेटरहैड बरामद हुए। एक मुहर तो सर्वोच्च न्यायालय के सर्वोच्च न्यायाधीश की थी। नटवरलाल का दावा है कि हिन्दुस्तान की कोई जेल उसे चन्द महीनों से ज़्यादा अपने भीतर नहीं रख सकती। अब तक विभिन्न अदालतों ने विभिन्न अपराधों के कारण उसे जो सजाएँ दी हैं उनके अनुसार उसे एक सौ पचास वर्ष जेल में काटने हैं। वह कितनी बार पकड़ा गया है और कितनी बार फ़रार हुआ है, इसकी सही गिनती किसी को मालूम नहीं है। उसके अनुसार ठगी का पेशा ही एक ऐसा पेशा है जिसके करने के लिए बुद्धि के अतिरिक्त और किसी भी वस्तु की दरकार नहीं है और जिस पेशे में सिर्फ़ मुनाफा ही मुनाफा है। उसके अनुसार उसे ठगी और जालसाजी करने में जो आनन्द प्राप्त होता है उसे शब्दों में नहीं बताया जा सकता। कहा जाता है कि उसे एक बार इण्डियन पुलिस सर्विस के अधिकारियों के समक्ष भाषण देने बुलाया गया था ताकि वे अफ़सर ठगी के विभिन्न पहलुओं को समझ सकें। एक बार जब उस पर मुक़दमा चल रहा था तो जज ने उससे पूछा कि "आप और लोगों का धन कैसे ठग लेते हैं?" प्रश्न के उत्तर में नटवरलाल ने जज साहब से एक रुपये का एक नोट माँगा जो जज साहब ने उसे अपनी जेब में से निकाल कर दे दिया। नटवरलाल ने भरी अदालत में वह नोट अपनी जेब में रख लिया और जज साहब को बताया कि वह और बुद्धिमान लोगों से लाखों रुपये इसी तरह लेता है जैसे कि उसने जज साहब से एक रुपया लिया। उसकी वाणी को सुनकर सारी अदालत हँसी में डूब गयी। नटवरलाल का कहना है कि मात्र ठगी ही एक ऐसा धन्धा है जहाँ व्यक्ति अपना रुपया अपनी मर्ज़ी से किसी दूसरे को देता है। सच है कवि की वाणी।

नटवरलाल सिर्फ़ वे ही व्यक्ति नहीं है जिनकी चर्चा ऊपर की गयी है। ऐसे लोग लगभग जीवन के सभी क्षेत्रों में व्याप्त हैं। हमारे एक बहुत बड़े साहित्यकार थे जो विदेशी साहित्य को भी कभी-कभी अपने नाम से छपा लिया करते थे जिसका कि थोड़ा-बहुत पर्दाफ़ाश कभी न कभी हो ही जाता था। हमारी अदालतों का यह हाल है कि कभी-कभी कुछ मामलों में तो न्यायाधीश द्वारा दिये गये निर्णय को अदालत के कर्मचारी ही बदल देते हैं। अभी-अभी एक डिस्ट्रिक्ट जज की अदालत में उच्च न्यायालय का एक हुक्मनामा पेश किया गया। जज साहब को कुछ सन्देह हुआ और उन्होंने जाँच-पड़ताल की। उनका सन्देह ठीक निकला और यह बात सामने आ

गयी कि उच्च न्यायालय का जो हुक्मनामा उनकी अदालत में पेश किया गया था वह फर्जी था। ऐसे मामले कभी-कभी बिना इच्छा के भी हो जाते हैं। अमेरिका की अदालत ने एक व्यक्ति को कुछ सजा दी पर क्लर्क की ग़लती से एक दूसरा आदमी जेल भेज दिया गया। जो व्यक्ति सचमुच अपराधी था वह अपनी शादी रचा कर हनीमून पर चला गया जबकि उसे वे मधुर दिन कारावास में गुज़ारने थे। बहरहाल ग़लती जल्दी ही पकड़ी गयी और उस बेगुनाह को जेल से बाइज़्ज़त रिहा कर दिया गया जो अदालत के एक मुंशी की ग़लती के कारण जेल ले जाया गया था। अब उस निरपराध व्यक्ति ने अदालत के विरुद्ध मानहानि और मानसिक यन्त्रणाओं के बदले में एक करोड़ डालर का मुकदमा दायर किया है। आगे चल कर क्या होगा, यह कोई नहीं जानता। राजनीति के क्षेत्र में भी स्थिति ठीक नहीं है और जनता द्वारा चुने हुए चन्द प्रतिनिधि ऐसे भी पाये जाते हैं जो कि कभी-कभी उसी जनता को ठगते हैं जिसने कि उन्हें चुना था। ऐसी स्थिति में मात्र नटवरलाल को ही दोष देना क्या उचित होगा?

मुझे यह कहने में कोई लज्जा नहीं आती कि मैं धूर्तराज नटवरलाल के जीवन को लेकर एक महाकाव्य लिखना चाहता हूँ। महाकवि केशवदास यदि 'जहाँगीर जस-चन्द्रिका' और महाकवि पद्माकर यदि 'हिम्मत बहादुर यशोगान' लिख सकते हैं तो मैं 'नटवरलाल-चरित' नामक एक महाकाव्य क्यों नहीं लिख सकता? कृश्नचन्दर यदि गधे की कथा लिख सकते हैं और अमेरिका के राष्ट्रपति श्री बुश की पत्नी यदि अपनी पालतू कुतिया की कथा लिख सकती हैं तो मैं 'नटवरलाल-चरित' क्यों नहीं लिख सकता? मिसेज बुश द्वारा लिखी 'कुतिया-कथा' पिछले वर्ष की सब से ज़्यादा बिकने वाली किताब रही है और उसकी लेखिका को ग्यारह लाख डालर की रायल्टी तो कभी की मिल चुकी है। नटवरलाल तो इंसान है जो पता नहीं कैसे ग़लत रास्ते पर पड़ गया। उसका नाम हमें भगवान कृष्ण की याद दिलाता है। उसने अपना धन अपने ही देश में रखा जबकि कुछ लोग नटराज की प्रतिमा तक को मन्दिर से उठाकर विलायत ले गये जहाँ वह 1982 में ढाई लाख पाउण्ड में बेची गयी (इस प्रतिमा को वापिस लेने के लिए हमारी सरकार ने नौ वर्ष तक ब्रिटेन की अदालत में मुक़दमा लड़ा जिसमें उसकी जीत हुई)। नटवरलाल ने कुछ भी किया मगर किसी को 'ब्लैकमेल' नहीं किया जबकि ब्रिटेन का एक फ़ोटोग्राफ़र है जिसने कभी अपने देश के राजकुमार एण्ड्रयू को समुद्र में नंगा होकर नहाते हुए देखा था और उसका एक चित्र उसी दिशा में खींच लिया था और आज राजकुमार के उसी नंगे शरीर के चित्र को लेकर ब्रिटेन के काफ़ी संसद्सदस्य बेहद क्षुब्ध हैं। ग्रीनविच के एक होनहार नवयुवक ने अब तक विभिन्न युवतियों से मात्र तीस हज़ार बार टेलीफ़ोन पर बातें की हैं और अभी तक उसके ख़िलाफ़ कुछ भी नहीं किया गया है। गिरफ़्तार तो वह हो गया पर जमानत पर छोड़ दिया गया और उस पर बाकायदा मुक़दमा कब

चलेगा, यह कोई नहीं जानता। सच्ची बात तो यह है कि जिस तरह इस देश के निवासी कभी महात्मा गाँधी से प्रेरणा पाते थे, उसी तरह आजकल वे नटवरलाल जैसी महान् आत्मा से प्रेरणा पाते हैं। एक व्यंग्यकार होने के नाते मैं सच्ची बात कहने से कैसे बच सकता हूँ? मेरी तो ठीक वही स्थिति है जिसे एक उर्दू के शायर ने कभी इस तरह पकड़ा था :

सादिक हूँ अपने कौल में ग़ालिब ख़ुदा गवाह
कहता हूँ सच कि झूठ की आदत नहीं मुझे

ग्रामगीतों का प्रसंग

"हमारा देश इतना सुन्दर, विविधता से पूर्ण और विशाल है कि उसके समुद्र तट और पर्वत, क़िले और महल, मन्दिर और मसजिद देखने के लिए, उसके ग्राम-गीत और लोककथाओं को पढ़ने या सुनने के लिए, उसके पर्व, त्यौहार और मेलों का आनन्द लूटने के लिए एक जन्म जो है वह एकदम नाकाफ़ी है। हमारे देश के सौन्दर्य और कलावैभव को देखने के लिए यह ज़रूरी है कि व्यक्ति इस धरती पर बार-बार जन्म ले। तभी वह इस देश के वनों, ऋतुओं और नदियों का सौन्दर्य देख सकेगा, वैसे नहीं।"

आप जानते हैं कि ऊपर लिखी वाणी किस महान् व्यक्ति की है? शायद नहीं। मुझे आपसे यह कहते हुए कोई संकोच नहीं होता कि ऊपर दिया गया उद्धरण ख़ाकसार के अमर उपन्यास 'अपूर्ण कथा' से लिया गया है। बाकी लेखक दूसरों के साहित्य से चोरी करते हैं और एक मैं हूँ कि अपनी ही कृतियों से चोरी कर रहा हूँ। मैं अपनी 'असाध्य वीणा' अपने ही बल पर बजाऊँगा, किसी और की मदद से नहीं।

यह एकदम सच्चा बयान है कि मुझे लोकगीतों और लोककथाओं से अनन्त प्यार है। मैं अनिद्रा का रोगी हूँ और प्रायः सारी-सारी रात मैं ग्रामगीतों और ग्रामकथाओं को पढ़ते हुए ही काट देता हूँ। मैं उत्तरप्रदेश के उत्तरी भाग का 'उत्तर' हूँ और यह कहते हुए मुझे दुःख ही होता है कि मेरे इलाके में सिर्फ़ गन्ना ही पैदा होता है, लोकसाहित्य नहीं। कुछ इने-गिने चुने हुए गीत हैं (जैसे कि 'सरौता कहाँ भूल आये, प्यारे ननदोइया?' या 'बिजली का पंखा चाल रहा बन्ने के कमरे में' या 'सैंया तोरी खातिर फुलिगेंदा बन जाऊँगी') और उन्हें भी ठीक तरह नहीं गाया जाता। वैसे हमारे यहाँ भी 'घासी राम भटीपुर वासी' और 'कालीचरन दबथुआवासी' हैं पर ईसुरी के सामने वे खड़े नहीं हो सकते। लाला मटरूमल अत्तार ने आल्हा-ऊदल की बावन लड़ाइयों का आँखों देखा हाल छापा जो बहुत दिनों तक वर्षा ऋतु में पढ़ा जाता रहा। होली के अवसर पर गाँव वालों की टोलियाँ अपने ज़मींदार की हवेली में आती थीं, नाचा करती थीं और बाद में अपना इनाम लेकर वापिस चली जाती थीं। ज़मींदारी हटने के बाद गाँव के लोग इतने व्यस्त व समझदार हो गये कि सारा मज़ा ही ख़त्म हो गया। अब तो सरकार द्वारा दी गयी राशि का ग़बन किया जाता है, फ़ौजदारियाँ होती हैं और यदि फिर भी कुछ वक़्त

बचता है तो उसमें हरिजनों की पिटाई सम्पन्न की जाती है। "सारे देश में यह शिवपाल गंज ही तो फैला हुआ है।" सत्य है कवि की वाणी।

जैसा कि मैंने ऊपर बताया, हमारा देश बहुत सुन्दर है और विदेशों में कुछ नहीं रखा। अपनी यह वाणी मुझे उस वक़्त बड़ा साहस देती है जबकि मेरे और मित्र विदेश की यात्रा पर निकलते हैं और वहाँ से आने के बाद वहाँ का सचित्र विवरण छपाते हैं। लोकगीतों के प्रति भी मेरा जो प्यार है वह भी तभी तक है जब तक कि मैं उन्हें अपने ड्राइंग-रूम में बैठ कर टेलीविज़न पर देखूँ या आराम से शय्या पर लेटकर रेडियो की मदद से उनका पारायण सुनूँ। ग्रामगीतों और ग्रामकथाओं को सुनने, मैं कभी भी देहात नहीं गया। मैं क्या, सरकार के बड़े-बड़े अधिकारी और लोकप्रिय नेता भी गाँवों की सारी समस्याओं को राजधानी के वातानुकूलित कमरों में बैठकर ही सुलझाते रहे, वे कभी भी गाँव नहीं गये।

इस तमाम बेकार प्रस्तावना के बाद मैं उन ग्रामगीतों का अनुवाद प्रस्तुत करता हूँ जिनमें बाकी चीज़ों के साथ-साथ हास्य और व्यंग्य भी शामिल है। बच्चन के शब्दों में मैं जो हूँ वह "कलम और बन्दूक चलाता हूँ दोनों, दुनिया में ऐसे बन्दे कम पाये जाते" क़िस्म का आदमी हूँ। मैं सरकारी नौकरी भी करता हूँ और साहित्य भी लिखता-पढ़ता हूँ और साहित्य में भी मैं मात्र व्यंग्यकार ही नहीं, वरन् एक समर्थ कवि भी हूँ। मैं फिर बहक गया। अच्छा, अब लोकगीतों के अलावा कुछ नहीं बोलूँगा।

एक युवती दूसरी युवती से कहती है कि "तेरी रात कैसे कटती है? तेरा जो पति है वह तो गाड़ीवान है और सारी रात बाहर ही रहता है। हे सखि, आम का टिकोरा सब बाधाओं को काट कर बाहर निकल आया, ठीक उसी तरह जैसे कि चोली को फाड़कर तेरे स्तन बाहर निकले। ऐ सखि, दाम लेकर यह यौवन दे दो, यह तुम से नहीं सँभलेगा। जिस प्रकार परती ज़मीन पर गाय का चराना बहुत अच्छा लगता है उसी प्रकार युवती भी तभी तक प्रिय लगती है जब तक कि उसके बच्चा नहीं होता। गोरी के स्तन बाहर निकलने लगे और बेवकूफ़ बालक पति यही समझता रहा कि उसकी पत्नी को कोई भयंकर बीमारी लगी है जिसके कारण उसकी छाती में से हिरन के सींगों जैसा कुछ प्रकट हो रहा है। अरे मूर्ख, मदार का फूल फूलता है, पीपल में फूल नहीं होता। अरे, ओ बन्धु, तुम यह क्या टटोल रहे हो? जानते नहीं कि स्तनों में हाड़ नहीं होते? चोली फट गयी मगर इसमें दर्जी का कोई दोष नहीं, यह तो ऐ मेरे बालक प्रियतम, मेरे यौवन के कारण फटी है।" (ये सारी पंक्तियाँ 'विरहा' की हैं जो विरह के ही समय गाया जाता है)

अब मैं आपको कुछ और लोकगीतों का अनुवाद सुनाता हूँ। "यह न मेरा पुत्र है और न भाई; यह तो मेरा पति है जिसके युवा होने की मैं प्रतीक्षा कर रही हूँ। अभी तो यह इतना भोला है कि रात को यदि मैं इससे अपनी चोली खोलने को कहती हूँ तो यह बेचारा किवाड़ की साँकल खोलने लगता है। धोबी जो होता है,

उसकी चार पत्नियाँ होनी चाहिए। धोबी के चहिए चारि मेहरिया : एक घर की एक घाट; एक मेहरिया रोटी पकाव एक बिछावे खाट। पतिव्रता स्त्री भूखी मर रही है और वेश्या जो है वह पान चबा रही है। ग़रीब पहाड़ से गिर गया मगर किसी ने भी उससे कोई बात नहीं की जबकि साहूकार के ज़रा-सा काँटा भी चुभ गया तो सारी दिशाओं में हाहाकार मच गया। मेरे तो एक ही दिल था जो मैंने तुम्हें दे दिया। मैं कोई ककड़ी की बेल थोड़े ही हूँ जिस पर रोज़ फल लगता है। ओ मेरे भोले पति, यदि तुम मुझमें और अपनी माँ में कोई अन्तर नहीं समझते तो तुमने मुझसे विवाह ही क्यों किया? तुम मुझे यहाँ लाये ही क्यों?"

एक युवती है जो डाकिये से कहती है कि "ओ चिट्ठी बाँटने वाले, तुम इतने सुन्दर और जवान हो कि मैं तुम्हें निरन्तर देखना चाहती हूँ। मेरे प्रियतम की चिट्ठी हो या न हो, तुम मेरे द्वार पर रोज़ आया करो।" "अरे ओ प्रियतम, तुम वेश्या के पास क्यों जाते हो? क्या वह मुझसे ज़्यादा सुन्दर है? क्या वह तुम्हें उतना ही प्यार करती है जितना कि मैं करती हूँ? प्रियतम, मेरी जो देह है वह पान की भाँति कोमल है और इसी कारण मैं तुमसे बिनती करती हूँ कि मेरे शरीर पर इतनी बहादुरी न दिखाया करो। ओ मेरे पति, मैं जानती हूँ कि तुमने जो शादी की है वह दहेज के लालच में की है : मैं तो दहेज के साथ इस तरह आयी हूँ जैसे कि काली कुतिया के साथ उसकी पिल्ली आती है। ओ मेरे प्रियतम, तुम दारू मत पिया करो। शराब के नशे में तुम सड़क पर गिर जाते हो और उसके बाद कुत्ते तुम्हारे उन कपोलों को चूमते हैं जिन्हें मैं चूमना चाहती हूँ। ओ मेरे पति, तुम तो मेंढक की तरह हो, तुम्हें कमल के मकरन्द का क्या पता?" "ओ बहिन, अपने पुत्र के लिए तुम पूरब की दिशा में वधू ढूँढ़ना। पूर्व दिशा की वधू पतले-पतले फुलके पोएगी, उड़द की धुली दाल बनाएगी और घूँघट निकाल कर अपने पति को थाली देगी। पश्चिम दिशा की बहू न लेना, वह तो एकदम फूहड़ होती है। उत्तर दिशा की वधू बड़े कुल की होगी और आते ही सारी सम्पत्ति पर अधिकार जमा लेगी। दक्षिण दिशा की बहू कमेरी तो होगी मगर उसकी वाणी बड़ी कठोर होगी।" "ओ मेरे ईश्वर, तू यह बता कि तुमने मुझे जन्म क्यों दिया? और अगर जन्म देना ही था तो मुझे लड़की क्यों बनाया? अगर लड़की ही बनाना था, तो मुझे इतना सुन्दर क्यों बनाया? और इतना सौन्दर्य ही देना था तो मुझे इतने कुलीन घर में क्यों पैदा किया? अब स्थिति यह है कि कुल की मान-मर्यादा के कारण मैं अपने प्रेमी के साथ भाग भी नहीं सकती।" मैं कहा जाँऊ रे, मोको कहाँ ठाँऊ रे?

सारी रात इस लेख के लिए सामग्री जुटाने और इसे लिखने में ही बीत गयी। अब यह चर्चा यहीं बन्द करता हूँ। भोर हो गयी। सुबह की चिड़िया बोलने लगी। ए, भोर रे भइले भिनुसार, चिरइया एक बोले ले। अब चाय पीऊँगा, बाथरूम जाऊँगा, हजामत बनाऊँगा, सूट पहिनूँगा और अपनी गाड़ी में दफ़्तर जाऊँगा। ग़म और भी हैं ज़माने में मुहब्बत के सिवा?

धर्मक्षेत्रे, कुरुक्षेत्रे...

एक प्रदेश के एक माननीय मन्त्री जी एक पुलिस-कर्मचारिणी युवती के साथ विवाह के पवित्र बन्धन में बँध गये। दोनों व्यक्ति लगभग तीन वर्ष पूर्व एक-दूसरे के सम्पर्क में आये थे। शादी के बाद दो दुर्घटनाएँ हुईं। पहली दुर्घटना तो यह हुई कि सदा के चतुर पत्रकारों ने ऐसी-ऐसी बेसिर-पैर की बातें छापीं कि पति महोदय का हृदय दुख से भर उठा। अख़बारनवीसों ने छापा कि वधू जो है वह चार पतियों को तलाक दे चुकी है और इस झूठ को विश्वसनीय बनाने के लिए उन्होंने यहाँ तक छापा कि वधू की आयु पैंतीस वर्ष है जबकि वह बेचारी बालिका मात्र पच्चीस वर्ष की ही कन्या है। दूसरी दुर्घटना यह हुई कि वधू ने विवाह सम्पन्न होते ही पुलिस की नौकरी से त्यागपत्र दे दिया जबकि प्रेस की राय में त्यागपत्र जो था वह मन्त्री महोदय को देना ज़्यादा उचित रहता। कितने दुख की बात है कि ख़ाकसार के सिवा किसी भी नागरिक ने मन्त्री महोदय को इस बात के लिए बधाई नहीं दी कि उन्होंने प्रेम और विवाह के सामने सामाजिक प्रतिष्ठा के अन्तर को और जाति या धर्म के बन्धनों तक को तोड़ दिया। एक दूसरे प्रदेश के भूतपूर्व मुख्यमन्त्री ने एक और स्त्री से विवाह रचा डाला हालाँकि उनकी पहिली पत्नी सीन पर बाकायदा मौजूद थी। इस पहिली पत्नी ने दूसरी पत्नी को 'विषकन्या' बताया क्योंकि उसके कारण उसके सुखी पारिवारिक जीवन की समाप्ति हो गयी। उसे अपने पति के प्रति कोई क्रोध नहीं आया क्योंकि वे तो प्रथम पत्नी से बहुत प्रेम करते थे और हर बात में उसकी सलाह लेते थे। हाँ, अलबत्ता इस दूसरी शादी के बारे में पति ने उन्हें कुछ नहीं बताया था। पत्नी (क्रम संख्या एक को) दूसरी शादी का पता अख़बार पढ़ने पर ही मिला। मन्त्रियों की बात क्या चली कि मुझे सहसा याद आया कि कुछ ही दिन पूर्व एक प्रदेश के एक भूतपूर्व मन्त्री को हत्या के अपराध में गिरफ़्तार किया गया। और उन मन्त्रीजी का तो कहना ही क्या जो एक अस्पताल से, डॉक्टरों के कहने के बावजूद, बाहर नहीं निकलते क्योंकि सरकार अस्पताल के बिल का भुगतान नहीं कर रही है। बिल की इस अदायगी के चक्कर में बिल की जो क़ीमत है वह दिन-प्रतिदिन बढ़ती जा रही है। मन्त्री जी की इस सही जिद के कारण अस्पताल

को अदा की जाने वाली यह रकम चालीस हज़ार रुपयों तक पहुँच गयी है। मन्त्री जी जब तक अस्पताल नहीं छोड़ेंगे तब तक यह पवित्र राशि मात्र तीन सौ पचास रुपये प्रतिदिन के हिसाब से बढ़ती जाएगी। एक और मुख्यमन्त्री जी ने बताया है कि उनके मन्त्रिमण्डल में (जिसमें लगभग साठ मन्त्री हैं) काफ़ी मन्त्री ऐसे हैं जो चपरासी बनने की योग्यता भी नहीं रखते।

चाणक्य के अनुसार स्त्रियों में पुरुष की अपेक्षा छह गुना ज़्यादा साहस होता हूँ। आगा खान ने सन् 1918 में कहा था कि जो व्यक्ति स्त्री को समझ सकता है वह दुनिया में कुछ भी कर सकता है। अभी-अभी इंग्लैण्ड के विश्वविख्यात स्काटलैण्ड यार्ड में एक युवती ने चोरी की। उसे बहादुरी का तमगा देने के स्थान पर गिरफ़्तार किया गया। एलिज़ाबेथ टेलर ने बीमार होते हुए भी अपने नौवें पति के साथ विवाह किया। पति की आयु एलिज़ाबेथ टेलर की आयु से मात्र बीस वर्ष कम है क्योंकि वह बेचारा जो है वह मात्र उनतालीस वर्ष का ही बच्चा है। एलिज़ाबेथ टेलर बड़ी सादगी से रहती है और उसका औसत खर्चा मात्र एक हज़ार डालर प्रति सेकेण्ड ही है और वैसे भी उसे 'सदा भूखी मादा भेड़िया' ही कहा जाता है। इस नौवीं शादी के बाद इस विश्व की परम सुन्दरी बालिका ने पत्रकारों को बताया कि इस शादी में उसे सर्कस जैसा मज़ा आया। दिल्ली की एक वेश्या ने पुलिस को बताकर एक निरीह बच्ची की ज़िन्दगी वेश्यावृत्ति से बचायी मगर सरकार उसे कोई पुरस्कार कभी नहीं देगी। अभी-अभी फ्रैंकफ़र्ट में एक 'विश्व वेश्या सम्मेलन' सम्पन्न हुआ जिसमें सारे संसार की सरकारों से यह आश्वासन माँगा गया कि उनके पेशे को, जो संयोगवश संसार का सबसे पुराना पेशा स्वीकार किया जाता है, कानूनी मान्यता प्रदान की जाए। सच्ची बात यही है कि पुरुष हर मामले में स्त्री से पीछे रहता हुआ भी केवल अपनी शारीरिक शक्ति व धन उपार्जन करने की क्षमता के कारण ही सदा स्त्री के ऊपर रहा। राष्ट्रपति कैनेडी की सती साध्वी विधवा जैकी ने एक वृद्ध व्यक्ति से उसकी सारी बुराइयों को नज़रअन्दाज़ करके शादी की, ताकि वह उस ओनासिस नाम के अपराधी की देखभाल कर सके मगर वह पति भी इतना गिरा हुआ निकला कि उसके मरने के बाद उसकी विधवा जैकी को उसकी असीम सम्पत्ति का एक बहुत छोटा अंश ही मिला सारा धन नहीं जो कि वह चाहती थी। अभी-अभी चीन में एक व्यक्ति को तीन वर्ष की कड़ी क़ैद मात्र इस छोटे से मुद्दे को लेकर हुई कि उसने पिछले कुल दो वर्षों में ही बयालीस स्त्रियों से अनैतिक सम्बन्ध स्थापित कर लिये थे। विदेशों की बात अलग है, वहाँ स्त्रियाँ स्त्रियों के साथ भी विवाह करती हैं। मैं पूछता हूँ कि क्या हमारे देश के किसी भी पुरुष में इतनी शक्ति है कि वह किसी दूसरे पुरुष के साथ अपना विवाह सम्पन्न कर सके?

स्त्रियों के उद्धार के लिए हमारी सरकार वचनबद्ध है। धर्मक्षेत्र (अर्थात् लोकसभा) के पिछले सत्र में दो बिल ऐसे पेश किये गये जो इस दिशा में प्रगति के सूचक

हैं। एक बिल में यह प्रस्तावित किया गया कि अवैध सन्तान को अपनी माता का उत्तराधिकारी स्वीकार किया जाए। यदि यह बिल पारित हो गया तो स्थिति यह होगी कि यदि कोई व्यक्ति किसी अवैध सन्तान को 'हराम ज़ायदा' कहेगा तो उसे एक वर्ष तक की क़ैद भुगतनी पड़ेगी। दूसरे बिल का प्रावधान यह है कि विवाह के समय से ही, पत्नी जो है वह पति की सम्पत्ति की भागीदार होगी। मगर सच्ची बात यह है कि स्त्रियों के प्रति पुरुष का दृष्टिकोण धीर-धीरे ही बदलेगा। रुकते-रुकते रुकेंगे आँसू, यह रोना है कुछ हँसी नहीं है (मीर तकी मीर) फ़िलहाल तो स्थिति यह है कि आदमी के सब कसूर माफ हैं जब कि स्त्री जो है वह किसी से प्रेम भी नहीं कर सकती। दक्षिण भारत के एक कस्बे में प्रेम के सन्दर्भ में ही एक कन्या व उसकी माता को नंगा कर दिया गया जबकि अपराधी जो था वह पुंल्लिंग होने के कारण साफ़ बच गया।

मेरे विचार में अब समय आ गया है कि सरकार स्त्रियों की रक्षा के लिए कुछ कठोर क़दम उठाए। स्त्रियों के साथ-साथ व्यंग्यकारों को भी कुछ सुरक्षा मिलनी चाहिए। मेरे सीनियर हरिशंकर परसाई जी को कुछ लोगों ने काफ़ी पहिले पीटा था। (जिसके कारण उन्होंने अपने अगले व्यंग्य-संग्रह का नाम 'विकलांग श्रद्धा का दौर' रखा) और धमकी भरे टेलीफ़ोन मुझ जैसे शाकाहारी व्यंग्यकार के पास भी आते रहते हैं। मगर मैं शायद ग़लती पर हूँ; स्त्रियों और व्यंग्यकारों से भी पहिले सरकार को न्यायपालिका की सुरक्षा पर तुरन्त ध्यान देना चाहिए क्योंकि वहाँ की जो स्थिति है वह दिन-प्रतिदिन ख़राब ही होती जा रही है। गुजरात की सरकार अपनी पुलिस के सर्वोच्च अधिकारी के विरुद्ध कुछ क़दम लेने जा रही है क्योंकि सुप्रीम कोर्ट ने इस बात पर नाराजगी प्रकट की है कि एक मुख्य न्यायिक मैजिस्ट्रेट को जो हथकड़ियाँ पुलिस ने पहनायी थीं उनकी कोई ज़रूरत नहीं थी। पुलिस ने इस मामले में काफ़ी दिलचस्प हरकतें की थीं; उसने चीफ़ जूडीशल-मैजिस्ट्रेट को रस्सी से बाँधा था और फिर उसे उसी स्थिति में सड़कों पर घुमाया था। पुलिस के उच्च अधिकारियों ने सूचना प्राप्त होने पर भी कुछ नहीं किया। उत्तर प्रदेश के एक सत्र-न्यायाधीश को एक वकील ने उनके चेम्बर में जाकर डाँटा और उनसे फ़ाइल छीनी। और दिल्ली के हाई कोर्ट में तो वह किया गया जो कि इतिहास में शायद कभी नहीं हुआ। चन्द वकीलों ने भरी अदालत में न्यायमूर्तियों के साथ अभद्र व्यवहार किया जिसके फलस्वरूप दिल्ली हाई कोर्ट के सारे जजों की बेंच ने उन वकीलों के ख़िलाफ़ अदालत की मानहानि का मुक़दमा शुरू किया। मगर सरकार ने इस बारे में भी कुछ नहीं किया। सरकार को तो मात्र उन परम विशिष्ट लोगों की सुरक्षा की चिन्ता है जो राजनेता हैं। एक सितम्बर उन्नीस सौ इक्यानबे के अख़बार के अनुसार तीन हज़ार पुलिस कर्मी तो अकेले प्रधान मन्त्री जी की ही सुरक्षा पर तैनात हैं। अख़बार के अनुसार राष्ट्रपति, उपराष्ट्रपति और प्रधानमन्त्री—इन तीन व्यक्तियों की सुरक्षा पर

सरकार लगभग दस करोड़ रुपये प्रतिवर्ष खर्च करती है। मैं पाठकों को सलाह देता हूँ कि वे इन विषयों पर एक सितम्बर तथा तीस सितम्बर उन्नीस सौ इक्यानबे का इण्डियन एक्सप्रेस (दिल्ली संस्करण) पढ़ें ऐसा करने से बहुतों का भला होगा। कुल मिलाकर स्थिति यह हो गयी है कि लगभग ढाई सौ विशिष्ट व्यक्तियों की सुरक्षा पर लगभग सौ करोड़ रुपये का खर्चा प्रतिवर्ष किया जा रहा है। ऐसी स्थिति में यदि सिगरेट के दाम न बढ़ाये जाएँ तो सरकार का खर्च कैसे चले?

धर्मक्षेत्र की चर्चा करने के बाद मैं आपको कुरुक्षेत्र ले चलता हूँ। महाभारत में वर्णित इस पवित्र स्थल पर ठीक वही किया जा रहा है जो कि कभी वाममार्गी लोग यहाँ किया करते थे। सब लोग नशा करते हैं, एक-दूसरे की पत्नी में भेदभाव नहीं करते हैं और लगभग वही मुक्त जीवन बिता रहे हैं जिसकी चर्चा ओशो रजनीश व आस्कर वाइल्ड ने प्रत्यक्ष या अप्रत्यक्ष रूप से की थी। लगभग तीन सौ परिवार ऐसे हैं जो विभिन्न कारणों के कारण (जिसमें ग़रीबी भी शामिल है) किसी नैतिकता की कोई परवाह नहीं करते। यह 'मुक्त समाज' जहाँ स्थित है उस स्थान का नाम 'महात्मा गाँधी स्लम' है। सोचता हूँ कि कुछ दिनों के लिए वहीं चला जाऊँ। मुझे यह परवाह नहीं कि वहाँ झोंपड़ी में रहना पड़ेगा या कि महलों में। मैं तो महलों से भी प्यार करता हूँ और झोंपड़ों से भी। एक अरबी कवि का कहना है :

ऐ मुसाफ़िर, रुक और सोच
इस मुकम्मिल अजूबे की और ख़ूबसूरती की तारीफ़ कर
और फिर मन ही मन कह
कि इस ख़ूबसूरती का राज़ इस इमारत में नहीं
बल्कि राज़ छिपा है इमारत के बाशिन्दों में

पूरब का ऑक्सफ़ोर्ड

मैं उन बुद्धिमान लोगों में से हूँ जो पत्रकारिता को साहित्य की ही एक विधा मानते हैं। आज से लगभग पचास वर्ष पहिले स्थिति यह थी कि 'हंस' के सम्पादक प्रेमचन्द थे, 'चाँद' की सम्पादिका महादेवी वर्मा थीं, 'विचार' के सम्पादक भगवतीचरण वर्मा थे, 'सैनिक' के सम्पादक अज्ञेय थे, 'दरबार' के सम्पादक ऋषभचरण जैन थे, 'वीर अर्जुन' के सम्पादक इन्द्र विद्यावाचस्पति थे, 'सरस्वती' के सम्पादक पं. देवीदत्त शुक्ल (और बाद में पदुमलाल पुन्नालाल बख़्शी व पं. श्रीनारायण चतुर्वेदी) थे, 'माधुरी' के सम्पादक शायद पं. रूपनारायण पाडेण्य थे, 'संसार' के सम्पादक पं. कमलापति त्रिपाठी थे, 'विशाल भारत' के सम्पादक बनारसीदास चतुर्वेदी थे, 'भारतोदय' के सम्पादक पं. पद्मसिंह शर्मा थे और 'आज' के सम्पादक बाबू विष्णुराव पराड़कर थे। मैं उन दिनों कोई दस वर्ष का बच्चा था पर इन अख़बारों को मन लगाकर पढ़ता था। ये सब पत्र वर्षों पहिले छपने बन्द हो गये। इसके बाद साहित्यिक पत्रकारिता का दूसरा दौर आया जिसमें 'धर्मयुग' के सम्पादक धर्मवीर भारती रहे, बालकृष्ण राव ने पहिले 'कादम्बिनी' और बाद में 'माध्यम' निकाला, 'सारिका' के सम्पादक पहिले चन्द्रगुप्त विद्यालंकार और बाद में कमलेश्वर रहे, 'ज्ञानोदय' को रमेश बक्षी व शरद् देवड़ा ने निखारा, बदरीविशाल पित्ती ने 'कल्पना' निकाली, 'कहानी' के सम्पादक श्रीपत राय रहे, 'नयी कहानियाँ' को कमलेश्वर, भैरवप्रसाद गुप्त और बाद में अमृतराय ने सँभाला, रमेश बक्षी ने 'हिन्दी शंकर्स वीकली' निकाला और शरद् जोशी ने 'हिन्दी-एक्सप्रेस' को निकाला। शैलेश मटियानी ने भयंकर आर्थिक संकट के बावजूद 'विकल्प' जैसा शानदार अख़बार निकाला और श्याम परमार, जगदीश चतुर्वेदी व रवीन्द्रनाथ त्यागी ने 'अकविता' निकालनी शुरू की जो काफ़ी जमी। कोई तीन अख़बारों को छोड़कर बाकी ऊपर लिखे सारे अख़बार बन्द हो गये। उनकी जगह अब 'सत्यकथा' ने ले ली जिसमें हत्या और सेक्स के हैरतअंगेज़ और सनसनीख़ेज समाचार छपते हैं जो आम आदमी की आदिम भूख को मिटाते हैं। डॉ. धर्मवीर भारती को मैं महावीरप्रसाद द्विवेदी के समकक्ष रखता हूँ। दोनों ने पत्रकारिता और साहित्य का अभूतपूर्व संगम सम्पन्न किया और मेरे जैसे कितने

ही साधारण लोगों को भी सफल साहित्यकार बनाया। इस रहस्य का एक कारण यह भी रहा कि 'धर्मयुग' सँभालने से पहिले भारती जी 'संगम' के सम्पादक मण्डल में थे जहाँ उनके साथी थे रमानाथ अवस्थी और बॉस थे इलाचन्द्र जोशी। देवेन्द्र सत्यार्थी के सम्पादनकाल में 'आजकल' भी बढ़िया निकलता था। अख़बारों के बन्द होने से मुझे बड़ा दुख है—छपें तो कहाँ छपें? 'नवनीत' व 'साप्ताहिक हिन्दुस्तान' के सम्पादक ऐसे हैं जिन्हें अंग्रेज़ी में 'मिगैलोमैनियक' कहा जाता है। मैं अब वहाँ कुछ भेजता ही नहीं। और अख़बार का हाथ में रखना इतना ज़रूरी है कि अज्ञेय जी तक ने आजीवन एक न एक अख़बार हमेशा हाथ में रखा। भारतेन्दु हरिश्चन्द्र व जयशंकर प्रसाद तक को विवश होकर 'हरिश्चन्द्र मैगज़ीन' और 'इन्दु' नाम के अख़बार अपने खर्चे पर ही निकालने पड़े।

मैं जब भी कोई अख़बार पढ़ता हूँ तो उसमें ऊपर बताये अख़बारों की छवि ढूँढ़ने की असफल कोशिश करता हूँ। हाथ कुछ नहीं लगता। कल एक प्रख्यात पत्रिका लेकर बैठा तो उसमें दिलचस्प ख़बरें पाँच या छह ही थीं। राजधानी के एक पत्रकार को एक पुलिसमैन ने थप्पड़ मार दिया और जब वह पीड़ित व्यक्ति पुलिस के डिपुटी-कमिश्नर के पास गया तो उसने उसे डॉक्टरी जाँच के लिए भेज दिया। बलात्कार के सन्दर्भ में तो डॉक्टरी जाँच की बात सुनी थी पर थप्पड़ के सन्दर्भ में कभी नहीं। मगर पुलिस से आप बहस तो कर ही नहीं सकते। मैं तो हमेशा से कहता आया हूँ कि लालकुर्ती थाने का दरोगा राष्ट्रपति से कहीं ज़्यादा ताकत रखता है। दूसरी ख़बर यह थी कि दूरदर्शन पर महाभारत देखने से त्रिपुरा में एक युद्ध तीर-कमानों से लड़ा गया। ठीक वही बात जो अभी-अभी फ्रांस में हुई; वहाँ भी वाटरलू के युद्ध को पुरानी ही पोशाकों में और उसी समय के हथियारों से सबके सामने दुहराया गया। मगर फ्रांस की बात अलग है; कहाँ अकबर और कहाँ गोबर। कहाँ एम.जी.एम. और कहाँ ए.वी.एम.। फ्रांस में एक मन्त्री तो मात्र नृत्य का विभाग सँभालता है। तीसरी ख़बर यह थी कि दिल्ली की एक अदालत के बाहर किसी ने एक अन्धे भिखारी की जेब काट ली। कानून तो हमेशा से अन्धा ही होता आया। चौथी ख़बर यह थी कि वाशिंगटन में एक भारतीय को मात्र इस कारण ड्राइवर नहीं रखा गया क्योंकि वह दाढ़ी रखता था। वह व्यक्ति अब अदालत गया है जहाँ उसे अवश्य न्याय मिलेगा। पाँचवीं ख़बर यह थी कि बिहार के एक कार्यपालक विद्युत-अभियन्ता ने सिर्फ़ बीस लाख सरकारी रुपया को सार्वजनिक सम्पत्ति से निजी सम्पत्ति में बदला। छही ख़बर यह थी कि श्री विश्वनाथप्रताप सिंह ने प्रधानमन्त्री के पद से त्यागपत्र दे दिया। अब वे कविता लिखेंगे। इस सारे सन्दर्भ में चौ. देवीलाल ने कहा है कि सारा तमाशा उन नेताओं और पत्रकारों ने किया है जो ग्रामीणों का उद्धार नहीं चाहते। मैं चौधरी साहब से शत-प्रतिशत सहमत हूँ। सरकार को विधान में फौरन परिवर्तन करने चाहिए। यह निश्चित करना होगा कि अस्पतालों में सिर्फ़

ग्रामीणों की ही चिकित्सा होगी, रेलों और हवाई जहाज़ों में सिर्फ़ गाँव के लोग ही बैठेंगे, सिविल सर्विस में सिर्फ़ देहात के नवयुवक छात्र ही लिये जाएँगे और 'ताज़ीराते हिन्द' जो है वह गाँव के निवासियों पर हर्गिज़ लागू नहीं होगा। विश्वनाथप्रताप सिंह जी से तो मैं एक ही निवेदन करूँगा और वह यह कि इतना सज्जन दीखने की कोशिश करना छोड़ दें। सज्जनता का दूसरा नाम कायरता है और जहाँ तक हकूमत का सवाल है वहाँ सारे अवगुण, सारे पाप और सारे अपराध छिप जाते हैं पर कायरता नहीं। वीरभोग्या वसुन्धरा। और सातवीं ख़बर वह है जिस पर मैं यह प्रबन्ध लिखने बैठा हूँ।

सातवीं व अन्तिम ख़बर यह है कि इलाहाबाद युनिवर्सिटी, जिसे कभी 'पूरब का आक्सफ़ोर्ड' कहा जाता था, फ़िलहाल एक कांजीहाउस या पुलिस चौकी की छटा दे रही है। सीनेट हाल की वह शानदार घड़ी, जो कभी 'ट्रिंग-ट्रिंग' का शंखनाद किया करती थी, अब बन्द पड़ी है और उसका एक शीशा वर्षों से टूटा पड़ा है। वे शानदार पत्थर की गोल बेंचें, जहाँ हम मित्र लोग प्लेटो और मार्क्स के सिद्धान्तों की चर्चा किया करते थे, अब टूटी पड़ी हैं। जिस विश्वविद्यालय में सर इक़बाल नारायण गुर्टू, डॉ. सर गंगानाथ झा और डॉ. अमरनाथ झा वाइस चांसलर हुआ करते थे वहाँ बाद में ऐसे लोग उपकुलपति बनाये गये जो कभी स्कूलों के इंस्पेक्टर होते थे, जिनके चरित्र की भ्रष्टता सब कोई जानते थे और जिनके पास राजनीतिक प्रभाव के अतिरिक्त और कुछ नहीं था। परिणाम वही हुआ जो होना था। आज वही शानदार विश्वविद्यालय, जहाँ मैं केवल सौ रुपये लेकर पढ़ने गया था और जहाँ से मैं एम.ए. में सर्वोच्च स्थान प्राप्त करके लौटा था—आज शैक्षणिक व नैतिक गड्ढे में पड़ा है। लोगों को विश्वविद्यालय के परिसर में खड़े होते डर लगता है क्योंकि पता नहीं कब और किस दिशा से बन्दूक की गोली उनको निर्वाण का परम सुख प्राप्त करा दे। बुद्ध ने कहा था—आरोग्यं परमं लाभम्, निर्वाणं परमं सुखम्। जिस युनिवर्सिटी में डॉ. गोरखप्रसाद, प्रोफ़ेसर नीलरतन धर, डॉ. मेघनाथ साहा, डॉ. ए.सी. बनर्जी, प्रो. जे.के. मेहता, पी.सी. जैन, डॉ. ईश्वरीप्रसाद, डॉ. बनारसीप्रसाद सक्सेना, डॉ. अमरनाथ अग्रवाल, डॉ. गोवर्धन शर्मा, डॉ. धीरेन्द्र वर्मा, डॉ. माताप्रसाद गुप्त, डॉ. रमाशंकर शुक्ल 'रसाल', डॉ. रामकुमार वर्मा, डॉ. बाबूराम सक्सेना, प्रो. क्षेत्रेशचन्द्र चट्टोपाध्याय, प्रो. सतीशचन्द्र देव, डॉ. हरिवंशराय बच्चन, रघुपतिसहाय 'फ़िराक़', प्रो. यदुपति सहाय, प्रो. के.के. मेहरोत्रा, प्रो. प्रकाशचन्द्र गुप्त और प्रो. किरनकुमार भट्टाचार्य जैसे विद्वान् अध्यापक थे वहाँ आज शिक्षा के स्थान पर अपराध किये जा रहे हैं और किसी की हिम्मत नहीं कि उन्हें रोक सके। फ़िलहाल—जैसा कि प्रेस रिपोर्टर का कहना है—विश्वविद्यालय शिक्षा का मन्दिर नहीं वरन् अपराधों का अभयारण्य बन गया है। पिछले कुछ महीनों में तो युनिवर्सिटी के परिसर में कई बम-विस्फोट भी हुए। बम-विस्फोटों का प्रमुख कारण यह बताया जाता है कि कुछ

छात्र कानून की परीक्षाएँ पीछे हटवाना चाहते थे।

छात्रावास जो हैं वे प्रयाग विश्वविद्यालय के सबसे ज़्यादा महत्त्वपूर्ण अंग हैं। जब मैं गंगानाथ झा होस्टल में था (जहाँ चौकीदार का नाम बमबहादुर सिंह और उसके लड़के का नाम तोपबहादुर सिंह था) तो स्पेन व बर्मा में हमारे राजदूत इन्दुप्रताप सिंह, प्रख्यात गणितज्ञ त्रिविक्रम पति, लोकसभा के सेक्रेटरी-जनरल डॉ. सुभाष काश्यप, भारतीय जनता पार्टी के अध्यक्ष डॉ. मुरली मनोहर जोशी और बिहार के डाइरेक्टर-जनरल (पुलिस) तेजप्रताप सिंह मेरे समकालीन थे और छात्रावास में निवास करते थे। मैं स्टडी-सर्किल का एक वर्ष के लिए सचिव था और हम लोगों ने अशोक मेहता, लालमोहन बनर्जी, फ़िराक़ साहब व पी.सी. जोशी वग़ैरा को भाषण देने बुलाया था। हालैण्ड हाल खेलकूद के लिए प्रसिद्ध था तो म्योर होस्टल पढ़ने-लिखने के लिए मशहूर था। मुस्लिम होस्टल में शानदार मुशायरे होते थे। आजकल वे ही होस्टल अपराधियों के शरणस्थल बन गये हैं। जहाँ कभी गोपीकृष्ण अरोरा और सुरतदास श्रीवास्तव रहते थे, वहाँ से अभी-अभी एक गम्भीर मुजरिम को पुलिस ने आधी रात के समय पकड़ा है। उसके पास से पुलिस ने मात्र 315 बोर के कारतूसों का एक कट्टा, कुछ और कारतूस और गाँजा बरामद किया।

मेरे ज़माने में पण्डित जवाहरलाल नेहरू, रफ़ी अहमद किदवई, पुरुषोत्तमदास टण्डन, हज़ारीप्रसाद द्विवेदी, आचार्य कृपलानी, सरदार जाफ़री, प्रेम धवन, जोश मलीहाबादी, आचार्य नरेन्द्रदेव, डॉ. राममनोहर लोहिया, ब्रिटिश ग्याना के 'भारतीय' प्रधानमन्त्री छेदी जागन, मिसेज़ रूज़वेल्ट, ओंकारनाथ ठाकुर, जयप्रकाश नारायण, डॉ. कैलाशनाथ काटजू, पं. गोविन्दबल्लभ पन्त, पृथ्वीराज कपूर, सुप्रीम कोर्ट के चीफ़ जस्टिस श्री महाजन, डॉ. श्यामाप्रसाद मुकर्जी और न जाने कितने और यशस्वी लोग जब यूनियन का उद्घाटन करने या वैसे ही भाषण देने आते थे तो विश्वविद्यालय के हज़ारों छात्र उनके भाषणों को आदर और श्रद्धा के साथ चुपचाप सुनते थे। अब स्थिति यह है कि प्रत्येक प्रयोजन में अराजक तत्त्वों के आने का आतंक छाया रहता है क्योंकि वे लोग अपनी ओछी हरकतों से आयोजन में भयंकर खलल डाल सकते हैं। यूनियन का इलेक्शन शायद सन् 1953 में ख़ाकसार ने भी लड़ा था और मैं 'स्टूडेण्ट-फैडरेशन' का सभापति भी रहा। अब स्थिति यह है कि चुनाव की सरगर्मी में एक छात्रा को लगभग नंगा ही कर दिया गया। बहरहाल, कन्या होनहार थी, वह अपनी मोपेड छोड़कर 'वू-मैन होस्टल' में घुस गयी। अगर वह ऐसा नहीं करती तो पता नहीं उस पर क्या गुज़रती। कला-संकाय की एक महिला मज़दूर के साथ बलात्कार सफलता के साथ सम्पन्न किया गया। विश्वविद्यालय का प्रशासन ऐसा कोई ठोस क़दम नहीं उठा रहा जिससे बाहरी अराजक तत्त्व युनिवर्सिटी-परिसर में न घुस सकें। परिणाम ज़ाहिर है : छात्राओं की संख्या बराबर घटती जा रही है और परीक्षाओं में नकल खुलेआम चल रही है। कुलपति युनिवर्सिटी के दो गुटों में

से किसी एक से मिले रहते हैं और अपना स्वार्थ सिद्ध करते रहते हैं। यदि कोई ईमानदार-निष्पक्ष कुलपति आ जाता है तो उसे भ्रष्ट अध्यापक टिकने नहीं देते। हमारे ज़माने में 'परिमल' होती थी जिसके कर्ता-धर्ता-हर्ता थे डॉ. धर्मवीर भारती। पन्त, निराला, अश्क, बलवन्त सिंह, अमृतराय, महादेवी वर्मा, वाचस्पति पाठक, बच्चन, फ़िराक़, बिस्मिल, सर्वेश्वर, रमानाथ अवस्थी, विश्वम्भर 'मानव', इलाचन्द्र जोशी, दुष्यन्तकुमार, कमलेश्वर, सुरेन्द्र चतुर्वेदी, ओंकारनाथ श्रीवास्तव, गिरधर गोपाल, जगदीश गुप्त, प्रकाशचन्द्र गुप्त, केशवचन्द्र वर्मा, विनोद रस्तोगी, विपिनचन्द्र अग्रवाल, डॉ. रघुवंश (जो हाथों की अपंगता के कारण पैर से लिखते थे) लक्ष्मीकान्त वर्मा, गंगाप्रसाद पाण्डेय, अजित कुमार, रवीन्द्रनाथ त्यागी, शालिग्राम शर्मा (जो लोककवि थे और जिनकी एक नितान्त फूहड़ नाम वाली छोटी-सी पुस्तक एक लाख से ऊपर बिक चुकी थी) श्री हरि, लक्ष्मीनारायण लाल, रामावतार 'चेतन', केशवप्रसाद मिश्र, उमाकान्त मालवीय, नरेश मेहता, सत्यव्रत सिन्हा, शेखर जोशी, अमरकान्त, और विजयदेव नारायण साही इत्यादि न जाने कितने साहित्यकार प्रयाग में मौजूद थे और अक्सर कॉफी हाउस में मिलते रहते थे। एक वे दिन थे और एक आज का दिन है कि युनिवर्सिटी में बाकायदा फ़ौजदारी होती है, लड़कियों पर अश्लील रिमार्क खुलेआम कसे जाते हैं और क्लास-रूम में 'ओए, ओए' के नारे लगाये जाते हैं। न जाने कितने राष्ट्रीय नेताओं, आई.सी.एस. अफ़सरों और हाई कोर्ट के जजों को जन्म देने वाला यह महान् विश्वविद्यालय आज आर्थिक कष्टों, वित्तीय अनियमितताओं, संकीर्ण मनोवृत्ति, जातिवाद, भाई-भतीजावाद और क्षेत्रवाद की दलदल में फँसा है। राजनीतिक जोड़-तोड़ जो है सो अलग। ज्ञान के इस पवित्र मन्दिर में अब 'लव लेन' बन गयी है। मैं इस सब जानकारी देने के बाद आप से पूछता हूँ कि यदि समय रहते कुछ न किया गया तो क्या होगा?

अन्त में मैं अपने प्रिय प्रधानमन्त्री विश्वनाथप्रताप सिंह, चन्द्रशेखर व अपने अभिन्न मित्र कैबिनेट-सेक्रेटरी विनोदचन्द्र पाण्डेय से कहूँगा कि वे पन्द्रह जुलाई का 'सण्डे साप्ताहिक मेल' पढ़ें और तुरन्त इस संस्थान के लिए कुछ ठोस क़दम उठाएँ। आख़िर वे भी तो जो हैं वह इसी इलाहाबाद युनिवर्सिटी की बदौलत बने हैं। जहाँ तक मेरा अपना प्रश्न है, स्थिति यह है कि आमरण अनशन पर बैठ जाने के अलावा मेरे जैसा साधारण व्यक्ति और क्या कर सकता है? मैं तो स्तब्ध हूँ, भयभीत हूँ, और परम पिता परमात्मा से प्रार्थना करता हूँ :

हवा बदली है कुछ ऐसी ज़माने की
दुआएँ माँगता हूँ होश में न आने की?

अदालत, चूहे व कला

देश की एक अदालत में एक मैजिस्ट्रेट ने एक शिकायत करने वाले के कपड़े उतरवा लिये। शिकायत करने वाले व्यक्ति के वकील ने अदालत से कहा था कि पुलिस ने उसके मुवक्किल को बुरी तरह पीटा है जिसके कारण उसकी कमर व उससे निचले प्रदेश में काफ़ी चोट पहुँची है। इन चोटों को स्वयं देखने के लिए मैजिस्ट्रेट ने उसे पूरी तरह नंगा होने का हुक्म दिया और सारे घटनास्थल को ध्यानपूर्वक देखने के बाद मैजिस्ट्रेट ने सबके सामने यह प्रमाणित कर दिया कि शिकायत जो थी वह एकदम झूठी थी। यह एक दीगर बात है कि उस व्यक्ति के नंगा हो जाने के कारण वहाँ उपस्थित सारी स्त्रियाँ—जिनमें से कुछ वकील भी थीं—अदालत के बाहर चली गयीं और जो वकील व बाकी मर्द अदालत में रुके रहे, वे हँसने लगे। मैं इस मैजिस्ट्रेट का अभिवादन करता हूँ। यदि हमारे देश का प्रेस हाई कोर्ट व सुप्रीम कोर्ट के जजों को सबके सामने नंगा कर रहा है तो मैं इस मैजिस्ट्रेट को ही कैसे दोषी ठहरा सकता हूँ जिसने सत्य जानने के लिए एक शिकायत करने वाले को अदालत में नंगा कर दिया? पुलिस के ख़िलाफ़ जितनी भी शिकायतें आप सुनते हैं, वे सब शत-प्रतिशत झूठी हैं। हमारी पुलिस तो इतनी शिष्ट व नम्र है कि राजधानी में एक गिरहकट ने एक पुलिसकर्मचारी की जेब में से उसकी पिस्तौल निकाल ली और उस भोले पुलिसमैन को इस हादसे का पता तक नहीं लगा। मेरा ख़याल है कि जब उसके वरिष्ठ अधिकारियों ने उससे इस असावधानी का स्पष्टीकरण माँगा होगा तो उस निरीह पुलिस-कर्मचारी ने मात्र यह कहा होगा :

वफ़ा ख़ता थी, ख़ता मैंने ज़िन्दगी भर की
अब इसके आगे जो मर्ज़ी हो बन्दापरवर की

जहाँ तक अदालतों का प्रश्न है, मेरा तो यह निश्चित मत है कि वे ग़लत फ़ैसला कभी नहीं देती। अगर अदालत मदद न करती तो एक क़ब्रिस्तान का एक सीधा-सादा चौकीदार करोड़पति कैसे बन सकता था? इस कुलीन चौकीदार ने क़ब्रिस्तान का काफ़ी बड़ा भाग प्राइवेट लोगों को बड़ी क़ीमत पर बेच दिया क्योंकि उसके ख़िलाफ़ जो मुकद्दमा सरकार ने दर्ज़ किया था उस पर बड़ी अदालतें एक

के बाद एक 'स्टे-आर्डर' देती गयीं। जब तक सारी सच्चाई सामने आयी तब तक काफ़ी देर हो चुकी थी और इस सारे प्रपंच के बारे में कुछ नहीं किया जा सकता था। ठीक वही स्थिति जिसे कवि ने इन शब्दों में पकड़ा था :

मिट गया जब मिटने वाला, फिर सलाम आया तो क्या
दिल की बरबादी के बाद, उनका पयाम आया तो क्या?

मैं अदालतों को छोड़ता हूँ और चूहों को पकड़ता हूँ। राजधानी के एक प्रमुख अस्पताल में चूहों की बड़ी मौज है। वहाँ छोटे-बड़े, बूढ़े-बच्चे, मोटे-पतले यानी कि सब तरह के चूहे निवास करते हैं और मरीजों का भोजन व रक्त-बैंक का रक्त कस कर खाते-पीते हैं। परिणाम वही है जो होना चाहिए था, इस अस्पताल में चूहों की सेहत डॉक्टरों और नर्सों की सेहत से कहीं अच्छी है। पता नहीं यह खेल कब तक चलता रहता यदि चूहों ने मीनाक्षी नाम की एक बालिका को खाना न शुरू किया होता। अब अख़बार में ख़बर छपी है तो कुछ न कुछ तो किया ही जाएगा। एक जाँच समिति गठित की जाएगी जिसका एक सदस्य कोई चूहा होगा। तीन-चार साल के भीतर-भीतर यह कमेटी अपनी रिपोर्ट देगी जिसको अध्ययन करने के लिए एक कमीशन बिठाया जाएगा। कमीशन अपनी रिपोर्ट देने से पहिले सारे देश के बड़े-बड़े अस्पतालों का निरीक्षण करेगा और शायद विदेश भी जाएगा। चूहों के समूह में से उन चूहों को गिरफ़्तार किया जाएगा जिन्होंने बच्ची का गोश्त खाया और फिर विधि-मन्त्रालय की सलाह लेने के बाद तथाकथित अभियुक्त चूहों के ख़िलाफ़ कानूनी कार्रवाई की जाएगी। आप अख़बार पढ़ेंगे और शायर का कलाम याद करेंगे :

काँधों पर है जनाज़ा, तो मुल्के अदम में रूह
कोसों निकल गया है प्यादा सवार से

अब मैं चूहे को बरी करता हूँ, और साहित्य को पकड़ता हूँ। चूहे और साहित्य का सम्बन्ध कितना घनिष्ठ है, यह आप लोग जानते ही हैं। पिछले दिनों साहित्य के क्षेत्र में कुछ काफ़ी दिलचस्प वारदातें हुईं। उदाहरण के लिए बच्चन जी की सम्पूर्ण 'मधुशाला' को प्रयाग के एक कलाकार ने पन्द्रह पैसे के पोस्ट-कार्ड पर उतार लिया। इस क्रिया को सम्पन्न करने में उपर्युक्त कलाकार को मात्र उनचास घण्टे ही लगे, ज़्यादा नहीं। बच्चन जी की 'मधुशाला' का दाम पन्द्रह पैसों पर लाना एक ऐसी दुर्घटना है जिसे कोई भी मेरे जैसा बच्चन-प्रेमी बर्दाश्त नहीं कर सकेगा। मगर मेरे जैसे नालायक लोग नारेबाजी के अलावा और कर ही क्या सकते हैं? कवि कहता है :

लोग आहट से भी आ जाते थे गलियों में कभी
अब तो चीखें भी तो कोई घर से निकलता ही नहीं

यदि एक ओर रससिद्ध कवि बच्चन की 'लोकप्रियतम' कृति के साथ ऐसा व्यवहार किया गया तो दूसरी ओर स्थिति यह रही कि राष्ट्रपति गोर्बाचोव ने अपनी पुस्तकों से चौबीस लाख डालर कमा लिये। उनकी एक पुस्तक की सत्तर लाख प्रतियाँ

बिक चुकी हैं और पोथी है कि बिकती ही चले जा रही है। गोर्बाचोव का भविष्य कुछ अनिश्चित-सा है और वैसे भी रूस के बारे में कुछ भी कहना मुश्किल है। वहाँ आजकल अविवाहित नवयुवकों की संख्या इतनी कम हो गयी है कि वहाँ होनेवाली पत्नियाँ होनेवाले पतियों को बोली लगा-लगा कर खरीद रही हैं। मैं तो अब अधेड़ हो गया पर हमारे देश के जो नवयुवक हैं उनसे मैं अनुरोध करूँगा कि स्थिति का फ़ायदा उठाने के लिए वे रूस चले जाएँ। कवि कहता है :

खेतों को दे ले पानी, अब हो रही है बारिश
कुछ कर लो नौजवानो, उठती जवानियाँ हैं

मैं तो स्त्री जाति का कष्ट कभी भी नहीं देख सकता। मैं तो अधेड़ होते हुए भी रूस की दिशा में महाप्रयाण कर जाता मगर इल्लत यह है कि मेरे पास मात्र एक ही दिल था जो बरसों पहिले एक अदद मुसम्मात ने कब्ज़ा लिया। मैं तो वही कह सकता हूँ जो कि नवाब वाजिदअली शाह की एक बेग़म ने उन्हें तब लिखकर भेजा था जब कि अवध छिनने के बाद वे कलकत्ता चले गये थे :

काश कि दिल दो भी होते इश्क़ में
एक रखते, एक खोते इश्क़ में

साहित्य के बाद मैं संगीत की कला पर आता हूँ। सच्ची बात तो यह है कि संगीत ही एक ऐसी कला है जो मनुष्य के मन की समस्त भावनाओं को छूने की क्षमता रखती है। संगीत से मेरा अभिप्राय गायन, वादन और नर्तन—इन तीनों विधाओं से है। हमारे देश में फ़िलहाल एक ऐसे कलाकार हैं जो अपनी घनी और लम्बी मूँछों पर जलती हुई मोमबत्तियाँ चिपका कर नृत्य करते हैं। एक साथ पन्द्रह से बीस तक जलती हुई मोमबत्तियाँ मूँछों पर खड़ी की जाती हैं। इस विशिष्ट नृत्य का वे सारे देश में प्रदर्शन भी कर चुके हैं। वे मूँछों की बड़ी देखभाल करते हैं और भारत-रत्न मुरार जी देसाई से प्रभावित होकर वे मूँछों को अपने ही मूत्र से स्नान कराते हैं। मूँछों के कारण उनकी शादी में रुकावट आ रही है मगर वे हैं कि उसी कन्या के साथ विवाह करने के लिए कृतसंकल्प हैं जो उनकी मूँछों को सहन कर सके। हिम्मते मरदाँ, मददे खुदा।

पिछले कुछ वर्षों में कुछ ऐसा रिवाज चला है कि बड़े-बड़े फ़िल्मी अभिनेता चुनावों में खड़े होने लगे हैं। मेरे विचार में यह ठीक ही है क्योंकि अभिनय और राजनीति—इन दोनों में कोई मौलिक अन्तर कभी नहीं रहा। और यदि बड़ी-बड़ी पार्टियाँ भूतपूर्व डाकुओं को टिकट देने को तैयार हैं तो फिर फ़िल्मी अभिनेता ही पीछे क्यों छोड़े जाएँ? एक प्रमुख नगर से दो फ़िल्मी सितारे चुनाव में खड़े हैं। चुनाव के अभियान में एक अभिनेता की पत्नी अपने पति की सहायता कर रही है हालाँकि वैसे उन पति-पत्नी के सम्बन्ध पिछले कुछ वर्षों से तनावपूर्ण चल रहे थे। मैं तो सलाह देता हूँ कि गुलज़ार भी यदि चुनाव में खड़े हो जाएँ तो उनका घर भी फिर

से 'गुलजार' हो सकता है। चुनाव जीत गये तो मन्त्री भी बनना ही पड़ेगा क्योंकि जनता की सेवा के सामने कोई भी त्याग बड़ा नहीं है। और यदि मन्त्री हो गये तो फिर कुछ भी कीजिए, सब माफ है। एक प्रदेश के एक माननीय मन्त्री जी अपने कुत्ते के साथ रेल के वातानुकूलित डिब्बे में यात्रा करते हुए पकड़े गये। बाकी यात्रियों के एतराज़ करने पर जब रेल के अधिकारियों ने उनसे बगैर कुत्ते के यात्रा करने को कहा तो उन्होंने साफ़ मना कर दिया। कुत्ते का टिकट खरीदा था या नहीं–यह मुझे मालूम नहीं है। मुझे हार्दिक खेद है कि मैं न चुनाव लड़ सकता हूँ और न मुझे मूँछ-नृत्य करने में ही कोई रुचि है। मैं तो सिर्फ़ यह चाहता हूँ कि सन् उन्नीस सौ इक्यानबे के साथ ही साथ रवीन्द्रनाथ ठाकुर की रचनाओं का जो कापीराइट ख़त्म हो रहा है, मैं उसका पूरा-पूरा लाभ उठा सकूँ। रवीन्द्रनाथ ठाकुर की रचनाएँ यदि रवीन्द्रनाथ त्यागी के नाम से छप जाएँ तो मज़ा आ जाए।

रचना समाप्त करने से पूर्व मैं उर्दू के दो हास्यकारों की कविता आपकी सेवा में प्रस्तुत करता हूँ। पहिली कविता शौक़त थानवी की है और दूसरी ए. हमीद की। दोनों का थीम एक ही है और इस कारण आप उनकी तुलनात्मक आलोचना भी कर सकते हैं। शौक़त थानवी एक बहुत प्रतिभाशाली व्यक्ति थे। जिस पाकिस्तान ने मण्टो, फ़ैज़, जोश और इब्ने इंशा तक की इज़्ज़त नहीं की, उसी पाकिस्तान ने शौक़त थानवी की मृत्यु पर सार्वजनिक छुट्टी घोषित की जिससे पता लगता है कि वहाँ के राष्ट्रपति जनरल अयूब खान सचमुच एक बहुत बड़े साहित्य-मर्मज्ञ थे। दोनों कविताएँ इस प्रकार हैं :

(एक)

एक दिन क़ैस को सहरा में जो जाकर देखा
सूख कर इश्क़ में लैला के हुआ था काँटा
दश्ते-गुर्बत में अजब हाल बना रक्खा था
लब जो हिलते थे तो आती थी यही मुँह से सदा–
बन्दरिया ने काटा मोहे
मोहे काटा बन्दरिया ने...

(दो)

इक माजरा सुनाता हूँ मैं हुस्नो-इश्क़ का
लैला का एक आशिक़े-दीवाना क़ैस था
वादे फनाँ थे दोनों के मर्क़ज ज़ुदा-ज़ुदा
लेकिन उन दोनों क़ब्रों से आती थी यह सदा–
तेरे मुखड़े पे काला-काला तिल
वे मुँडिया सियाल कोटिया...

भेड़ियों से चलकर शेरों तक

काफ़ी समय से आम धारणा यही रही है कि भेड़िया जो होता है वह एक भयंकर पशु होता है। दसवीं शताब्दी में इंग्लैण्ड में भेड़िये इतने ज़्यादा हो गये थे कि लोग कर देने के स्थान पर भेड़ियों के सिरों को ही शाही ख़ज़ाने में जमा कराया करते थे। लोगों का ख़याल था कि भेड़िये के घूरने से आदमी गूँगा हो जाता है, उसकी निगाह कुमारियों के कौमार्य को नष्ट कर देती है और अकाल पड़ने पर भेड़िया मिट्टी खाकर ज़िन्दा रहता है। लोगों का यह भी विश्वास था कि उसके पदचिह्नों पर चलने वाला घोड़ा अपंग हो जाता था और यदि कोई गर्भवती घोड़ी भेड़िये को लात मार देती थी तो वह कभी माँ नहीं बन सकती थी।

यूनानी दार्शनिक अरस्तू, प्रख्यात जीवशास्त्री प्रिंस क्रोपोटकिन व चार्ल्स डारविन ने भेड़िये पर काफ़ी खोज की। बहरहाल फ़िलहाल जो जीवशास्त्री हैं उनके अनुसार भेड़िया कुत्ते की कैनेडी परिवार का सदस्य है जिसका अमेरिका के प्रख्यात कैनेडी परिवार से कोई सम्बन्ध नहीं है। भेड़िया समूहों में रहता है जिसमें एक दम्पती राजा-रानी होते हैं और बाकी भेड़िये दरबारी होते हैं। प्रकृति का कुछ ऐसा नियम है कि सारे समूह में केवल रानी भेड़िया ही माँ बनती है, बाकी मादा भेड़िया निःसन्तान रहती हैं। बहरहाल स्थिति यह है कि आज जहाँ आदमी हिंसा, क्रूरता और कामुकता का दास है वहाँ भेड़िया जो है वह सीधा, सादा और मिलनसार क़िस्म का प्राणी माना जाता है। रोम नगर के बसाने वाले दोनों राजकुमारों को भेड़ियों ने ही पाला था। यह हमारा दुर्भाग्य है कि हम लोग अब तक भेड़िये से नफ़रत करते रहे और कुत्तों का गुणगान करते रहे। भारत में एक ही व्यक्ति ऐसे हुए जिन्हें ब्रिटिश सरकार ने 'लार्ड' की उपाधि दी और संयोग कुछ ऐसा रहा कि उनके पुत्र—आनरेबिल टी. सिन्हा—मेरी ही सर्विस में नामज़द किये गये। जब वे कण्ट्रोलर थे तो उनका एक प्रिय कुत्ता अल्लाह को प्यारा हो गया था और उन्होंने उसकी शानदार क़ब्र शिमले के पास बनवायी थी। मांट्रीयल में कुत्ता-प्रेमी एक संस्था ने कुत्तों के लिए एक स्नानघर बनवाने में मात्र चौंतीस हज़ार डालर खर्च किये हैं। हमारे यहाँ नवाब जूनागढ़ भी कुत्तों के प्रेमी थे। किसी भी समय उनके कुत्तों की संख्या सैकड़ों से कम नहीं रही जबकि बेग़मों की तादाद हमेशा चार ही रही। एक कुतिया की शादी

में उन्होंने लाखों रुपये खर्च किये थे।

हरियाणा के जीन्द शहर में एक सज्जन हैं जो पन्द्रह फ़रवरी को पैदा हुए थे। इत्तफ़ाक की बात कि उनकी शादी भी उसी तारीख को हुई और यही नहीं, उनके तीनों बच्चे भी उसी तारीख को प्रकाश में आये। उनकी पत्नी का जन्म भी पन्द्रह फ़रवरी को ही हुआ था। मात्र इस संयोग के कारण इस परिवार की चर्चा 'गिनीज बुक ऑफ़ वर्ल्ड रिकार्ड्स' में आ गयी।

भेड़ियों के बाद यह उचित ही होगा कि कुछ ज़िक्र लड़कियों का किया जाए। ओहियो में एक नवयुवती पैराशूट के सहारे हवाई-जहाज़ से कूदी तो स्थिति यह रही कि पैराशूट ने खुलने से मना कर दिया और नौ हज़ार फ़ीट की ऊँचाई से गिर कर भी वह युवती सही-सलामत पृथ्वी पर आ पहुँची। स्त्रियाँ कितनी भी गिरें, वे फिर भी सुरक्षित ही रहती हैं—यह सत्य फिर से प्रतिष्ठित हो गया। टोकियो में एक और भी दिलचस्प वारदात हुई; एक सोरह वर्ष की षोडशी जब अपने घर पहुँची तो उसे पता चला कि उसका सारा परिवार उसी को दफ़न करने क़ब्रिस्तान गया है। बात यह हुई कि एक वैसे ही कपड़ों वाली कन्या एक सड़क-दुर्घटना में मारी गयी थी और पुलिस व परिवार के लोगों ने उसकी पूरी शिनाख्त किये बिना ही उसके दफ़नाने का पूरा प्रबन्ध कर लिया था। दुर्घटना में ग्रस्त लड़की का चेहरा बुरी तरह ध्वस्त हो गया था और पहिचाना नहीं जा सकता था और इसी स्थिति के कारण सारी वारदात ने एक विचित्र स्थिति पैदा कर दी थी। एक और भी रोचक दुर्घटना उस युवती के साथ हुई जो विश्वसुन्दरी घोषित किये जाने के बाद अपने प्रशंसकों से इस तरह घिरी कि उसे पता भी न चला कि वह गर्भवती हो गयी है। यह सूचना उसे उसके डॉक्टरों ने दी। प्रशंसक जो कर जाएँ वह कम है। कभी रूस के एक राजकुमार ने अपनी पत्नी की अँगूठी ढूँढ़ने के लिए सारे काले सागर को आठ करोड़ रुपयों में खरीदा था और बाद में सोलह करोड़ रुपयों में बेचा था। पत्नी के कारण लोग बर्बाद तो हमेशा से होते आये पर इस होनहार पति ने पत्नी को भी खुश रखा और सम्पत्ति भी दुगुनी कर ली। दिल्ली की सतर्क पुलिस ने एक ऐसा व्यक्ति हिरासत में लिया है जो कि सुन्दर युवतियों के देह व्यापार का दलाल था। एक दिन था जब वह फ़ुटपाथ पर सामान बेचा करता था और एक दिन वह आया कि इस पवित्र दलाली के कारण वह करोड़पति हो गया। व्यापारे वसति लक्ष्मी। वैसे स्त्रियों की परेशानियों का अन्त नहीं। पाकिस्तान की नयी सरकार अपनी भूतपूर्व प्रधानमन्त्री के पति पर दबाव डाल रही है कि वह अपनी पत्नी वेनजीर भुट्टो को तलाक दे दें। ऐसा राजनीतिक दाँवपेंच शायद और कहीं इतिहास में नहीं देखा गया। वैसे भी स्त्रियों का आम अवमूल्यन होने में देर नहीं लगेगी। वैज्ञानिकों का कहना है कि आगामी पाँच वर्षों में यह सुखद स्थिति आ जाएगी कि पुरुष स्वयं—बिना किसी बाहरी सहायता के—बच्चों को जन्म देने लगेंगे। अकेले लन्दन नगर में पाँच

सौ पुरुषों ने इस सुविधा का लाभ उठाने के लिए आवेदन-पत्र दे दिये हैं। मातृत्व का अधिकार छिनने के बाद युवतियों की क्या ज़रूरत रह जाएगी—यह एक ऐसा मुद्दा है जिस पर चिन्तन की आवश्यकता है।

चार्ली चौपलिन का हैट कुछ वर्ष पहिले बयासी हज़ार पाँच सौ पौण्ड में नीलाम हुआ था। मुझे आपको यह सूचना देते हुए हर्ष होता है कि पिछले दिनों जब सर विन्सटन चर्चिल का हैट नीलाम करने की कोशिश की गयी तो किसी ने भी पाँच हज़ार पौण्ड से ज़्यादा की बोली नहीं लगायी। उसके घिसे हुए जूते अलबत्ता सोलह सौ पौण्ड की बोली पर ज़रूर नीलाम कर दिये गये। इस घटना से दो बातें सिद्ध होती हैं। पहिली बात तो यह कि चर्चिल साहब का सिर उनके पैरों की अपेक्षा बहुत ज़्यादा क़ीमती नहीं था और दूसरी बात यह कि ब्रिटेन की जनता भी यह जानती है कि कला के सामने राजनीति की कोई क़ीमत नहीं होती।

सतहत्तर वर्ष की आयु वाले संसार के महान् ठग नटवरलाल जी पिछले दिनों भोपाल में फिर पुलिस की गिरफ़्त में आ गये। इस महान् कलाकार ने बताया कि वे अपने शेष जीवन को पवित्रता से बिताने के लिए कुछ लाख रुपयों की हेराफेरी और करना चाहते थे जो वे पुलिस के हस्तक्षेप करने के कारण नहीं कर पाये। ठगों को कला के स्तर पर प्रतिष्ठित करने वाले इस प्रतिभाशाली व्यक्ति को मेरे विचार में सरकारी सम्मान मिलना चाहिए। मुझे आशा है कि देश के नेता इस दिशा में कुछ ठोस क़दम अवश्य उठाएँगे। अमीरों की अतिरिक्त सम्पत्ति को ग़रीबों तक पहुँचाने में जितना योगदान नटवरलाल का रहा है उतना तो किसी समाजवादी नेता का भी कभी नहीं रहा।

बस एक रहस्य और बताता हूँ और बस। इधर वैज्ञानिकों ने काफ़ी खोज के बाद इस बात का पता लगाया है कि दाढ़ी में शक्ति होती है, ठीक उसी प्रकार जैसे कि सैमसन की शक्ति उसके सिर के केशों में छिपी रहती थी। रवीन्द्रनाथ ठाकुर, बर्नार्ड शा और तालस्ताय से लेकर निराला, अज्ञेय, नागार्जुन व त्रिलोचन तक जो दाढ़ी रखते रहे वे इसी कारण रखते रहे। प्रख्यात चित्रकार हुसैन तो दाढ़ी से पेण्टिंग तक करते हैं। जलसेना में दाढ़ी रखने की जो शानदार परम्परा है, वह बेबुनियाद नहीं है। विश्व की सबसे लम्बी दाढ़ी नार्वे के मिस्टर लैंग्सेट की थी जिसकी लम्बाई मात्र 533 सेंटीमीटर थी। एक बार एक शर्त हार जाने पर उन्हें अपनी पूरी दाढ़ी अपने प्रतिद्वन्द्वी को देनी पड़ी थी। दाढ़ी लम्बी करने के लिए वे बाकायदा उसकी निराई करते थे और उसमें खाद डालते थे।

दाढ़ी के बारे में उर्दू के दो शेर प्रस्तुत करता हूँ। जिस रचना का प्रारम्भ भेड़िये से हुआ हो, उसका अन्त शेर पर होना तर्कसंगत ही कहा जाएगा। पहिला शेर अकबर इलाहाबादी का है जो दाढ़ी के पक्ष में है और दूसरा शेर महाकवि अज्ञात का है (जिनका काफ़ी कलाम हमें पढ़ने को मिलता है) जो दाढ़ी के ख़िलाफ़ है। बहरहाल यह शेर

उन गिने-चुने शेरों में है जिसमें शेर की चर्चा की गयी है। दोनों शेर इस प्रकार हैं:

(एक)

दाढ़ी ख़ुदा का नूर है बेशक मगर जनाब
फ़ैशन के इन्तज़ामे-सफ़ाई को क्या करूँ?

(दो)

मूँछ वह मूँछ कि जिन पर शेरों को गुमाँ
दाढ़ी बकरों के हुआ करती है, मर्दों के कहाँ?

साहित्यकारों का सम्मान

शास्त्रों में कहा गया है कि "यशःप्रार्थी कविः" (यहाँ यह बताना उचित होगा कि पुराने ज़माने में कवि का और काव्य का अर्थ साहित्यकार से और साहित्य से होता था; केवल कवि या कविता से ही नहीं।) 'स्वान्तः सुखाय' लिखने के बाद मेरी तो दो ही इच्छाएँ शेष रहती हैं। पहिली इच्छा यह होती है कि रचना किसी शानदार पत्र-पत्रिका में छपे ताकि लाखों लोग पढ़ें और दूसरी इच्छा यह होती है कि बाद में चलकर पारिश्रमिक का चेक काफ़ी मोटा आये। मेरी किसी पुस्तक को लेकर कोई गोष्ठी कभी नहीं हुई। आज मैं कुछ ऐसी गोष्ठियों की और उत्सवों की कहानियाँ सुनाऊँगा जो मैंने खुद अपनी आँखों से देखी हैं हालाँकि उन गोष्ठियों का मुझसे कोई सम्बन्ध नहीं था। इनमें से कुछ दुर्घटनाओं की चर्चा मैं पहिले भी कर चुका हूँ।

बहुत दिन हुए, प्रयाग में डॉक्टर मुल्कराज आनन्द के सम्मान में एक अच्छी बड़ी गोष्ठी हुई थी। काफ़ी मालाएँ वग़ैरा डाली गयी थीं और बाद में बढ़िया नाश्ता भी मिला था। ब्राह्मण होने के नाते (ब्राह्मणः भोजनप्रियः) मैंने मुख्य अतिथि पर कम और रसगुल्लों पर कहीं ज़्यादा ध्यान दिया था। डॉक्टर आनन्द ने एक घण्टे तक अपना प्रवचन दिया और उसमें उन्होंने यही बताया कि वे पण्डित जवाहरलाल नेहरू के कितने आत्मीय हैं और उन्होंने किन-किन देशों की यात्रा की है। हिन्दी के रचनाकारों को उन्होंने बड़ी हिकारत से देखा और हिन्दी साहित्य की तो चर्चा तक नहीं की। मैं सोचता रहा कि यह भाग्यहीन व्यक्ति यह भी नहीं जानता कि कोई भी लेखक किसी विदेशी भाषा में अपना स्थान कभी नहीं बना सकता। वैसे मैं आपसे बता दूँ कि आनन्द साहब का साहित्य पढ़ने में मुझे बड़ा मज़ा आता रहा क्योंकि वे अंग्रेज़ी लिपि में देश की फ़ोश से फ़ोश गालियों को अपने कृतित्व में ज़रूरत से ज़्यादा स्थान देते आये।

एक अवसर पर प्रयाग की 'परिमल' ने अज्ञेय जी के सम्मान में एक गोष्ठी की थी। उन दिनों वे दाढ़ी नहीं रखते थे। उन्होंने क़ीमती रेशम का कुर्ता पहिन रखा था और एक विदेशी कैमरा उनके कन्धे पर लटक रहा था। पूरी अवधि में उन्होंने एक शब्द भी अपने सुन्दर ओठों के बाहर नहीं निकलने दिया। अज्ञेय जी को मैंने बाद

में भी कई बार देखा। कुछ वर्ष पूर्व रमेश मेहता के निमन्त्रण पर अज्ञेय जी जम्मू आये थे मगर इस बार वे काफ़ी खुले हुए थे। उन्होंने बड़े आनन्द के साथ अपनी कविताएँ सुनायीं और भाषण भी दिया। बड़ी बात तो यह रही कि उन्होंने अपने भाषण में मेरी चर्चा की। विद्यानिवास मिश्र के शब्दों में यदि कोई श्रद्धालु अज्ञेय जी के पीछे पड़ ही जाता था तो यह सम्भावना रहती थी कि 'अज्ञेय' जी 'ज्ञेय' बनने की मुद्रा में आ जाएँ। यह बात सच निकली।

प्रयाग ही में एक बार विमल मित्र आये थे। उनके सम्मान में शहर के सबसे महँगे होटल में एक गोष्ठी आयोजित की गयी थी। हिन्दी के वरिष्ठ साहित्यकारों के बीच होना विमल मित्र को बहुत अच्छा लगा था। कई लोगों ने भाषण दिये मगर सर्वश्रेष्ठ भाषण अमृतराय जी का ही था। वे बोलते समय अपनी आँखों को प्रायः बन्द कर लेते हैं ताकि वे श्रोताओं का दुख न देख सकें।

दिल्ली में कई सम्मान-गोष्ठियाँ देखीं। गोविन्द मिश्र का 'अन्तःपुर' नामक ग्रन्थ निकला था। कनाट प्लेस में कहीं गोष्ठी आयोजित की गयी थी जो शायद पुस्तक से भी ज़्यादा सफल रही थी। इसी प्रकार मुझे याद आ रहा है कि युवराज कर्णसिंह की एक पुस्तक छपने पर उनके प्रकाशकों ने एक उत्सव आयोजित किया था जिसमें बहुत भीड़ थी। सभा का सभापतित्व श्री ढिल्लो ने किया था जो उस समय लोकसभा के स्पीकर थे। उन्होंने हम लोगों को बहुत हँसाया। इस शानदार उत्सव को देखकर मुझे उस गोष्ठी की याद अनायास आ गयी जिसमें गीतफ़रोश भवानीप्रसाद मिश्र की कविता-पुस्तक पर बोलने वाले कोई छह आदमी ही थे। सातवाँ व्यक्ति यूँ नहीं बोला क्योंकि वह था ही नहीं। सारी गोष्ठी मात्र छह साहित्य प्रेमियों की ही थी।

यशपाल को सबसे पहिले मैंने तब देखा जबकि डॉ. रणवीर रांग्रा ने उनके सम्मान में एक गोप्ठी अपने फ्लैट में ही आयोजित की थी। बड़ी सफल गोष्ठी थी। यशपाल एक साधारण आदमी की भाँति दीखते थे और लगता ही नहीं था कि इतना बड़ा साहित्यकार इतना सरल और इतना हँसमुख हो सकता था। गोष्ठी में किसी जिज्ञासु नवयुवक ने पूछा कि आपकी निगाह में आपकी सर्वश्रेष्ठ कहानी कौन-सी है? यशपाल ने यह प्रश्न श्रोताओं पर ही डाल दिया। किसी को 'साग' पसन्द था तो किसी को 'हलाल का टुकड़ा'। सारी स्थिति देखकर यशपाल जी बहुत हँसे और बोले कि इस प्रश्न का उत्तर मैं सदा पाठकों पर ही छोड़ता हूँ। मेरे असली जज जो हैं वे पाठक ही हैं।

डॉ. नगेन्द्र की एक पुस्तक निकलने पर प्रकाशकों की ओर से एक गोष्ठी रखी गयी थी। मेरा सौभाग्य रहा कि कार की पिछली सीट पर केवल मैं और जैनेन्द्रकुमार—दो ही व्यक्ति बैठे थे। मुझे डर लगता रहा कि जैनेन्द्र जी 'प्रेयसि' वाला प्रसंग न छेड़ दें। मगर ऐसा कुछ नहीं हुआ। गोष्ठी जमी मगर युनिवर्सिटी के जो वाइस चांसलर थे उनमें कोई गरिमा नहीं थी और वे 'छैला' क़िस्म के सस्ते प्राणी लगते थे।

प्रयाग में मैंने वह ऐतिहासिक क्षण देखा है जबकि भरे हुए यूनियन-हाल में 'जोश' मलीहाबादी ने अपना कलाम पढ़ा था : "हाय जवानी, हाय ज़माने : रातें गुज़रीं बाज़ारों में, सुबह लगे फिर कसमें खाने।" फ़िराक़ साहब सभापति थे और वे जिस-जिस ग़ज़ल का नाम लेते रहे, जोश साहब उसे ही सुनाते रहे। इसके बाद सरदार जाफ़री भी हमारे यहाँ आये और उनका भी शानदार स्वागत किया गया।

सुमित्रानन्दन पन्त को 'ठलुआ क्लब' ने सम्मानित किया। बनारस के पण्डे प्रयाग आए। सभापति थे पं. सीताराम चतुर्वेदी और स्थान था 'हिन्दी एकेडेमी' का विशाल हाल जो खचाखच भरा था। बड़े-बड़े लतीफ़े सुनाये गये, बड़ी मज़ाक़ चली और पन्त जी को पता नहीं कैसे-कैसे रूप में सजाया गया। पन्त जी तो सारे कार्यक्रम को बिना बोले और मुस्कुराते हुए झेलते रहे। निराला जी के सम्मान में आयोजित कोई गोष्ठी या उत्सव मैंने नहीं देखा। सुना ज़रूर है कि लखनऊ राज-भवन में एक बार किसी उत्सव के दिन गवर्नर ने निराला जी को बुलाया और उनका परिचय ओरछा के नरेश से करवाया जो सौभाग्य से (या अपने दुर्भाग्य से) वहाँ उपस्थित थे। निराला जी ने ओरछा नरेश से एक ही बात कही और वह यह थी कि "राजा साहब, कभी आपके पूर्वजों ने मेरे पूर्वजों की पालकी उठायी थी।" बात एकदम सच थी क्योंकि राजा छत्रसाल ने एक बार महाकवि भूषण की पालकी को कन्धा दिया था। उत्तर प्रदेश की गवर्नर सरोजिनी नायडू थीं जो निराला जी का बड़ा आदर करती थीं। वे स्वयं भी तो एक समर्थ कवयित्री थीं।

मुझे यह सौभाग्य प्राप्त है कि जिस दिन मेरे आत्मीय उपेन्द्रनाथ 'अश्क' को नाटक-एकादमी-एवार्ड मिला, तब मैं भी विज्ञान-भवन में मौजूद था। प्रधानमन्त्री के साथ अश्क जी का बाकायदा फ़ोटो लिया गया ताकि सनद रहे और वक़्त ज़रूरत काम आये। मुझे यह सुनकर बड़ा दुख हुआ कि विश्व हिन्दी सम्मेलन में वे इतने परेशान हो गये कि रोने लगे। मैं प्रयाग के साहित्यकारों से अपील करूँगा कि वे 'द्विवेदी मेले' की भाँति 'अश्क मेले' का भी प्रबन्ध करें। हो सके तो 'देव पुरस्कार' व 'मंगलाप्रसाद पारितोषिक' भी उन्हें दिलाया जाए। इधर अख़बारों में पढ़ा कि अश्क जी ने एक परचून की दूकान खोल ली है। बड़ा दुख हुआ। वैसे दूकान खोलना कोई बुरी बात नहीं है। कबीर जुलाहे का काम करते थे, नज़ीर अकबराबादी बच्चों का एक छोटा-सा स्कूल चलाते थे और वाल्मीकि जी कभी-कभी डाके तक डाला करते थे। राम के नाम से उनकी मुक्ति हुई। उलटा नाम जपत जग जाना, वाल्मीकि भे ब्रह्म समाना।

मेरा स्वयं का विमोचन तो कई बार हुआ पर मेरी किसी पुस्तक का कोई विमोचन कभी नहीं हुआ और न कभी उन्हें लेकर कोई गोष्ठी ही आयोजित की गयी। फिर भी कुछ ऐसे अवसर मिले जिनसे मैं भी अपनी हीन भावना से मुक्त हुआ और मैंने महसूस किया कि साहित्यकार बनने में कोई खास अपराध नहीं है। जगदीश चतुर्वेदी,

श्याम परमार, गंगाप्रसाद विमल, सौमित्र मोहन और मैं सोनीपत में स्थित 'एटलस साइकिल वर्क्स' गये क्योंकि सतीश जमाली वहाँ उर्दू-हिन्दी का एक कविसम्मेलन करना चाहते थे। 'धर्मयुग' के अनुसार यह प्रथम अवसर था जबकि 'अकविता' मंच पर पहुँची। कविता सुनाने के बाद हम सबको चालीस-चालीस रुपयों का पुरस्कार दिया गया और शानदार डिनर भी दिया गया। हममें से कुछ कवि मित्र निराश भी हुए क्योंकि हमें उम्मीद थी कि कम से कम एक-एक साइकिल तो सबको मिलेगी ही। इसी प्रकार जब मैं बनारस गया तो 'कहानीकार' के समर्थ सम्पादक कमल गुप्त ने मेरे सम्मान में एक गोष्ठी आयोजित की। उस बार मैं बनारस काफ़ी घूमा। भारतेन्दु जी का मकान देखा, प्रसाद जी की दूकान देखी और अन्त में चलकर वह असी घाट भी देखा जहाँ कि गोस्वामी तुलसीदास ने अपना शरीर छोड़ा था। इसी प्रकार जब मैं लैंसडाउन गया तो एक शालीन व्यक्ति ने मुझे इस तरह देखा जैसे कि मैं या तो कोई चोर था या साहित्यकार। जब मैंने अपना नाम उन्हें बताया तो उन्होंने बड़े स्नेह से साहित्यिक गोष्ठी का आयोजन किया। जम्मू आया तो रमेश मेहता ने इतना सम्मान दिया और दिलाया कि उसे मैं कभी भी नहीं भूल सकता। इसी प्रकार जब मैं देहरादून से तबादले पर गया तो शशिप्रभा शास्त्री ने एक संस्था के द्वारा मुझे विदाई-पार्टी दिलवायी। मैंने महसूस किया कि मेरे देहरादून छोड़ने पर अनेक सदस्य काफ़ी प्रसन्न थे। मैंने अनेक कालिजों में भाषण दिये और अनेक पुस्तकों का विमोचन किया। नरेन्द्र कोहली की 'दीक्षा' का विमोचन मैंने ही किया था और नतीजा यह निकला कि उस रामकथा लिखने के कारण उन्होंने फ्लैट बना लिया, मोटर ले ली और टेलीफ़ोन भी लगवा लिया। आपमें से यदि कोई सुखी व समृद्ध लेखक बनना चाहता है तो अपनी पुस्तक का विमोचन ख़ाकसार के हाथों करवा ले। इससे सस्ता नुस्खा मिलना मुश्किल है। इसी प्रकार जब प्रेम जनमेजय ने अपने प्रथम व्यंग्य संग्रह 'राजधानी में गँवार' छपवाया तो उसका विमोचन भी मुझसे ही कराया। मैं 'गँवार' बन कर 'राजधानी' पहुँचा और पुस्तक के नाम को सार्थक किया। जम्मू में भाई दीदार सिंह की पुस्तकों को भी मेरे करकमलों द्वारा ही विमोचन का सुख मिला। इसके बाद वे तबादले पर चले गये। और हाँ, देहरादून में भी जिस संस्था ने मेरी विदाई-पार्टी आयोजित की थी वह भी मेरे जम्मू जाने के बाद बन्द हो गयी।

मेरे सम्मान में दिये गये आयोजनों की सूची थोड़ी लम्बी है और स्थान की कमी है। मैं मात्र चार दुर्घटनाओं की चर्चा और करूँगा और फिर अपनी चाबी बन्द कर दूँगा। एक बार अशोक होटल में एक आयोजन किया गया था जिसके अन्तर्गत जगदीश चतुर्वेदी की व मेरी कविताएँ सुनायी गयी थीं और के. खोसा की कलाकृतियों भी दिखायी गयी थीं। युवराज कर्णसिंह ठीक समय पर आये और उन्होंने हम सबको अपने हाथों से कॉफ़ी का प्याला दिया। इसी प्रकार जब मैं 'रंगायन'

से बीस हज़ार रुपये लूटने के सन्दर्भ में बम्बई गया तो काफ़ी हूट किया गया। मुझे अपने हूट होने का कोई दुःख नहीं हुआ, हाँ अलबत्ता यह देख कर हार्दिक कष्ट हुआ कि शरद जोशी को हूट नहीं किया गया। इसी प्रकार जब मैं जबलपुर पहुँचा तो जीवन सफल हो गया। भेड़ाघाट देखा और परसाईजी के पास भी गया। प्रकृति और पुरुष के द्वैतवाद की वही पुरानी परम्परा। परसाई जी ने मुझे बड़े भाई का प्यार दिया और विकलांग होने के बावजूद उन्होंने एक काफ़ी बड़े हाल में मेरे व्यंग्य-लेख और कविताएँ सुनाने का प्रबन्ध किया। गोष्ठी के बाद परसाई जी व मेरा एक संयुक्त फ़ोटो लिया गया जो मेरे पास सदा रहेगा। प्रमोद सिन्हा ने रेडियो के लिए एक इण्टरव्यू भी लिया। मगर मैं उस ख़ुशी को कभी नहीं भूल सकता जो कि प्रयाग छोड़ने के अवसर पर मुझे डॉ. जगदीश गुप्त ने दी थी। बेचारे मेरे लिए एक रेखाचित्र बनाकर लाये थे और वह भी साइकिल पर दारागंज से। मैं नतमस्तक हो गया। काफ़ी लोगों के सामूहिक प्रयास के बाद ही मेरी गर्दन सीधी हुई। मेरठ आया तो एक बड़े विचित्र सज्जन के सम्पर्क में आया जिनका काम ही सार्वजनिक अभिनन्दन कराने के लिए पैसा इकट्ठा करना था। प्रत्येक अभिनन्दन में उन्हें काफ़ी बचता था। बहरहाल मैं उनकी पकड़ में नहीं आया। महासमुन्द, रायपुर व बेतूल वग़ैरा-वग़ैरा से कई निमन्त्रण आये मगर अपने स्वास्थ्य के कारण मैं कहीं नहीं जा सका। उज्जैन अलबत्ता ज़रूर गया और वहाँ का पाँच हज़ार रुपये का 'टेपा' पुरस्कार लिया। जनता की भारी भीड़ ने मुझे बुरी तरह हूट किया और कोई रचना नहीं पढ़ने दी। वे लोग हुल्लड़ मुरादाबादी को सुनना चाहते थे।

अब मैं रिटायर हो गया हूँ। अब मैं सिर्फ़ लिखूँगा, पढ़ूँगा और घूमूँगा। यह आशा करता हूँ कि आप मेरे साथ वैसा व्यवहार नहीं करेंगे जैसा कि मथुरा के एक चौबे जी ने अहमदशाह 'अब्दाली' के साथ किया था। इन हास्यप्रवर चौबे जी ने अब्दाली की सेवा में एक घड़ा भेजा था जिसमें ऊपर तो रबड़ी भरी गयी थी और नीचे गोबर था। इस मज़ाक़ की जनता को बहुत भारी क़ीमत देनी पड़ी थी। हम आएँगे तो स्थिति यही रहेगी कि—हम बन आहें ब्रज के रसिया, तुम बन अइयो गाँव की गोरी। और क्या हुआ यदि आपने मेरा अभिनन्दन नहीं ही किया? कम से कम दो साहित्यकारों को तो मैं क़रीब से जानता हूँ जिन्होंने अपना अभिनन्दन स्वयं अपने प्रयासों से और अपने खर्चे से आयोजित किया। क्या मैं अपने लिए खुद ऐसा नहीं कर सकता?

हिन्दी का साहित्यकार प्रायः किसी का आश्रय लेने के बाद ही साहित्य रचता आया और आजकल भी स्थिति कुछ उसी तरह की ही है। रीतिकाल के और वीरगाथा काल के प्रायः सभी कवि किसी न किसी राजा के दरबारी थे। पण्डित जवाहरलाल नेहरू ने जब कहा था कि हिन्दी कविता एक 'दरबारी' कबिता है तो उन्होंने कोई एकदम ग़लत बात नहीं कही थी। दरबार अभी भी चल रहा है और लोग नेताओं

के चरण छूकर एकादमी-एवार्ड प्राप्त कर रहे हैं, राज्यसभा की सदस्यता हथिया रहे हैं और विदेशों की सैर कर रहे हैं। राजा भोज का दरबार ठीक उसी तरह सजता है जैसाकि कवि बल्लाल के समय में सजता था। जैसे पहिले राजा छत्रसाल ने कभी कवि भूषण की पालकी उठायी थी, ठीक उसी तरह आज का साहित्यकार छत्रसाल क्या, उसके चपरासी तक को कन्धा देने को तैयार है। उपन्यासकार हैं, कवि हैं, नाटककार हैं मगर वज़ीर जो है वह सबसे बड़ा है। वह यदि विज्ञापन न दे, तो अख़बार निकलना बन्द हो जाए।

सोचता हूँ कि क्या कभी वह दिन भी आएगा जब कि हिन्दी के साहित्यकार राजनीतिक नेताओं को (जिन्हें रफ़ी अहमद किदवई 'सियासी गुण्डे' कहकर पुकारा करते थे) अपने उत्सवों, गोष्ठियों और सम्मेलनों में मुख्य अतिथि के रूप में बुलाना बन्द करेंगे? यही प्रश्न कभी शरत् बाबू ने अमृतलाल नागर से पूछा था और ठीक वही प्रश्न आज मैं आपसे पूछ रहा हूँ। क्या कोई उत्तर है आपके पास? राजनीतिक नेताओं को बुला कर अपने खर्च पर अपना जो अपमान हम लोग कराते हैं, क्या उससे वाकई छुट्टी नहीं मिलनी चाहिए? एक बार एक मुख्यमन्त्री ने मंच पर बैठे सारे कवियों को खुलेआम पिटवाने की धमकी दी थी। खेद की बात है कि ज़्यादा व्यस्त रहने के कारण वह इस बीस सूत्री कार्यक्रम को पूरा नहीं करा सके। उम्र थोड़ी है और काम बहुत। इन नेता विशेष से एक बार मैं रेल में मिला। वातानुकूलित डिब्बे में उस समय हम दो ही थे। इन्हें देखते ही मुझे शायर का कलाम याद आ गया:

मुझे जिनके दीद की आस थी
वे मिले तो राह में यूँ मिले
मैं नज़र उठा के, तड़प गया
वे नज़र झुका के चले गये

सुन्दर युवतियाँ, जालसाज़ी और ताजमहल

महामति चाणक्य ने सैकड़ों वर्ष पहिले यह कहा था कि पुरुषों की अपेक्षा स्त्रियों में दुगुनी भूख होती है, चौगुनी लज्जा होती है और छह गुना साहस होता है। लगता है कि कम से कम स्त्रियों की शक्ति का अपने देश में अवश्य अवमूल्यन हुआ है। यदि ऐसा नहीं हुआ होता तो यह स्थिति कैसे आ गयी कि एक स्त्री के पति को मरे सतरह वर्ष हो गये और वह जीवन बीमा निगम से अपने पति की पालिसी की राशि अभी तक प्राप्त नहीं कर सकी? एक और विधवा है जिसके पति को मरे दस वर्ष हो गये और उसे अभी तक परिवार-पेंशन नहीं प्राप्त हो सकी। इसी प्रकार एक और विधवा-रत्न है जिसे पति के मरने के सैंतालीस वर्ष बाद पेंशन मिली है। क्या वास्तव में स्त्रियाँ इतनी कमज़ोर हो गयी हैं कि अपने हक के लिए पेंशन-दफ़्तर के सामने आमरण-अनशन पर नहीं जा सकतीं? क्या यह सचमुच वही देश है जहाँ महारानी लक्ष्मीबाई और महारानी दुर्गावती ने जन्म लिया था? क्या यह वही भारत है जहाँ ईस्ट-इण्डिया कम्पनी की शक्तिशाली सरकार महारानी अहिल्याबाई के राज्य में बिना पूर्वाज्ञा प्राप्त किये अपना एक अश्वारोही भी नहीं भेज सकती थी?

गुजरात में निचली जाति का एक युवक एक ऊँची जाति की कन्या से प्रेम करता था। कन्या के विवाह हो जाने पर भी उसके प्रेम में कमी नहीं आयी। उसकी इसी वीरता से चिढ़कर ऊँची जाति के लोगों ने उसकी पहिले तो कसकर सार्वजनिक पिटाई की और उसके बाद उसे फाँसी पर चढ़ा दिया। भारतीय नौ सेना के एक होनहार अधिकारी ने अपनी पत्नी के चरित्र पर सन्देह किया और उस क्रोध में उसने अपने छोटे से पुत्र की हत्या कर डाली। अधिकारी वास्तव में प्रतिभावान् था, उसकी पहिली पत्नी ने आत्महत्या की थी। दहेज कम लाने के अपराध में गुंटूर में एक युवती की हत्या कर दी गयी और वह बेचारी यह सारा अत्याचार चुपचाप ही सह गयी। अदालत फ़ौजदारी ने सात अभियुक्तों को आजीवन कारावास की सजा दी और उन सात अपराधियों में दो महिला-रत्न भी शामिल हैं। अमेरिका के एक विशेषज्ञ का कहना है कि लम्बी स्त्रियों का हृदय अधिक दृढ़ होता है। ये कत्ल में सहयोग देने वाली महिलाएँ भी लम्बे क़द की ही रही होंगी। एक प्रान्त के एक

नगर में कई बड़े डॉक्टर गिरफ़्तार किये गये हैं क्योंकि उन्होंने एक स्त्री–जिसकी कि बाकायदा हत्या की गयी थी–के बारे में डॉक्टरी रिपोर्ट यह दी थी कि उसने आत्मघात किया था।

महाराष्ट्र की विधान-सभा में एक सदस्य पिस्तौल लेकर आये और बताया कि सरकार झूठ कहती है कि काले बाज़ार में हथियार नहीं मिल रहे। उस सम्मानित सदस्य ने यह भी कहा कि ठीक यही स्थिति बमों के साथ भी है और एक दिन ऐसा भी आ सकता है कि वे बम भी बाज़ार से खरीद कर लाएँ और उसे भी विधान-सभा में पेश करें। उन्होंने बताया कि पचास प्रतिशत पुलिस अधिकारियों के पास हथियार नहीं हैं जब कि न जाने ऐसे कितने गिरोह हैं जिनके पास नये से नये हथियार ज़रूरत से ज़्यादा मात्रा में मौजूद हैं। मेरी सलाह है कि सरकार भविष्य में यह नहीं कहेगी कि प्रदेश में कोई 'कॉल गर्ल' नहीं है, नहीं तो स्थिति यह होगी कि कोई होनहार विधायक 'कॉल गर्ल' को भी विधान-सभा के सामने पेश कर देगा। यह भी सम्भव है कि किसी सभा में कोई 'कॉल गर्ल' कुछ सम्मानित विधायकों को पहिचान भी ले।

एक 'विदेश-रत्न' हैं जिनकी तेईस पत्नियाँ हैं और एक सौ उनतालीस बच्चे हैं। जिस पुरुष-रत्न की मैं चर्चा कर रहा हूँ उनकी आयु मात्र अड़सठ वर्ष है। उन्होंने एक और विवाह अभी-अभी किया है और पत्नी जो है वह बारह वर्ष की 'बालिका-वधू' है। मेरी अपनी माता की शादी भी बारह वर्ष की ही आयु में सम्पन्न हुई थी और तेरहवें वर्ष की आयु में तो उन्होंने अपनी सर्वप्रथम सन्तान भी अपने पति की सेवा में प्रस्तुत कर दी थी। मानना पड़ेगा कि मेरे माता-पिता मुझसे कहीं ज़्यादा होनहार व कर्मठ थे। एक 'देश-रत्न' हैं जिन्होंने मध्यप्रदेश के जनपद रायपुर में पिछले पाँच वर्षों की छोटी अवधि में मात्र पाँच करोड़ रुपये के जाली नोट छापे हैं। अभियुक्त ने अदालत में कहा कि "जितनी बढ़िया जालसाज़ी मैंने की है, वैसी जालसाज़ी न कभी की गयी और न कभी की जाएगी।" इस घटना से मुझे दो शिकायतें हैं। पहिला दुख तो यह है कि इस सारी जालसाज़ी में सिर्फ़ पुरुषों ने ही योगदान दिया, किसी स्त्री ने नहीं। ऐसा क्यों? जब संविधान ने स्त्री और पुरुष दोनों को समान स्वीकार किया है और दोनों को समान अधिकार दिये हैं तो क्या कारण है कि स्त्रियाँ केवल अपराधों का शिकार ही बनती है, उनकी कर्ता नहीं? दूसरा दुख यह है कि जब रायपुर में नकली नोटों के कारण इतनी समृद्धि आ गयी है तो वहाँ के एक प्रमुख पत्र ने मेरी एक श्रेष्ठ रचना के पारिश्रमिक के तौर पर मात्र पन्द्रह रुपयों की महान् राशि ही क्यों भेजी है?

विदेशों में स्त्रियाँ वास्तव में जागरूक हो रही हैं। एक प्रतियोगिता में शर्त जीत जाने पर लेक्सिंगटन की एक रूपवती युवती को शादी करने के लिए एक सर्वगुण सम्पन्न वर मिला। कन्या इतनी सच्चरित्र, सुशील और संकोची है कि शादी के अवसर पर उसने मात्र अपने घनिष्ठ मित्रों को ही आमन्त्रित किया। यह दीगर बात

है कि ऐसे घनिष्ठ और अन्तरंग मित्रों की संख्या मात्र पैंतीस हज़ार ही थी। इसी प्रकार अमेरिका में स्त्रियाँ रिपब्लिकन व डैमोक्रैटिक पार्टियों की भाँति अपनी एक अलग पार्टी बना रही हैं। यदि कभी यह पार्टी सरकार बनाएगी तो गर्भपात, अनैतिक प्रणय और वेश्यावृत्ति जैसे मुद्दों के लिए विशेष सुविधा देने वाले कानून बनाएगी। एक हमारा यह देश है जहाँ हिजड़े भले ही अपनी सरकार बना लें पर स्त्रियाँ ऐसा बहादुरी का क़दम कभी नहीं उठाएँगी।

हमारे देश में डॉ. राममनोहर लोहिया स्त्रियों के हित की बड़ी चिन्ता किया करते थे। एक बार जब उन्होंने संसद में पूछा कि "क्या कारण है कि एक महिला के प्रधानमन्त्री होने पर भी हमारे देश की सरकार स्तालिन की सुपुत्री स्वेतलाना के प्रति न्याय नहीं कर रही है?" तो एक सुन्दर और चंचल स्त्री-सांसद् ने उनसे पूछा कि "लोहिया साहब, आप अविवाहित होने पर भी मात्र विदेशी स्त्रियों की इतनी चिन्ता क्यों करते हैं?" डॉ. लोहिया ने उस भद्र और शालीन युवती को तुरन्त उत्तर दिया कि "आपने मुझे सेवा का अवसर ही कब प्रदान किया है?" उनकी इस उक्ति को सुनकर सारी लोक सभा कहकहों में डूब गयी। पण्डित जी के बाद मुरारजी देसाई को छोड़ कर सारे प्रधानमन्त्रियों ने स्त्री को उसके सारे अधिकार दिलाने की पूरी कोशिश की पर स्त्रियों का सक्रिय सहयोग न मिलने के कारण कुछ नहीं हुआ।

एक ज़माना था कि बादशाह लोग अपनी प्रेयसियों की स्मृति अमर करने के लिए 'ताजमहल' बनवाया करते थे मगर वह युग भी अब बीत गया। अमेरिका के एक करोड़पति व्यक्ति ने बैकों से ऋण लेकर ठीक ताजमहल जैसी एक क़ीमती इमारत बनवायी है जिसके अन्दर मुमताजमहल की क़ब्र के स्थान पर जुआखाना खोला गया है। ताजमहल के प्रति ऐसी मार्मिक श्रद्धांजलि किसी कलाकार ने कभी भी समर्पित नहीं की। रवीन्द्रनाथ ठाकुर ने ताजमहल को इतिहास के कपोलों पर ठहरा हुआ एक आँसू बताया था और साहिर साहब ने भी यही कहा था कि एक शहंशाह ने अपनी दौलत से ऐसा स्मारक बनवा कर ग़रीबों की मुहब्बत का मज़ाक़ उड़ाया है। मैं जब कभी भी ताजमहल देखने गया तो मुझे सुमित्रानन्दन पन्त की 'ताज' कविता सदा याद आयी और मुझे ऐसा लगा कि पन्त जी जैसी मार्मिक श्रद्धांजलि किसी और कवि ने कभी अर्पित नहीं की। कविता की कुछ पंक्तियाँ आपकी सेवा में पेश करता हूँ :

हाय, मृत्यु का ऐसा अमर अपार्थिव पूजन
जब विषण्ण निर्जीव पड़ा हो जग का जीवन
मानव, ऐसी भी विरक्ति क्या जीवन के प्रति
आत्मा का अपमान, प्रेत और छाया से रति?

समर्पण का संकट

स्थिति यह है कि अब तक मेरी चौंतीस पुस्तकें छप चुकी हैं और अगली पोथी वह जो लगभग तैयार ही है पर अभी उसकी सारी रचनाएँ पत्र-पत्रिकाओं में छपनी बाकी हैं। जैसे ही समस्त रचनाएँ अख़बारों में छप जाएँगी, मैं उस पुस्तक की प्रेसकापी तैयार करके किसी बड़े प्रकाशक को दे दूँगा। मेरे सामने फ़िलहाल जो समस्या है वह यह है कि अपनी आगामी पुस्तकें समर्पित करूँ तो किसको करूँ? अब तक जो पुस्तकें छपी हैं वे सबकी सब साहित्यकारों को ही समर्पित की गयी हैं। एक पुस्तक तो ऐसी है कि जब वह राजकमल प्रकाशन से छप रही थी तो भाई ओंप्रकाश जी का फ़ोन मेरे पास आया जिसमें उन्होंने मुझसे मेरे बारे में कुछ ऐसे प्रश्न किये जो डॉक्टर किसी रोगी से तब करता है जब कि वह यह जानना चाहता हो कि रोगी एकदम पागल है या आधा पागल है। बात यह थी कि मैंने अपनी वह कालजयी कृति तेईस साहित्यिक मित्रों को एक साथ समर्पित की थी। बहरहाल मेरा अब तक का अनुभव यह रहा कि पुस्तक समर्पित करने के बावजूद किसी भी साहित्यकार ने मेरी कोई ठोस मदद नहीं की। अज्ञेय जी ने तो उस पुस्तक की भी सूचना तक नहीं दी जो उन्हें समर्पित थी। जैसा कि मैं कहीं कह चुका हूँ कि मेरा वह काव्यग्रन्थ उन्हें इतना पसन्द आया होगा कि उन्होंने उस पुस्तक के चिकने पृष्ठों का उपयोग टायलेट-पेपर के स्थान पर किया होगा।

अब मैं नहीं चाहता कि पुस्तकों का समर्पण किसी साहित्यकार को ही किया जाए। ग़म और भी हैं ज़माने में मुहब्बत के सिवा। चक्रवर्ती राजगोपालाचारी तक ने अपनी कहानियों का सर्वश्रेष्ठ संग्रह महात्मा गाँधी को समर्पित किया था। अब तो मैं अपनी आगामी पुस्तकें मात्र उस व्यक्ति को ही समर्पित करूँगा जो कि मेरी कुछ ठोस सहायता कर सके।

मेरी हार्दिक इच्छा है कि आगामी पुस्तकें केवल उन विभूतियों को समर्पित की जाएँ जो या तो मुझे विदेश भिजवा सकें या फिर देश के भीतर ही पद्म-श्री या पद्म-भूषण से अलंकृत करवा सकें। सर्वश्री काका हाथरसी, गोपाल प्रसाद व्यास व बरसानेलाल चतुर्वेदी यदि उपर्युक्त उपाधियों से अलंकृत हो सकते हैं तो मैं क्यों

नहीं हो सकता? क्या ये मेरे तीनों बन्धु मात्र इस कारण ही 'पद्म-श्री' बनाये गये कि वे ब्रजभूमि के वासी थे?

कभी-कभी सोचता हूँ कि पुस्तकें उन बड़े अधिकारियों को समर्पित करूँ जो उन पर फ़िल्म बनवा सकें या फिर दूरदर्शन के लिए सीरियल ही बनवा सकें। यदि यह भी सम्भव न हो तो पुस्तक कम से कम ऐसे बड़े व्यक्तियों को समर्पित की जाएँ जो उनकी थोक खरीदारी में मेरी सहायता कर सकें। मेरे दो दिवंगत मित्र ऐसे थे कि उनकी हर किताब सरकार हज़ारों में खरीदती थी हालाँकि दोनों को साहित्य का रत्ती भर ज्ञान नहीं था। मैं भलीभाँति जानता हूँ कि एक यशस्वी उपन्यासकार ने अपनी एक श्रेष्ठ कृति एक राजनीतिक नेता को मात्र इसलिए समर्पित की थी कि वे उसे उस प्रदेश के किसी पाठ्यक्रम में लगवा सकें। उन्हें अपने प्रयास में सफलता मिली हालाँकि उससे उनका कोई लाभ नहीं हुआ। किसी नटवरलाल ने उस पोथी का जाली संस्करण रातों रात छपवा लिया और आधे दामों पर बेचा।

एक बदसूरत सम्पादक और एक ख़ूबसूरत सम्पादिका हैं जो मुझसे काफ़ी दिनों से रुष्ट हैं। वे मेरी उत्तम से उत्तम रचना भी नहीं छापते। सोचता हूँ कि कुछ और नहीं तो एक पोथी उन दोनों को ही समर्पित कर दूँ ताकि उन दोनों की श्रेष्ठ पत्रिकाओं में मैं फिर से छपने लगूँ। एक सज्जन हैं जो सारे ग़रीब और बीमार साहित्यकारों की सहायता के लिए या फिर उनका नागरिक अभिनन्दन करने के लिए दिन-रात चन्दा बटोरते रहते हैं जिसका असली उपयोग कोई नहीं जानता। सोचता हूँ कि एक पुस्तक उन्हें भी समर्पित कर दूँ। सम्भव है कि वे मुझे अपने अभियान में साझीदार बना लें या फिर बीमार होने पर मेरी कुछ सहायता कर सकें। बीमार पड़ने का सर्वाधिकार क्या अश्क जी ने ही ले रखा है। मैं बीमार पड़ने की दिशा में उनसे एक क़दम आगे निकलूँगा। अश्क जी को बाकी रोग हुए मगर अभी तक 'प्रसव-कष्ट' नहीं हुआ। ख़ाकसार तो 'प्रसव-वेदना' से भी पीड़ित होकर दिखा देगा।

मेरी पत्नी की सलाह है कि मैं अपनी कोई श्रेष्ठ कृति किसी नामवर आलोचक को समर्पित करूँ ताकि उस पर साहित्य अकादेमी का एवार्ड मिल सके। मेरी एक प्रेयसि का विचार इसके बरख़िलाफ़ है। वह बेचारी कहती है कि मैं अपनी सर्वश्रेष्ठ कृति किसी ऐसे गुण्डे को समर्पित करूँ जो कि उन सब आलोचकों की और उन सब प्रकाशकों की किसी सार्वजनिक स्थान पर कस कर ठुकाई सम्पन्न कर सके जो कि मुझे सर्वश्रेष्ठ साहित्यकार नहीं मानते या जो मेरी रॉयल्टी ईमानदारी के साथ नहीं देते।

अब मैं इस चिरन्तन प्रश्न को अपने पाठकों के द्वार पर छोड़ता हूँ। वे चिन्तन करें, अनुचिन्तन करें और मुझे यह बताने की कृपा करें कि इस दिशा में मैं क्या करूँ। काम कठिन है पर इस संसार में जितने भी पवित्र काम हैं, वे सभी कठिन हैं। इस देश में तो इतना पिछड़ापन है कि प्रिया के लिए अपने सगे प्रियतम तक से मिलना कठिन है चाहे वह विदेश में हो या देश में ही हो। इस सन्दर्भ में मैं आपकी

सेवा में दो गीत पेश करता हूँ। पहिला गीत तो 'चैती' है मगर दूसरा जो है वह क्या है, मैं नहीं जानता। (मेरे अज्ञान पर आप दुखी न हों। मेरी एक मित्र हैं जो 'स्त्री रत्न' होने के साथ-साथ 'साहित्य-रत्न' भी हैं। मगर वे यह नहीं जानतीं कि यमक और श्लेष नाम के जो दो अलंकार हैं, उनमें क्या अन्तर है और कवित्त और सवैया नाम के जो दो छन्द हैं, उनमें क्या फ़र्क़ है। सच्ची बात तो यह है क वे छन्द और अलंकार—इन दो में क्या फ़र्क़ है, यह भी नहीं जानती) दोनों गीत इस प्रकार हैं :

(एक)

भोरे भोरे उठला दरदिया हो रामा
बिनु परदेसिया
एक तो दुबली भई सैंया के विरह में
दूजे ताना मारेली ननदिया हो रामा
भोरे भोरे उठला दरदिया हो रामा
बिनु परदेसिया...

(दो)

कैसे पिया मिलन को जाऊँ सखी री
बाजे रे मेरी पायलिया
लोक-लाज मोरा पग पकड़त है
जागत री मोरी सास ननदिया
कैसे पिया मिलन को जाऊँ सखी री
बाजे रे मोरी पायलिया...?

श्रृंगारतिलक की टीका

कालिदास के जीवन का इतिहास श्रीलाल शुक्ल ने लिखा और उनके जीवन के भूगोल पर ख़ाकसार ने काम किया। 'अंगद के पाँव' नामक पुस्तक में संकलित अपने 'कालिदास का संक्षिप्त इतिहास' नामक श्रेष्ठ निबन्ध में श्रीलाल शुक्ल ने यह सिद्ध कर दिया कि कालिदास की आयु लगभग छह सौ वर्ष की थी और 'ऋतु वर्णन' नामक पुस्तक में संकलित अपने 'कवि कालिदास का जन्मस्थान' नामक श्रेष्ठतर निबन्ध में मैंने यह सिद्ध कर दिया कि उनका जन्म संयुक्त-प्रान्त की कमिश्नरी रुहेलखण्ड में स्थित ज़िला बिजनौर (जहाँ कि संयोग से बाद में मेरा भी जन्म हुआ) में ही हुआ था। इन दो मुद्दों के तय हो जाने के बाद सिर्फ़ एक काम शेष रह जाता है और वह है कवि की उन कृतियों को प्रकाश में लाना जो अपेक्षाकृत उपेक्षित रही हैं। 'श्रृंगारतिलक' एक ऐसी ही काव्यकृति है और इस कारण आज मैं उसी की चर्चा करूँगा। विद्वानों में इस बात को लेकर काफ़ी मतभेद है कि उपर्युक्त काव्यकृति (यानी कि श्रृंगारतिलक) क्या सचमुच उपर्युक्त कवि (यानी कि कालिदास) ही ने लिखी या किसी और कवि ने उसे जन्म दिया। इस सन्दर्भ में डॉ. मैकडानल व डॉ. कीथ के विचार पढ़ने योग्य हैं। बहरहाल मैं तो श्री चन्द्रशेखर पाण्डेय तथा डॉ. नानूराम व्यास की वाणी को ही सच मानता हूँ जिन्होंने अपने विख्यात ग्रन्थ 'संस्कृत साहित्य की रूपरेखा' में यह निश्चयपूर्वक स्वीकार किया कि श्रृंगारतिलक को कालिदास ही ने अपनी जवानी में लिखा। वैसे भी उतनी अश्लील और कलात्मक पुस्तक और कोई कवि लिख ही नहीं सकता था।

श्रृंगारतिलक की टीका मल्लिनाथ ने भी नहीं लिखी। शायद इसकी सर्वप्रथम टीका मधुसूदन शास्त्री ने ही लिखी जो वाराणसी की कचौड़ी गली में स्थित मास्टर खेलाड़ीराम एण्ड संस के यहाँ से छपी। मैं उस टीका के कुछ चुने-चुने स्थल यहाँ पेश करता हूँ ताकि रसिक पाठक इस पुस्तक का आनन्द प्राप्त कर सकें। मैंने इस टीका में कहीं-कहीं कुछ संशोधन किया है और उर्दू के उन शेरों और बब्बर शेरों पर विशेष ध्यान दिया है जो तुलनात्मक समालोचना के सन्दर्भ में कुछ काम आ सकें। अपने इसी गुण के कारण पं. पद्मसिंह शर्मा की 'बिहारी सतसई की भूमिका' एक अजर और अमर कृति मानी जाती है। शर्मा जी भी त्यागी जाति के ही कुलदीपक थे और इस कारण उनकी शैली को जारी रखना मेरे लिए वैसे भी एक नैतिक कर्तव्य ही

ठहरा। जो प्रसंग ज़्यादा अश्लील हैं उन्हें मैं न चाहते हुए भी छोड़ रहा हूँ। हाँ इतना मैं ज़रूर कहूँगा कि कालिदास संस्कृत-कवि जयदेव से, रीतिकालीन हिन्दी कवियों से और बंगाल के वैष्णव कवियों से कहीं ज़्यादा हिम्मत वाले थे। उन्होंने शृंगार से परिपूर्ण काव्य को लिखने के लिए राधाकृष्ण की आड़ नहीं ली। जो कुछ कहना था वह ताल ठोंक कर शृंगार के नाम से ही कहा, भक्ति रस को बदनाम नहीं किया।

शृंगारतिलक कालिदास के बाकी काव्यों की भाँति किसी कथा से संयुक्त नहीं है: वह तो 'मुक्तकों' का संग्रह है। कालिदास यदि भारतभूषण अग्रवाल से मिले होते तो वे भी शायद 'तुक्तक' ही लिखते मगर वैसा कभी नहीं हुआ। कवि निवेदन करता है कि "परम कृपालु परमात्मा ने विरही प्रेमियों के ताप को कम करने के लिए कान्ता नाम का एक सरोवर बनाया। सार्वजनिक निर्माण-विभाग के बावजूद यह तालाब ठीक ही बना। इस सरोवर में कान्ता की भुजाएँ मृणाल-स्वरूप हैं, लावण्य का जल है और कटि प्रदेश नाम का स्थान नीचे उतरने की सीढ़ियाँ हैं। नेत्र जो हैं वे मछली हैं और कान्ता का जूड़ा जो है वह पोखर में उगी सेवार है।" कवि के निवेदन के पश्चात् एक विरहिणी भी भगवान से निवेदन करती है कि उसके पति ने वादा करके भी वसन्त की ऋतु में उसका साथ नहीं दिया। वह कहती है कि विरह के कारण वह जल्दी ही मर जाएगी और इसी कारण वह प्रार्थना करती है कि अगले जन्म में भगवान उसे व्याध बनाएँ ताकि वह दुख पहुँचाने वाली कोयलों का शिकार कर सके। यदि यह प्रार्थना स्वीकार न हो तो वह कहती है कि अगले जन्म में भगवान उसे राहु ही बना दें ताकि वह इस पीड़ा देने वाले चाँद को ही सबक सिखा सके। इसी प्रकार पति के साथ रात्रि बिताने पर भी जब एक कन्या कुमारी ही रह गयी तो सखि के चुटकी लेने पर उसने बताया कि "मेरा पति नादान नहीं है मगर इल्लत यह है कि मुझे स्वयं ही अभी वह उम्र नहीं प्राप्त हुई जिसमें कुमारी गधी भी अप्सरा लगती है।" प्राप्ते तु षोडशे वर्षे गर्दभी चाप्सरायते। रतिविलाप समाप्त करता हूँ। अब आप अजविलाप सुनिए।

एक प्रेमी अपनी प्रेयसि से पूछता है कि "जब तुम्हारे सारे अंग इतने कोमल हैं तो तुम्हारा हृदय इतना कठोर कैसे हो गया? कहीं ऐसा तो नहीं हुआ कि तुम्हारे वक्ष पर लगे कड़े फलों के सहवास से हृदय भी उसी तरह आचरण करने लगा?" इसके बाद नायक जो है वह अगला प्रश्न पूछता है और कहता है कि "यदि कोई प्राणी कमल पर बैठे हुए एक खंजन को ही देख लेता है तो वह सेनापति बन जाता है। मैं तो तेरे कमल जैसे मुखड़े पर स्थित नयन रूपी दो खंजनों को देख रहा हूँ, मेरा क्या होगा?" कालिदास ने शायद विद्यापति को पढ़ा था। यदि ऐसा न होता तो वह प्रेयसि को यह सलाह कैसे देता कि "प्रिये, राजा के ख़ज़ाने से किसी ने चन्द्रमा को चुरा लिया है। मेरी मान और चारपाई के नीचे छुप जा। कहीं ऐसा न हो कि राजा के सिपाही तुझे ही चाँद समझ कर गिरफ़्तार न कर लें।"

एक नायक था जो वैद्य जी की दिशा में गतिशील हो रहा था। रास्ते में उसे एक शास्त्रकार मिल गये। उन्होंने नायक को समझाया कि "जब तुम्हारे समीप तुम्हारी

नायिका है तो वैद्यजी के पास जाने की क्या ज़रूरत है? प्रियतमा तो सारे रोगों की अचूक औषध है। यदि तुम्हें 'वायु' की पीड़ा है तो प्रेयसि के वक्ष पर व्यायाम करो, यदि 'पित्त' प्रबल हो गया है तो प्रियतमा के अधरों का शीतल जल जी भर कर पियो और यदि 'कफ' बढ़ गया है तो नायिका की बाकी देह पर ध्यान दो। ईश्वर ने चाहा तो सारी पीड़ा इस प्राकृतिक चिकित्सा से ही लोप हो जाएगी। वैद्य के पास जाने से क्या लाभ? अर्थात् कुछ भी नहीं।"

एक और सज्जन हैं जो अपनी प्रियतमा को सूचना देते हैं कि "मैं तुम्हारा विरह तो किसी प्रकार झेल गया मगर ऐसी स्थिति असह्य है जिसमें वे सारे पदार्थ भी अन्तर्धान कर दिये गये जो तुम्हारी याद दिलाते थे। तुम्हारे नेत्रों की याद दिलाने वाले कमल मुँद गये। तुम्हारी गति की याद दिलाने वाले राजहंस भी पता नहीं कहाँ चले गये, इत्यादि-इत्यादि। अब तुम्हीं बताओ कि मैं करूँ तो क्या करूँ?" (होता है न कोई बुरे वक़्त में शरीक, पत्ते भी भागते हैं खिज़ाँ में शजर से दूर) प्रियतमा के एक जवाबी पत्र का उत्तर देते हुए एक नायक कहते हैं कि "प्रिय, मैं तुम्हारे कष्ट को अच्छी तरह समझता हूँ मगर यहाँ विदेश में काम इतना है कि मैं एकदम नहीं आ सकता।" (दिल वह क्या, जिसको नहीं तेरी तमन्नाएँ बिसाल; चश्म वह क्या जिसको तेरे दीद की हसरत नहीं) एक नायक जो विदेश में नहीं वरन् स्वदेश में ही था, प्रियतमा से पूछता है कि "अब तुम्हीं बताओ कि मैं तुम्हारे बिना अपना कष्ट कैसे निवारण करूँ?" (मेहरबानी की एक राह तो हो, सताने के हैं जब हज़ारों तरीके) यह नायक ऐसा चरित्रवान् है कि नायिका के सारे चकमों के बावजूद हिम्मत नहीं छोड़ता क्योंकि वह तो जन्मजात रसिया है (नित नया ज़ायका चखने का लपका है उनको; बदर झाँकते फिरने से उन्हें आर नहीं।)

एक और नायक विशेष हैं जो प्रियतमा के चरणों में कई बार प्राण छोड़ चुके हैं मगर फिर भी जीवित हैं (ख़ूने जिगर पीता हूँ बस तेरे ग़म में यार) वे फ़रमाते हैं कि ऐसी प्रेयसि से क्या फ़ायदा जो जलती हुई तबीयत को ठण्डा न करे? (सेराब न हो जिससे कोई तिशनए मकसूद, ऐ 'ज़ौक़' वह आबेबका भी है तो क्या है?) नायक के प्रश्न का सही-सही उत्तर दिया जाता है मगर वह कालिदास ही लिख सकता था, मैं नहीं। थोड़ी और हिम्मत करता हूँ और उस सर्वज्ञानी प्रेमी की बात करता हूँ जो कहता है कि जिसने 'विषयों' का आनन्द नहीं लिया वह 'मोक्ष' की प्रकृति को क्या जाने? मत्त नयनों वाली रूपवती युवती के कटिप्रदेश में स्थित वस्त्रों का खोलना ही सच्चा 'मोक्ष' है, बाकी सब बकवास है (जहाँ तेरा नकशे क़दम देखते हैं, खयाबाँ खयाबाँ इरम देखते हैं) यही वे प्रेमी हैं जो परेशान होकर पूछते हैं कि "ऐ कामरूपी रसाल की मंजरी (ऐ गुलशने फ़ितरत की बहार) तू मेरे मन को दिनदहाड़े ही चुरा रही है? क्या इस देश में कोई राजा नहीं है जिसका तुझे डर हो?" और जब उसका ताना सुनकर नायिका उसका मन उसको वापिस करने लगी तो हज़रत फौरन हिसाब-किताब पर उतर आये। वे कहने लगे कि "पूँजी लौटायी तो क्या, वह सूद भी तो वापिस कर जो इस कर्ज़े पर निकलता है?" प्रेयसि जो थी वह मानिनी थी, वह सूद भी लौटाने को तैयार हो गयी।

उसकी ईमानदारी देखकर नायक महोदय ने कहा कि "कलह मत कर, आ पास बैठ, कुछ काम की बातें करें।" (हम तो आशिक हैं तेरे नाज उठाने वाले, तुमसे कम देखे हैं महबूब सताने वाले) "ऐ सुमुखि, दोष तेरा है न मेरा, दोष तो सारा तेरे सौन्दर्य और तेरे यौवन का है वर्ना समझदार होते हुए भी क्या हम ये नादानी करते?"

पुस्तक का अन्तिम श्लोक कालिदास ने अपने बारे में लिखा है। पानी भरती हुई एक अनुपम सुन्दरी को देखकर कालिदास कहते हैं कि "ऐ देवी, मैं स्वीकार करता हूँ कि तू वास्तव में रूपवती है मगर तू मुझे मेरे मार्ग से विचलित न कर (एक तो हुस्न बला का उस पै बनावट आफ़त, घर बिगाड़ेंगे हज़ारों के सँवरने वाले) तू मुझे इन ललचाई नज़रों से न देख। क्या तुझे पता नहीं कि मैं राजकवि हूँ और इस कारण चाहते हुए भी मैं तुमसे आत्मीय और निकट सम्बन्ध नहीं स्थापित कर सकता जिसका मुझे अत्यन्त खेद है। तू दासी है, जा किसी दास के साथ वह सब कुछ कर जो तू मुझसे करना चाहती है। मैं तेरी सफलता के लिए प्रार्थना करूँगा।"

यहाँ मैं टीकाकार की प्रशंसा में भी कुछ कहूँगा। कवि की वाणी का आनन्द लेते हुए भी टीकाकार अपने कर्तव्य को नहीं भूला और उसने एक नितान्त मार्मिक श्लोक की टीका में लिखा कि "इस श्लोक में वर्णित जो नायिका है वह 'खण्डिता' क़िस्म की है, नायक जो है वह 'धृष्ट' क़िस्म का है और शृंगार रस जो है वह यहाँ 'ईर्ष्यामूलक विप्रलम्भ' जाति का है।" अब आप ही बताइए कि ऐसे टीकाकारों, समीक्षकों और शास्त्रकारों के साथ क्या सलूक किया जाए? मैंने पिछले सप्ताह अपनी एक पुस्तक की समीक्षा पढ़ी। इस पुस्तक में मैंने चेखव की प्रसिद्ध कथा 'एक क्लर्क की मौत' की पैरोडी में 'एक अफ़सर की मौत' नाम की एक व्यंग्य कथा लिखी थी। एक साहबजादे ने समीक्षा करते हुए लिखा कि मेरा ऐसा करना चेखव का 'भोंडा मज़ाक़ उड़ाना' है। ये होनहार बरखुरदार कभी मिलेंगे तो पूछूँगा कि चेखव साहब क्या तुम्हारे अब्बा लगते थे?

मैंने यहाँ 'शृंगारतिलक' की मात्र एक झाँकी दी है। जो स्थल ज़्यादा 'काम' के थे, उन्हें छोड़ दिया है। जो अनुवाद किया वह भी निहायत 'सात्त्विक' ही रखा। मगर मैं जानता हूँ लोग कालिदास को मात्र 'शृंगारी कवि' ही कहेंगे और मुझ पर अश्लीलता का आरोप लगाएँगे। पन्त जी ने अपनी किसी प्रेयसि को लेकर एक शाकाहारी पंक्ति लिखी—वह मुग्धा थी अति भावप्रवण, उभरे थे 'अंबियों' से उरोज। (युगान्त) पन्त जी फिर भी 'छायावादी' ही कहलाते हैं और मैं इस उद्धरण के देने मात्र से 'कायावादी' कहलाऊँगा। खजुराहो की अश्लीलता में कई भक्तों को 'अध्यात्म' के दर्शन होते हैं और यदि मैं किसी हसीन लड़की का ज़िक्र करता हूँ तो लोग कहते हैं कि मैं बिना लड़की का सहारा लिये कुछ लिख ही नहीं सकता। अकबर इलाहाबादी ने ठीक ही कहा था:

हम आह भी भरते हैं तो हो जाते हैं बदनाम
वो क़त्ल भी करते हैं तो चर्चा नहीं होता

कुछ और सरकारी संस्मरण

जब मैंने भारतीय ज्ञानपीठ से प्रकाशित अपने व्यंग्य-संग्रह 'विषकन्या' में कुछ सरकारी संस्मरण शामिल किये तो वे अनेक पाठकों द्वारा बेहद सराहे गये। डॉ. कुबेरनाथ राय ने तो यहाँ तक कहा कि मैं अपनी 'आत्मकथा' लिखूँ। इन्हीं बातों को ध्यान में रखते हुए मैं ये संस्मरण लिखने बैठा हूँ।

मैंने अपना सरकारी जीवन पूर्वी कमान के असिस्टेण्ट कण्ट्रोलर आफ़ डिफेंस-एकाउण्ट्स के पद से प्रारम्भ किया। कार्यालय बहुत बड़ा था और उसमें दो अधिकारी ऐसे थे जिन्हें सम्भवतः पागल कहा जा सकता था। एक सज्जन को बरखास्त किया गया और दूसरे सज्जन को तब तक सहन किया गया जब तक उनकी सन्तान घर चलाने लायक हो गयी। सरकार कितनी दयालु है—इसका पता सबको नहीं है। मैंने केन्द्रीय सचिवालय में एक ऐसे विलक्षण और प्रतिभावान् उपसचिव के साथ काम किया है जो सर्वगुणसम्पन्न थे पर आँखों से एकदम अन्धे थे। वे टेलीफ़ोन कर सकते थे, बाथरूम जा सकते थे और समस्या समझाने के बाद बेहद युक्तियुक्त निर्णय डिक्टेट कर सकते थे। वे सारे काम इतनी तत्परता से करते थे कि आम आगन्तुक को तो यह महसूस ही नहीं होता था कि वे अन्धे थे। मेरी सर्विस के एक ऐसे प्रतिभावान् और मेधावी संयुक्त सचिव थे जिनके हाथों में कम्पन का रोग था। अंग्रेज़ी में इस बीमारी को 'पार्किन्सन डिसीज़' कहते हैं पर इसका अँग्रेज़ी के विश्वविख्यात व्यंग्यकार नार्थकोट पार्किन्सन से कोई सम्बन्ध नहीं है। ऊपर बताये गये पागल अधिकारी को जब बरखास्त किया गया तो उनका काम मुझे सौंपा गया। चार्ज लेने के बाद मुझे पता चला कि सेक्शन में मात्र बारह हज़ार ऐसे पत्र पड़े थे जिनका कि उत्तर जाना था या जिन पर कुछ और कार्रवाई करनी थी। मैं सिर पकड़कर बैठ गया। बहरहाल वह 'बैकलॉग' किसी तरह हटाया गया। हिम्मते मरदाँ मददे ख़ुदा।

एक बार मुझे कण्ट्रोलर महोदय ने दौरे पर भेजा ताकि मैं वहाँ नियुक्त लेखाधिकारी के काम-काज का निरीक्षण कर सकूँ। वहाँ पहुँचकर मैं सेना की एक टुकड़ी के दफ़्तर में गया और वहाँ जो कुर्सी खाली पड़ी थी, उस पर बैठ, गया।

टुकड़ी के कमाण्डेण्ट अभी दफ़्तर नहीं आये थे, नहीं तो मैं उन्हीं के साथ बैठता और उनकी परेशानियाँ सुनता। बहरहाल थोड़ी देर बाद एक मेजर आये और मुझसे पूछने लगे कि मैं उनकी कुर्सी पर बिना उनकी आज्ञा के कैसे बैठा हूँ। मैंने स्थिति समझायी और खेद प्रकट किया मगर वे हज़रत झगड़ा करने के मूड में थे। मैंने अपना पद उन्हें बताया पर वे फिर भी शान्त नहीं हुए। तब ही यूनिट के कमाण्डर आ गये और शोरगुल के कारण पहिले बैरक में आये और फिर मुझे आदर के साथ अपने कमरे में ले गये और उस असभ्य मेजर की तरफ़ से स्वयं क्षमा-याचना करने लगे। आइसक्रीम मँगायी गयी जिसके सेवन के बाद मैं कुछ ठण्डा हुआ। बाद में कमाण्डर ने जो कर्नल थे—मुझे बताया कि ये मेजर सबके साथ ऐसा ही व्यवहार करते हैं और कारण सम्भवतः यह है कि उनके बाप जो हैं वे ब्रिगेडियर हैं। मुझे बड़ा अजीब लगा। यहाँ मैं दो बातें अवश्य बताना चाहूँगा। बात क्रमसंख्या एक तो यह है कि मैंने अपने पैंतीस वर्षों के सरकारी जीवन में केवल दो असभ्य फ़ौजी अफ़सर ही देखे जब कि मैं तीनों सेनाओं के अध्यक्षों से लेकर मामूली सिपाही तक सैकड़ों फ़ौजी व्यक्तियों के सम्पर्क में आया और सबने मुझे उपयुक्त आदर व स्नेह प्रदान किया। बात क्रमसंख्या दो यह है कि रक्षा-सेवाओं में 'पद' का बड़ा महत्त्व माना जाता है और इसी कारण आर्मी-हेडक्वार्टर्स ने एक विशेष 'आर्मी आर्डर' छापा है कि डिफेंस एकाउण्ट्स का कण्ट्रोलर एक मेजर जनरल की हैसियत रखता है, कण्ट्रोलर-जनरल रक्षा सेवाओं के 'वाइस-चीफ़' का दर्ज़ा रखता है और वित्तीय सलाहकार जो होता है वह तो भारत-सरकार का सचिव होता ही है और इसी कारण उसके बारे में क्या कहना! रक्षा-सेवाओं के वित्तीय सलाहकार ज़्यादातर मेरी अपनी सर्विस के ही होते हैं, बाकी नागरिक सेवाओं के नहीं। अपवादों की बात अलग है। जब मैंने सर्विस प्रारम्भ की थी तब वित्तीय सलाहकार 'इण्डियन आडिट एण्ड एकाउण्ट्स सर्विस' के सदस्य थे मगर उसी तरह मेरी सर्विस के भी दो उच्च अधिकारी और विभागों में नियुक्त थे। उदाहरणस्वरूप मेरी सर्विस के श्री जे. दयाल रेलवे के 'फ़ाइनेंशियल कमिश्नर' थे और श्री चितरंजन कोनार उत्तर प्रदेश के 'एकाउण्टेण्ट-जनरल' थे। अंग्रेज़ी ज़माने में कई वित्तीय सलाहकार 'सर' का खिताब रखते थे और एक कहावत थी कि कमांडर-इन-चीफ़ को वायसराय किसी काम को करने से नहीं रोक सकते थे पर रक्षा-सेवाओं के वित्तीय सलाहकार वैसा कर सकते थे।

जिस स्थान पर मैं दौरे पर गया था, वहाँ एक बड़ा सैनिक अस्पताल भी था। उसके कमाण्डेण्ट एक बहुत ही सरल कर्नल थे। उनका जो खजांची था वह एकदम चुप रहता था। पता नहीं क्यों उसने मुझसे कुछ परेशानी सुलझाने के लिए समय माँगा। जब बातचीत शुरू हुई तो उसने मुझे कैश-बुक दिखायी और पूछा कि उसकी कैशबुक में एक पैसे का अन्तर पड़ रहा है और उसकी समझ में नहीं आता कि वह उसे कैसे ठीक करे। मैंने यूँ ही सोचा कि इतने बड़े अस्पताल का कैशियर एक पैसे

के लिए इतना परेशान है तो क्यों? यह इतनी अतिरिक्त ईमानदारी जो दिखा रहा है, वह क्यों दिखा रहा है? मैंने अपने लेखाधिकारी से कहा कि पिछले तीन वर्षों से लेकर अब तक की कैशबुक का शत-प्रतिशत निरीक्षण करो। बात वही निकली जिसका कि मुझे सन्देह था। अस्पताल के कैश में काफ़ी बड़ी धोखाधड़ी की गयी थी। बाद में कानून के अनुसार कार्रवाई शुरू की गयी।

मात्र संयोग से एक बहुत बड़ी धोखाधड़ी का मामला तब सामने आया जब मैं एक 'सेण्ट्रल आर्डनेंस डिपो' के लेखाधिकारी के काम का निरीक्षण करने एक बड़े नगर में गया। मैंने चार-पाँच दिन बड़ी लगन से सब काग़ज़ात और रजिस्टर देखे पर वे सब ठीक थे। सबसे अन्त में मैंने 'केन्द्रीय खरीदों का रजिस्टर' अनायास ही उठा लिया और उसके पर्चे सिगरेट पीते हुए पलटने लगा। सब कुछ ठीक था। इत्तफ़ाक से नज़र आया कि 'सेण्ट्रल पर्चेज़' के कुछ 'वाउचर' ऐसे थे जिनका सामान अभी तक स्टोर-रजिस्टर में नहीं चढ़ाया गया था। थोड़ा और देखने के बाद पता लगा कि ऐसे सारे 'वाउचर' एक ही फर्म के थे। यहाँ केन्द्रीय खरीदों का कुछ परिचय देना ज़रूरी है। केन्द्र के सारे विभागों के लिए देश-विदेश के खुले बाज़ारों से जो खरीद की जाती है वह 'डाइरेक्टर जनरल सप्लाई एवं डिस्पोजल्स' (डी.जी.एस. एण्ड डी.) द्वारा की जाती है। देश के ठेकेदार लोग ठेका मिलने पर सामान प्रायः रेल से भेजते हैं और रेल से मिली उस रसीद को 'डी.जी.एस. एण्ड डी.' को दिखाते हैं और भेजे गये सामान की नब्बे प्रतिशत रकम उनसे वसूल कर लेते हैं। भुगतान करने के बाद 'डी.जी.एस. एण्ड डी.' वाउचर हमारे दफ़्तर को भेज देता है और हम उसके द्वारा किये गये भुगतान के बदले उसे उतने रुपयों का चेक भेज देते हैं और उस वाउचर को बाहर नियुक्त लेखाधिकारी को भेज देते हैं ताकि वह देख सके कि वह सामान सेना को मिला या नहीं। लेखाधिकारी स्टोर का 'लेजर' देखता है और उसमें प्रविष्टि देखकर वाउचर फ़ाइल कर देता है। यदि उस सामान की प्रविष्टि लेजर में नहीं मिलती तो वह उन्हें अपने रजिस्टर में 'आउटस्टैंडिंग' दिखाता है और उनको अपनी 'आबजेक्शन रिपोर्ट' में शामिल कर लेता है जो कि डिपो के कमांडेण्ट को भेजी जाती है। मैंने यह भी देखा कि कुछ वाउचर काफ़ी वर्षों से सामान न मिलने के कारण 'आउटस्टैंडिंग' पड़े थे। मैंने देखा कि सारे वाउचर—जिनके सहारे ठेकेदार ने 'डी.जी.एस. एण्ड डी.' से नब्बे प्रतिशत रकम प्राप्त की थी—सिर्फ़ उस रेलवे स्टेशन का नाम मात्र दिखाते थे—जहाँ कि सामान भेजा गया था और वह उस पार्टी का नाम नहीं दिखाते थे जिसे सामान भेजा गया था। मैंने ऐसे सारे वाउचरों की क़ीमत का टोटल किया तो बहुत ज़्यादा आया। मैंने सारी बात कमाण्डेण्ट को बतायी और वह भी मुझसे सहमत हो गये कि दाल में कुछ काला है। सारा सन्देह मात्र इस कारण पैदा हुआ था कि ऐसे सारे वाउचर एक ही फर्म के थे। हम लोग रेलवे-स्टेशन गये। स्टेशन-मास्टर ने हमारी पूरी-पूरी सहायता की। एक हफ़्ते की जाँच के बाद पता

चला कि वाउचर सही थे और सामान वास्तव में उसी रेलवे-स्टेशन को भेजा गया था मगर चालाकी यह की गयी थी कि सामान किसी और पार्टी को भेजा गया था (जिसने उसे छुड़ा भी लिया था) जब कि नब्बे प्रतिशत भुगतान सरकार से भी प्राप्त कर लिया गया था। चालाकी इस कारण सम्भव हो सकी क्योंकि रेलवे के वाउचर पर मात्र उस स्टेशन का नाम लिखा गया था जहाँ कि माल भेजा गया था; सामान किस पार्टी को भेजा गया था—यह कहीं नहीं लिखा गया था। धोखाधड़ी पकड़ी गयी और फर्म पर सेशन्स-जज की अदालत में मुकद्दमा चला। वह फर्म 'ब्लैक-लिस्ट' भी कर दी गयी। जब शास्त्री जी प्रधानमन्त्री बने तो सेनाओं के लिए होने वाली खरीद के लिए रक्षा-मन्त्रालय में ही एक 'पूर्ति विभाग' खोला गया ताकि सेना की खरीद 'डी.जी.एस. एण्ड डी.' की मार्फत न होकर सीधी हो ताकि सेना को सामान मिलने में देरी न हो।

डिपुटी कण्ट्रोलर होने पर मैं पटना नियुक्त हुआ और वहाँ से दौरे पर शिलांग गया। 'सबोर्डिनेट एकाउण्ट्स सर्विस' की अखिल भारतीय परीक्षा होने वाली थी और एक बड़ी फ़ौजी यूनिट में हुए एक गोलमोल की जाँच भी करनी थी। शाकाहारी होने के कारण मैं और मेरी पत्नी मारवाड़ी होटल में खाना खाने गये थे जहाँ रोटी को 'टुकड़ा' कहते थे। जब भी मैं बैरे को रोटी लाने के लिए कहता था तो वह चिल्लाकर किसी दूसरे बैरे से कहता था कि "देखो, इधर साहब टुकड़ा माँग रहे हैं, इन्हें टुकड़ा दो।" खाना खाकर जब हम दोनों डाकबँगले लौटे तो पाया कि हमारे कक्ष में चोरी की जा चुकी थी। चोर कुछ नहीं ले गया, बस उसने वह सरकारी सीलबन्द लिफ़ाफ़ा खोला था जिसमें परीक्षा के प्रश्न-पत्र थे। फटे हुए लिफ़ाफ़े को देखकर मेरी ठीक वही स्थिति हो गयी जिसके बारे में मेरठ के लाला मटरूलाल अत्तार ने कभी अपने 'आल्हखण्ड' में कहा था कि "उप्पर का दम उप्पर रै गा, निच्चे का ले गया राम उठाय।" कण्ट्रोलर- जनरल थे लाला फूलचन्द जिनकी क्रूरता सर्वप्रसिद्ध थी। संयोग की बात कि आधी रात एक तार दिल्ली से आया जिसमें लिखा था कि परीक्षा अब नहीं होगी क्योंकि किसी प्रकार पेपर जो थे, वे कहीं और आउट हो गये थे। मैंने सुख की साँस ली और उस फ़ौजी अफ़सर के ख़िलाफ़ कार्रवाई शुरू कर दी जिसका ज़िक्र मैं ऊपर कर चुका हूँ और जिसने डाकबँगले के मेरे वाले कक्ष में चोरी करवायी थी। उनके ख़िलाफ़ बहुत सबूत मिले और थोड़े दिनों बाद वे मुअत्तल भी कर दिये गये। इस अधिकारी-विशेष की घनिष्ठ रिश्तेदारी एक ऐसे मुख्यमन्त्री से थी जो प्रधानमन्त्री के अत्यन्त निकट थे। उस मुख्यमन्त्री ने रक्षामन्त्री श्री कृष्णा मेनन को पत्र लिखा जिसमें बताया गया था कि वे अधिकारी अत्यन्त आस्तिक, सदाचारी व देशभक्त थे और सारा मामला सिर्फ़ उन्हें बदनाम करने के लिए झूठमूठ खड़ा कर दिया गया था। श्री मेनन भी वकील थे; उन्होंने उत्तर में लिखा कि "इतना ईमानदार अफ़सर तो खुद ही जीत जाएगा और बिना मुकद्दमे के उन्हें बरी करना

उनके साथ अन्याय करना होगा।" मुख्यमन्त्री चुप हो गये और उस अधिकारी का कोर्टमार्शल शुरू हो गया।

पटना के बाद मेरी नियुक्ति प्रयाग में हुई जहाँ उस कण्ट्रोलर का विशाल कार्यालय है जो जल सेना, थल सेना और वायु सेना के सारे अफ़सरों और कर्मचारियों की पेंशन जारी करता है। रक्षा-सेवाओं में काम करने वाले लाखों सिविल कर्मचारी भी वहीं से पेंशन का आज्ञा-पत्र प्राप्त करते हैं। वहाँ एक हमारे दफ़्तर के कर्मचारी ने ऐसी धोखाधड़ी की कि कुछ कहा ही नहीं जा सकता। उसने अपने नाम से ही एक जाली 'पेंशन पेमेण्ट आर्डर' तैयार किया। वह नियमित नगर के ख़ज़ाने में जाता था और अपनी झूठी पेंशन ले लेता था। धीरे-धीरे उसने कई और नगरों के ख़ज़ानों के पक्ष में भी उसी तरह के झूठे और जाली 'पेंशन पेमेण्ट आर्डर' तैयार कर लिए और वह वहाँ से भी पेंशन लेने लगा। अन्त में लालच-वश उसने एक पेंशन 'कम्यूट' करा ली और एक साथ लाखों रुपये इकट्ठे ले लिये। इत्तफ़ाक की बात कि एक बार उसे सन्निपात हो गया और काम देखने के लिए दूसरा बाबू उस सीट पर लगाया गया। इस नये बाबू के पास किसी ख़ज़ाने से 'पेंशन पेमेण्ट आर्डर' के प्राप्त होने की सूचना आयी। उसने उस आर्डर की आफ़िस-कापी वग़ैरा काफ़ी खोजी पर कुछ भी न मिला। मामले की सूचना कण्ट्रोलर को दी गयी और बाद में खोजबीन करने के बाद उस जालसाज बाबू को पुलिस की हिरासत में दे दिया गया। जैसा कि पता चला, उसने लाखों रुपये का ग़बन किया था। सेशंस में जब उसका 'ट्रायल' चल रहा था, उसे दिल का दौरा पड़ गया और वह अदालत के कठघरे में ही मर गया। ऐसी जालसाजियों से बचने के लिए यह निश्चित किया गया कि भविष्य में पेंशन के सारे आज्ञापत्र पेंशनर को सीधे न भेजे जाएँ वरन् वे उस दफ़्तर को भेजे जाएँ जहाँ से कि वह रिटायर हुआ। इस प्रथा से भविष्य में ऐसी धोखाधड़ी की सारी सम्भावनाएँ समाप्त हो गयीं।

कुछ दिनों बाद मैं असिस्टेण्ट कण्ट्रोलर-जनरल बना और बाद में वित्त मन्त्रालय में रक्षा सेवाओं का सहायक वित्तीय सलाहकार बनकर वहाँ चला गया। वे तीन वर्ष बड़े भयानक थे। इतना काम और इस तरह का काम कि कुछ कहा ही नहीं जा सकता। मेरे साथी आनन्द प्रकाश तो एक दिन बेहोश ही हो गये। अपने उस कार्यालय की दो दुर्घटनाएँ मुझे कभी नहीं भूलेंगी। हमारी वायुसेना के कुछ विशिष्ट विमान एयर-इण्डिया बम्बई में सर्विसिंग के लिए जाया करते थे। यह प्रथा वर्षों से चल रही थी। काम करने के रेट कभी भी निश्चित नहीं किये गये थे। जब भी दबाव पड़ता था, सरकार कुछ लाख रुपये एयर-इण्डिया को दे दिया करती थी। एक दिन ऐसा आया कि एयर-इण्डिया ने कहा कि वह यह काम तभी करेगी जब रेट तय कर दिये जाएँगे और पिछला हिसाब साफ़ कर दिया जाएगा, बड़ा टेढ़ा काम था। एक बेहद धूर्त अधिकारी थे जिन्होंने बड़े लोगों से कहा कि "त्यागी जी ही इस

कार्य के लिए सबसे ज़्यादा उपयुक्त रहेंगे क्योंकि वे वायुसेना से एकदम अनभिज्ञ हैं और इस कारण जितने निष्पक्ष वे रह पायेंगे, उतना कोई दूसरा नहीं रह पाएगा।" मेरा क्या था, आदेश मिलते ही बम्बई चला गया जहाँ मैं लगभग एक माह रहा। मैं काटन-ग्रीन के हवाई डाक बँगले में ठहरा और मुझे एयर-इण्डिया की एक शानदार विदेशी गाड़ी दफ़्तर आने-जाने के लिए मिली। लंच भी एयर-इण्डिया वाले ही देते थे और वह भी शान्ताक्रूज हवाई अड्डे की छत पर बने रेस्तराँ में देते थे। ग़म तो बहुत थे, मगर आराम के साथ। भगवान की कृपा से मैं ऐसे रेट तय कर पाया जो एयर-इण्डिया को भी मान्य थे और भारत-सरकार को भी। अब वही धूर्त अधिकारी, जिसने मुझे इस कठिन कार्य पर लगवाया था, मेरी सफलता देखकर ईर्ष्या से जल उठा। वह व्यक्ति अपनी धूर्तता व अपनी प्रतिभा के कारण आज देश का एक बहुत बड़ा आदमी है। दूसरी घटना और भी ज़्यादा दर्दनाक है। सरकार को एक कारखाना खोलना था। सारे संसार से टेण्डर मँगवाये गये। मेरे सीनियर छुट्टी पर थे और उनका काम एक और अधिकारी देख रहे थे। इस अधिकारी ने सारे काग़ज़ सैक्शन से मँगा लिये और मुझे ख़बर तक नहीं दी कि दस दिन बाद ये मामला कैबिनेट के सामने जाना है। जब मीटिंग के मात्र दो दिन रह गये और वे कैबिनेट-पेपर नहीं बना सके तो उन्होंने मुझे बुलाया और बड़ी बदतमीजी के साथ मुझे रातों-रात कैबिनेट-पेपर तैयार करने का हुक्म दिया। उनकी अभद्रता देखकर मैंने स्पष्ट रूप से कहा कि "ये काग़ज़ मुझे बहुत पहिले मिल जाने चाहिए थे और अब मैं कुछ नहीं कर सकता।" उन्होंने मुझे धमकी दी कि "मैं तुम्हारी शिकायत वित्तीय सलाहकार से करूँगा।" मैंने भी ऊँची आवाज़ में कहा कि "आप यह कष्ट क्यों करते हैं, शिकायत तो मैं करूँगा और आपकी पोल खोलूँगा।" इतना कहकर मैं गुस्से में लाल होकर वित्तीय सलाहकार से मिला और सारी कथा उन्हें सुनायी। जो अशिष्टता मैंने की थी वह भी पूरी तरह बतायी। वित्तीय सलाहकार थे श्री हरिहरन—एकदम शान्त, निष्पक्ष और दयालु। उन्होंने मेरी बान सुनी, मेरे सीनियर को मेरे सामने फ़ोन पर डाँटा और फिर मुझसे कैबिनेट-पेपर तैयार करने का विनम्र आग्रह किया। तीन दिन मैं रात के बारह बजे तक काम करता रहा और पेपर निश्चित समय के भीतर तैयार हो गया। वित्तीय सलाहकार ने दस्तख़त किये और पेपर सब सम्बद्ध अधिकारियों को भेज दिया गया। यह सब होने के बाद मैंने देखा कि पेपर के परिशिष्ट में एक भयंकर ग़लती रह गयी है। मैं भागा-भागा हरिहरन साहब के पास फिर गया। वे उसी चिरपरिचित शान्त स्वर में बोले कि "इसमें लज्जा की क्या बात है? इतने कम समय में एक ग़लती होनी तो स्वाभाविक है। जाओ और वित्तमन्त्री और कैबिनेट-सेक्रेटरी को जो कापी गयी है, उसे दुरुस्त कर दो।" मैंने उन्हें हृदय से धन्यवाद दिया और उनकी आज्ञा का पालन किया। वर्षों बाद मैंने उसी ख़तरनाक सीनियर के साथ फिर काम किया। उन्होंने मुझसे कोई बदला नहीं लिया। अब वे भगवान के भक्त हो गये थे

और एकदम बदल चुके थे। उनके स्वभाव में परिवर्तन देखकर मैं चकित हो गया। भगवान रजनीश ठीक ही कहते थे कि मृत्यु के बाद ही नहीं वरन् उससे पहिले भी इसी जीवन में पुनर्जन्म सम्भव है। यदि ऐसा न होता तो गाँधी जी के एक शिष्य जब मृत्यु को प्राप्त हुए तो उन्होंने करोड़ों की मुद्राएँ कैसे छोड़ीं?

सन् 1971 में मैं सेना की पश्चिमी कमान का ज्वायण्ट कण्ट्रोलर नियुक्त हुआ। पश्चिमी कमान के सेनापति थे ले. जनरल कैंडेथ जिनका हैड क्वार्टर शिमला में था। बेहद सरल, हँसमुख और निर्भीक व्यक्ति। दुर्भाग्य से मेरे ज्वाइन करने के कुछ ही दिनों बाद भारत व पाकिस्तान का युद्ध छिड़ गया। सेना की संख्या बढ़ती गयी, बढ़ती गयी। हम लोगों पर बेहद काम आ पड़ा। मगर इसी दौरान कुछ दिलचस्प वाकये भी हुए। दो प्रसंग सुनाता हूँ। सेना को ताज़ी तरकारी, अण्डे, चिकन और ताज़ा गोश्त देने के लिए ठेके दिये जाते हैं जो हम लोगों की स्वीकृति के बाद ही काम करना शुरू करते हैं। इन ठेकों में जितना सामान चाहिए, उसकी मात्रा लिखी रहती है और यह भी लिखा रहता है कि ये मात्राएँ अनुमान पर आधारित हैं और वक़्त-ज़रूरत इन्हें घटाया और बढ़ाया जा सकता है। हमारे ठेके युद्ध के पूर्व दिये जा चुके थे मगर युद्ध के कारण हमारी कमान में बाहर से बहुत-सी सेना आ गयी तो ठेकेदारों ने कहा कि इतनी अधिक माँग वे वर्तमान दर पर नहीं मुहैया कर सकते और इस अतिरिक्त आवश्यकता के लिए नये ठेके तय किये जाएँ। नये ठेकों में रेट बढ़ने ही थे और इस कारण हम लोग ठेकेदारों के दावों को स्वीकार नहीं कर सके। ठेकेदार अदालत गये। पंजाब हाई कोर्ट ने फ़ैसला दिया कि ठेके में जो 'अनुमान' की शर्त है उसका मतलब यह नहीं हो सकता कि माँग सौ गुना भी बढ़ जाए तो भी ठेकेदार को उसी ठेके के भीतर सामान देना पड़ेगा। हाई कोर्ट के अनुसार ठेके में दिखायी गयी मात्रा 25 प्रतिशत तक घटाई या बढ़ायी जा सकती थी; उससे ज़्यादा नहीं। फ़ैसला मिलने पर हमने अदालत का आदेश तो मान लिया पर कण्ट्रोलर (पूर्वी कमान) से पूछताछ भी की क्योंकि पूर्वी पाकिस्तान के साथ भी युद्ध छिड़ा था। वहाँ के कण्ट्रोलर ने बताया कि ठीक ऐसी ही याचिका पर बंगाल के हाईकोर्ट ने उल्टा फ़ैसला दिया है। उस हाई कोर्ट के अनुसार ठेके में दी गयी मात्रा केवल अनुमानित है और यह मात्रा चाहे जितनी बढ़े या घटे, ठेकेदार को माल उसी रेट पर देना पड़ेगा। मैं दोनों फ़ैसलों की नकल लेकर दिल्ली गया और विधि-मन्त्रालय से सलाह-मशविरा किया। वहाँ एक बहुत ऊँचे कानूनी सलाहकार ने लिखकर सलाह दी कि सुप्रीम कोर्ट में जाने से हानि हो सकती है, लाभ नहीं। इसके फलस्वरूप हम लोगों ने पंजाब हाई कोर्ट का आदेश बिना किसी शंका के अन्तिम रूप से स्वीकार कर लिया।

इसी प्रकार एक और मामले में अदालत ने काफ़ी दिलचस्प फ़ैसला दिया। सरकार कहीं पर एक हवाई अड्डा बना रही थी। अनुबन्ध में एक अनुच्छेद था

जिसके अनुसार काम के दौरान यदि केन्द्रीय सरकार या प्रदेश की सरकार किसी ऐसे पदार्थ का दाम बढ़ा दे जो कि हवाई अड्डे में लग रहा हो तो ठेकेदार को जो अदायगी होगी वह बढ़े हुए रेट पर होगी। संयोग की बात कि प्रदेश-सरकार ने काम के दौरान कोयले के दाम बढ़ा दिये जिसके कारण ईंटों के दाम बढ़ गये। ठेकेदार ने ज़्यादा रुपयों का बिल पेश किया पर हमारे दफ़्तर ने उसे स्वीकार नहीं किया क्योंकि ठेके के अनुसार कोयला नाम का पदार्थ हवाई अड्डे में कहीं नहीं लगना था; वहाँ तो मात्र ईंटें लगनी थीं जिनका रेट बढ़ाने के लिए सरकार ने कोई आदेश नहीं जारी किया था। ठेकेदार अदालत गया पर हाई कोर्ट तक ने उसका दावा स्वीकार नहीं किया।

युद्ध की समाप्ति के बाद मैं हैदराबाद में स्थित 'एडमिनिस्ट्रेटिव स्टाफ़ कालिज' में तीन महीने के एक ऐसे कोर्स में गया जिसमें वरिष्ठ प्रशासकों को शिक्षा दी जाने वाली थी। कोर्स में केन्द्रीय सरकार के सिविल व सेना अधिकारी पब्लिक सेक्टर और प्राइवेट सेक्टर के सीनियर अफ़सर साथ-साथ शामिल थे। कॉलेज की इमारत एक शानदार महल थी और गोश्त व शराब इनका बोल-बाला था। तीन महीने के इस कोर्स में मुझे शिक्षित करने के लिए सरकार ने लगभग दस हज़ार मुद्राएँ खर्च कीं जबकि इस कोर्स से मुझे क्या लाभ हुआ, यह जानने के लिए मैं अब तक बेकरार हूँ। हाँ, अलबत्ता बड़े-बड़े लोग देखने को मिले—यह एक दीगर बात है। नौसेनाध्यक्ष, आडिटर जनरल, भारत सरकार के कुछ सचिव, देश के चोटी के पत्रकार और रिज़र्व बैंक के गवर्नर भाषण देने आये। विदेशों के कुछ राजदूत भी हमारे साथ समय बिताने आये। सबसे महत्त्वपूर्ण व्यक्ति थे लार्ड फ़ुल्टन जिन्हें देखकर मुझे पी.जी. वुडहाउस के एक लार्ड की याद आयी। इसके अलावा वहाँ कोई आकर्षण नहीं देखा। हम लोग प्राइवेट सेक्टर के अधिकारियों का वेतन जानकर चकित होते थे और वे लोग सरकारी अफ़सरों की शक्ति देखकर ईर्ष्या करते थे। लार्ड फ़ुल्टन का मैंने एक इण्टरव्यू भी लिया जो अख़बार में छपा।

इसके थोड़े ही दिनों बाद मैं उपसचिव की हैसियत से रक्षा-मन्त्रालय चला गया और उस अवधि के बारे में मैं 'विषकन्या' नाम की अपनी पुस्तक में काफ़ी लिख चुका हूँ। दो-तीन दिलचस्प बातें जो छूट गयी थीं, अब लिखता हूँ। वहाँ काम करते समय सुप्रीम कोर्ट का एक ऐसा फ़ैसला पढ़ने को मिला जिसका कोई मतलब नहीं निकलता था या फिर स्थिति यह थी कि कई मतलब निकलते थे। सम्बन्धित पार्टी फिर सुप्रीम क़ोर्ट गयी और अदालत ने स्वयं स्वीकार किया कि उनका पिछला फ़ैसला 'अस्पष्ट' था। यह बताने के बाद कोर्ट ने फ़ैसला दिया कि विचाराधीन मुद्दा आपस में बात करके सुलझा लिया जाए। दूसरे शब्दों में बात वहीं की वहीं रही जहाँ कि वह सुप्रीम कोर्ट में जाने से पहिले थी।

सचिवालय में बड़े-बड़े लोगों की चिट्ठियाँ मन्त्री जी के नाम आती रहती थीं

जिनका उत्तर समय पर देने के लिए हम लोग सदा तत्पर रहते थे। हम लोग यह भी कोशिश बराबर करते थे कि यदि किसी पत्र में कोई सहायता माँगी गयी है तो वह दे दी जाए और यदि कोई शिकायत की गयी है तो उस पर समुचित समाधान उत्तर में दिया जाए। मगर एक बार इस नियम का ऐसा अपवाद हुआ कि मुझे सदा याद रहेगा। भारत के राष्ट्रपति महामहिम वराह वेंकट गिरि ने रक्षामन्त्री बाबू जगजीवनराम को एक अर्ध-सरकारी पत्र लिखा जिसमें एक अधिकारी की एक मामले में सहायता करने की बात की गयी थी। मामला विधि-मन्त्रालय और वित्त-मन्त्रालय को भेजा गया और फिर भी कोई ठोस परिणाम नहीं निकला। इसी बीच इन दोनों मन्त्रालयों के साथ हमारे अपने मन्त्रालय के विचार-विमर्श में छह महीने की अवधि निकल गयी। नीचे से जो जवाब मन्त्री जी की स्वीकृति के लिए रखा गया उसमें खेद और अभिवादन के अतिरिक्त और कुछ नहीं था। मैंने उत्तर में देरी हो जाने के कारण बड़ी ग्लानि महसूस की और उत्तर के मसौदे में एक वाक्य और जोड़ दिया कि "सरकार इस एक अधिकारी की तो सहायता नहीं कर सकी मगर ऐसे सारे अधिकारियों की इस समस्या पर अलग से विचार किया जा रहा है।" बाबू जगजीवनराम ने हम लोगों द्वारा सबमिट किये गये उत्तर को स्वीकृति दी और उनके हस्ताक्षरों पर उत्तर चला गया। इसके बाद हमने सारी समस्या को एक नये सिरे से खोला और ईश्वर की कृपा से वित्त-मन्त्रालय भी हमसे रज़ामन्द हो गया। हम लोगों ने फिर एक उत्तर राष्ट्रपति को खुशी-खुशी भेजा जिसका उन्होंने बाबू जी को हार्दिक धन्यवाद भी दिया। यदि वह पत्र राष्ट्रपति का नहीं होता और यदि उत्तर में उतनी देरी नहीं हो गयी होती तो न जाने कितने अधिकारियों की वह समस्या हल किये बिना ही रह जाती।

रक्षा-मन्त्रालय में मेरी सीट् कुछ ऐसी थी कि मैं तीनों रक्षा-सेवाओं के निकट सम्पर्क में आता था। जब रामावतार चेतन ने अपने वार्षिकोत्सव के लिए बुलाया तो तय किया गया कि मेरी पत्नी और दोनों बच्चे भी साथ चलेंगे क्योंकि उन्होंने बम्बई कभी नहीं देखी थी। मैंने रीयर एडमिरल लालकाका से प्रार्थना की कि वे मेरे सपरिवार बम्बई में ठहरने का कोई समुचित प्रबन्ध करा दें और उन्होंने वह करा भी दिया। संयोग की बात कि यात्रा के दौरान मेरी पुत्री को बहुत तेज़ बुख़ार आ गया और समुद्री हवा से पत्नी के चेहरे पर भी पक्षाघात का प्रभाव हो गया। बहरहाल मैं बम्बई पहुँचा और टैक्सी से डाकबँगले तक गया। वहाँ एक निहायत उजड्ड क़िस्म का मेजर था जो स्टेशन-स्टाफ़-आफ़िसर था और वह डाक बँगला उसी के अधिकार-क्षेत्र में आता था। उसने बड़े तपाक से मुझे सूचित किया कि डाकबँगले में मेरे लिए कोई स्थान आरक्षित नहीं था और इस कारण मैं वहाँ नहीं ठहर सकता था। मैंने उनसे नम्र निवेदन किया कि रात का समय है, मेरी पत्नी और पुत्री बीमार हैं और मैं बम्बई में एक विदेशी हूँ और इस कारण मैं जाऊँ तो कहाँ

जाऊँ? मेरी प्रार्थनाओं का मेजर साहब पर कोई प्रभाव नहीं पड़ा। मैंने जलसेना के उन अधिकारियों को फ़ोन किया जिनके नम्बर दिल्ली में जल-सेना मुख्यालय ने मुझे दिये थे और वे लोग कुछ ही देर में वहाँ पहुँच गये। मैंने मेजर साहब से कहा कि इन लोगों ने मेरे लिए पूरा कक्ष आरक्षित कराया है और फिर आप कैसे कहते हैं कि यहाँ मैं नहीं ठहर सकता? मेजर साहब चुप रहे। इसके बाद मुझे गुस्से का 'फ़िट' सा आ गया और मैं मेजर साहब को बुरी तरह डाँटने लगा। इसके बाद मैंने एक कमरे के दरवाज़े पर (जिस पर ताला लगा था और जो खाली था) जूते से ठोकरें मारना शुरू किया। आवाज़ सुनकर बराबर के कमरे में ठहरे एक जनरल साहब प्रकट हुए और मेरा रौद्र रूप देखकर फिर अन्तर्धान हो गये। बहरहाल मेजर साहब अपमानित भी हुए और कमरा भी उन्हें देना ही पड़ा। इसके बाद मैंने जल-सेना अधिकारियों को विदा किया और भारतीय विद्याभवन के रजिस्ट्रार को फ़ोन किया जो मेरे पुराने मित्र थे। वे डॉक्टर के साथ आये और पत्नी व पुत्री की चिकित्सा प्रारम्भ हुई। दिल्ली लौटने पर मैंने सारी वारदात अपने मित्र ब्रिगेडियर (बाद में मेजर जनरल) शम्भूनाथ भाखड़ी को सुनायी जो काश्मीर के राजपण्डित के पुत्र होते थे। उन्होंने कहा कि सारी ग़लती मेरी थी। "अगर आर्मी का डाकबँगला नेवी द्वारा बुक कराएँगे तो यही होगा। आप मुझसे कहते तो ऐसा कभी नहीं होता और वे मेजर साहब स्टाफ़ कार लेकर आपको रिसीव करने स्टेशन आते।" उनकी वाणी श्रवण कर मैंने पूछा कि "क्या तीनों सेनाएँ एक-दूसरे का लिहाज़ नहीं करतीं? क्या यह सच नहीं है कि सिविल सर्विस को देखकर काफ़ी सेनाधिकारी हीन भावना से ग्रस्त हो जाते हैं? क्या यह सच नहीं है कि काफ़ी सेनाधिकारी ऐसे हैं जो काम होते ही अपना चेहरा बदल लेते हैं?" भाखड़ी साहब सुनते रहे और कुछ नहीं बोले। इसके बाद जब मैं 'चकल्लस' का बीस हज़ार रुपयों का पुरस्कार लेने बम्बई गया तो जल सेना के 'कण्ट्रोलर आफ़ डिफ़ेंस एकाउण्ट्स' के पास ठहरा, डाकबँगले की दिशा में नहीं गया। पुरस्कार मिलने की ख़ुशी में अवकाश-प्राप्त रक्षा सेवाओं के वित्तीय सलाहकार श्री बी.एम. प्रभु ने एक बड़े होटल में अपने खर्चे पर मुझे, मेरे परिवार को और मित्रों को शानदार दावत दी। इसके बाद मैं फिर बम्बई नहीं गया। रामावतार चेतन की मृत्यु के बाद वहाँ जाने को तबीयत ही नहीं करती। वह दोस्त इतना बहादुर था कि मात्र एक फेफड़े के सहारे वर्षों जिया और ठाठ से जिया। इसी प्रकार लालमोहन बनर्जी, प्रकाशचन्द्र गुप्त, वाचस्पति पाठक और सुरेन्द्रपाल की मृत्यु के बाद मेरी हिम्मत प्रयाग जाने को कभी नहीं हुई। इसी प्रकार यदि प्रख्यात छायाकार ब्रह्मदेव, मेरी सगी पत्नी के सगे मौसेरे भाई कृष्णचन्द्र शर्मा (जो अवकाश प्राप्त डिस्ट्रिक्ट एवम् सैशन्स जज हैं और जो इतने शालीन, सम्भ्रान्त और भद्रपुरुष हैं कि खुद को छोड़कर वैसा दूसरा इंसान अपने जीवन में मैंने कभी नहीं देखा), कहानीकार सुभाष पन्त, वेदप्रकाश माथुर (जो रिटायर होने के पूर्व इण्डियन रेवेन्यू सर्विस के

उच्च अधिकारी थे), गल्प लेखक मदन शर्मा और शशिप्रभा शास्त्री तथा कविमित्र अश्वघोष न हों तो इस सुन्दर नगरी देहरादून में मेरे लिए पहाड़ों के अतिरिक्त और क्या रखा है? ये अश्वघोष उस अश्वघोष से भिन्न हैं जो कालिदास से पहिले पैदा हुए और जिन्होंने 'बुद्धचरित' नामक काव्य रचा। माथुर साहब जैसा साहित्य का मर्मज्ञ सरकारी अफ़सर, जीवन में मैंने और कोई नहीं देखा, और उनकी पत्नी का तो कहना ही क्या। मैंने अश्क जी को छोड़कर ऐसा जीवट कभी नहीं देखा। श्रीमती माथुर कैंसर से पीड़ित हैं और इतने पर भी न केवल वे अपने आप ही प्रसन्न रहती हैं वरन् वे उन सभी लोगों को भी प्रसन्न रखती हैं जो उनके सम्पर्क में आते हैं। ऐसी साहस-भरी आत्माएँ कहाँ देखने को मिलती हैं?

सचिवालय छोड़ने के कुछ समय बाद मैं वायुसेना का 'कण्ट्रोलर आफ़ डिफ़ेंस एकाउण्ट्स' (सी.डी.ए.) बनाया गया और देहरादून में नियुक्त किया गया। इस दफ़्तर में फ़ाइल वर्क तो कम है पर घूमना बहुत है। पद ग्रहण करने के कुछ महीने बाद मैं वायुसेनाध्यक्ष एयर चीफ़ मार्शल लतीफ़ से मिलने दिल्ली गया। संयोग कुछ ऐसा रहा कि जो समय मुझे मुलाक़ात के लिए दिया गया था उसमें अचानक इंग्लैण्ड की रॉयल एयर फ़ोर्स के सेनाध्यक्ष लतीफ़ साहिब से भेंट करने आ गये और मुझे काफ़ी प्रतीक्षा करनी पड़ी। वे जब चले गये तो मैं वायुसेनाध्यक्ष के कमरे में घुसा। लतीफ़ साहब ने समय पर भेंट न कर पाने के लिए इतना हार्दिक खेद प्रकट किया कि मेरी सारी थकान उतर गयी। काफ़ी बातें हुईं और काम की बातें हुईं। उनके बाद मैं एयर मार्शल दिलबागसिंह से मिला जो बाद में वायुसेनाध्यक्ष बने। इतना स्नेही और भद्र पुरुष इस कलियुग में कहाँ मिलता है? जब उनके देहरादून में बने भव्य बँगले का गृहप्रवेश हुआ तो उन्होंने मुझे और मेरी अपनी पत्नी को निमन्त्रित किया। अतिथियों को रिसीव करने के लिए वे बेचारे स्वयं सड़क पर खड़े रहे। ऐसा उत्सव मैंने जीवन में कभी नहीं देखा। ग्रन्थी के साथ-साथ पादरी, पण्डित और मुल्ला भी बैठे थे और अपने-अपने पवित्र ग्रन्थों का पाठ कर रहे थे। इसी प्रकार जब मैं दौरे पर इलाहाबाद गया तो एयर मार्शल ब्रार ने मेरे सम्मान में डिनर दिया। हम सब लोग कोई आठ बजे घटना-स्थल पर पहुँच गये और उसके बाद मदिरापान का दौर शुरू हुआ। मैंने कभी शराब छुई तक नहीं थी। वे लोग शराब पीते रहे और मैं कोकाकोला पीता रहा। जब रात के ग्यारह बज गये और मैं अपनी बारहवीं कोकाकोला ख़त्म कर चुका तो मैंने ब्रार साहिब से कहा कि मुझे भूख लगी है और ज़ोरों से लगी है। उन्होंने तुरन्त डिनर लगाने का आर्डर दिया। अन्दर गया तो और भी निराशा हुई क्योंकि सारा खाना सामिष था और मैं जो था वह कट्टर शाकाहारी था। थोड़ी बहुत दही खायी, अचार खाया और बाद में दस आइसक्रीम खायीं।

दफ़्तर की एक बात ज़रूर याद आ रही है। एक दिन एक प्रौढ़ पुरुष आये और रक्षा-उत्पादन विभाग के सचिव का पत्र लाये। इन सज्जन को पच्चीस लाख रुपयों

का चेक देना था। दफ़्तर ने फ़ाइल देखी, बिल देखा और फिर चेक तैयार करके मेरे एक अधिकारी मेरे पास आये और पूछने लगे कि चेक उन आगन्तुक सज्जन को दिया जाए या नहीं दिया जाए। रक्षा-उत्पादन-सचिव ने, जो कि देश के अन्तिम आई.सी.एस. थे, उन आगन्तुक सज्जन के दस्तख़त अपने पत्र में प्रमाणित कर रखे थे, पर इल्लत यह थी कि उनके अपने दस्तख़त हमारे रिकार्ड पर कहीं नहीं थे। मैंने उन्हें फ़ोन किया और मुझे बगैर सुने ही उन्होंने कहा कि "मुझे आपके फ़ोन की प्रतीक्षा थी। मैं जानता हूँ कि आपको क्या 'डाउट' है। सच्ची बात तो यह है कि आपका विभाग ही 'डाउटफ़ुल कैरेक्टर' का है।" इसके बाद हम दोनों ख़ूब हँसे और वह चेक उस अधिकारी को दे दिया गया।

देहरादून कोई दो वर्ष रहने के बाद मैं सेना की उत्तरी कमान का सी.डी.ए. बनकर जम्मू भेजा गया जहाँ मैं चार वर्ष से अधिक रहा। असलियत यह है कि उत्तरी कमान सबसे ज़्यादा महत्त्वपूर्ण कमान है। पाकिस्तान का काश्मीर के साथ जो अनैतिक प्रेम है, उसे सारा संसार जानता है। इन चार वर्षों में मैं बहुत घूमा। सारे परिवार ने सारी कश्मीर देखी और मैं तो लेह भी गया। उत्तरी कमान के कमाण्डर थे ले. जनरल छिब्बर। उन्हें फ़ौजी काम के साथ-साथ पेड़ लगाने और इन्कम-टैक्स से कानूनी ढंग से बचने का बेहद शौक़ था। उन्होंने क़रीब पाँच लाख वृक्ष लगवाये और केवल इसी प्रकार के अभियान से लेह में वार्षिक वर्षा की मात्रा एक इंच से बढ़कर सात इंच हो गयी। लंच के वक़्त सारे जनरलों को और मुझे छिब्बर साहब यही बताते रहते थे कि पैसा कैसे और कहाँ लगाया जाए ताकि न तो कुछ छिपाना पड़े और न कोई आयकर देना पड़े। उत्तरी कमान से वर्ष में एक या दो बार 'कण्ट्रोलर्स कान्फ्रेंस' में भाग लेने दिल्ली जाना पड़ता था जहाँ कि सेनाध्यक्ष के साथ चाँदी की क्राकरी में चाय पीने को मिलती थी। जम्मू निवास के दौरान वहाँ के मुख्यमन्त्री से भी एक बार भेंट करनी पड़ी। श्री शाह साहबी पोशाक में थे और मेरी परेशानियों में उन्हें कोई दिलचस्पी नहीं थी। उनके मत्रिमण्डल में एक मन्त्री ऐसे भी थे जो कभी दफ़्तर में बाबू रह चुके थे। वे एक दिन आये और इस प्रकार मिले जैसे कि वे अब भी मेरे बाबू ही हों।

जम्मू से लौटने के बाद मैं 'नेशनल इंस्टिट्यूट आफ़ मैनेजमेण्ट एण्ड एकाउण्ट्स' का डाइरेक्टर बना और मेरठ में नियुक्त हुआ। सरकारी आदेशों के अनुसार डाइरेक्टर वही व्यक्ति हो सकता था, जिसे पाँच 'सर्वोत्तम' रिपोर्ट मिली हों (यह शर्त मेरे साथ पूरी नहीं होती थी) और उसे वेतन का तीस प्रतिशत बतौर 'ट्रेनिंग एलाउंस' के मिलता था। मैं कहता था कि "या तो मुझे इस पद पर नियुक्त न करो और यदि करते हो तो मुझे यह एलाउंस दो जो कि निदेशक को मिलता है चूँकि मैं वे सारे काम कर रहा हूँ जो कि निदेशक से अपेक्षित हैं।" सरकार नहीं मानी क्योंकि यह नानप्लान एक्सपेण्डिचर था! बहरहाल मैं अदालत गया। श्री राजीव

गाँधी ने देश के सरकारी कर्मचारियों के लिए जितना किया है उतना किसी और प्रधानमन्त्री ने कभी नहीं किया। उन्होंने सेंट्रल एडमिनिस्ट्रेटिव ट्रिब्यूनलों की स्थापना की ताकि कर्मचारियों के सारे मामले आम अदालत में जाने के स्थान पर ट्रिब्यूनल में जाएँ ताकि न तो स्टाम्प ड्यूटी लगे और न मुकद्दमों की सुनवाई देर में हो। मेरा केस छह महीने में 'लिस्ट' हो गया और पाँच मिनिट के भीतर मेरी पचास हज़ार रुपयों की याचिका स्वीकृत हो गयी। मैंने सारी उम्र कमाया और बहुत कमाया और पाँच मिनिट में पचास हज़ार रुपये कभी नहीं कमाये। न भूतो न भविष्यति। साहित्य अकादेमी का या ज्ञानपीठ का एवार्ड मिल जाए तो अलग बात ठहरी। बड़े-बड़े गधों को जलेबियाँ खिलायी जा रही हैं तो फिर मुझ जैसे खच्चर को क्यों नहीं? मैं सोचता हूँ कि यदि ट्रिब्यूनल न होता तो मैं क्या करता? मैं शायद कुछ भी नहीं करता। एक पुरानी पर सच्ची कथा है कि दिल्ली के किसी दफ़्तर ने एक कर्मचारी को रिटायरमेण्ट की तिथि से दो वर्ष पूर्व कार्यतत्परता की कमी के कारण रिटायर कर दिया। उसने सब कुछ किया पर उस बेचारे को कहीं से कोई मदद नहीं मिली। लाचार होकर उसने एक अपील लिखी और उसके बाद वह इण्डिया-गेट के लान पर खड़ा हो गया। शाम को जब वायसराय घूमने निकला तो उसने हाथ उठाया। वायसराय के ए.डी.सी. ने उसकी अपील ले ली और बाद में उसे वायसराय को दे दिया। अगले दिन वायसराय लार्ड लैंसडाउन ने उस अपील पर अपने हाथ से लिखा कि "मैं नहीं जानता कि कौन कम कार्यतत्पर है; यह कर्मचारी जिसे तीस वर्ष की नौकरी के बाद निकाला गया या वे अधिकारी जिन्हें इसकी इस कमी को पकड़ने में तीस वर्ष लगे। मैं चाहता हूँ कि इसे तुरन्त बहाल किया जाए।" वह कर्मचारी काम पर लौट गया और खुले आम उस वायसराय को धन्यवाद देने लगा।

मैंने कार्यकारिणी, व्यवस्थापिका व न्यायपालिका को बड़े ध्यान से देखने की कोशिश की है और मैंने पाया है कि सरकार के इन तीनों अंगों का आधा समय परम्पराओं और प्रथाओं (प्रोसीज़र्स एण्ड प्रिसिडेण्ट्स) में निकल जाता है। कभी स्काटलैण्ड में एक पवित्र प्रथा थी जिसके अनुसार उन्नीसवीं शताब्दी तक विवाह उसी कन्या से किया जाता था जो विवाह के समय बाकायदा गर्भवती होती थी। शादी की बात क्या चली कि मुझे इक़बाल का एक शेर याद आ गया : "शादी इंसा की इक खुराफ़ात के सिवा कुछ भी नहीं, दो घड़ी की मौज है इक लतीफ़े के सिवा कुछ भी नहीं।" बातें तो बहुत हैं मगर 'दी आफ़ीशल सीक्रेट्स ऐक्ट' के कारण ज़ुबान बँधी है। इसी कारण यह किस्त आज यहीं बन्द करता हूँ और शायर का यह कलाम याद करता हूँ :

बड़े शौक़ से सुन रहा था ज़माना
हमीं सो गये दास्ताँ कहते-कहते

चम्पाकली

आज का अख़बार पढ़कर मन उदास हो गया। बैंकाक में एक अदालत ने यह फ़ैसला दिया है कि एक आदमी दूसरी स्त्री से तो शादी कर सकता है पर यह पवित्र काम वह किसी दूसरे आदमी के साथ सम्पन्न नहीं कर सकता। 'फ़िराक़' साहब के शब्दों में स्थिति यह है कि "मौत का इलाज है फ़िराक़ ज़िन्दगी का कोई इलाज नहीं।" ओहियो की एक अदालत में यह फ़ैसला सुनाया गया कि एक विदूषक, जिसने अपनी निजी पत्नी की हत्या के लिए एक आदमी को काफ़ी रुपया दिया था, अब अपनी ज़िन्दगी के दस वर्ष किसी कारावास में गुज़ारेगा। श्रीलाल शुक्ल ने अभी-अभी दूरदर्शन पर यह शंखनाद किया था कि उन्हें व परसाई जी को छोड़ कर बाकी सब व्यंग्यकार मात्र विदूषक ही हैं। परसाई जी का नाम उन्होंने इस कारण लिया कि यदि वे वैसा नहीं करते तो लोग उनकी नीयत पर शक करते। तो जब मैं और शरद जोशी मात्र विदूषक ही हैं तो एक विदूषक के जेल जाने पर दुखी होना हमारे लिए स्वाभाविक ही ठहरा, भले ही वह विदूषक विदेशी ही क्यों न हो। हीन भावना देने वाली तीसरी ख़बर यह थी कि चिली में एक दम्पती ऐसा है जिसके मात्र तिहत्तर बच्चे हैं और स्थिति यह है कि साठ वर्ष के उस किसान की उनसठ वर्ष की बालिका-वधू फ़िलहाल फिर गर्भवती चल रही है। यह स्त्री-रत्न (जिसने न जाने कितनी बार जुड़वाँ बच्चों को जन्म दिया यदि स्तालिन के रूस में होती तो 'सुप्रीम सोवियट' की सदस्या बना दी जाती। स्तालिन को बच्चों से बड़ा प्रेम था, मात्र छह बच्चों की माताओं को भी वह एक विशेष पदक दिया करता था। उदासी और ज़्यादा गहरी तब हुई जब यह पढ़ा कि पुलिस के एक डिपुटी-इंस्पेक्टर-जनरल को मात्र दस लाख रुपयों की रिश्वत लेते रँगे हाथों पकड़ लिया गया। और इन सबसे ज़्यादा दर्दनाक ख़बर यह पढ़ी कि राजधानी की 'संगम विहार' नामक बस्ती के भीतर पिछले छह वर्षों में कोई डाक नहीं बाँटी गयी और हज़ारों चिट्ठियों को यूँ ही 'डम्प' कर दिया गया। किसी को इस बात का पता नहीं है कि उन 'डम्प' किये गये पत्रों में ग़रीब नवयुवकों के कितने नियुक्ति-पत्र, बीमे की रसीदें, कम्पनियों के शेयर व शादी या निधन के निमन्त्रण-पत्र थे। जो जिज्ञासु लोग ज़्यादा जानना चाहते हों वे उन्नीस जून सन् उन्नीस सौ इक्यानबे का अख़बार पढ़ लें। मुझे तो ऐसा लगता है कि हालत यदि ऐसी ही रही तो हमें फिर से तोतों और कबूतरों को डाक ले जाने के काम पर लगाना पड़ेगा।

अपनी उदासी दूर करने के लिए मैंने आज फिर वही किया जो ऐसी स्थिति में मैं सदा से करता आया। मैंने संस्कृत के ग्रन्थ उठाये और उन अंशों को फिर पढ़ना शुरू किया जो कि श्रृंगार-प्रधान माने जाते हैं। मैं 'माने जाते हैं'—ऐसा जान-बूझकर कह रहा हूँ क्योंकि स्थिति यह है कि खजुराहो की जिन मूर्तियों को डॉ. सम्पूर्णानन्द 'अश्लील' कहते थे, ठीक उन्हीं मूर्तियों में डॉ. विद्यानिवास मिश्र व भगवान रजनीश को 'अध्यात्म' नज़र आया। मेरे विचार में भवभूति का यह कहना एकदम ग़लत था कि संसार में करुण रस के अतिरिक्त कुछ नहीं है (एको रसः करुणमेव) मेरे विचार में इस असार संसार में असली रस जो है वह मात्र श्रृंगार-रस ही है; बाकी जो रस हैं, वे सब श्रृंगार-रस से ही उत्पन्न होते हैं। आप स्वयं सोचिए कि यदि श्रृंगार-रस न हो तो स्त्री और पुरुष आपस में प्रेम और विवाह करना छोड़ देंगे और जब प्रेम व विवाह ही न होगा तो बच्चे कहाँ से पैदा होंगे और यदि बच्चों ने जन्म लेना बन्द कर दिया तो वात्सल्य-रस कैसे पैदा होगा? इसी प्रकार यदि सुन्दर स्त्रियाँ न होंगी तो युद्ध और अपराध भी बन्द हो जाएँगे जिसके कारण वीर-रस की भी समाप्ति हो जाएगी। प्रेमी और प्रेमिका में यदि गृहयुद्ध नहीं होगा तो कोई भी पति संन्यास ग्रहण नहीं करेगा और उस स्थिति में शान्त-रस भी रसातल को चला जाएगा। इसी प्रकार यदि प्रेमी व प्रेमिका के बीच विरह का प्रसंग नहीं आएगा तो करुण-रस भी समाप्त हो जाएगा। और जहाँ तक हास्य-रस का प्रश्न है, स्थिति यह है कि न विवाह होगा, न हास्यास्पद स्थितियाँ ही पैदा होंगी। इस प्रसंग में मुझे संस्कृत का एक श्लोक याद आ रहा है जिसके अनुसार एक पत्नी ने अपने प्रेमी के सामने अपने पति को लात मार दी तो उसका वह कर्तव्यपरायण पति अपनी चोट को भूलकर अपनी उस पतिव्रता पत्नी से पूछने लगा कि "हे प्रिये, मुझे लात मारने की इस पवित्र प्रक्रिया में कहीं तुझे कोई चोट तो नहीं आयी?"

श्रृंगार-रस के सन्दर्भ में राजा भर्तृहरि का 'श्रृंगार-शतक' एक ऐसा ग्रन्थ है जो पाठकों को कभी भी निराश नहीं करता। राजा भर्तृहरि ने श्रृंगार-शतक की रचना की और उसके बाद जब उनकी प्रिय रानी अपने किसी प्रिय प्रेमी के साथ अन्तर्धान हो गयी तो बेचारे राजा भर्तृहरि 'वैराग्य-शतक' लिखने को विवश हो गये। बहरहाल 'श्रृंगार-शतक' में उन्होंने अपने जो अनुभव लिखे हैं वे न जाने कितनी शताब्दियों के बाद अभी भी उतने ही मार्मिक हैं। वे कहते हैं कि "यौवन का प्रारम्भ होने पर किसी भी युवती का ऐसा कौन-सा अंग है जो रूप के ऐश्वर्य को नहीं प्राप्त कर लेता? शरीर पर केशर का उबटन लगा कर, वक्ष को मोतियों के हार से ढक कर और हंस की वाणी जैसे शब्द करते हुए नूपुर पहिन कर कौन ऐसी लोकोत्तरी सुन्दरी है जो कि आपका हृदय नहीं हर लेती? जिन रूपवती युवतियों ने अपने सौन्दर्य से देवताओं का भी हृदय जीत लिया, उन्हें अबला कहना कहाँ तक उचित है? हे महाशयो, आप ईर्ष्या-रहित होकर और अपने कर्तव्य को भलीभाँति समझ कर यह बताएँ कि पर्वतों के मध्य भाग और सुन्दर कामिनियों के मध्य भाग—इन

दोनों में से आप कहाँ विश्राम करना चाहेंगे? मैं जानता हूँ कि आप वेदान्ती हैं पर यह बताने की कृपा कीजिए कि परोपकार से बड़ा पुण्य और कमलनयनी से ज़्यादा सुन्दर इस संसार में क्या है?" इसी प्रकार के प्रश्न पूछते-पूछते कवि भर्तृहरि सहसा अपनी मुसम्मात को याद करने लगते हैं और वैसा होते ही वे मोहभंग की स्थिति में आ जाते हैं और कहने लगते हैं कि "सच्ची बात तो यह है कि स्त्रियों का मुख चन्द्रमा नहीं होता, न उनकी आँखें कमल होती हैं और न उनकी देह सुवर्ण की ही होती है। वे तो हाड़ और चाम की पुतलियाँ होती हैं जो किसी पण्डित को भी मूर्ख बना देती हैं, किसी भी वीर पुरुष का सिर मुँडवा देती हैं, किसी भी सुसंस्कृत व्यक्ति को पाँच चोटी रखने वाला संन्यासी बना देती हैं और किसी भी शालीन व सम्भ्रान्त व्यक्ति को हाथ में खप्पर लेकर भिखारी बना देती हैं।" आप सारे संसार का अद्यतन इतिहास देख लीजिए और बताइए कि इन सुन्दर कटाक्ष वाली सुन्दरियों ने किस वीर, ज्ञानी और साधु पुरुष को पथभ्रष्ट नहीं किया? मिस्र की महारानी क्लियोपेट्रा लगभग दस हज़ार प्रेमियों की हमबिस्तर रही थी जिनमें से एक जूलियस सीज़र भी था। रोम का यह महान् सम्राट लेखक भी था। उसकी 'गाल देश की विजय' नामक पोथी यह साबित करती है कि 'तम्बाकू की हानियाँ' व 'काला जादू' नामक ग्रन्थों का रचनाकार इंग्लैण्ड का राजा जेम्स प्रथम एक घटिया लेखक था।

अब मैं भर्तृहरि को छोड़ता हूँ और अन्य सयानों को पकड़ता हूँ। एक पण्डित हैं जो वेदों के ज्ञाता हैं। वे अपनी सुन्दर पत्नी से कहते हैं कि "हे भद्रे, मेरे होठों को चूम कर उन्हें अपवित्र न करो क्योंकि उनकी सहायता से मुझे सामवेद पढ़ना है। हाँ, यदि तुम्हें वास्तव में इतनी उत्कण्ठा है तो आओ और मेरे कन्धे या कान चूम लो।" एक और महामति हैं जो कहते हैं कि "मेरी प्रेयसि को तो चन्द्रमा, वसन्त या अनंग ने बनाया होगा क्योंकि वेदों के अभ्यास से शिथिल, और प्रेम से अनजान ब्रह्मा इतनी सुन्दर स्त्री का निर्माण कैसे कर सकता है?" एक सुन्दर स्त्री के कान उसकी आँखों के पास मात्र यह कहने के लिए स्थित थे कि "इससे आगे का रास्ता बीहड़ और सुनसान है, उचित यही होगा कि आगे न जाकर बस यहीं आराम करो।" स्त्री की परिभाषा करते हुए एक और विद्वान् कहते हैं कि "अनंग की गर्मी से पीड़ित पथिकों को स्नान का सुख देने के लिए विधाता ने जो जलाशय बनाया है उसी का नाम स्त्री है।" एक नवयुवक रोजी-रोटी की फ़िक्र में विदेश जा रहा था कि रास्ते में उसे एक सच्चा मित्र मिल गया। मित्र ने उसे आराम से बिठाया और समझाया कि "देखो, तुम्हारी पत्नी के जो होठ हैं वे मूँगे के हैं, उसकी जो मुस्कान है वह मोतियों की है, उसकी देह एकदम विशुद्ध सोने से गढ़ी गयी है और उसके जो हाव-भाव हैं वे रत्नों से जड़ित हैं। तुम मूर्ख हो कि अपने घर में इतना बड़ा ख़ज़ाना होते हुए भी विदेश जा रहे हो।" मुझे पता नहीं कि इस नेक सलाह का उस नवयुवक पर क्या प्रभाव पड़ा।

संस्कृत में काफ़ी कवि ऐसे हुए जिनकी दिलचस्पी नायिका के साथ-साथ पक्षियों में भी रही। माघ कवि ने लिखा कि "एक रूपवती बाला कृष्ण जी के सामने खड़े

होकर अपनी उँगली से कान खुजाने लगी और इस पवित्र क्रिया के सम्पन्न करने में उसकी भुजा इतनी ऊपर उठ गयी कि उसके वक्ष भी ऊँचे हो गये और उसके कंकण नाचते हुए मयूर की ध्वनि करने लगे।" कवि श्रीहर्ष ने अपनी नायिका को सलाह दी कि "ओ, केले जैसी जंघाओं वाली दमयन्ती, तुम अपने नीलकमल जैसे नयनों से चकोर की भाँति चन्द्रमा को पियो।" कालिदास के नाटक का नायक पुरूरवा हंस से कहता है कि "क्योंकि तुमने मेरी प्रिया उर्वशी की चाल अपनायी है, तुम्हें इस बात का भी पूरा पता होगा कि मेरी प्रिया कहाँ होगी क्योंकि जहाँ चोरी का थोड़ा-सा भी माल मिलता है, वहाँ अभियुक्त को सारे काण्ड के लिए उत्तरदायी माना जाता है।" कालिदास ने ऋतुसंहार में कहा है कि "भारी जंघाओं वाली सुन्दरियाँ चरणों में महावर लगा कर जब चलती हैं तो उनके नूपुरों से हंस की ध्वनि निकलती है।" बाणभट्ट के अनुसार "प्रसव के दिन पूरे हो जाने पर रानी ने पुत्री राज्यश्री को इस प्रकार जन्म दिया जैसे कि वर्षा हंसों के स्वर से युक्त शरद् ऋतु को जन्म देती है।" अश्वघोष ने गौतमी के विलाप की तुलना हंस के विरह में रोती हंसिनी या हाथी के विरह में दुखी हथिनी के विलाप से की। कादम्बरी में बाणभट्ट ने नायिका के वक्ष की उपमा हंसों के जोड़े से की और सुबन्धु ने वासवदत्ता के वक्ष की तुलना चक्रवाक के युगल से की। कालिदास ने एक स्थान पर प्रेम करते हुए पति-पत्नी की वाणी की तुलना कबूतर की मीठी बोली से की है। 'विक्रमोर्वशीयम्' में कालिदास ने महारानी की चोली के रंग के सन्दर्भ में तोतें के पेट के रंग की चर्चा की। कादम्बरी के शयनकक्ष में जो सारिका रहती थी वह नायक और नायिका के बीच हुए सारे वार्तालाप को दिन भर सबको सुनाया करती थी जिसके कारण अन्तःपुर की कामिनियाँ लज्जित हो जाया करती थीं। संस्कृत के एक पुराने नाटक में एक राजकुमारी की तुलना चम्पा के फूल से की गयी है जो हमारे लोक-गीतों में भी एक श्रेष्ठ फूल माना गया है। चम्पा भी फूली, चमेलिया भी फूली, सबसे सुन्दर फुलवा गुलाब बा (देवेन्द्र सत्यार्थी)।

नखशिख वर्णन की परम्परा हिन्दी में संस्कृत से ही आयी। मेघदूत में यक्ष जब अपनी प्रिय पत्नी का चित्र मेघ के सामने खींचता है तो वाणी के पास नयन और नयनों के पास वाणी नहीं रहती। और हाँ, चम्पा की बात चली तो मुझे बिहार के चम्पारन प्रदेश की याद आ गयी। चम्पारन का सही नाम 'चम्पारण्य' था जो कालान्तर में भूचाल आने के कारण चम्पारन हो गया। मगर 'चम्पाकली' मैंने मद्रास में ही देखी। मैं वहाँ दौरे पर गया था और एक सांस्कृतिक समारोह में मैंने उसे देखा था। या तत्रस्यात्युवतिविषये सृष्टिराद्येव धातुः। मैं तो उस रूपवती युवती को कभी भूल ही नहीं सकता हालाँकि अब वह भी मेरी भाँति अधेड़ हो गयी होगी। कालो न यातः, वयमेव यातः।

ऊपर मैंने जो कुछ लिखा है वह तो मात्र आपकी उत्सुकता बढ़ाने के लिए लिखा है। अगर असली माल देखना हो तो आप पूरा शृंगार-शतक, भामिनी-विलास और अमरु-शतक सपरिवार पढ़ें। वैसा करना हमारा कर्तव्य भी है क्योंकि अपने पुराने साहित्य और संस्कृति की रक्षा यदि हम नहीं करेंगे तो और कौन करेगा?

हिज़ हाईनैस

सन् अठारह सौ सत्तावन के विद्रोह का एक प्रमुख कारण वह सिद्धान्त भी था, जिसे लार्ड डलहौज़ी ने 'डॉक्टरीन आफ़ लैप्स' के नाम से स्थापित किया था और जिसके अनुसार उन सारे राजों-महाराजों का राज्य ईस्ट इण्डिया कम्पनी के अधिकार में अपने आप चला जाता था जिनका कोई वैध पुत्र नहीं होता था। ग़दर के बाद सदा के सयाने अंग्रेज़ों ने महसूस किया कि यदि देसी राज्य नहीं रहेंगे तो उनका शासन इस देश में पचास वर्ष से अधिक नहीं चलेगा। सर जान मैल्कम ने कहा था कि "यदि हम देसी रियासतों को बरकरार रखेंगे और उन्हें शाही आयुधों की भाँति इस्तेमाल करेंगे तो हमारा साम्राज्य भारत में तब तक रहेगा जब तक समुद्रों में हमारी जंगी जहाज़ों की शक्ति कायम रहेगी।" जब भारत का शासन कम्पनी के हाथों से निकल कर ब्रिटेन की सम्राज्ञी के पास आ गया तो शेष भारतीय राज्यों को असीमित अधिकार दे दिये गये ताकि वे देसी रजवाड़े अपना जीवन भयंकर भोग-विलासों में गुज़ार सकें और अपनी प्रजा व बाकी देश-निवासियों को राष्ट्रीय आन्दोलनों से अलग रख सकें। ये सारे राजे-महाराजे अपना सारा जीवन शराब, कबाब, शबाब और शिकार में ही गुज़ारते थे। सारे राजा लोग सरकारी उपाधियाँ, तमग़े, तोपों की सलामी इत्यादि प्राप्त करने में लगे रहते थे और आपस में एक-दूसरे से ईर्ष्या रखते थे। राजाओं को विलासी और व्यभिचारी बनाने में उनके अपने दरबारी और अधिकारी ऐसे सारे प्रयत्न करते थे जिनसे कि राजा राज्य चलाने में असमर्थ हो जाएँ और सारी शक्ति उनके अपने हाथों में आ जाए। परिणाम यह होता था कि एक ओर ये राजे-महाराजे अपना जीवन विदेशी सुन्दरियों और बेतहाशा फ़िज़ूलख़र्ची के बीच बिताते थे और दूसरी ओर प्रजा भयंकर अभाव और कष्टों के बीच पड़ी रहती थी। इन राज्यों में अंग्रेज़ रेजीडेण्ट नियुक्त रहते से और केन्द्रीय सरकार में 'पोलिटिकल डिपार्टमेण्ट' होता था जिसका काम-काज प्रायः वायसराय स्वयं ही देखते थे। ये सब लोग राजाओं से भारी रिश्वतें और तोहफ़े लेते थे और मात्र वायसराय ही शायद एक ऐसा व्यक्ति बचता था जो प्रायः एकदम ईमानदार रहता था। बाद में चलकर 'चेम्बर आफ़ प्रिंसेज़' नाम का एक संगठन बना जिसका 'चांसलर' प्रायः कोई राजा या महाराजा ही रहता था। काफ़ी अख़बार ऐसे छपते थे जिनको शासकों के बारे में सच्ची रिपोर्ट न छापने के लिए बड़ी-बड़ी रकमें दी जाती थीं। सारी कमियों

के बावजूद ऐसे देशी नरेश भी कम नहीं थे जो विद्वान् या कलाकारों का आदर करते थे और उनकी पूरी-पूरी सहायता भी करते थे। राजा रविवर्मा स्वयं एक बहुत कुशल चित्रकार थे और यह मेरा सौभाग्य ही है कि मैं उनकी महान् कलाकृतियों को त्रिवेन्द्रम् की कला-दीर्घा में देख सका। वैसे यह भी सच है कि ज़्यादातर नरेश सनकी होते थे और कभी-कभी उनको सँभालना ब्रिटिश सरकार के लिए भी एक सिर-दर्द बन जाता था। भारत को जब आज़ादी मिली तो कुल मिलाकर 565 छोटी-बड़ी रियासतें इस देश में स्थित थीं और लार्ड माउण्टबेटन ने एक बार कहा था कि इन रियासतों का भविष्य उन्हें भारत को आज़ादी देने या पाकिस्तान का निर्माण करने से ज़्यादा चिन्तित रहता था। इन रियासतों का क्षेत्रफल सारे देश के क्षेत्रफल का एक तिहाई था और इनमें भारत की एक चौथाई जनता निवास करती थी। आज मैं इन देशी नरेशों के कुछ रोचक प्रसंग आपकी सेवा में प्रस्तुत करूँगा।

एक महाराजा थे जो दिन के एक बजे खाना खाते थे, उसके बाद एक घण्टा विश्राम करते थे और फिर शिकार पर निकल जाते थे। रात को आठ बजे शिकार से फुर्सत मिलती थी और इसके बाद कोई तीन-चार घण्टे शराब पीने में गुज़र जाते थे। इसके बाद वे सोते थे और अगले दिन ठीक एक बजे उठते थे। उनकी आज्ञा के अनुसार जब उनके सोकर उठने का समय होता था तो अंग्रेज़ महारानी और शेष रानियाँ हल्के और सुरीले स्वर में उनके पलँग के पास गाना गाती थीं। रोज़ रात को वे बता देते थे कि अगले दिन जब वे जागें तो कौन-सी महारानी उनकी नज़रों के सामने सबसे पहिले पड़े। राजा एकदम बहरे थे और उनके महल का नाम 'ऋषि-कुटी' था। वे बोलने वाले के ओठों को देखकर समझ जाते थे कि वह क्या कह रहा है और इस कारण उनके बज्र-बधिर होने का पता किसी को नहीं लगता था। इन राजा की सबसे बड़ी ख़ूबी यह थी कि वे राज-काज की ओर कतई ध्यान नहीं देते थे और अपना सारा समय आमोद-प्रमोद में ही गुज़ारते थे।

पटियाला के एक महाराजा थे जिनके महल में 'प्रेम-मन्दिर' नाम का एक कक्ष था जिसकी दीवारें अश्लील चित्रों से सजी रहती थीं। महाराजा स्वयं दर्शन, राजनीति, धर्म और बहुत से अन्य विषयों के पूरी तरह विद्वान् थे। उनकी आज्ञा के बिना कोई शाही मेहमान उनकी रियासत के बाहर नहीं जा सकता था और इस आज्ञा के मिलने में महीनों लगते थे। वे कवियों और शायरों के क़द्रदान थे और उन्हें काफ़ी धन दिया करते थे। उनके रनिवास में 350 रानियाँ थीं जिनकी सारी ज़िम्मेदारी अकेले उन पर ही रहती थी। शक्ति के अपव्यय के कारण वे बहुत जल्दी ही वृद्ध हो गये थे और देशी व विदेशी चिकित्सकों की देख-रेख में रहते थे। उनके 'मोती बाग़' महल में जो रँगरेलियाँ होती थीं उनकी मिसाल शायद सारी दुनिया में नहीं मिलती थी। महाराजा नवयुवक रहने के लिए जो दवाइयाँ खाते थे, उनकी क़ीमत लगभग बीस हज़ार रुपये प्रतिदिन होती थी। राजा काफ़ी ख़ुश-मिजाज़ और बेतकल्लुफ इंसान थे। एक दिन जब महल का बैण्ड ठीक नहीं

बज रहा था तब घण्टों तक उन्होंने स्वयं बैण्ड-मास्टर का काम किया और कई मील तक वे बैण्ड का संचालन स्वयं ही करते रहे। महाराजा को तन्त्र-विद्या पर भी कुछ विश्वास था। सुन्दर लड़कियों के वक्ष के ऊपर मदिरा उड़ेली जाती थी और जब वह उनकी देह के शेष अंगों को छूकर नीचे गिरने लगती थी तो उसे पंचामृत की भाँति पिया जाता था। महाराजा भूपेन्द्रसिंह मुसोलिनी व हिटलर से मिले थे।

काश्मीर के राजा प्रतापसिंह क्रिकेट के संरक्षक थे। उनका क़द बहुत छोटा था और जब वे बड़ी पगड़ी बाँधा करते थे तब वे विदूषक लगा करते थे। लार्ड कर्जन उन्हें 'समझदारी और मूर्खता का बेजोड़ नमूना' कहा करते थे। उन्हें एक बार एक झूठे कत्ल के अभियोग में फँसा दिया गया था। लेडी विलिंग्डन ने उनसे एक हार माँगा था जिसकी क़ीमत तीस लाख रुपये थी। महाराजा ने अपना वह हार देने को मना कर दिया जिसके कारण वायसराय उनसे बहुत नाराज़ हुए।

एक महाराजा थे जिन्हें चिड़ियों के शिकार का शौक़ था। काम न करने के कारण राज्य का प्रशासन कमज़ोर पड़ता जा रहा था क्योंकि महाराजा के साथ-साथ बड़े अधिकारियों को भी शिकार में हिस्सा लेना पड़ता था। रेजीडेण्ट ने सारी स्थिति की विशद रिपोर्ट वायसराय को भेजी और उन्होंने सर फ्रेडरिक गॉण्टलेट को रियासत का वित्तमन्त्री बनाकर महाराजा के पास भेजा। वह ग़रीब अंग्रेज़ अधिकारी न जाने कितने महीनों तक सुबह से शाम तक महाराजा से मिलने की कोशिश करता रहा मगर महाराजा ने उसे भेंट करने का समय कभी नहीं दिया। अन्त में चल कर बड़ी मुश्किल से सारा गतिरोध समाप्त हुआ। इस सनकी महाराजा को एक सन्त ने दैवी चमत्कार दिखा कर लाखों रुपयों के ठगने की योजना बनायी थी। ये महाराजा इतने सनकी थे कि जब लन्दन गये तो जार्ज पंचम से मुलाक़ात करने के लिए समय माँगा। जो समय निश्चित हुआ, उसके ठीक डेढ़ घण्टे बाद वे शाही महल में गये और बताया कि तबीयत नासाज हो जाने के कारण वे समय पर नहीं आ सके थे। वे एक डॉक्टर को भी अपने साथ ले गये थे, जिसने बादशाह के सामने महाराज को पानी का एक इंजेक्शन लगाया।

पटियाला के महाराजा भूपेन्द्रसिंह 332 स्त्रियों का हरम रखते थे। दस महारानियाँ थीं, पचास रानियाँ थीं और बाकी स्त्रियाँ रखैल थीं। महारानियाँ सोने के बर्तनों में खाना खाती थीं और उनके लिए सौ के लगभग व्यंजन बनाये जाते थे। रानियाँ चाँदी के बर्तनों में खाना खाती थीं और उनके लिए पचास व्यंजन बनते थे। बाकी स्त्रियाँ पीतल के बर्तनों में खाना खाती थीं और उनके लिए बीस व्यंजन परोसे जाते थे। महाराजा स्वयं रत्न-जटित सोने के पात्रों में खाना खाते थे और उनके लिए मात्र एक सौ पचास व्यंजन बनाये जाते थे। उनकी देशी व विदेशी रानियाँ संसार के बड़े-बड़े सम्राटों की रानियों की अपेक्षा कहीं ज़्यादा ठाठ से रहती थीं मगर इस सबके बावजूद वे बराबर ऐसे प्रयत्न करती रहती थीं और ऐसी चालें चलती रहती थीं जिनके कारण वे महाराजा के सहवास का आनन्द प्राप्त कर सकें। जब महाराजा की मृत्यु हुई तो

उनकी लाश को शाही पोशाक पहिनायी गयी, तमगे लगाये गये और फिर राजा के मृत शरीर को सिंहासन पर बिठाया गया जहाँ कि सारे दरबारियों, रानियों और रेजीडेण्ट ने उन्हें बाकायदा सैल्यूट दिया। उनके मृत शरीर की उँगली में वह हीरा पहिनाया गया जो कभी सम्राट नैपोलियन की महारानी पहिनती थी। महाराजा एक लोकप्रिय शासक थे और इसी कारण उनकी शवयात्रा में लगभग एक लाख लोग शामिल थे।

कपूरथला की रियासत एक प्रसिद्ध व प्रतिष्ठित रियासत थी। जैसा कि प्रायः सभी राज्यों में होता था, इस रियासत का वास्तविक शासन प्रधानमन्त्री गुलाम गीलानी के हाथों में था और बाकी रियासतों की भाँति वहाँ भी सरकारी काम उर्दू या फ़ारसी में ही होता था। गुलाम गीलानी एक होनहार व्यक्ति था। उसने अपनी कोठी और एक राजकुमारी के महल को जोड़ने के लिए एक गुप्त सुरंग बनवायी थी जिसके माध्यम से दोनों प्रेमी द्वैतवाद की स्थिति से अद्वैतवाद की स्थिति प्राप्त करते थे। यह राजकुमारी प्रेम करने के मामले में क्लियोपेट्रा और कैथराइन महान् से पीछे नहीं थी। हाँ, इतनी बात ज़रूर है कि इस राजकुमारी ने अपने एक प्रेमी के साथ अपने अन्तिम दिन बड़े अभाव में काटे। उसका अन्तिम प्रेमी (कर्नल बरयाम सिंह) खेत में हल चलाता था और राजकुमारी (गोविन्द कौर) गोबर के कण्डे पाथती थी। भगवान ने जैसा सुख उन दोनों को दिया, वैसा सुख आप सबको भी नसीब हो।

कपूरथला के नरेश खरकसिंह निःसन्तान थे मगर दरबारी लोग यह नहीं चाहते थे कि गद्दी किसी और वंश को मिले। उन्होंने महाराजा को पागल करार दे दिया और कहीं नज़रबन्द कर दिया और यह झूठी अफ़वाह बड़े ज़ोर-शोर से उड़वा दी कि महारानी गर्भवती हैं। कपूरथला के एक सम्भ्रान्त व्यक्ति की पत्नी ने जब एक पुत्र को जन्म दिया तो चुपचाप उसे महलों में पहुँचा दिया गया। महारानी ने एक पुत्र को जन्म दिया है, यह जानकर प्रजा के लोग बहुत खुश हुए। राजपुत्र के जन्म पर चालीस दिन तक खुशियाँ मनायी गयीं जिन पर मात्र दस लाख रुपये खर्च किये गये। राजकुमार के असली पिता राज्य के वित्तमन्त्री नियुक्त किये गये और जब असली घटना का पता वायसराय को मिला तो उसने एक जाँच कमीशन बिठाया। कमीशन और रेजीडेण्ट के मुँह लाखों रुपयों में खरीदे गये और वह झूठा राजकुमार एक दिन महाराजा बना। राजा खरकसिंह बेचारे पागलखाने में ही मरे।

कपूरथला की रियासत बनने-बनाने में नादिरशाह और अहमदशाह अब्दाली का बहुत हाथ रहा। जो बेशक़ीमती हार जाँच के लिए आये उच्च पदाधिकारी की पत्नी को भेंट किया गया था, वह महाराजा के पुरखों को अहमदशाह अब्दाली ने ही दिया था। महाराजा जो रत्नजटित तलवार व रत्न-हार पहिनते थे वे भी नादिरशाह के दिये हुए ही थे।

यदि एक महाराजा समझते थे कि वे सूर्यवंशी हैं तो दूसरे महाराजा समझते थे कि वे चन्द्रवंशी हैं। मगर सबसे ज़्यादा होनहार राजा वे थे जो स्वयं को साक्षात् भगवान शिव का अवतार मानते थे और वे वर्ष में एक बार सारी प्रजा को अपना गुप्तांग दिखाया करते थे। इस बारे में जो लोग ज़्यादा जानना चाहते हों वे दीवान जरमनीदास की लिखी

'महाराजा' नाम की पुस्तक पढ़ें या फिर विश्व प्रसिद्ध पुस्तक 'फ्रीडम एट मिडनाइट' पढ़ें।

रियासत धौलपुर के एक राजा थे जिन्हें नीचे तबके की युवतियों के उद्धार की आदत थी। सादा जीवन, उच्च विचार। सबसे पहिले उन्होंने 'रामप्यारी' नाम की एक दासी को 'प्राणप्यारी' बनाया। इसके बाद उन्होंने न जाने कितनी ऐसी सुन्दर युवतियों का उद्धार किया जो सादे वस्त्र पहिनती थीं। एक बार जब उनके इस सादे जीवन का पर्दाफ़ाश हो गया तो उन्होंने बतौर प्रायश्चित्त के चार दिन का व्रत रखा और हरिद्वार जाकर अपने को पवित्र किया।

भरतपुर के नरेश किशनसिंह सरकारी कामकाज करने में बड़े तत्पर थे। जब भी काफ़ी फ़ाइलें इकट्ठी हो जाती थीं तो वह अपनी रानियों या प्रेयसियों से कहा करते थे कि वे उन्हें अपनी टाँगों की सहायता से दो ढेरों में बाँट दें। इसके बाद वे एक ढेर की फ़ाइलों पर लिखे प्रस्तावों को अपनी सहमति दे देते थे और दूसरे ढेर की फ़ाइलों को अस्वीकृत करार दे दिया जाता था। आधे घण्टे की अवधि के भीतर न जाने कितने गम्भीर मामले (जैसे मृत्युदण्ड को माफ करना या लाखों रुपयों की जायदादों के उत्तराधिकारी को निश्चित करना) एकदम तय हो जाते थे। फ़ाइल निबटाने का इतना मौलिक ढंग शायद कहीं नहीं देखा गया। महाराजा के इस विचित्र आचरण की शिकायत वायसराय को गयी और उन्होंने तुरन्त एक प्राइम मिनिस्टर की नियुक्ति कर दी। उसके बाद राजा साहब मात्र नाम के नरेश ही रह गये।

देशी नरेशों में हैदराबाद निज़ाम सबसे ज़्यादा दिलचस्प व्यक्ति थे। उनका पूरा नाम था 'ब्रिटिश सरकार के वफ़ादार दोस्त, लेफ्टीनेण्ट जनरल, हिज़ एग्ज़ाल्टेड आसफशाह, मुजफ़्फ़र-उल-मुल्क, निज़ामामुल्क, निज़ामुद्दौला, सर मीर उस्मानअली खाँ बहादुर, फ़तेहजंग, जी.सी.एस.आई., जी.बी.ई.'। उनके राज्य का क्षेत्रफल इंग्लैण्ड और स्काटलैण्ड के सम्मिलित क्षेत्रफल से ज़्यादा था। निज़ाम का पद सबसे पहिले सम्राट औरंगज़ेब आलमगीर ने सर्वश्रेष्ठ सिपहसालार नवाब आज़फ़जाह बहादुर को दिया था। केन्द्रीय सरकार के कमज़ोर पड़ जाने पर बंगाल के नवाब, हैदराबाद के निज़ाम और लखनऊ के नवाब लगभग स्वतन्त्र ही हो गये थे। निज़ाम को अपने बुजुर्गों से बेहिसाब दौलत मिली थी मगर निज़ाम उस्मानअली फिर भी बेहद कंजूसी से रहते थे। वे गन्दे कपड़े पहिनते थे, उनकी तुर्की टोपी पैंतीस साल पुरानी थी और उनकी कोठी पर वर्षों से पुताई नहीं हुई थी। वे मेहमानों को चाय के साथ सिर्फ़ एक बिस्कुट देते थे, सबसे सस्ती सिगरेट पीते थे और मेहमानों द्वारा छोड़े गये सिगरेट के टुकड़ों को भी पिया करते थे। वे ख़ज़ाने की चाबियाँ चौबीस घण्टे अपने पास रखते थे और कभी-कभी तहखानों में जाकर अपना ख़ज़ाना देखा करते थे। एक बार एक व्यक्ति ने सोने या चाँदी के कुछ रुपये बतौर नज़र के उन्हें दिये तो उनमें से एक सिक्का गिर गया। निज़ाम साहब एक बच्चे की भाँति घुटनों के बल फ़र्श पर बैठ गये और जब तक उन्हें वह सिक्का नहीं मिला तब तक उन्होंने अपने अतिथि से बैठने तक को नहीं कहा। वे अपने दरबारियों और आला अफ़सरों के

यहाँ बराबर जाते रहते थे क्योंकि वहाँ जाने पर उन्हें नज़र मिलती थी। जब वृद्ध हो गये तो उन्हें पता चला कि उनके बच्चों की संख्या पिचासी हो चुकी है। कंजूस होने के बावजूद उन्हें हरम रखने का शौक था हालाँकि वहाँ भी वे बेहद किफ़ायत से काम लेते थे। उनकी एक रखैल ऐसी थी जो निज़ाम के साथ-साथ एक मारवाड़ी सेठ की रखैल भी थी। निजाम को वह रखैल बहुत प्रिय थी क्योंकि उसका आधा खर्चा वह सेठ उठाता था। खर्च कम करने के लिए उन्होंने अपने महल की बत्ती तक कटवा रखी थी और लालटेनों से काम चलाया जाता था। वे जिस किसी की मोटर माँग लेते थे, उसे वे फिर कभी वापिस नहीं करते थे और इस प्रकार उनकी गैराज में सैकड़ों मोटरें खड़ी रहती थीं। वे मोटरों को चलाते नहीं थे क्योंकि वैसा करने पर पेट्रोल पर पैसा खर्च करना पड़ता। जब वे निजाम बने तो अगले ही दिन उन्होंने शाही खानदान के कितने ही लोगों को महल से बाहर निकाल दिया और उनमें से कुछ ने तो भीख तक माँगनी शुरू कर दी थी। एक बार दतिया के राजा ने उन्हें मक्खन के काफ़ी डिब्बे भिजवाये। निजाम ने वह मक्खन खाया नहीं वरन् उसे स्टोर रूम में रखवा दिया। जब मक्खन सड़ गया और बदबू फैलाने लगा तो उन्होंने कोतवाल से कहा कि वह उस मक्खन को बेचने का इन्तज़ाम करे। कोतवाल ने मक्खन तो नाली में फिंकवा दिया और अपनी जेब से दो सौ एक रुपये निजाम को पेश किये। निजाम ने रुपये रख लिये और उस कोतवाल के प्रति अपनी कृतज्ञता प्रकट की। उनके बैठने का कमरा बेहद गन्दा रहता था। कूड़ेदानी व सिगरेटदानियाँ भी वर्ष में एक बार ही साफ़ की जाती थीं। निजाम के बारे में आप यदि और जानकारी चाहते हों तो जोश मलीहाबादी की आत्मकथा (यादों की बारात) पढ़ें।

भरतपुर के महाराजा को भड़कीली पोशाक में सजे सिपाहियों की सलामी लेने से बेहद ख़ुशी मिलती थी। शिमला में जो लोग उनका रिक्शा खींचते थे, उनकी वर्दियाँ पचास हज़ार रुपयों में बनी थीं। इस फ़िज़ूलख़र्ची के कारण राज्य में प्रशासन ठप्प-सा ही हो गया था। अदालतें बन्द रहती थीं, सड़कें टूटी-फूटी थीं और कोई सरकारी दवाखाना नहीं था क्योंकि जज और डॉक्टर वग़ैरा की तनखाह देने के लिए पैसा बचता ही कहाँ था? इसी प्रकार एक बार काश्मीर के महाराजा हरिसिंह ने कोई पाँच सौ मेहमानों की शानदार दावत का इन्तज़ाम किया जिसमें कुछ अन्य राज्यों के राजा, रेजीडेण्ट और बाकी बड़े आदमी निमन्त्रित थे। निश्चित समय के काफ़ी देर बाद महाराजा आये तो उन्होंने शिकार के कपड़े पहिन रखे थे और उनके जूते कीचड़ से लदे थे। थोड़ी देर बाद वे डिनर के कपड़े पहिन कर आये और डाइनिंग टेबिल पर बैठे। बाकी लोग खाना तभी शुरू कर सकते थे जबकि महाराजा खुद खाना शुरू करें। महाराजा का मूड उस दिन उखड़ा हुआ था और उन्होंने खाना खाने को मना कर दिया क्योंकि उन्हें भूख नहीं थी। वे उठकर चले गये जिसका परिणाम यह रहा कि सारे लोग भूखे ही उठ गये। कुछ लोग तो रात भर भूखे ही रहे क्योंकि बहुत रात हो जाने के कारण शहर के होटल वग़ैरा बन्द

हो चुके थे। इन्दौर के राजा को एक नाचने वाली लड़की के कारण गद्दी छोड़नी पड़ी। इसी प्रकार एक और राजा थे जो मुश्किल मामलों में पागलों से सलाह लिया करते थे क्योंकि उनके अनुसार एक पागल आदमी ही निष्पक्ष सलाह दे सकता था। एक और नरेश थे जो पायजामे का नाड़ा खोलने व उसे बन्द करने के लिए एक राजपत्रित अधिकारी रखते थे। एक बार वे इंग्लैण्ड के सम्राट के यहाँ दावत पर गये तो वहाँ उन्हें लघुशंका की इच्छा हुई। उनका पायजामा-अफ़सर दावत वाले हाल में नहीं जा सकता था और इस कारण उस नरेश को भयंकर कष्ट झेलना पड़ा। उस रात्रि के बाद वह राजा कभी ऐसी जगह नहीं गया जहाँ कि पायजामा-अफ़सर साथ नहीं जा सकता था। बड़ौदा के महाराजा ने दिल्ली-दरबार में सबके सामने सम्राट जार्ज पंचम के प्रति अशिष्टता दिखायी थी। कपूरथला के एक राजा को नये करंसी नोट इकट्ठे करने की लत थी। वे नये नोट पाने के लिए दस प्रतिशत ज़्यादा देने को हमेशा तैयार हो जाते थे और कुछ दिनों बाद अपने साफ़ नोटों को बासी हो जाने के कारण दस प्रतिशत घाटे पर बेचने के लिए भी तैयार रहते थे। एक राजा थे जो न जाने कितनी सुन्दरियों के साथ महल की कृत्रिम झील में उतरा करते थे। थोड़ी देर बाद बत्ती गुल कर दी जाती थी और प्रत्येक युवती एक मोमबत्ती नाभि के नीचे चिपका कर उसे जला लेती थी। शमा की रोशनी में उनका सौन्दर्य दुगुना हो जाता था। जिस स्त्री की शमा सबके बाद में बुझती थी—वही 'रात की रानी' मानी जाती थी। एक और नरेश थे जिनकी खाने की विशाल मेज़ पर चाँदी की रेलगाड़ी पटरी पर चलती थी और जो खाने के सामान से लदी रहती थी। एक बार जब सम्राट जार्ज पंचम खाने पर आये तो दुर्भाग्यवश वह रेल पटरी से उतर गयी।

जूनागढ़ के नवाब कुत्तों से बहुत प्यार करते थे। उनके पास लगभग एक हज़ार कुत्ते थे पर सबसे ज़्यादा स्नेह वे एक कुतिया से करते थे जिसका नाम था रोशनआरा। उसे उन्होंने ठीक अपनी सन्तान की तरह पाला था। जब रोशनआरा जवान हो गयी तो नवाब साहब ने अपने प्राइम-मिनिस्टर से कहा कि इस कुतिया की शादी ठीक शहज़ादी की भाँति होगी और आप सारे काम छोड़ कर इसके लिए उपयुक्त वर को खोजें और फिर इसकी शादी का शाही इन्तज़ाम करें। वर काफ़ी कठिनाई से मिला। मंगलौर के शिकारी कुत्ते बूबे को सब प्रकार से रोशनआरा के लिए उपयुक्त पति माना गया। देश भर के राजों, महाराजों, नवाबों और बाकी बड़े आदमियों को शादी का निमन्त्रण भेजा गया और वायसराय को छोड़कर काफ़ी बड़े-बड़े लोग शादी में शरीक भी हुए। दूल्हा शानदार ढंग से बारात लेकर आया और नवाब जूनागढ़ स्वयं उसका स्वागत करने स्टेशन पहुँचे। क़ीमती पोशाक (जिनमें हीरे जड़े थे) पहिने हुए कोई 250 कुत्ते बारात में आये थे। इन कुत्तों को हाथियों पर बिठा कर महल ले जाया गया। निकाह काजियों ने कराया। शादी की फ़िल्म बनी और लगभग पचास हज़ार अतिथियों को डिनर दिया गया। फ़ौज ने भी सेल्यूट देने की परम्परा निभायी। निकाह के बाद तवायफ़ों ने नाच पेश किया।

इस 'कुतिया शहज़ादी' के विवाह पर मात्र साठ हज़ार पौण्ड का खर्च आया था।

एक नवाब और थे जो काफ़ी प्रतिष्ठित व विद्वान् व्यक्ति थे। उन्हें विभिन्न भाषाओं की इतनी गालियाँ याद थीं कि उन्हें पूरी तरह सुनाने में उन्हें कई घण्टे लगते थे। उनके पीने के लिए जो पानी आता था वह फ्रांस के झरनों से आता था। उनके साथ बस एक ही इल्लत थी और वह यह थी कि उन्हें बाथरूम से निबटने में कई घण्टे लगते थे। अन्त में चलकर एक ऐसा हाल बनाया गया जिसमें एक ओर कमोड था, फिर एक ऊँचा प्लेटफ़ार्म था और उसके बाद बड़े लोगों के लिए सुन्दर कुर्सियाँ थीं। सारे महत्त्वपूर्ण मसलों पर इसी हाल में निर्णय लिये जाते थे। नवाब साहब सारा मामला सुनते थे, निर्णय देते थे और साथ ही साथ अपना पेट भी साफ़ करते रहते थे। बीच के प्लेटफ़ार्म के कारण नवाब साहब की यह महान् कला कोई भी पूरी तरह नहीं देख सकता था। वैसे भी हाल में इतनी इत्र बिखरायी जाती थी कि दुर्गन्ध आने का तो कोई प्रश्न कभी उठ ही नहीं सकता था। प्राइम मिनिस्टर, चीफ़ जस्टिस और अंग्रेज़ रेज़ीडेण्ट भी उनसे इसी हाल में मिलते थे। एक और देसी नरेश थे जो कभी-कभी भिखारी के वेश में भिक्षा माँगा करते थे। दरबार के अमीर-उमराव उनकी यह सनक जानते थे और उनके भिक्षा-पात्र में चवन्नी या अठन्नी डाल दिया करते थे।

कुछ राजे-महाराजे ऐसे भी होते थे जो इस बदलती हुई दुनिया में स्वयं भी बदलना चाहते थे पर उनमें इतना साहस नहीं था कि वे वैसा कर सकते। महात्मा गाँधी ने एक बार एक राजा से पूछा था कि "आपने ऐसे कपड़े क्यों पहिन रखे हैं जिनमें आप खानसामा लगते हैं?" महाराजा ने संयत स्वर में कहा कि "मिस्टर गाँधी, आप ठीक कहते हैं मगर असलियत यह है कि हम सब वायसराय के खानसामा ही हैं, उससे ज़्यादा नहीं। आज मुझे वायसराय से मिलना है और स्थिति यह है कि वैसा सौभाग्य प्राप्त करने के लिए यदि मैं इस लिबास को न पहिनूँ तो वह एक अपराध माना जाएगा। और इस पोशाक के बाद भी यह ज़रूरी नहीं है कि वायसराय मुझसे बातें करें।" गाँधी जी ने उस राजा की स्थिति को देखा और उनका मन उन राजाओं के प्रति दया से भर उठा जो अपनी अनिच्छा के बावजूद इतने सारे वस्त्र, आभूषण और रत्न जटित तलवारों को कुछ विशिष्ट अवसरों पर धारण करने के लिए मजबूर थे। ज़्यादा विवरण जानने के लिए आप महात्मा गाँधी की 'आत्मकथा' पढ़ें। मगर आप यह हर्गिज़ नहीं समझें कि अंग्रेज़ लोग देशी नरेशों की इज़्ज़त नहीं करते थे। सम्राट जार्ज षष्ठ अनेक महाराजाओं को अपना अंगरक्षक रखते थे। द्वितीय विश्वयुद्ध के दौरान ब्रिटिश सम्राट, प्रधानमन्त्री चर्चिल और शेष अधिकारियों के साथ जब यूरुप गये तो उनके साथ तीन महाराजा भी गये। यह एक दीगर बात है कि रात गुज़ारने के लिए जब वे लोग एक भवन में ठहरे तो स्थिति यह रही कि सम्राट, प्रधानमन्त्री चर्चिल व अंग्रेज़ अधिकारी तो मुख्य भवन में ठहरे और जो

तीन देसी महाराजे थे उन्हें अपनी रात्रि नौकरों के क्वार्टरों में गुज़ारनी पड़ी।

हमारे इतिहास में एक दिन ऐसा भी आया कि हम विदेशी हुकूमत से आज़ाद हो गये। ठीक उसी दिन हमारी 565 रियासतें भी आज़ाद हो गयीं। अब वे सार्वभौम सत्ता की मालिक थीं। वे भारत या पाकिस्तान—इन दोनों में से किसी एक में अपनी इच्छानुसार विलय हो सकती थीं और चाहें तो स्वतन्त्र भी रह सकती थीं। केन्द्रीय सरकार का 'पोलिटिकल विभाग' बन्द हो चुका था और उसके स्थान पर 'स्टेट्स डिपार्टमेण्ट' खुल चुका था जिसके सर्वेसर्वा लौहपुरुष सरदार वल्लभभाई पटेल थे। रियासतों के विलय की मोटी रूपरेखा सरदार पटेल ने निश्चित की और बाकी सारा काम स्टेट्स डिपार्टमेण्ट के सेक्रेटरी वी.पी. मेनन ने किया। नवाब रामपुर सबसे पहिले राजा थे जिन्होंने अपना राज्य भारत में विलय करने के सन्धि-पत्र पर दस्तख़त किये। जूनागढ़, काश्मीर और हैदराबाद को छोड़कर बाकी सारे राज्य आसानी से भारत में विलय हो गये। ऊपर लिखे तीन राज्य भी बाद में भारत के अंग हो गये। वी.पी. मेनन ने इस सारी दास्तान को 'इण्टीग्रेशन आफ़ इण्डियन स्टेट्स' नाम की बेहद दिलचस्प पुस्तक में लिखा। यह पुस्तक उन्होंने सरदार पटेल के अनुरोध पर लिखी थी। वी.पी. मेनन एक विलक्षण व्यक्ति थे। उन्होंने अपना सरकारी जीवन केन्द्रीय सरकार के एक स्टेनोग्राफ़र के रूप में शुरू किया था और बाद में एक दिन ऐसा भी आया कि वे भारत-सरकार के कैबिनेट-सेक्रेटरी तक बने। इसके बाद वे वायसराय के वैधानिक सलाहकार बने और कहा जाता है कि उनके रहते लार्ड वैवेल व लार्ड माउण्टबेटन लन्दन को कोई ख़त या तार तभी भेजते थे जबकि वी.पी. मेनन ने उसे देख लिया हो। सरदार पटेल प्रतिभा के पारखी थे; उन्होंने 'स्टेट्स' के डिपार्टमेण्ट के सेक्रेटरी के पद पर उन्हें ही नियुक्त किया।

बहरहाल पुराने राजे-महाराजे ख़त्म हो गये और उनके शासक या तो राजनीति में चले गये या फिर कोई और व्यवसाय करने लगे। उनके स्थान पर नये राजा और महाराजा प्रकट हुए। हमारे प्रान्तों के मुख्यमन्त्री किसी भी दृष्टि से पुराने महाराजों से कम नहीं हैं। यदि पहिले दिल्ली में 'हैदराबाद हाउस' या 'पटियाला हाउस' जैसे महल हुआ करते थे तो अब उनके स्थान पर 'हरियाणा-भवन' और 'बिहार-भवन' इत्यादि खड़े हैं। बहरहाल मैं इन नये पुराने राजों और महाराजों को देखता हूँ और उस शेर को याद करता हूँ जो मुझे एक फकीर ने तब सुनाया था जब मैं औरंगाबाद में स्थित सम्राट औरंगज़ेब की कच्ची मिट्टी से बनी क़ब्र देखने गया था। शेर इस प्रकार था:

जिनके महलों में हज़ारों झाड़ और फ़ानूस थे
झाड़ उनकी क़ब्र पर है, और निशाँ कुछ भी नहीं

□□

परिशिष्ट

(अ) जीवन-वृत्त : रवीन्द्रनाथ त्यागी

1. जन्म : 9 मई, 1930 (क़स्बा : नहटौर, ज़िला-बिजनौर, उत्तर प्रदेश)।
2. देहावसान : 4 सितम्बर, 2004 (देहरादून, उत्तराखण्ड)।
3. शिक्षा : एम.ए. (अर्थशास्त्र), प्रयाग विश्वविद्यालय (गोल्ड मेडलिस्ट), 1954।
4. विवाह : सुश्री शारदाजी से, 24 जून, 1955।
5. आजीविका : 12 दिसम्बर, 1955 को 'इण्डियन डिफेंस एकाउण्ट्स सर्विस' में नौकरी आरम्भ की और 1 सितम्बर, 1989 को 'कण्ट्रोलर ऑफ़ एकाउण्ट्स' के पद से सेवानिवृत्त हुए।
6. परिवार : पिता : पं. मुरारीदत्त शर्मा, माता : श्रीमती चमेली देवी, पत्नी : श्रीमती शारदा त्यागी, पुत्र : अशोक (जन्म : 17 अगस्त, 1962), पुत्री : इन्दु (जन्म : 9 जुलाई, 1966), पुत्र-वधू : दीपा, पौत्री : पल्लवी, पौत्र : प्रणव, दामाद : राजय, दौहित्री : कोपल राजे।

(आ) पुरस्कार-सम्मान

1. उत्तर प्रदेश हिन्दी संस्थान, लखनऊ : 1977-1978-1979 में प्रति वर्ष तीन अलग-अलग पुस्तकों पर पुरस्कृत।
2. सरस्वती सम्मान, सहारनपुर।
3. नागरिक सम्मान, मेरठ।
4. चकल्लस पुरस्कार, मुम्बई, 1985।

5. टेपा पुरस्कार, उज्जैन, 1988।
6. श्रीनारायण चतुर्वेदी पुरस्कार, उत्तर प्रदेश।
7. पदुमलाल पुन्नालाल बख्शी पुरस्कार, मध्य प्रदेश।
8. अट्टहास शिखर सम्मान, 1997।
9. व्यंग्यश्री पुरस्कार, दिल्ली, 1998।
10. लीलावती स्मृति पुरस्कार, 1999।
11. शरद जोशी सम्मान, 1999।
12. हरिशंकर परसाई पुरस्कार, हरदा, 2001।
13. स्नेहलता गोइन्का व्यंग्य-भूषण पुरस्कार, 2002।

(इ) रवीन्द्रनाथ त्यागी का साहित्य

(क) हास्य-व्यंग्य संग्रह (मौलिक)

	पुस्तक	प्रकाशक	प्रकाशन-वर्ष
1.	खुली धूप में नाव पर	लोकभारती प्रकाशन, इलाहाबाद	1963
2.	भित्ति-चित्र	राजकमल प्रकाशन, नयी दिल्ली	1966
3.	मल्लिनाथ की परम्परा	लोकभारती प्रकाशन, इलाहाबाद	1968
4.	कृष्णवाहन की कथा	नेशनल पब्लि. हाउस, नयी दिल्ली	1971
5.	देवदार के पेड़	नेशनल पब्लि. हाउस, नयी दिल्ली	1973
6.	शोक-सभा	नेशनल पब्लि. हाउस, नयी दिल्ली	1974
7.	अतिथि-कक्ष	राजपाल एण्ड संस, दिल्ली	1977
8.	सुन्दरकली	सम्भावना प्रकाशन, हापुड़	1978
9.	फूलों वाले कैक्टस	पराग प्रकाशन, दिल्ली	1979
10.	ऋतु-वर्णन	नेशनल पब्लि. हाउस, नयी दिल्ली	1988
11.	भद्र-पुरुष	पराग प्रकाशन, दिल्ली	1980
12.	इस देश के लोग	पराग प्रकाशन, दिल्ली	1982
13.	पदयात्रा	नेशनल पब्लि. हाउस, नयी दिल्ली	1985
14.	पराजित पीढ़ी के नाम	पराग प्रकाशन, दिल्ली	1988
15.	प्रसंगवश	पराग प्रकाशन, दिल्ली	1988
16.	आत्मलेख	नेशनल पब्लि. हाउस, नयी दिल्ली	1988
17.	विष-कन्या	भारतीय ज्ञानपीठ, नयी दिल्ली	1990
18.	गणतन्त्र दिवस की शोभा-यात्रा	नेशनल पब्लि. हाउस, नयी दिल्ली	1991

19. चम्पाकली	किताब घर, नयी दिल्ली	1992
20. इतिहास का शव	राजकमल प्रकाशन, नयी दिल्ली	1993
21. देश-विदेश की कथा	किताब घर, नयी दिल्ली	1994
22. भाद्रपद की साँझ	राजकमल प्रकाशन, नयी दिल्ली	1996
23. लाल पीले फूल	किताब घर, नयी दिल्ली	1997
24. बादलों का गाँव	अभिरुचि प्रकाशन, दिल्ली	1999
25. शेष-अवशेष	भारतीय ज्ञानपीठ, नयी दिल्ली	2011

(ख) हास्य-व्यंग्य संकलन (पूर्व प्रकाशित निबन्धों के संकलन)

1. उर्दू-हिन्दी हास्य-व्यंग्य	पराग प्रकाशन, दिल्ली	1978
	दूसरा संस्करण : राजकमल प्रकाशन, नयी दिल्ली	1991
2. फुटकर	सम्भावना प्रकाशन, हापुड़	1979
3. मेरी श्रेष्ठ व्यंग्य रचनाएँ	नेशनल पब्लि. हाउस, नयी दिल्ली	1979
4. प्रतिनिधि रचनाएँ (सम्पादक : कमल किशोर गोयनका)	पराग प्रकाशन, दिल्ली	1988
5. पूरब खिले पलाश	भारतीय ज्ञानपीठ, नयी दिल्ली	1998
6. कबूतर, कौए और तोते	भारतीय ज्ञानपीठ, नयी दिल्ली	2001
7. एक चिरन्तन कथा	मेधा बुक्स, दिल्ली	2004
8. यक्ष-प्रश्न	मेधा बुक्स, दिल्ली	2005
9. वसन्त से पतझर तक	भारतीय ज्ञानपीठ, नयी दिल्ली	2005
10. सिन्दबाद की अन्तिम यात्रा (सम्पादक : कमल किशोर गोयनका)	प्रभात प्रकाशन, नयी दिल्ली	2008
11. ग़रीब होने के फ़ायदे (सम्पादक : कमल किशोर गोयनका)	प्रभात प्रकाशन, नयी दिल्ली	2008
12. 51 व्यंग्य रचनाएँ (सम्पादक : कमल किशोर गोयनका)	डायमण्ड बुक्स, नयी दिल्ली	2011

(ग) कविता-संग्रह

1.	सूखे और हरे पत्ते	भारती भण्डार, प्रयाग	1962
2.	कल्प-वृक्ष	राजकमल प्रकाशन, नयी दिल्ली	1965
3.	आदिम राग	राधाकृष्ण प्रकाशन, नयी दिल्ली	1967
4.	आख़िरकार	नेशनल पब्लि. हाउस, नयी दिल्ली	1978
5.	सलीब से नाव तक	पराग प्रकाशन, दिल्ली	1983
6.	अन्तिम वसन्त	पराग प्रकाशन, दिल्ली	1988
7.	कृष्ण-पक्ष की पूर्णिमा	किताब घर, नयी दिल्ली	1996

(घ) कविता-संकलन (पूर्व प्रकाशित कविताओं का संकलन)

1.	पीले पाल वाली बूढ़ी नाव (श्रेष्ठ कविताएँ)	मेधा बुक्स, दिल्ली	2003

(ङ) उपन्यास-कहानी

1.	अपूर्ण कथा	सम्भावना प्रकाशन, हापुड़	1980
2.	अपूर्ण कथा (पेपरबैक)	राजपाल एण्ड संस, दिल्ली	1985

(च) पत्र-संग्रह

1.	मेघदूत उवाच	गीतांजलि प्रकाशन, देहरादून	2008

(छ) बाल-साहित्य

1.	मास्टर भोलाराम	पराग प्रकाशन, दिल्ली	1979
2.	हमारे मास्टर साहब	जनप्रिय प्रकाशन, दिल्ली	1987
3.	खेल गाँव	अभिरुचि प्रकाशन, दिल्ली	1991
4.	सुन्दर वन	अभिरुचि प्रकाशन, दिल्ली	1995

(ई) अप्रकाशित-असंकलित रचनाएँ

रवीन्द्रनाथ त्यागी के दिवंगत होने के बाद उनकी पत्नी श्रीमती शारदा त्यागी को

निम्नलिखित ऐसी रचनाएँ मिलीं जो अप्रकाशित एवं असंकलित थीं। ये रचनाएँ निम्नलिखित हैं–

1. आठ कविताएँ : झंडे के प्रति, पनघट, कवि से...., शाम हो गयी..., बेला, मेरा देश और साँझ।

   शारदाजी के अनुसार इनका रचना-काल 1948-52 के बीच का है। इनमें कुछ 'सरस्वती' (प्रयाग) पत्रिका में छपी थीं। उनकी एक पाँच पंक्ति की कविता उनकी डायरी में मिली, वह भी प्रस्तुत है। यह सम्भवतः उनकी अन्तिम कविता है।

2. उनके तीन असंकलित लेख भी संकलित हैं। पहला लेख तो उन्होंने मुझ पर लिखा था, दूसरा 'कुछ व्यंग्य संस्मरण' उन्होंने देहावसान के दिन ही 'उमर उजाला' को प्रकाशनार्थ भेजा था, जो उनके देहान्त के तीन दिन बाद श्रद्धांजलि के रूप में 'अमर उजाला' ने प्रकाशित किया। तीसरा लेख 'नयी पीढ़ी' फ़ाइल में दबा रखा था जो 'इण्डिया टुडे' ने उनकी पहली पुण्य-तिथि को प्रकाशित किया था।

आठ कविताएँ

(1) झंडे के प्रति

जय भारत के प्राण तिरंगे,

बिखर रही थी भारत सुषमा
सदियों से था कितना जर्जर
रही नीरसा धरा उर्वरा
रोता सा रहता था पतझर
सूने से उस ही उपवन में
मचवादी पिकतान तिरंगे!
जय भारत के प्राण तिरंगे।

स्वतन्त्रता की बलिवेदी पर
प्राणों से था खेल निरन्तर
आज सत्य हैं जिनके सपने
अमर हुए जाने वे कितने
भगत सिंह जैसे अनेक उन
वीरों के अभिमान तिरंगे।

जय भारत के प्राण तिरंगे।

जहाँ रही कल सन्ध्या काली
खिली चाँदनी है उजियाली।
वर्षों से अभिशप्त पुनीता,
पुष्प धरा पर है हरियाली
लूटी हुई भारतमाता के
हो सुहाग की शान तिरंगे।
जय भारत के प्राण तिरंगे।

(2) पनघट

ग्राम अलका अप्सराएँ
पनघट पर नीर भरे।

सुन्दर सजीले अंग,—
अचल हिले, खुले पंख,
वस्त्र कसे, कसे व्यंग
अधर रस बूँद झरे!

अंचल हिलाता मरुत्,
धीरे धीरे बजे नूपुर,
उर उर में मधुर मधुर,
अंग में उमंग भरे!

मधुर हास स्नेह सने,
खींच वारि कर थमे,
घूँघट तूणीर, तने—
नयनों के वाण चले!

आर्द्र-द्रुम छाया सघन,
नभ नील - उज्ज्वल घन,
हँसती सी मलयज पवन,
पुष्पों के पंख हिले!

उच्च नील शैल झलक
देता; था घट में छलक
होती फिर हास किलक

काम कल चाप धर!

विहँस उड़ी विहग वधू—
नीड़, चली ग्राम वधू,
प्राणों की वीणा में
जीवन का राग भरे!

(3) कवि से...

ओ शब्दों के चित्रकार तुम,
मृत वर्णों में भर देते हो
अपने प्राणों के जीवित कण!

जीवन की इस मौन डगर पर
तुम काँटों की कुंचित छाया
में भी जाने सुलग रहे हो—
कैसे अपनी कोमल काया!

सोये स्वर में प्राण जगा कर,
शुष्क शब्द से गान बना कर,
तुम जाने कैसे ले आते,
शापों से वरदान बना कर!

तुम जाने कैसे भर देते
स्वप्नों से जीवन का प्याला!
तुम कैसे मूर्च्छित कर देते
जीवित भावों से यह अन्तर!

कैसे जाने देव तुम्हारी
पीड़ा हो जाती है हाला
कैसे जाने सज जाती रे
अनजाने भावों की माला!

तुमने जीवन के क्रन्दन को
मधुर स्वरों के पात्रों में भर
पिला दिया रे अनायास ही
कैसे तुमने अपना अन्तर?

तुमने वर्णों की रेखा में
बाँध दिया सन्ध्या प्रभात को
तुमने पद लय के बन्धन में

बाँध दिया नश्वर जीवन को!

देव, तुम्हारे कल्पित जग की
अजर अमर सुन्दर कुटिया में
मैं भी आकर देख सकूँगा
क्या वे सारे संचित सपने?

(4) शाम हो गयी...

शाम हो गयी,
छिप गये पेड़,
जंगल से लौट आये
बैल, बकरी, भेड़!
पीपल पर लाल लाल
परियाँ रहीं नहीं,
दूर उधर वन में ही
छिप गयीं कहीं!

शब्द एक आता था
किसी के गाने का,
बन्द हो गया; दीप
मन्दिर पर जल गया,
पोखरों से होकर के
घेरों के पास तक
अँधेरा बढ़ आया
चुपके लपक!

डगरों से धूल भरे
बच्चे गये,
क़स्बे के व्यापारी
वापस गये,
पेड़ों के डैनों में
पंछी सोये,
तारों की छाया में

पेड़ सो गये!

सरिता के आसपास
तीर सो गया,
रात की उन बातों में
तम खो गया,
अधरों के बिस्तर पर
गान सो गये।

(5) बेला

आधी रात, जगे तुम बेला,
किसको देख रहे हो पथ पर?
सोया तम भी, सोया नभ भी
और सो गयी वह श्रान्त डगर!
ओ, कवि से तुम भी खिलते हो
गाते शैशव सा मृदु गाना।
सों जाता संसार सभी जब
एकाकी केवल मनमाना।
कौन खिला जाता है जाने
आकर तुमको धीर-धीरे;
नीरव तम में मधुर मौन वह
पंखुरियों पर मृदु स्पर्श दे!
तुम फूलों के राजा, वह भी
होगी रे परियों की रानी।
सबसे छिपकर आ जाती जो
तुम्हें सुनाने प्रेम कहानी।
तुमने यामा के विषाद में
ढूँढ़ा कैसे अमर हास रे?
तुमने कैसे जान लिया प्रिय,
आधी ठीक हुई रात रे?
बोलो, मेरे प्रिय बेला तुम,
मुझे सिखा दी खिलते रहना;
यामा के नीरव विषाद में भी
वृन्तों पर हँसते रहना।

आधी रात हो गयी बेला,
मैं जाता हूँ; तुम हो योगी!
प्रिय-माला-हित लेने कोई
जगी रात भर, आती होगी!

(6) मेरा देश

मेरा देश
मेरा देश
मेरा देश
नदियों का देश
कवियों का देश
छवियों का देश
यह देश—
कि वन-वन गाती-फिरती परियों का

खेतों का देश
गीतों का देश
दीपों का देश
यह देश—
कि शत-शत ऋतुओं का—उन रंगों का

पर्वत का देश
झीलों का देश
सागर का देश
यह देश—
पाल बर्फ़ के : माँझी के सन्देशों का

मेघों का देश
हंसों का देश
कमलों का देश
यह देश—
कि रंग-बिरंगे पंखों उड़ते पाखी का

सोने का देश
चाँदी का देश
मिट्टी का देश

यह देश—
कि लम्बे-लम्बे दिन औ गहरी रातों का

गीता का देश
अयोध्या का देश
मुग़लों का देश

यह देश—
राम, कृष्ण औ गाँधी, बुद्ध, जवाहर का

सन्तों का देश
महन्तों का देश
तीर्थों का देश

यह देश—
मन्दिर, मस्जिद, और शिवाले, गिरजे का

यौवन का देश
जीवन का देश
चिरन्तन देश

यह देश—
आशाओं का, विश्वासों का, आदर्शों का

मेरा देश
मेरा देश
मेरा देश

यह देश—
कि नाम एक बस केवल मेरे प्राणों का

(7) साँझ

धीरे-धीरे साँझ हो गयी!
अब बेला के फूल हिल गये,
नभ में कितने दीप जल गये,
मन में जगा भाव वह नये,
जग भर को मृदु-स्वप्न दे गयी!
ग्राम-डगर पर खिसका अंचल,
स्वर्ण विहग ले सोता पीपल,
उठ जल से यह रेखा चंचल

अभी-अभी नभ में खो गयी।
उधर सो गया धीरे, सविता
नभ में फैला कोमल कविता
जो बिखरे बादल की सन्ध्या
नीरव पग धर मुझे दे गयी!

(8) अन्तिम अप्रकाशित कविता

जो करता हो प्रतीक्षा पावस की
जिसके गीत से उगते हों बादल
जिसके कण्ठ से निकलता हो वसन्त
ऐसा रूपवान शव क्या
आपने कहीं देखा है?

तीन लेख

(1) कमल किशोर गोयनका : एक निश्छल व परिश्रमी प्राण

कुछ लोग ऐसे होते हैं कि आप उन्हें कतई नहीं जानते पर पहिली ही मुलाक़ात में कुछ ऐसा लगता है कि हम दोनों न जाने एक-दूसरे को कितने वर्षों से जानते हैं। डॉ. गोयनका इसी प्रकार के व्यक्ति हैं। मैं उनसे देहरादून में कोई सात वर्ष पहिले पहिली बार मिला था और उस एक भेंट में ही मैं उनका मुरीद हो गया, उनका भक्त हो गया। इतना सरल, निष्कपट, सात्विक और स्नेही बन्धु पाकर मैं वास्तव में भगवान के प्रति हृदय से आभारी हूँ। इस 'दुर्घटना' के बाद वे मेरे यहाँ जम्मू आये और मेरी 'प्रतिनिधि रचनाओं' के सम्पादन के सम्बन्ध में कोई सप्ताह भर रुके। तब मैंने उनका समीक्षक व शोधकर्म वाला व्यक्तित्व देखा, जो मेरे लिए पहला अनुभव था। वे इतने 'सिस्टैमैटिक' हैं, इतने परिश्रमी हैं और इतने पारखी हैं कि बड़े से बड़े प्रोजेक्ट को भी वे कम समय में समाप्त कर सकते हैं। उनके पास बैठ कर लगता है कि रामचन्द्र शुक्ल, हज़ारी प्रसाद द्विवेदी व बाबू श्यामसुन्दर दास किस प्रकार के व्यक्ति रहे होंगे। मैं अतिशयोक्ति कर रहा हूँ पर ज़्यादा नहीं।

डॉ. गोयनका ने मुंशी प्रेमचन्द पर काम किया और बड़ी निष्ठा व लगन के साथ किया। 'प्रेमचन्द विश्वकोश' एक ऐसा विशद ग्रन्थ है कि उसके कारण गोयनका जी की प्रसिद्धि देश में ही नहीं वरन् विदेशों में भी हुई। उन्हें कई पुरस्कार भी

मिले। उन्होंने प्रेमचन्द की ऐसी रचनाओं को भी ढूँढ़ा जिनका किसी को पता भी नहीं था। प्रेमचन्द के जीवन के ऐसे प्रसंगों और घटनाओं का विवरण भी तैयार किया जिन्हें कोई नहीं जानता था। हालाँकि इन प्रसंगों में कुछ ऐसे पहलू भी आये जिन्हें प्रेमचन्द के 'अन्ध-भक्तों' ने पसन्द नहीं किया। बात यह है कि तुलसीदास की भाँति प्रेमचन्द भी करोड़ों पाठकों के लिए मात्र लेखक ही नहीं हैं वरन् उनके परिवार के सदस्य हैं, उनके अपने हैं। ऐसे लोग ऐसी कोई बात नहीं जानना चाहते जो उस चित्र पर नया प्रकाश डाले जिसे वे वर्षों से अपने हृदय पर अंकित किये हुए हैं। मैं खुद इन अन्ध-भक्तों में से एक हूँ। मगर इस सब से गोयनका जी के शोध-कार्य पर कोई अन्तर नहीं पड़ता।

प्रेमचन्द पर किये गये काम से जैसे ही कुछ अवकाश मिला, वैसे ही वे उन चर्चित साहित्यकारों की प्रतिनिधि रचनाओं के संकलन में लग गये, जिन्होंने एक से ज़्यादा विधाओं में काम किया था। यह काम उन्होंने उसी निष्पक्षता, कुशलता और लगन के साथ किया जो उन्होंने प्रेमचन्द के सन्दर्भ में दिखाई थी। वे एक ऐसे समीक्षक हैं जो भावुक तो हैं पर निष्पक्ष भी हैं, स्नेही तो हैं पर स्पष्ट वक्ता भी हैं, प्रशंसक तो हैं पर कमियों पर प्रकाश डाले बिना रह नहीं पाते।

गोयनका जी की निश्छलता कभी-कभी ऐसे कमाल दिखाती है कि आप परेशानी में पड़ सकते हैं। उन्होंने मेरी एक अच्छी-ख़ासी किताब एक ऐसे प्रकाशक को दिलवा दी कि उसने मुझे अभी तक एक पैसा भी रॉयल्टी के रूप में नहीं दिया। यदि मेरा यह नुक़सान न हुआ होता तो मैं उनकी और ज़्यादा प्रशंसा करता।

(11 फ़रवरी, 1989)

(2) कुछ व्यंग्य-संस्मरण

मेरी शादी जून 1955 में हुई। उस समय मेरी आयु 25 वर्ष की थी और पत्नी की आयु 16 वर्ष की थी। उसी वर्ष, मैं केन्द्रीय सरकार की एक बड़ी नौकरी के लिए चुन लिया गया। दफ़्तर जाने पर मैंने साइकिल ख़रीदने के लिए एडवांस की अर्ज़ी दी जो अस्वीकृत कर दी गयी, क्योंकि मैं प्रथम श्रेणी का अधिकारी था और मुझे मोटर ख़रीदने का एडवांस तो मिल सकता था, पर साइकिल का नहीं। एक मित्र अधिकारी ने मुझे दस रुपये प्रति माह के किराये पर एक नयी साइकिल दिलवा दी। कोई डेढ़ वर्ष बाद मैंने अपनी साइकिल ख़रीदी, जिसकी क़ीमत डेढ़ सौ रुपया थी। साइकिल शानदार थी; उसमें घण्टी थी, चेन कवर था, स्टैण्ड था, आगे की तरफ़ बेंत की टोकरी थी और पिछली तरफ़ सामान रखने का क्लिप था। मैंने कोई बारह वर्ष बाद नयी मोटर ख़रीदी, जिसकी सारी क़ीमत साढ़े अठारह हज़ार थी। पत्नी गोरी थी और इसी कारण मोटर मैंने काले रंग की ली। अब तक वही मोटर है और वही

पत्नी है। मोटर ख़रीदने के बाद मैंने अपनी साइकिल सौ रुपयों में बेच दी। अब तो हालत यह है कि मेरे निजी परिवार में छह मोटर हैं जिनमें मेरी मोटर सबसे पुरानी है। मोटर उतनी ही चमकती है जितनी कि वह सैंतीस वर्ष पहले चमकती थी। चार दुर्घटनाएँ हो चुकी हैं, जिनमें एक दुर्घटना भयंकर थी और मेरी जान कैसे बच गयी, यह मैं ख़ुद नहीं जानता। यह दुर्घटना मेरी अपनी लापरवाही के कारण हुई थी।

मुन्नीलाल ने मुझे मोटर चलाना सिखाया। वह मेरे ही दफ़्तर में चतुर्थ श्रेणी का कर्मचारी था। उसके साथ मेरा परिवार सारनाथ, वाराणसी, कौशाम्बी, चित्रकूट, चुनार, मिर्ज़ापुर, विन्ध्याचल, लोअर खज़ूरी डाम, अपर खज़ूरी डाम, चचई फ़ाल, टाँडा फ़ाल, विंढम फ़ाल, रीवाँ, गोविन्द गढ़, कानपुर व लखनऊ गये। मुन्नीलाल शराब बहुत पीता था और इसी कारण वह तीस-पैंतीस वर्ष की आयु में ही मर गया। कौशाम्बी में कभी राजा उदयन राज करते थे और उनकी चर्चा कालिदास ने 'मेघदूत' में की।

1950 में जब मैं इलाहाबाद युनिवर्सिटी गया तो मैंने देखा कि लगभग सारे बड़े प्रोफ़ेसर या तो रिक्शे से चलते थे या फिर साइकिल चलाते थे। कुछ बड़े लोग (जैसे डॉ. ईश्वरीप्रसाद और रघुपतिसहाय 'फ़िराक़') युनिवर्सिटी पैदल ही आते थे, क्योंकि उनके बँगले युनिवर्सिटी के पास ही थे। हिन्दी-विभाग में केवल डॉ. रामकुमार वर्मा ही एक ऐसे अध्यापक थे जो मोटर रखते थे। बाद में चलकर डॉ. धर्मवीर भारती ने एक ऐसी फटीचर मोटर ख़रीदी थी जिसके भोंपू को छोड़कर, सारे पुर्ज़े आवाज़ निकालते थे। भोंपू की ज़रूरत कभी नहीं पड़ती थी, क्योंकि उनकी मोटर की आवाज़ इतनी बुलन्द थी कि वह दूर तक पहुँचती थी। उनकी उस मोटर को स्टार्ट करने के लिए क़रीब छह विद्यार्थी धक्का लगाते थे। कभी-कभी वह मोटर एकदम चल पड़ती थी और पीछे से धक्का लगाने वाले छात्र धराशायी हो जाते थे, जबकि उनकी वह शानदार मोटर प्रायः रोज़ ही काफ़ी धक्के लगाने के बाद ही गतिशील हो पाती थी। कॉमर्स विभाग के प्रोफ़ेसर घोष और अँग्रेज़ी विभाग के प्रोफ़ेसर सतीशचन्द्र देव ताँगे में बैठकर युनिवर्सिटी आते थे, जबकि अर्थशास्त्र के प्रोफ़ेसर रुद्रा साइकिल से ही युनिवर्सिटी आते थे। प्रोफ़ेसर देव एक दिलचस्प आदमी थे। उनके बारे में बच्चन ने लिखा है–

प्रोफ़ेसर देव थे गोलमटोल
मानो विश्व-ज्ञान के ढोल,
विनम्रता के थे अवतार
और विनम्रतर बन जाने में
उन्हें नहीं लगती थी बार,
कर सकते थे वे हाफ़िज़ का
सेनोलूल का, हलवे का
एक साँस में शंखोच्चार।

(3) नयी पीढ़ी

मैं एक निम्न मध्यवर्गीय परिवार में पैदा हुआ, जो मेरे पिता की घोर अकर्मण्यता के कारण भयंकर ग़रीब था। मेरी प्रारम्भिक शिक्षा संस्कृत में हुई। किसी तरह मैं अपने क़स्बे के हाई स्कूल में भर्ती हुआ जिसका सारा श्रेय एक परम दयालु हैडमास्टर को जाता है, जिन्होंने मेरी फीस माफ करवाई और कोर्स की किताबें स्कूल की लाइब्रेरी से दिलवाईं। मैं क्लास में हमेशा प्रथम आता था और इसी कारण मुझे छात्रवृत्ति हमेशा मिलती थी। ट्यूशन करके सौ रुपये जमा किये और उन्हीं के बल पर मैं प्रयाग विश्वविद्यालय गया और वहाँ से एम.ए. की परीक्षा में टॉप करके लौटा। वहाँ भी मैंने पाँच रुपये मासिक की नौकरी की, छात्रवृत्ति पायी, प्रूफ़ पढ़े, डिस्पैच का काम किया और सुन्दर व अमीर लड़कियों के ट्यूशन भी किये। प्रयाग उन दिनों साहित्य का गढ़ था और पन्त, निराला, महादेवी वर्मा, फ़िराक़ और बच्चन वहीं रहते थे। अगर मैं प्रयाग न जाता तो साहित्यकार कभी नहीं बनता। प्रयाग में ही मैंने देश की सर्वोच्च सिविल सर्विसेज़ की प्रतियोगिता-परीक्षा पास की और 'इण्डियन डिफेंस एकाउण्ट्स सर्विस' के लिए चुन लिया गया। मैं रातों-रात एक बड़ा आदमी बन गया। नौकरी के सात वर्ष मैंने विभिन्न महत्त्वपूर्ण पदों पर केन्द्रीय सचिवालय में गुज़ारे। जब चौधरी बंसीलाल रक्षा मन्त्री बने, तो उन्होंने पहला ख़ास काम यह किया कि बिना किसी ठोस कारण के मुझे मुअत्तिल कर दिया। मैं उन दिनों रक्षा-मन्त्रालय में उपसचिव था। मुअत्तिली का ग़लत ऑर्डर उन्हें पिछली तारीख़ से वापस लेना पड़ा। कुछ परेशानियों को छोड़कर, मेरा सारा सेवा-काल शान्ति से गुज़रा। मैं बहुत भाग्यशाली था। यदि मैं इन दिनों 'भारतीय प्रशासन सेवा' या 'भारतीय पुलिस सेवा' में होता तो कुमारी मायावती, श्रीमती राबड़ी देवी या कुमारी जयललिता द्वारा, पता नहीं कब और कहाँ फेंक दिया गया होता। कुमारी मायावती की माया अनन्त है। यह कुमारी तो जब भी चाहे तभी चीफ़ सेक्रेटरी या डाइरेक्टर जनरल (पुलिस) को मुअत्तिल कर दें या उनका ट्रांसफर कन्याकुमारी को कर दें, हालाँकि कन्याकुमारी इनके राज्य के बाहर है। हरि अनन्त, हरि कथा अनन्ता...।

मैं तो फ़िलहाल देहरादून जैसे रमणीक और महत्त्वपूर्ण नगर में एक बड़े बँगले में रहता हूँ जिसमें (रोमन क़ानून के विधाता सिसरो के कथनानुसार) लाइब्रेरी व उपवन दोनों हैं। घूमना, लिखना, पढ़ना और निद्रा लाभ—इनको छोड़कर और कोई काम नहीं करता। डिप्रेशन, डायबिटीज और रिश्वत न लेने के दुःख ज़रूर सालते हैं, पर इस असार संसार में ऐसा कौन है जो पूर्णतया सुखी हो? नानक दुखिया सब संसार। मगर असली बात यह है कि इतना सब कुछ पाने के बाद भी मेरी नीयत नहीं बदली। कुली तभी करता हूँ जबकि, सामान रेल में रखने के लिए, वैसा करना अनिवार्य हो और कुली कर भी लिया तो उससे मज़दूरी देने पर जो बहस चलती है,

वह तभी ख़त्म होती है जबकि रेल चलने लगती है। प्रतिदिन पाँच सिगरेट पीता हूँ, और प्रत्येक सिगरेट की क़ीमत चालीस पैसे होती है। जूते ख़ुद पालिश करता हूँ, किताबों की जिल्दें ख़ुद बाँधता हूँ और अपनी हजामत ख़ुद ही बनाता हूँ। कपड़ों को तब तक पहनता हूँ जब तक वे इतने न फट जायें कि मेरे गुप्तांग ही दिखने लगें। मैं एक गंजा व्यक्ति हूँ और जो थोड़े से बाल हैं, वे सिर के पिछले हिस्से पर ही हैं। इन बालों को प्रायः मैं पत्नी से कटवा लेता हूँ या ख़ुद ही काट लेता हूँ। श्री महावीर त्यागी और श्री मुरारजी देसाई भी ऐसा ही करते थे। कार वही है जो पैंतीस वर्ष पहले ख़रीदी थी। उन दिनों नयी फिएट कार मात्र अठारह हज़ार में मिली थी और पेट्रोल का दाम निन्यान्वे पैसे प्रति लीटर था। गाड़ी ख़रीदने के लिए मैंने बारह हज़ार का कर्ज़ा तो सरकार से लिया और बाक़ी पैसा पुत्र के मुंडन-संस्कार के नाम पर अपने प्रोविडेण्ट फण्ड से निकाला। टेलीविज़न 'ब्लैक एण्ड ह्वाइट' ही रहा, रंगीन नहीं। पत्नी भी वही है जिसे मैंने लगभग अड़तालीस वर्ष पहले प्राप्त किया था। सभी चीज़ें आज भी लगभग उतनी ही नयी हैं जितनी कि वे प्राप्ति के समय थीं। मैं अब भी उतना ही दक़ियानूसी और किफ़ायती हूँ, जितना पचास वर्ष पहले था। सादा जीवन व सादे विचार। मगर नयी पीढ़ी ने मुझ पर जो हमला बोला है, उसका अन्त नज़र नहीं आता।

मेरा पुत्र एक अमेरिकन मल्टीनेशनल में ऊँचे पद पर है। उसका सही वेतन तो मैं नहीं जानता, मगर इतना ज़रूर जानता हूँ कि उसको जो वेतन, बोनस व अतिरिक्त सुविधाएँ मिलती हैं, उन पर उसे साढ़े बाईस लाख आय कर प्रत्येक वर्ष देना पड़ता है। उसकी सुन्दर पत्नी भी केन्द्रीय सरकार के टेलीफ़ोन विभाग में एक बहुत ऊँचे पद पर है। दोनों की अपनी अलग गाड़ियाँ हैं और दोनों ने विश्व के लगभग सभी देशों का दौरा किया है। दोनों इतने व्यस्त हैं कि उनके दो बच्चे आया पालती है। दो ड्राइवर हैं, एक कम्पनी का दिया पहरेदार है और बाक़ी घरेलू नौकर अलग हैं। सब कुछ है, पर बच्चों को कहानियाँ सुनाने का समय उनके पास नहीं है। मेरी पुत्री और दामाद बिहार के एक मुफ़स्सिल नगर में एक शानदार कान्वेंट चलाते हैं और इतने ठाठ से रहते हैं कि दामाद जो है वह लगभग एक हज़ार रुपयों की तो टाई ही लगाता है। कान्वेंट में छुट्टी होते ही अपनी-अपनी गाड़ियों में अपनी सुन्दर बच्ची के साथ वे दोनों भारत-दर्शन को निकल पड़ते हैं। उन्होंने सारे दर्शनीय स्थान देखे हैं और अपनी मोटरों के सहारे ही देखे हैं। इन दर्शनीय स्थानों में देहरादून भी शामिल है जहाँ वर्ष में एक या दो बार वे ज़रूर आते हैं। वे पाँच सितारों वाले होटलों में ठहरते हैं और वहाँ के बैरों को इतना 'टिप' देते हैं कि मुझे किसी बड़े होटल के बैरा बनने की इच्छा सालने लगती है। महाकवि मिल्टन की यह पंक्ति याद आने लगती है जिसमें उसने कहा है कि 'दे आलसो सर्व, हू स्टैण्ड एण्ड वेट'। दोनों बच्चे फ़िजूलख़र्च होने के साथ-साथ दयालु भी बहुत हैं। कुली, मज़दूर

व भिखारी तबके के लोगों को वे खुले हाथ देते हैं। यो न ददाति न भुक्ते, तस्य तृतीया गतिः भवति (भर्तृहरि)।

मेरे दोनों बच्चे जब भी आते हैं तभी उन्हें मेरे रहन-सहन में खामियाँ-ही-खामियाँ नज़र आती हैं। पिछले कुछ वर्षों में उन दोनों ने मेरे मकान में कपड़े धोने की मशीन, मकान के सारे पर्दे, क़ीमती किताबें, दो कूलर, एक एयर-कण्डीशनर, एक कॉर्ड-लैस, दो रंगीन टेलीविज़न, एक वीडियो, एक मोबाइल टेलीफ़ोन, एक इन्वर्टर और विदेशों से लायी विभिन्न वस्तुएँ इस प्रकार लगायी हैं, मेरा मकान एक अजायबघर लगता है जिसका कि मैं चपरासी लगता हूँ। अपने ही घर में अब मैं प्रवासी हो गया। (वह अपने घर में प्रवासिनी—पन्त) मेरा पुत्र और मेरा दामाद मेरी सुविधा के लिए एक-एक मोटर यहाँ भी छोड़ना चाहते हैं। अगर ऐसा हो गया तो मेरा घर एक गराज़ लगेगा और आयकर विभाग की एक टीम मेरे घर की तलाशी लेगी। पता नहीं कि मैं उन्हें कैसे सन्तुष्ट करूँगा कि छापे में डेढ़ लाख की अतिरिक्त सम्पत्ति जो मिली है, वह कहाँ से आयी और कब आयी। उन्होंने एक ड्राइवर भी लगा दिया है और मेरे जूतों की पालिश व हजामत बनाने का काम उस व्यक्ति को सौंप दिया है जो अब तक सिर्फ़ मेरा माली ही था। यह व्यक्ति एक कलाकार है जिसके लिखे और गाये हुए पहाड़ी गीत उत्तरांचल के रेडियो पर प्रसारित होते हैं। मैं हजामत बनवाते समय उसकी कला को किसी तरह दबाये रहता हूँ, ताकि मेरा गला सुरक्षित रहे।

आज सारे बच्चे हमें 'हाय' कहकर किसी बड़े होटल में खाना खाने गये हैं। मैं और मेरी निजी और एकमात्र पत्नी बरामदे में चाय पी रहे हैं और वर्षा का आनन्द ले रहे हैं। मैं सिगरेट सुलगाता हूँ और अपने प्रियतम कवि अकबर इलाहाबादी का एक शेर याद करता हूँ :

हम ऐसी सब किताबें क़ाबिले-ज़ब्ती समझते हैं
कि जिनको पढ़कर बच्चे बाप को ख़ब्ती समझते हैं।

(उ) कमल किशोर गोयनका का साहित्य

(क) प्रेमचन्द पर पुस्तकें

1. **प्रेमचन्द के उपन्यासों का शिल्प-विधान** : सरस्वती प्रेस, 2/43, अंसारी रोड, दरियागंज, नयी दिल्ली-110002, प्र.सं. 1974, मूल्य : 50.00 रुपये
2. **प्रेमचन्द : कुछ संस्मरण** : सरस्वती विहार, जी.टी. रोड, शाहदरा, दिल्ली, प्र.सं. 1980, मूल्य : 25.00 रुपये
3. **प्रेमचन्द (पाकेट बुक)** : हिन्द पॉकेट बुक्स प्रा.लि., जी.टी. रोड, शाहदरा, दिल्ली, प्र.सं. 1980, मूल्य : 10.00 रुपये
4. **प्रेमचन्द और शतरंज के खिलाड़ी** : पूर्वोदय प्रकाशन, 7/8, दरियागंज,

नयी दिल्ली-110002, प्र.सं. 1980, मूल्य 45.00 रुपये

5. **प्रेमचन्द : अध्ययन की नयी दिशाएँ** : साहित्य-निधि, सी-38, ईस्ट कृष्णा नगर, दिल्ली, प्र.सं. 1981, मूल्य : 50.00 रुपये
6. **रंगभूमि : नये आयाम** : नचिकेता प्रकाशन, 9187/4, मुल्तानी ढांडा, पहाड़गंज, नयी दिल्ली-110055, प्र.सं. 1981, मूल्य : 50.00 रुपये
7. **प्रेमचन्द-विश्वकोश (खण्ड एक एवं दो)** : प्रभात प्रकाशन, 205, चावड़ी बाज़ार, दिल्ली-110006, प्र.सं. 1981, मूल्य : 300.00 रुपये
8. **प्रेमचन्द–चित्रात्मक जीवनी** : पीताम्बर पब्लिशिंग कम्पनी प्रा.लि., 888, ईस्ट पार्क रोड, करोलबाग, नयी दिल्ली-110005, प्र.सं. 1986, मूल्य : 75.00 रुपये
9. **प्रेमचन्द का अप्राप्य साहित्य (खण्ड एक एवं दो)** : वाणी प्रकाशन, 21-ए, दरियागंज, नयी दिल्ली-110002, प्रथम संस्करण, 2016, मूल्य : प्रत्येक खण्ड 2000.00 रुपये
10. **प्रेमचन्द की हिन्दी-उर्दू कहानियाँ** : भारतीय ज्ञानपीठ, 18, इंस्टिट्यूशनल एरिया, लोदी रोड, नयी दिल्ली-110003, प्र.सं. 1990, मूल्य : 130.00 रुपये
11. **प्रेमचन्द-रचना संकलन** : साहित्य अकादेमी, 35, फ़िरोजशाह मार्ग, नयी दिल्ली-110001, प्र.सं. 1994, मूल्य : 300.00 रुपये
12. **प्रेमचन्द–देश-प्रेम की कहानियाँ** : निर्मल पब्लिकेशन्स, ए-139, कबीर नगर, गली नं.-3, शाहदरा, दिल्ली-110032, प्र.सं. 2002, मूल्य : 400.00 रुपये
13. **प्रेमचन्द के नाम पत्र** : अनिल प्रकाशन, 2619-20, न्यू मार्केट, नयी सड़क, दिल्ली-110006, प्र.सं. 2002, मूल्य : 250.00 रुपये
14. **प्रेमचन्द–बाल साहित्य समग्र** : मेधा बुक्स, एक्स-11, नवीन शाहदरा, दिल्ली- 110032, प्र.सं. 2002, मूल्य : 400.00 रुपये
15. **प्रेमचन्द की अप्राप्य कहानियाँ** : अनिल प्रकाशन, 2619-20, न्यू मार्केट, नयी सड़क, दिल्ली-110006, प्र.सं. 2005, मूल्य : 300.00 रुपये
16. **प्रेमचन्द और 'रगभूमि' उपन्यास** : अनिल प्रकाशन, 2619-20, न्यू मार्केट, नयी सड़क, दिल्ली-110006, प्र.सं. 2004, मूल्य : 200.00 रुपये
17. **प्रेमचन्द–पत्रकोश** : अमित प्रकाशन, के.बी.- 97, कविनगर, ग़ाज़ियाबाद-201002, प्र.सं. 2007, मूल्य : 600.00 रुपये
18. **प्रेमचन्द–नयी पहचान** : (प्रेस में)
19. **प्रेमचन्द : कहानी रचनावली** (6 खण्डों में) : साहित्य अकादेमी, 35, फ़िरोजशाह मार्ग, नयी दिल्ली-110001, 2010, मूल्य : 1500.00 रुपये

(सम्पूर्ण)

20. **प्रेमचन्द : अनछुए प्रसंग** : मानसी पब्लिकेशंस, 1569, पहली मंज़िल, चर्च रोड, कश्मीरी गेट, दिल्ली-110006, प्र.सं. 2012
21. **प्रेमचन्द : वाद-प्रतिवाद-संवाद** : अयन प्रकाशन, महरौली, नयी दिल्ली, प्र. सं. 2012
22. **प्रेमचन्द (मोनोग्राफ)** : साहित्य अकादेमी, 35, फ़िरोजशाह मार्ग, नयी दिल्ली-110001, प्र.सं. 2013, मूल्य : 50 रुपये
23. **प्रेमचन्द : प्रतिनिधि संचयन** : सस्ता साहित्य मण्डल, नयी दिल्ली-110001, प्र.सं. 2013, मूल्य : 350.00 रुपये
24. **'गोदान' प्रथम संस्करण** (प्रेस में)
25. **'कफ़न' कहानी : आत्मा की तलाश** (प्रेस में)
26. **प्रेमचन्द : सम्पूर्ण दलित कहानियाँ** : सस्ता साहित्य मण्डल, नयी दिल्ली-110001, 2014
27. **प्रेमचन्द : राष्ट्र-प्रेम की कहानियाँ** : अनिल प्रकाशन, दिल्ली, 2014
28. **प्रेमचन्द का कहानी-दर्शन** : अनिल प्रकाशन, दिल्ली, 2014

(ख) अन्य साहित्यकारों पर पुस्तकें

1. **प्रभाकर माचवे–प्रतिनिधि रचनाएँ** : साहित्य-निधि, सी-38, ईस्ट कृष्णा नगर, दिल्ली, प्र.सं. 1984, मूल्य : 80.00 रुपये
2. **जगदीश चतुर्वेदी–एक विवादास्पद रचनाकार** : पल्लवी प्रकाशन, ए-35, निर्माण विहार, दिल्ली-110092; प्र.सं. 1985, मूल्य : 200.00 रुपये
3. **मन्मथनाथ गुप्त–प्रतिनिधि कहानियाँ** : जनप्रिय प्रकाशन, 29/60, गली नं. 11, विश्वास नगर, दिल्ली-110032, प्र.सं. 1985, मूल्य : 65.00 रुपये
4. **जिज्ञासाएँ मेरी–समाधान बच्चन के** : किताब घर, 24/4866, अंसारी रोड, दरियागंज, नयी दिल्ली-110002, प्र.सं. 1985, मूल्य : 60.00 रुपये
5. **रवीन्द्रनाथ त्यागी–प्रतिनिधि रचनाएँ** : पराग प्रकाशन, 3/114, कर्ण गली, विश्वास नगर, दिल्ली-110032, प्र.सं. 1987, मूल्य : 100.00 रुपये
6. **हज़ारीप्रसाद द्विवेदी–कुछ संस्मरण** : किताब घर, 24/4866, अंसारी रोड, दरियागंज, नयी दिल्ली-110002, प्र.सं. 1988, मूल्य : 100.00 रुपये
7. **विष्णु प्रभाकर–प्रतिनिधि रचनाएँ** : प्रभात प्रकाशन, 205, चावड़ी बाज़ार, दिल्ली-110006; प्र.सं. 1988, मूल्य : 150.00 रुपये
8. **यशपाल–कुछ संस्मरण** : पराग प्रकाशन, 3/114, कर्ण गली, विश्वास नगर, दिल्ली-110032, प्र.सं. 1990, मूल्य : 80.00 रुपये

9. **रामकुमार वर्मा नाटक रचनावली (तीन खण्डों में) :** किताब घर, 24/4866, अंसारी रोड, दरियागंज, नयी दिल्ली-110002, प्र.सं. 1990, मूल्य : 600.00 रुपये (सम्पूर्ण)
10. **लघुकथा का व्याकरण :** किताब घर, 24/4866, अंसारी रोड, दरियागंज, नयी दिल्ली-110002, प्र.सं. 1998, मूल्य : 200.00 रुपये
11. **दिनेशनंदिनी डालमिया से बातचीत :** हिन्दी बुक सेंटर, 4-5 बी, आसफ अली रोड, नयी दिल्ली-110002, प्र.सं. 2002, मूल्य : 160.00 रुपये
12. **मंजुल भगत–समग्र कथा-साहित्य (खण्ड एक एवं दो) :** किताब घर, 24/4866, अंसारी रोड, दरियागंज, नयी दिल्ली-110002, प्र.सं. 2004, मूल्य : 900.00 रुपये (सम्पूर्ण)
13. **ग़रीब होने के फ़ायदे एवं अन्य व्यंग्य रचनाएँ (रवीन्द्रनाथ त्यागी की व्यंग्य-रचनाओं का संकलन) :** प्रभात प्रकाशन, 4/19, आसफ अली रोड, नयी दिल्ली-110002, प्र.सं. 2008, मूल्य : 300.00 रुपये
14. **आपातकाल की प्रतिनिधि कविताएँ :** धारिका पब्लिकेशंस, 319, आर.जी. कॉम्प्लेक्स-1, सेक्टर-14, रोहिणी, दिल्ली-110085, प्र.सं. 2007, मूल्य : 400.00 रुपये
15. **गाँधी : पत्रकारिता के प्रतिमान :** नटराज प्रकाशन, ए-98, अशोक विहार, फेज-प्रथम, दिल्ली-110052, प्र.सं. 2008, मूल्य : 400.00 रुपये
16. **बालशौरि रेड्डी कथा-रचनावली :** मानसी पब्लिकेशंस, 1569, पहली मंज़िल, चर्च रोड, कश्मीरी गेट, दिल्ली-110006, प्र.सं. 2012
17. **रवीन्द्रनाथ त्यागी रचनावली (आठ खण्ड) :** वाणी प्रकाशन, 21-ए, दरियागंज, नयी दिल्ली-110002, प्र.सं. 2016

(ग) हिन्दी के प्रवासी साहित्य पर पुस्तकें

1. **अभिमन्यु अनत–एक बातचीत** : ज्ञान भारती, 4/14, रूपनगर, दिल्ली-110007, प्र.सं. 1985, मूल्य : 45.00 रुपये
2. **अभिमन्यु अनत–प्रतिनिधि रचनाएँ** : नटराज प्रकाशन, ए-98, अशोक विहार, फेज-प्रथम, दिल्ली-110052, प्र.सं. 1999, मूल्य : 350.00 रुपये
3. **मॉरिशस की हिन्दी कहानियाँ :** साहित्य अकादेमी, 35, फ़िरोजशाह मार्ग, नयी दिल्ली-110001, प्र.सं. 2000, मूल्य : 250.00 रुपये
4. **अभिमन्यु अनत : समग्र कविताएँ :** इरावती प्रकाशन, सी-487, विकासपुरी, नयी दिल्ली-110018, प्र.सं. 1998, मूल्य : 350.00 रुपये
5. **मॉरिशस के राष्ट्रकवि ब्रजेन्द्र कुमार भगत 'मधुकर' काव्य-रचनावली :** नटराज प्रकाशन, ए-98, अशोक विहार, फेज-प्रथम, दिल्ली-110052,

प्र.सं. 2003, मूल्य : 600.00 रुपये

6. **हिन्दी का प्रवासी साहित्य** : अमित प्रकाशन, के.बी.-97, कविनगर, ग़ाज़ियाबाद- 201002, प्र.सं. 2011, मूल्य : 600.00 रुपये

(घ) कमल किशोर गोयनका पर प्रकाशित पुस्तकें

1. **'समीचीन' पत्रिका का 'डॉक्टर कमल किशोर गोयनका अंक'** : सम्पादक—देवेश ठाकुर, मुम्बई
2. **प्रेमचन्द-साहित्य के अध्येता—डॉ. कमल किशोर गोयनका** : सम्पादक—देवेश ठाकुर, संकल्प प्रकाशन, ए-34, बिल्वकुंज हाउसिंग सोसाइटी, लालबहादुर शास्त्री मार्ग, मुलुंड (पश्चिमी), मुम्बई-400082, प्र.सं. 1990, मूल्य : 55.00 रुपये
3. **डॉ. कमल किशोर गोयनका का साहित्य-संसार** : निर्मला सैनी, अनिल प्रकाशन, 2619-20, न्यू मार्केट, नयी सड़क, दिल्ली-110006, प्र.सं. 2006, मूल्य: 200.00 रुपये
4. **'कल्पांत', फ़रवरी 2009, कमल किशोर गोयनका विशेषांक** : सम्पादक—मुरारीलाल त्यागी, 1962/151, त्रिनगर, दिल्ली-110035
5. **'समावर्तन', नवम्बर 2009, कमल किशोर गोयनका अंक** : सम्पादक—प्रभात कुमार भट्टाचार्य, 129, दशहरा मैदान, उज्जैन-456010
6. **'अभिनव इमरोज', जुलाई 2013, प्रेमचन्द विशेषांक** : सम्पादक—कमल किशोर गोयनका
7. **'पाण्डुलिपि' प्रवासी विशेषांक, रायपुर** : सम्पादक—कमल किशोर गोयनका, 2013